W9-CXT-438

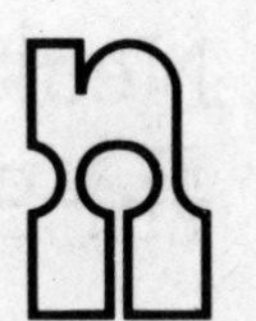

Neukirchener Beiträge zur Systematischen Theologie

Herausgegeben von
Wolfgang Huber, Bertold Klappert,
Hans-Joachim Kraus und Jürgen Moltmann

Band 1
Michael Welker
Universalität Gottes
und Relativität der Welt

Neukirchener Verlag

Michael Welker

Universalität Gottes und Relativität der Welt

Theologische Kosmologie
im Dialog mit dem amerikanischen Prozeßdenken
nach Whitehead

1981

Neukirchener Verlag

Die vorliegende Untersuchung wurde 1980 von der Evangelisch-theologischen Fakultät der Universität Tübingen als Habilitationsschrift angenommen.

Der Pfälzischen und der Württembergischen Landeskirche sowie der EKU danke ich für die Förderung der Drucklegung.

Neukirchener Verlag des Erziehungsvereins GmbH,
Neukirchen-Vluyn

Umschlagentwurf: Kurt Wolff, Düsseldorf
Gesamtherstellung: Breklumer Druckerei Manfred Siegel
Printed in Germany
ISBN 3-7887-0657-0

CIP-Kurztitelaufnahme der Deutschen Bibliothek

Welker, Michael:
Universalität Gottes und Relativität der Welt:
theol. Kosmologie im Dialog mit d. amerikan.
Prozeßdenken nach Whitehead / Micheal Welker.
– Neukirchen-Vluyn: Neukirchener Verlag, 1981.
(Neukirchener Beiträge zur systematischen
Theologie; Bd. 1)
ISBN 3-7887-0657-0

Vorwort

Dieses Buch möchte dazu beitragen, der von Gott und den Menschen redenden Theologie wieder »die Welt« in den Blickkreis zu rücken. Das Vorhaben bedarf einer Vorbemerkung, da viele Theologen mit der Rede vom Menschen die Rede von der Welt bereits erfaßt und abgehandelt zu haben glauben.

Die christliche Theologie hat sich lange darauf spezialisiert, das Verhältnis von Gott und den Menschen in einer zweistelligen Relation darzustellen. Vor allem und grundlegend wurde dieses Verhältnis in einer Ich-Du-Korrelation zur Vorstellung gebracht. Ohne Zweifel hat die Theologie mit Hilfe dieser Denkfigur erfolgreich und effektiv gearbeitet: Die eine Figur bewährte sich nicht nur in der Darstellung des Verhältnisses von Gott und »dem Menschen«, sondern auch bei Gedanken über Gottes Selbstverhältnis und die innergöttlichen Beziehungen. Schließlich bot sie auch noch die Grundlage für Aussagen über den Themenbereich »Mensch und Mitmensch«.

Doch die vielseitige Verwendung dieser vieles vereinfachenden und auf diese Weise wirksamen Grundfigur war zugleich mit hohen Opfern verbunden. So hat sich die Theologie, indem sie diese Grundfigur verwendete, die Ausarbeitung und Fortentwicklung der Lehre vom Heiligen Geist teils erspart, teils verstellt. Die Ich-Du-Korrelation gab auf eine gleichsam primitive Weise schnell Antworten auf Fragen, die sonst das schwierige Bemühen um die Geheimnisse der Pneumatologie erforderlich gemacht hätten.

Aber auch die theologische Behandlung von »Gesellschaft« und von »Welt« zählt zu den Opfern jener Denk- und Vorstellungsvereinfachung. Immer offensichtlicher wird, daß es sich bei der geläufigen Rede von Gesellschaft als »Gegenüber des Individuums« oder von Welt als »Gegenüber des Menschen« um Karikaturen handelt. Beständig nahm die wechselseitige Entfernung von Theologie und Kultur überall dort zu, wo komplexere, vielstellige Beziehungen, Beziehungsgeflechte zu erfassen und zu denken waren.

Diese Situation muß beachtet werden, wenn man sich heute dem Problem einer theologischen Kosmologie wieder zuwenden will. Diese Situation muß man sich aber auch vor Augen führen, um auf die Chancen und die Schwierigkeiten aufmerksam zu werden, die eine Beschäftigung mit Prozeßdenken und Prozeßtheologie mit sich bringen.

Sowohl die Neubehandlung des Problems einer theologischen Kosmologie als auch der Dialog mit der Prozeßtheologie nötigen dazu, vertraute Denk- und Vorstellungsmuster zu verändern.

Das Prozeßdenken, das der Mathematiker, Naturwissenschaftler und Philosoph A. N. Whitehead entwickelt hat, gehört zu einer »neuen Theoriegeneration«. Diese besteht, kurz gesagt, aus relativistischen Kosmologien, die mit multiperspektivischen Darstellungen von Welt arbeiten. Zu Spezialfällen werden in diesen Theorien die Subjekt-Objekt-, Ich-Du- und sonstigen zweistelligen Relationen, die den europäischen Denkgewohnheiten zugrunde liegen. Das Subjekt wird zudem nicht mehr als Fixpunkt, sondern als Konkretionsprozeß in einer relativen wirklichen Welt aufgefaßt; sein Sein wird als ›Werden zu sich‹, als Selbstverwirklichung im strengen Sinne gedacht.

Ein Kapitel der vorliegenden Untersuchungen wird in diese Kosmologie und die ihr eigene Theoriesprache einführen. Das Denken des Lesers wird mit einer neuen Konzeption von Welt, die zugleich mit einer gelassenen Emanzipation von der fraglosen Privilegierung des naturwissenschaftlichen Denkens verbunden ist, vertraut gemacht. Sodann wird die bislang einzige umfassende Kosmologie dieses Jahrhunderts mit ihrer Lehre von Gott und der objektiven Unsterblichkeit vorgestellt. Damit soll nicht einfach der Verbreitung einer neuen Theorie gedient werden, sondern der Herstellung einer Gesprächslage zwischen konventionell europäischen und amerikanischen prozeßtheologischen Konzeptionen. Dieser Dialog wiederum soll der gemeinsamen Arbeit an einer zugleich sachgemäßen und schriftgemäßen Erfassung der Welt dienen.

Deshalb wird das Buch schließlich die wichtigsten Denkanstöße des Prozeßdenkens in der konfessorischen Sprache ausformulieren. Dabei läßt sich die Untersuchung von der Überzeugung leiten, daß es die eigentümliche Kompetenz der Theologie ist, diese Ausdrucksform bzw. den damit verbundenen Erfahrungsbereich und den Bereich des wissenschaftlichen Diskurses kopräsent zu halten.

Der Brückenschlag zwischen einer hochentwickelten Kosmologie und einfachen biblischen Aussagen über die Welt soll der theologischen Rede den Eingang ins Bewußtsein unserer Zeit erleichtern. Auch in komplexeren und komplizierteren Perspektiven soll sich die Theologie der Aufgabe stellen können, die das Denken in der Ich-Du-Korrelation bewältigen sollte und in engeren, privateren Perspektiven auch weiter bewältigen wird: dem Schein der Ferne Gottes zu wehren und die Freude an der Nähe Gottes zu stärken.

Ohne vielfältige Unterstützung hätte ich die mit diesem Buch verbundenen Forschungsvorhaben nicht durchführen können. Der Deutschen Forschungsgemeinschaft danke ich für die Förderung eines Studienaufenthaltes an mehreren amerikanischen Universitäten. Dankbar bin ich der Harvard Houghton Library, die mich unveröffentlichte Schriftstücke aus

Whiteheads Nachlaß einsehen ließ, und dem Center for Process Studies in Claremont/Kalifornien, das mir sein reiches Textmaterial zur Verfügung stellte. Für weitere schwierige Textbeschaffung bin ich der Universitätsbibliothek Tübingen und der European Society for Process Thought verbunden.

Vor allem jedoch danke ich für orientierende Gespräche den Herren Professoren J. L. Adams, W. A. Christian, G. Kaufman, Ch. McCoy, D. Meeks, Sch. Ogden sowie Dr. R. D. Bendall. Besonders wichtig waren für mich mehrere Gespräche mit Herrn Prof. John Cobb in Claremont und Tübingen und mit Herrn Prof. Charles Hartshorne in Austin und Löwen.

Das Manuskript dieses Buches gelesen und durch Zustimmung und Kritik zur vorliegenden Fassung beigetragen haben die Herren Professoren J. Moltmann, O. Bayer, J. Cobb und die Freunde und Kollegen Dr. R. Bittner, Dr. I. Dalferth, Dr. K. Stock und Dr. M. Trowitzsch. Den akademischen Lehrern und Freunden bin ich zu großem Dank verpflichtet.

Herr Prof. Jürgen Moltmann hat mich zu diesem Forschungsvorhaben ermutigt und mich bei seiner Durchführung mit Rat begleitet und beständig unterstützt. Gelänge es diesem Beitrag, in der Verbindung von klassischen und nachneuzeitlichen Denkformen und in der Vermittlung zwischen europäischer und amerikanischer Theologie die gemeinsame Arbeit zu fördern, so wäre dies nicht zuletzt ihm zu verdanken.

Tübingen, im Winter 1980 Michael Welker

Inhalt

Einleitung

Demjenigen, der sich heute im Raum der Theologie mit der Kosmologie befassen will, legt sich ein Dialog mit der Prozeßtheologie nahe.

Denn diese Richtung kann gerade als die Theologie angesehen werden, deren Vertreter sich kontinuierlich auf eine bestimmte Kosmologie berufen, mit deren Gedanken letztlich ihr Vorgehen begründen und mit Hilfe der dort entwickelten Methoden denken und argumentieren wollen. Es handelt sich dabei um die Kosmologie, die Alfred North Whitehead entwikkelt hat, ein englischer Gelehrter, der von 1924–1947 in den Vereinigten Staaten, vornehmlich an der Universität Harvard, wirkte und dessen Einfluß auf die amerikanische Theologie schon jetzt nur dem vergleichbar ist, den Hegel in Europa ausübt.

Nun ist Whiteheads Werk keine Theologie, sondern es ist als eine philosophische Lehre von der Welt anzusehen. Dieser Tatbestand könnte dagegen plädieren lassen, einen Beitrag zur theologischen Kosmologie mit einem Dialog mit der philosophisch orientierten Prozeßtheologie zu verbinden. Man könnte argumentieren: Zwar sollte ein Dialog mit der amerikanischen Prozeßtheologie, der ihre Stärke sowie ihre originellen und wesentlichen Themenstellungen betreffen will, die Kosmologie zum Inhalt haben. Das heißt aber noch nicht, daß die Entwicklung einer *spezifisch theologischen* Kosmologie eines solchen Dialogs notwendig bedarf. Die Beschäftigung mit Whiteheads Werk könnte die Formulierung einer theologischen Kosmologie gerade behindern und gefährden.

Dieser Einwand sollte ernst genommen werden, auch wenn er vielen als engsichtig erscheinen mag. Er sollte nicht mit dem Hinweis abgewehrt werden, daß Whiteheads Werk unter anderem einen beachtenswerten Gottesbegriff ausgebildet und Grundzüge einer Religionstheorie entwickelt habe. Auch sollte man sich an dieser Stelle nicht auf den Öffentlichkeitserfolg von Prozeßdenken und Prozeßtheologie berufen, den mehr als zweitausend Publikationen – in einem Zeitraum von wenigen Jahren – zweifellos dokumentieren.

In der Tat stellt das Faktum vor Schwierigkeiten, daß eine philosophische Kosmologie in einer theologischen Richtung als grundlegende, prägende und verbindende Komponente Aufnahme gefunden hat. Solche Schwierigkeiten sind uns vertraut; wir erkennen sie in z.B. von Aristoteles, Kant, Hegel oder Heidegger wesentlich beeinflußten Theologien durchaus; jedoch müssen die Probleme, die mit einer Fusion von Theologie und Philosophie auftreten, immer neu – und so auch in diesem Fall – definiert und gemeistert werden, wenn wir nicht der Transformation christlicher Theologie in Mischformen reflektierter Religiosität tatenlos zusehen wollen. Ein nur äußeres Zeichen für die Behinderung einer theologischen Verständigung, die Whiteheads Werk mit sich bringt, ist die schwierige Sprache, die er bei der Entwicklung seiner Kosmologie ausgebildet hat. Doch diese Barriere läßt sich abbauen; dieses Buch dürfte erheblich dazu beitragen können, indem es zeigt, wie Whiteheads Theorie unter dem Bemühen, die mathematische Formelsprache und die natürliche Sprache zu verbinden, sukzessive entsteht.

Die Prüfung einer den Bereich der natürlichen Sprache transzendierenden Theorie ist eine Aufgabenstellung, der sich die Systematische Theologie beim Bemühen um eine dialogfähige theologische Lehre von der Welt zuwenden muß. Zugleich ist es eine der Aufgabenstellungen, denen sich die Prozeßtheologen bereits zugewendet haben – auf aussichtsreiche oder markant problematische Weise, jedenfalls intensiver und lehrreicher, als es innerhalb kontinentaler Traditionen bislang geschehen ist.

Daß sich die Systematische Theologie dieser Aufgabenstellung auf Dauer kaum entziehen kann, selbst wenn sie das Thema der Kosmologie ignorieren wollte, läßt sich leicht deutlich machen. Es ist nur hinzuweisen auf die oft wiederholte Forderung nach einem Dialog der Theologie mit *den* Wissenschaften, die sich wesentlich nicht in der natürlichen Sprache artikulieren, namentlich auf die Forderung nach einem Dialog mit den Naturwissenschaften. Das hier zugrundeliegende Problem – ob und wie sich die Theologie außerhalb der natürlichen Sprache artikulieren solle – tritt aber auch auf in der Forderung, die Theologie solle die Leiblichkeit des Menschen und den Bereich vorsprachlicher menschlicher Äußerungen stärker beachten und auf diesen Bereich anregend Einfluß nehmen. In diesen Anforderungen wird die Berufung auf *das Wort Gottes* nicht direkt in Frage gestellt, wohl aber die Selbstverständlichkeit der Identifizierung von »Wort« und »Äußerung in natürlicher Sprache«. Während wir hierzulande noch relativ ratlos sind angesichts der Risiken und Chancen, die sich der Theologie damit eröffnen, haben sich die amerikanischen Prozeßtheologen mit einer Theorie befaßt, die die *Übergänge von vorsprachlichen zu natürlich-sprachlichen und zu formal-sprachlichen Darstellungsformen* zu diagnostizieren sucht und die zugleich eine *Theorie des Empfindens* entwickelt, die nicht auf das selbstbewußte menschliche Individuum beschränkt bleibt.

Das dabei ungelöste Problem, wie sich die Theologie außerhalb der natürlichen Sprache artikulieren oder auch nur aktiv und passiv verständigen soll, ist ein entscheidendes Hindernis für den Zugang zu Schwierigkeiten, die gegenwärtig als höchst bedrängend gelten. Denken wir nur an die Problemsyndrome, die der Theologie mit Stichwörtern wie »neue Spiritualität«, »Dialog mit dem naturwissenschaftlich verwalteten Wahrheitsbewußtsein« oder »Neubestimmung des Verhältnisses von Mensch und Natur angesichts der ökologischen Überlebenskrise« zugespielt worden sind. Hier zeigt sich in jedem Fall als sachliches Kernproblem die Schwierigkeit, den Übergang von der theologischen und der natürlichen zu anderen ›Sprach‹ebenen zu vollziehen.

Man muß nicht überempfindlich sein, um vor dieser Aufgabe zurückzuschrecken. Wie soll die Theologie Theorien prüfen, die den Bereich der natürlichen Sprache überschreiten, ohne selbst diesen Bereich zu verlassen?

Tatsächlich ist es naheliegend, aufgrund dieser Schwierigkeiten nicht nur auf einen Dialog mit der Prozeßtheologie, sondern auch auf eine Beschäftigung mit der Kosmologie zu verzichten. So wie sich die Theologie angesichts der Forderungen nach einem Dialog mit den Naturwissenschaften und nach Expansion ihres Wirkungsbereichs in non-verbale Äußerungsformen hinein für inkompetent erklären kann bzw. – wie es faktisch noch häufig geschieht – die Lösung dieser Aufgabe ihrerseits von anderen Wissenschaften erwarten könnte, so könnte sie auch die Kosmologie außerhalb ihres Kompetenzbereichs ansiedeln.

Doch eine zweite Aufgabenstellung macht es der Systematischen Theologie schwer, so zu verfahren. Es gehört zu ihren Pflichten, der Theologie überhaupt und der Kirche die besten und die umfassendsten der jeweils vorhandenen Denk- und Darstellungsformen zugänglich zu machen bzw. die hochentwickelten, kulturell wirksamen Denk- und Darstellungsformen unter eine gewisse Kontrolle durch Reflexion zu bringen.

Nun läßt sich in Whiteheads Prozeßdenken (das er selbst »Organismus-Philosophie« genannt hat) eine *neue Theoriegeneration* erkennen, die hauptsächlich in Reaktion auf die Umgestaltung des Denkens durch die relativistische Physik entwickelt worden ist. Eine weitere Variante dieser neuen Theoriegeneration hat – in Form der funktionalen Systemtheorie – den Kontinent inzwischen erreicht und alle diejenigen, die mit »neuzeitlichen«, d.h. bewußtseins- bzw. beobachterzentrierten Theorien zu arbeiten gewöhnt sind, in Verwirrung gesetzt. Diese neuen Theorien bringen Legitimationspotentiale für eine »neue Religiosität« mit sich, die man kurz als *Weltgesellschaftsgläubigkeit* oder als *Kosmosfrömmigkeit* bezeichnen kann. Ob man im Bereich der Theologie diese Haltungen nun als »Anknüpfungspunkt« begrüßen und mit theologischen Positionen der Tradition verbinden will oder ob die Theologie zu einer erneuten Auseinandersetzung mit dem Aberglauben antreten wird, sie sollte auf jeden Fall die Genese und die Ausgestaltung dieses Theorietypus möglichst klar erfaßt haben sowie seine theologisch anziehend erscheinenden Applikationsmöglichkeiten kennenlernen. Hierbei aber sollte sie auf die in der Prozeßtheologie bereits gemachten Erfahrungen zurückgreifen.

Eine dritte Aufgabenstellung macht es der Theologie schließlich unmöglich, sich von der Pflicht der Auseinandersetzung mit den besten und den integrationsfähigsten der jeweils vorhandenen Denk- und Darstellungsformen zu entbinden. Es ist dies die Aufgabe, die Verheißung der *Universalität Gottes* zu vergegenwärtigen. Die Verheißung der Universalität Gottes – d.h. prägnant: »daß in dem Namen Jesu sich beugen sollen aller derer Knie, die im Himmel und auf Erden und unter der Erde sind . . .« (Phil 2,10) – verwehrt der Theologie den Rückzug auf einen regionalen oder temporellen Provinzialismus. Diese dritte Aufgabenstellung erst begründet die beiden anderen, nämlich immer neue Denk- und Darstellungsformen zu prüfen und immer erneut die Chancen und Risiken der Erweiterung des theologischen Tätigkeits- und Wirkungsbereichs zu nutzen bzw. auf sich zu nehmen.

Warum, so wird man sich nun fragen, können dann aber überhaupt noch grundsätzliche Schwierigkeiten auftreten hinsichtlich eines Dialogs mit der kosmologisch orientierten Prozeßtheologie?

Die folgenden Untersuchungen wollen dazu beitragen, diese Frage zu beantworten und zugleich die Schwierigkeiten zu beseitigen. Sie werden dartun, daß die nachneuzeitlichen Kosmologien sehr attraktive Vorschläge unterbreiten, die Universalität Gottes in Gedanken und Vorstellungen zu fassen. Viele sonst bewährte apologetische Einwände der Theologie, die davor warnten, »Gott und Welt« zu verwechseln oder »den Menschen an die Stelle Gottes zu setzen«, werden nicht mehr in der Lage sein, diese neuen Kosmologien zu treffen. Sie sind weder geozentrische noch egozentrische »Weltanschauungen«. Die Auseinandersetzung mit diesem neuen Typ von Kosmologie und seiner theologischen Aneignung wird uns vielmehr vor das Problem der Verwechslung von *Gott und Himmel* und das der damit verbundenen Entheiligung seines *Namens* stellen. Diese Verwechslung ist nicht neu, sie war aber lange Zeit unauffällig.

Die Rede, daß Gott das oder der Jenseitige, ganz Andere, Transzendente usw. sei, die Auffassung, daß er nur in einer näheren oder ferneren Vergangenheit oder Zukunft zu seinem Recht gekommen sei bzw. kommen werde, seine Gnade erwiesen habe und erweisen werde oder daß er gegenwärtig nur in einer tief verborgenen Innerlichkeit handle – diese und andere religiöse Äußerungen stellen nicht ohne weiteres durchschaubare Verwechslungen von Gott und Himmel dar. Dabei handelt es sich nämlich nicht einfach um eine Verwechslung von Gott mit dem Firmament, der Atmosphäre und den Planetenbewegungen, die Hegel im Anschluß an Gedanken des Aristoteles den »sichtbaren Gott« nannte, wohl aber um eine Verwechslung mit komplexeren, komplizierteren und abstrakteren Gedanken und Vorstellungen des Himmels, des Bereichs der Schöpfung, der z.B. als jenseitiger, als uns zugleich naher und ferner anderer, für uns relativ unbestimmter, nicht manipulierbarer, aber auch als Wärme, Licht und Leben spendender Bereich angesehen wird.

Die Verwechslung von Gott und Himmel ist schwer zu erkennen, weil sie Gott als Geschöpf auffaßt, zugleich aber seine relative Entzogenheit auszusagen in der Lage ist. Auf diese Weise kann Gott eine beliebig privilegierte Stellung im Kosmos zugeschrieben werden – zugleich aber kann eine Kontinuität zwischen diesem besonderen und allen anderen Geschöpfen behauptet werden.

Dieser Verwechslung von Gott und Himmel und der damit verbundenen

– vielleicht unauffälligen, aber doch sehr wirksamen – Entheiligung seines Namens wehrt freilich die ganze Christenheit: d.h. sie ruft Gott an, ihrer zu wehren, indem sie ihn als Vater *im* Himmel anredet und ihn selbst um die Heiligung seines Namens *bittet.* An diese Unterscheidung des christlichen Glaubens von allen – auch den subtilsten – Spielarten einer Kosmosfrömmigkeit ist also nur zu erinnern. Unsere gesamte Untersuchung kann somit als ein systematisch-theologischer Beitrag zur Auslegung von Mt 6,9 aufgefaßt werden.

Durch diese Problematik wird die Theologie dazu genötigt, sich wieder mit der theologischen Bestimmung der *Welt* als »Himmel und Erde« und mit der Rede von »Gott im Himmel« zu befassen. Damit aber betritt sie zwangsläufig das Gebiet der theologischen Kosmologie.

Ohne den Dialog mit der Prozeßtheologie bzw. die Aneignung wichtiger Einsichten des nachneuzeitlichen relativistischen Prozeßdenkens wäre die Verwechslung von Gott und Himmel nicht nur nicht auffällig geworden; es wären auch die Bestimmungen von Himmel und Erde wohl noch eine Weile mit primitiven Oben-Unten- sowie Diesseits-Jenseits-Vorstellungen verbunden und vom Schein des Befremdlichen und Überholten umgeben geblieben. So aber können jene einfachen theologischen Wendungen wieder zu der Erkenntnis führen, die für die theologische Kosmologie grundlegend ist – zur Erkenntnis des Zusammenhanges von Universalität Gottes und Relativität der Welt.

Dogmatisch bemüht sich dieses Buch darum, die Unterscheidung von Herrlichkeit und Universalität Gottes deutlich zu machen, um Raum zu gewinnen und abzustecken für eine theologische Kosmologie, die sich, wenn sie einmal voll entwickelt sein wird, als dogmatischer Ort der Apologetik und als eines der Verbindungsstücke von Schöpfungslehre und Eschatologie erweisen dürfte. Die theologische Kosmologie wird im Rahmen dieser Untersuchung jedoch nur insoweit thematisiert, als sie im *Dialog* und in der Auseinandersetzung mit der amerikanischen Prozeßtheologie zum Tragen kommt. Die *apologetische* Auseinandersetzung mit der kosmologischen Theorie Whiteheads erfolgt nach ihrer fruchtbaren Seite hin durch begreifende Aneignung und in Hinweisen auf ihre wichtigen, aber begrenzten *Funktionen* in theologischer Arbeit. Nach ihrer ablehnenden und kritischen Seite hin nimmt sie Whitehead beim Wort, der Gott als ein besonderes, einzigartiges Geschöpf auffaßt, und diagnostiziert eine Verwechslung von Gott und Himmel.

Kurz und programmatisch formuliert, will dieses Buch die theologische Bestimmung der Welt als »Himmel und Erde« und die Rede von »Gott im Himmel« rehabilitieren, mit dem gegenwärtigen Wirklichkeitsbewußtsein versöhnen und in die christliche Verkündigung zurückholen.

Kapitel I

Universalität Gottes und das Problem einer theologischen Kosmologie

1. *Die Universalität Gottes – ein Merkmal seiner Herrlichkeit*

Die Universalität Gottes ist ein Merkmal seiner Herrlichkeit. Alle Welt besinge die Herrlichkeit Gottes, die Herrlichkeit seines Namens; seine Herrlichkeit fülle die ganze Erde; sie setze sich über Not, Schuld und Gottlosigkeit, über das ihr Entgegenstehende hinweg; sie sei ewig und rage sogar über den Himmel hinaus – so lesen wir im Alten Testament[1]. Daß wir die von aller Welt zu besingende, die ganze Erde erfüllende, das Widersprechende überwindende, daß wir die ewige Herrlichkeit in Jesus Christus gesehen haben, wiedererkennen werden und daß im Himmel, auf Erden und sogar unter der Erde Gott verherrlicht wird, sagt das Neue Testament[2].

Die Universalität Gottes ist nur *ein* Merkmal seiner Herrlichkeit. Da sie nicht als einziges Merkmal unverdeckt auftritt, wird es für uns immer wieder fragwürdig, daß Gott uns »von allen Seiten umgibt«[3], daß er »alle Tage bis an das Ende der Welt« bei uns ist[4]. Wir meinen feststellen zu können, daß *nicht alle* Welt seine Herrlichkeit besingt, und meinen oftmals, folgern zu müssen, daß *alle* Welt nicht Gottes Herrlichkeit besinge, sondern zur Zeit zum Beispiel den wirtschaftlichen Erfolg; wir meinen sagen zu müssen,

1 Vgl. Ps 66,1f.; 72,19; 79,9f.; 104,31; 113,4. Ich nehme hier, orientiert an *C. Westermann*, THAT, Bd. I, 794–812, bes. 806, den Gesichtspunkt der Majestät Gottes und dazu nur wenige Belege auf.
Zum Erfahrungsort s. den Gedanken der Verbindung eines »streng theologischen« Sprachgebrauchs mit vom Propheten vernommenem »hymnische(n) Überschwang« in der Sprache der *Hoffnung*, den *G. v. Rad* skizziert in ThWNT, Bd. II, 240–245, bes. 245.

2 Vgl. u.a. Röm 5,2 (vgl. *U. Wilckens*, Der Brief an die Römer, EKK VI/1, Neukirchen 1978, 290) u. 8,17.18 (vgl. zu Röm 8,18 *E. Käsemann*, An die Römer, HNT 8a, Tübingen 1973, 220ff., bes. 221f.); Phil 2,10f. (zur freilich entscheidenden sachlichen Unabtrennbarkeit vor allem von Phil 2,7f. s. *M. Hengel*, Der Sohn Gottes. Die Entstehung der Christologie und die jüdisch-hellenistische Religionsgeschichte, 2. Aufl., Tübingen 1977, 134f.); Joh 1,14; 17,22.24 (dazu *E. Käsemann*, Jesu letzter Wille nach Johannes 17, 3. Aufl., Tübingen 1971, bes. 16ff.); 2 Kor 3,18 (vgl. dazu *H. Lietzmann*, An die Korinther I/II, HNT 9, 4. Aufl., Tübingen 1949, 113ff.); 1 Petr 5,1.4.10; 2 Petr 1,3.16ff. S. auch *H. Schlier*, Doxa bei Paulus als heilsgeschichtlicher Begriff. In: Besinnung auf das Neue Testament. Exegetische Vorträge und Aufsätze, 2. Aufl., Freiburg, Basel u. Wien 1967, 307ff., bes. 317.

3 Ps 139,5. Zu dieser vertrauten, aber freien Übersetzung s. z.B. *H.-J. Kraus*, Psalmen, BK.AT XV/2, 5. Aufl., Neukirchen 1978, 1091.

4 Mt 28,20; vgl. in unserem Zusammenhang aber auch *H. J. Held*, Matthäus als Interpret der Wundergeschichten. In: *G. Bornkamm, G. Barth, H. J. Held*, Überlieferung und Auslegung im Matthäusevangelium, WMANT 1, 7. Aufl., Neukirchen 1975, 255.

daß alle Welt seine Herrlichkeit nicht besinge, sondern an ihr gleichgültig vorübergehe oder ihrer geradezu spotte.

Diese Feststellungen und Folgerungen sind gewiß überzogene Reaktionen; sie sind Ausdruck der Enttäuschung darüber, daß die Universalität und die Herrlichkeit Gottes offensichtlich nicht einfach identisch sind. Voller enttäuschter Sehnsüchte[5] und nach dem Prinzip »alles oder nichts« meinen wir: Erfüllt die Herrlichkeit nicht uns ersichtlich die *ganze* Erde, so ist es fragwürdig, ob sie überhaupt die Erde berührt; vernichtet sie nicht *alle* Not, Schuld und Gottlosigkeit, so ist es fraglich, ob sie das ihr Entgegenstehende überhaupt zu meistern vermag. Ist sie nicht *uneingeschränkt* gegenwärtig, so ist sie nicht ewig, sondern vergangen, und sogar auf nicht erinnerungsfähige Weise vergangen. Sie ist vorbei, und was vorbei ist, darüber sollten wir schweigen, das sollten wir vergessen haben. »Es ist so gut, als wär es nicht gewesen.«[6]

Angesichts solcher Erwägungen, die ja durchaus nicht nur Karikaturen gegenwärtiger religiöser Denkgewohnheiten sind, ist es eine Aufgabe der Theologie, deutlich zu machen, daß Herrlichkeit und Universalität Gottes deshalb nicht identisch sind, weil Gottes Herrlichkeit eben nicht bloß das Merkmal der Universalität aufweist. Gottes Herrlichkeit ist nicht nur aufzufassen als »etwas, über dem nichts *Größeres* gedacht werden« kann[7]. Sie ist – wenn denn Steigerungsformeln und Formeln von solcher Allgemeinheit verwendet werden sollen – unter anderem auch das, worin nichts Intensiveres erlebt, woneben nichts Gewichtigeres gefürchtet, wonach nichts Schöneres gehört und gesehen werden kann[8]. Dies und anderes erfaßt der auf Größe und Ausdehnung fixierte Gedanke der Universalität gar nicht oder, bei größerer Präzisierung, allenfalls unzureichend.

Bei dem Bemühen zu zeigen, daß die Herrlichkeit Gottes intensiver, reicher, schöner, eben gewichtiger[9] ist, als es ihr Merkmal der Universalität auszudrücken vermag, darf aber dieses Merkmal nicht zurücktreten und verblassen. Die Universalität Gottes *ist* ein Merkmal seiner Herrlichkeit, und sie ist durch andere Merkmale nicht quantitativ oder extensiv zu überbieten. Über sie hinaus kann in der Tat *nichts Größeres* gedacht werden. Andere Merkmale der Herrlichkeit Gottes können nur auf Kosten von Un-

5 Vgl. dazu *J. Moltmann*, Gotteserfahrungen: Hoffnung, Angst, Mystik, München 1979, 46f. u. auch 65ff.

6 *J. W. v. Goethe*, Faust. Der Tragödie zweiter Teil. Vers 11601. S. auch *Hegels* Aphorismus aus der Jenenser Zeit: »In Schwaben sagt man von etwas längst Geschehenem: es ist schon so lange, daß es bald nicht mehr wahr ist. So ist Christus schon so lange für unsere Sünden gestorben, daß es bald nicht mehr wahr ist.« In: Dokumente zu Hegels Entwicklung, hg. *J. Hoffmeister*, 2. Aufl., Stuttgart 1974, 358.

7 *Anselm von Canterbury*, Proslogion, hg. *F. S. Schmitt*, Stuttgart 1962, 84, 84ff., Hervorhebg. Vf.

8 Vgl. *K. Barths* Bemühen, den Ausdruck *Anselms* zu »umschreiben« und zu interpretieren, Fides quaerens intellectum. Anselms Beweis der Existenz Gottes im Zusammenhang seines theologischen Programms, 3. Aufl., Zürich 1966, 70.

9 S. dazu *Westermann*, aaO., 794ff.

klarheit und Verwirrung als über die Universalität »hinausgehend« aufgefaßt werden. Es gibt keine *quantitative Steigerung*, die über die Universalität Gottes hinausführte, sie überböte. Daran ist festzuhalten, auch wenn in einer stark an quantitativen Steigerungen orientierten Zeit der Eindruck entstehen könnte oder bestärkt wird, es gebe *dann gar keine* Steigerung angesichts der Universalität Gottes, diese sei das *wesentliche* Merkmal seiner Herrlichkeit.

Den Gedanken, daß die Universalität Gottes das wesentliche Merkmal seiner Herrlichkeit sei, kann die Theologie nicht einfach zurückweisen. Sie kann ihn aber prüfen und seine Fixierung und Privilegierung verhindern. Sie kann dabei davon ausgehen, daß mit diesem Gedanken die Universalität unzureichend, fehlorientiert, ja, zu gering gefaßt wurde. Sie kann unterstellen: Nur weil die Universalität zu gering gefaßt wurde, mußte der Gedanke der Universalität an die Spitze gesetzt, mußte er überbetont, mußten die anderen Merkmale von Gottes Herrlichkeit zurückgedrängt, verdunkelt werden. Sie kann unterstellen: Mit einer Überbetonung der Universalität Gottes zuungunsten der anderen Merkmale von Gottes Herrlichkeit wird der Versuch gemacht, eine ungenügende, zu enge Auffassung der Universalität Gottes gleichsam zu korrigieren und zu kompensieren.

2. *Die Universalität Gottes und der Übergang zur Weltgesellschaft*

An Versuchen, plastische Vorstellungen und Gedanken der Universalität auszubilden, fehlt es derzeit nicht. Zu den überzeugendsten und interessantesten Diagnosen unserer Zeit gehören diejenigen, die sie als Übergang zur Weltgesellschaft verstehen wollen[10]. Dabei werden neue, ungeahnte Begegnungs- und Kooperationschancen prophezeit, aber auch die belastenden Steigerungen der Interdependenzen gefürchtet. Neben den Begegnungschancen werden die Krisenherde, neben den Möglichkeiten, reizvolle neue Erfahrungen zu machen, werden die Wahrscheinlichkeiten, auf riskante Weise Erwartungen zu enttäuschen, antizipiert und prophylaktisch fingiert. Mit neuen Theorien und Technologien, unter Modifikationen des Lebensstils und Vereinfachung formaler sozialer Verhaltensformen soll dieser Übergang vollzogen, verantwortlich gestaltet, genossen oder auch nur heil überstanden werden. Mehr oder minder klar ausgearbeitete Konzeptionen einer universalen Gesellschaft steuern diese Diagnosen und Theorievorschläge oder flankieren sie zumindest.

Auch wenn man darüber streiten wollte, ob solche Konzeptionen verfrüht oder gar verfehlt seien, so bleibt doch zu beachten, daß sie sich aus-

10 Vgl. *N. Luhmann*, Die Weltgesellschaft. In: Soziologische Aufklärung, Bd. 2, Opladen 1975, 31–71, bes. 33ff.; *J. Moltmann*, Kirche in der Kraft des Geistes. Ein Beitrag zur messianischen Ekklesiologie, München 1978, z.B. 172ff.; aber auch *A. M. Allchin*, Trinity and Incarnation in Anglican Tradition, Oxford 1977, 17.

breiten und verstärken und hohe Grade von Plausibilität beanspruchen können. Für Theologie und Kirche bringt diese Situation nicht nur – für die einen hoffnungsvolle, für andere furchteinflößende – Erwartungen neuer, unbekannter missionarischer, apologetischer und polemischer Situationen mit sich. Eine reale oder fingierte, jedenfalls bestimmende Erfahrung des Übergangs zu einer universalen Gesellschaft berührt auch die theologische Artikulation der Gotteslehre: Angesichts dieser Erfahrung wird die Universalität Gottes in neuer Weise hervorgehoben oder verschwiegen werden[11]. Es werden Fragen artikuliert werden wie die, ob Gott diese Entwicklung fördert und stärkt oder ob er sie verhindert und gestört wissen will, ob sich Universalität Gottes und universale Gesellschaft in ein positives oder negatives Verhältnis setzen lassen usw.

Es gibt gute Gründe, das wichtigste theologische Problem in dieser Situation darin zu sehen, daß die Universalität Gottes direkt nach einem Bilde oder einem wesentlichen Defizit der universalen Gesellschaft konzipiert wird. In der Tat ist die »Bedürfnisreligiosität« und das »Wir-brauchen-einen-Gott,– der . . .« -Denken nicht eben rückläufig[12]. Doch ein Vorgehen, das die vage Vision oder mehr oder weniger klare Imaginationen einer zukünftigen Gesellschaft und die Hauptprobleme auf dem Weg zu ihrer Entwicklung zur Grundlage von religiösen Konstruktionen macht, ein solches Vorgehen ist noch immer schnell durchschaut und von theologischer und außertheologischer Kritik bald verabschiedet worden.

Unauffälliger, aber viel dringlicher ist das Problem, daß die Universalität Gottes als positives Vorbild oder als negativer Kontrast zur Weltgesellschaft nicht konzipiert, aber doch schließlich ausformuliert, zu Ende formuliert wird. Das heißt, problematischer als die relativ leicht durchschaubare Ausbildung eines Gottesgedankens nach einem Bilde der Welt ist die Konzeption eines Konvergierens von Gottes Universalität und einer bestimmten Verfassung der Menschheit einer Epoche. Auf den ersten Blick hin kann der Gedanke theologisch haltbar erscheinen, daß Gottes Universalität und die universale Gesellschaft jetzt, demnächst oder später in ein Konvergenzverhältnis oder auch nur in ein von uns absehbares bestimmtes Negationsverhältnis treten. Im Rahmen dieses Gedankens kann, so mag es scheinen, die Souveränität Gottes unmißverständlich betont werden; es können Schuld und Versäumnisse des Menschengeschlechts als – auf kurze oder beliebig lange Frist – fortbestehend zum Ausdruck gebracht werden; Heils- und Unheilsansagen können auf bestimmte Verhaltensweisen bezogen werden usw.

Doch damit wird die Universalität Gottes verdunkelt und seiner Herrlichkeit wird nicht gedacht. Die Universalität Gottes kann weder aufgrund theo-

11 Vgl. hierzu *E. Jüngel*, Gottes Sein ist im Werden, 3. Aufl., Tübingen 1976, bes. 132f.
12 S. sogar *D. Sölle*, Gott und das Leiden. In: Diskussion über Jürgen Moltmanns Buch »Der gekreuzigte Gott«, hg. *M. Welker*, München 1979, 113ff.; und *J. Moltmanns* Kritik in: Antwort auf die Kritik an »Der gekreuzigte Gott«, ebd. 178.

logischer noch aufgrund außertheologischer Erwägungen auf einen bestimmten, nur gegenwärtigen oder nur zukünftigen *Zustand der Menschheit dieser Erde* eingeengt werden; und sie kann erst recht nicht als von diesem oder von anderen Zuständen der Menschheit dieser Erde getrennt oder auch nur unüberbrückbar entfernt angesehen werden.

Wird behauptet, die Universalität Gottes komme in einem bestimmten raumzeitlich begrenzten Zustand der Menschheit dieser Erde in schließlich vollkommener Weise zum Ausdruck, sie werde von ihm endlich auf adäquate Weise gespiegelt, so wird statt der Verherrlichung Gottes vielmehr ein Gruppen-, Generationen-, Regionen- und Epochenegoismus eingeleitet[13].

Diese Situation, die man als »Verkrampfung der Welt« auffassen kann, wird nicht verhindert, sondern befördert und verschlimmert, wenn bestimmte Gruppen, Generationen, Regionen oder Epochen als von der Teilhabe an Gottes Universalität einfach ausgeschlossen angesehen werden. Auch hier wird Gottes Herrlichkeit – ängstlich oder anmaßend – verdrängt, Gott wird nicht als Herr über Sünder und Gerechte, über Lebendige und Tote, über das Vergangene, Gegenwärtige und Zukünftige, über Himmel und Erde geehrt. Wie im ersten Fall durch willkürlich positive Bestimmung, so wird im zweiten Fall durch willkürlich negative Bestimmung die Universalität Gottes beschränkt.

In beiden Fällen ist es die – einmal für gut, einmal für böse erachtete – *Attraktivität eines bestimmten raumzeitlichen Bereichs der Welt*, die den Blick gefangenhält und blendet. Gottes Herrlichkeit sei nicht ewig, sondern auf eine bestimmte Zeit begrenzt, nicht alle Welt, sondern nur eine bestimmte Gruppe von Generationenfolgen singe ihr, nicht die ganze Erde, sondern nur bestimmte Regionen seien von ihr erfüllt, Not, Schuld und Gottlosigkeit überwinde sie nur zu einem bestimmten Grade und unter gewissen Bedingungen in gewissen Bereichen, so scheinen wir dann resigniert umformulieren zu müssen[14]. Gottes Herrlichkeit und Gottes Universalität schließen einander aus: Nur einige Knie, vielleicht nur der Irdischen oder nur der Himmlischen, werden sich beugen, und nur einige Zungen werden lobpreisend bekennen: Herr ist Jesus Christus[15]. So müßte es lauten, wenn wir die Universalität Gottes nur mit einer raumzeitlich bestimmten Weltgesellschaft konvergieren bzw. mit raumzeitlich bestimmten Gesellschaften überhaupt nicht in Beziehung treten sähen.

Es ist einer der Beiträge der folgenden Untersuchungen, den – positiven

13 Den »Egoismus der gegenwärtigen Generation« hat *J. Moltmann* diagnostiziert, s. Theologische Erklärung zu den Menschenrechten. In: Gottes Recht und Menschenrechte. Studien und Empfehlungen des Reformierten Weltbundes, hg. *J. M. Lochman* u. *J. Moltmann*, Neukirchen 1976, 53, vgl. 52f.; zur Auseinandersetzung mit Gruppen- und Regionenegoismen s. *J. Moltmann*, Zukunft der Schöpfung. Gesammelte Aufsätze, München 1977, bes. 113ff., 134ff. u. vor allem 174ff.

14 Vgl. dazu o. Anm. 1.

15 Vgl. damit Anm. 2, bes. natürlich den Hinweis auf die Verse des Philipper-Hymnus.

oder negativen – religiösen Fixierungen auf den Übergang zur Weltgesellschaft vorzubeugen bzw. den Abschied zu geben. Der bloße Übergang zu einer Weltgesellschaft – womit ja über die Beendigung von Zuständen ungerechter Freude, freudlosen Friedens usf. noch nichts gesagt ist – kann die Universalität Gottes weder bestätigen oder gar zur Darstellung bringen, noch kann er sie in Frage stellen und ihr widersprechen.

Eine theologische Kosmologie kann dazu beitragen, die Fixierung auf die gerade vorliegenden und unmittelbar bevorstehenden Weltzustände zu entkrampfen. Sie kann dazu beitragen, daß die Bestimmung von Universalität nicht von einer Binnenbeschaffenheit der Verhältnisse zwischen allen lebenden Menschen auf dieser Erde in einer bestimmten Epoche abhängig gemacht wird. Sie kann zu einer Bestimmung »der Welt« führen, die diese von der Bestimmung »der zu meinen Lebzeiten auf dieser Erde lebenden Menschen« abhebt. Abgesehen von der Auflösung solcher egoistischen und unrealistischen Perspektiven – es sterben ja täglich, in sogenannten normalen Zeiten, so viele Menschen, wie eine Großstadt Einwohner zählt – könnte eine wieder klarere Fassung der Rede von Welt auch zum Verzicht auf die Überbetonung der Universalität ermutigen, die eine zu enge Ansicht der Welt nach sich zieht. Damit wäre zwar noch keine positive Lehre von der Universalität Gottes gewonnen, es wäre aber doch eine ihrer wesentlichen Behinderungen eingedämmt.

Diese Ankündigung nötigt allerdings zu einer Antwort auf die verbreitete, zweifelnde Frage, ob eine Theorie der Welt heute überhaupt noch möglich sei. Wir werden also zuerst den Einwand zu entkräften suchen, der lautet: Eine Theorie der Welt ist heute nicht mehr möglich, also ist eine theologische Kosmologie erst recht unmöglich. Wir werden sodann dartun, daß eine hochentwickelte Kosmologie von einer Richtung der Theologie aufgenommen worden ist, und dann auf spezifische Probleme einer theologischen Kosmologie einzugehen beginnen.

3. *Ist eine Theorie der Welt heute noch möglich?*

Einer weitverbreiteten Überzeugung zufolge soll es heute nicht mehr möglich sein, eine Darstellung der Welt zu geben. Diese Meinung wird faktisch täglich an zahllosen Orten widerlegt. Denn was sind zum Beispiel die Nachrichten je anderes als eine – allerdings extrem bruchstückhafte, hochgradig unpräzise, von einem diffusen Theoriepotential gesteuerte – Darstellung der Welt? Natürlich kann eingewandt werden, die Ansicht, es sei heute nicht mehr möglich, eine Darstellung der Welt zu geben, habe nicht die Versuche der Medien vor Augen, über die augenblickliche Verfassung der Welt zu orientieren, sondern betreffe nur eine *umfassende, dauerhafte und exakte Theorie*, die mit den Produkten der Medien gar nicht verglichen werden könne.

Doch auch mit dieser Einschränkung läßt sich die Auffassung nicht festhalten. Wann wäre es denn je gelungen, eine wirklich umfassende, etwa noch heute anerkannte und vor allem beliebigen Präzisionsansprüchen genügende Theorie der Welt zu entwickeln? Wird also hervorgehoben, es müsse sich um eine sehr langfristig gültige und hohen Genauigkeitsanforderungen genügende Theorie handeln, so scheint es, als sei eine solche auch zu Platons und Aristoteles' Zeiten unmöglich gewesen, von den Tagen des Aquinaten oder Hegels ganz zu schweigen. Nicht erst heute, sondern schon immer war es ein Ding der Unmöglichkeit, eine weitreichende, dauerhafte und präzise Darstellung der Welt zu geben.

Diese Aussage wird nun aber von den Naturwissenschaften dementiert, die nicht nur das Thema »Kosmologie« weiterhin behandeln, sondern auch sprachlich ausformulierte Präzisionsansprüche in mancher Hinsicht selbst zu überbieten bereit und in der Lage sind. Eine hohen Ansprüchen genügende Darstellung der Welt ist heute *allenfalls noch den Naturwissenschaften* möglich, so kann in der Tat eine Meinung formuliert werden, die viele Zeitgenossen teilen[16]. Allerdings ist es schwer, diese Meinung zu bestätigen oder zu widerlegen, da die naturwissenschaftliche Darstellung der Welt – in eigentümlichem Kontrast übrigens zu ihrem Anspruch auf große Klarheit und weitreichende Gültigkeit – nur von sehr wenigen Fachleuten entziffert, kontrolliert und fortentwickelt werden kann. Die relative Unzugänglichkeit jener präzisen Darstellung führt aber nicht zu einem weitverbreiteten, bewußten Verzicht auf eine zusammenhängende und konsistente Darstellung der Welt überhaupt. Zwischen dem ›Blick in die Welt‹, den die Nachrichten je vielen vermitteln, und einer Betrachtung der Welt, die z.B. die relativ kleine Gruppe der Astrophysiker anstellt, etablieren sich viele durchaus theoriefähige Perspektiven. Nach ihrer raumzeitlichen Reichweite, nach ihrer Bereitschaft zu abstrahieren und nach der Ausrichtung ihres Willens zur Präzision können sie näher charakterisiert, zueinander in Beziehung gesetzt und beurteilt werden.

Darstellungen der Welt sind heute nicht nur möglich, sie sind –nicht nur heute – gang und gäbe. Es ist nicht wahr, daß sie dann, wenn sie ausformuliert werden können, von erschreckender Simplizität und so trügerisch seien, wie zum Beispiel die Sicht der Welt, die ihren diagnostischen Beitrag in den Satz zusammenpreßt, daß »*alles* immer schlimmer« werde. Es ist freilich auch nicht zutreffend, daß die Darstellungen der Welt alle sogleich zur relativen Differenziertheit und Stabilität einer ›Weltanschauung‹ gelangen oder daß sie sich gar zu einem reproduzierbaren ›Weltbild‹ verdichten. Die meisten von ihnen sind aber in vielfacher Beziehung vergleichbar, etwa hinsichtlich ihrer Verwendung eines einlinigen Zeitparameters zur Darstellung ›der Geschichte‹, einer begrenzten Fläche oder eines begrenzten dreidimensionalen Raumes zur Darstellung ›der Erde‹; sie sind vergleichbar hinsicht-

16 Als für diese Meinung typisch können – gerade in ihrer Gebrochenheit – die Gedanken *C. F. v. Weizsäckers*, Zum Weltbild der Physik, 3. Aufl., Leipzig 1945, z.B. 33, angesehen werden.

lich ihrer provinziellen Tönung überhaupt und ihres beständigen, nicht aber gleichförmig, sondern unterschiedlich beschleunigten Wandels. Die Unterscheidung zwischen den vielerlei Perspektiven auf die Welt beruht vor allem auf der Weise, in der sie von den meisten Details der Welt abstrahieren. Die Tatsache, daß sie – mögen sie nun den Nachrichten oder den naturwissenschaftlichen Theorien verwandter sein – jeweils in *sehr hohem Ausmaß abstrahieren*, kann für die These plädieren lassen, sie könnten überhaupt nicht in einen Zusammenhang gebracht und verglichen werden. Auch diese These, die die Mühe der Unterscheidung mit der Bequemlichkeit der Trennung verwechselt, ist faktisch widerlegt worden.

Unter Entwicklung einer neuen Theoriegeneration ist bereits begonnen worden, eine Mannigfaltigkeit von Perspektiven auf ›Umwelten‹ verschiedener Reichweite und Ausprägung samt ihren Interdependenzen zur Grundlage von Untersuchungen in vielen Bereichen der Wissenschaft zu machen[17].

Zumindest eine dieser Theorien, die man als multiperspektivische Theorien der Welt auffassen kann, hat auch die mathematisch-naturwissenschaftliche Darstellung der Welt in ihre Untersuchung einbezogen. Sie hat zugleich den Anspruch erhoben, selbst als *Kosmologie* aufzutreten, also über eine bloße *Theorie von Theorien* hinauszugehen. Es liegt demnach eine Theorie der Welt vor, die sich entwickelt hat im Zusammenhang einer Überprüfung der Leistungskraft der mathematisch-naturwissenschaftlichen Darstellung der Welt und anderer Perspektiven auf die Welt, die heute im allgemeinen Urteil oft als unzureichend angesehen werden.

Diese in Europa wenig bekannte, in den Vereinigten Staaten aber verbreitete Kosmologie ist von der amerikanischen Theologie intensiv rezipiert worden.

4. *Die Aufnahme einer nachneuzeitlichen Kosmologie in der amerikanischen Prozeßtheologie*

Alfred North Whitehead hat eine kosmologische Theorie entwickelt, die aus einer Prüfung der Leistungsfähigkeit mathematisch-naturwissenschaftlicher und anderer Darstellungen der Welt hervorgegangen ist[18]. Es ist also

17 Es sei hier nur hingewiesen auf *T. Parsons*, The Social System, New York 1964, und die erhebliche Verfeinerung der Theorie funktionaler Systeme durch *N. Luhmann*, z.B. Soziologische Aufklärung, Bd. I u. II, 4. Aufl. u. 1. Aufl., Opladen 1974 u. 1975, die augenblicklich als die interessanteste und vielversprechendste Theorieerscheinung im Westdeutschland der Nachkriegszeit anzusehen ist.

18 Es ist sinnvoll, wenigstens in einer Anmerkung eine kurze Orientierung über Leben und Werk sowie die populäre Rezeption *Whiteheads* zu geben, zumal sein Denken nicht in eine der vertrauten geistesgeschichtlichen bzw. akademischen Genealogien eingeordnet werden kann. 1861 wird *Alfred North Whitehead* als Sohn eines anglikanischen Geistlichen in der englischen Grafschaft Kent geboren. Er erhält eine humanistische Schulbildung und besucht anschließend das Trinity College in Cambridge, um Mathematik zu studieren. Von 1885 bis 1910 hat er dort

geradezu konstitutiv für Whiteheads Kosmologie, daß sie die heute verbreitete Frage stellt und präzisiert: Ist eine Darstellung der Welt möglich? Im Teil A des zweiten Kapitels dieser Untersuchung sollen die Entwicklung von Whiteheads Kosmologie und der Ausformulierungsprozeß jener Frage vorgestellt werden.

eine Dozentur inne. Im letzten Jahrzehnt des 19. Jahrhunderts arbeitet er – beeinflußt vor allem durch das Werk des deutschen Mathematikers *H. Grassmann* (bes. Die Ausdehnungslehre von 1844 oder Die lineare Ausdehnungslehre, ein neuer Zweig der Mathematik, 2. Aufl., Leipzig 1878) – an seinem Buch A Treatise on Universal Algebra, das 1898 veröffentlicht wird (UA). (S. dazu die Bemerkungen von *V. Lowe*, The Development of Whitehead's Philosophy. In: *Schilpp*, 18–31.) Weitere fünf Jahre schreibt er an einem zweiten Band dieses Werkes, der jedoch nicht erscheint. *Whitehead* selbst erläutert: »In 1903 Bertrand Russell published The Principles of Mathematics. This was also a ›first volume‹. We then discovered that our projected second volumes were practically on identical topics, so we coalesced to produce a joint work. We hoped that a short period of one year or so would complete the job. Then our horizon extended and, in the course of eight or nine years, Principia Mathematica was produced.« (Autobiographical Notes. In: *Schilpp*, 10. Diese Bemerkungen *Whiteheads* sind nur für die Jahre bis 1903 ausführlich und informativ gehalten. Weitere autobiographische Hinweise bieten The Education of an Englishman. In: ESP, 29–39, und England and the Narrow Seas. In: ESP, 40–52, sowie Process and Reality. [Symposium in Honor of the Seventieth Birthday of Alfred North Whitehead]. In: ESP, 114–119, 114f. Übersichtliche Kurzbiographien haben zusammengestellt *J. Enjuto-Bernal*, La filosofia de Alfred North Whitehead, Madrid 1967, 29ff.; *E. Wolf-Gazo* [Hg.], Whitehead. Einführung in seine Kosmologie, Freiburg u. München 1980, 132–136. Zur äußeren Charakterisierung von *Whiteheads* Zusammenarbeit mit *B. Russell*, der zunächst sein Schüler, dann sein Kollege war, s.a. *T. G. Henderson*, For a Biographer of Whitehead. RIPh 21, 1967, 368f.; *B. Russell*, Autobiographie I, 1872–1914, 2. Aufl., Frankfurt 1977, 231ff.; *M. Bense*, Bertrand Russell und Alfred North Whitehead. In: Die Philosophie, Frankfurt 1951, bes. 92–98; vor allem aber den guten Bericht über *Whiteheads* Korrespondenz mit *Russell* bei *D. P. Lackey*, The Whitehead Correspondence. Journal of the Bertrand Russell Archives 5, 1972, 14–16, und *P. L. Actis*, Cosmologia e assiologia in Whitehead. Studi e Ricerche di Storia della Filosofia 12, Turin 1954, 2ff. u. 11f.)
1910–1913 erscheinen die drei Bände des berühmten Werkes Principia Mathematica, das schnell ein Klassiker wird und den Namen *Whiteheads* in die Geschichte europäischen Denkens einführt. Doch bleibt sein Name für ein weiteres Jahrzehnt – und in Europa bis heute – im Schatten der Wirksamkeit *Russells*. Von 1914 an ist *Whitehead* Professor am Imperial College of Science and Technology in London. 1924, im Alter von 63 Jahren, folgt er dem Ruf auf einen Philosophischen Lehrstuhl der Harvard Universität. (Vgl. *W. N. Pittenger*, Alfred North Whitehead, Richmond 1969, 4f.; *W. E. Hocking*, Whitehead As I Knew Him. In: *Kline*, 9ff.; auch *A. H. Johnson*, Whitehead as Teacher and Philosopher. PPR 29, 1969, 351–376.)
Ab 1925 erscheinen die Schriften, mit denen er sich als einer der bedeutendsten Denker dieses Jahrhunderts ausweist (in dieser Hinsicht sollten freilich schon die Schriften der Jahre 1919–1922, PNK, CN und R, genannt werden) und die ihm zugleich große Anerkennung verschaffen: SMW wird in die Weltsprachen übersetzt und erlebt bis zur deutschsprachigen Übersetzung 1949 vierzehn Neuauflagen allein in den USA; eine ähnliche Popularität erlangt AI (AId 1971). Die populäre deutsche Rezeption spiegelt schön der Aufsatz von *K. Pichl*, Überwindung des Geschichtspositivismus. Der englische Beitrag: Whitehead, Russell und Toynbee. WuW 4, 1949, 748–763, der feststellt, *Whitehead* »war der gegebene Mann, das Welt- und Geschichtsbild unserer Zeit von materialistischen und positivistischen Zügen zu säubern« (749), mit der Einschränkung: »Unberührt soll in diesem Aufsatz der eigentlich philosophische Inhalt der beiden Bücher [SMW, AI] bleiben« (754). Ähnlich – nur *Whitehead* als Kritiker des »Szientismus« und des »Subjektivismus« der Moderne lobend – *G. E. Müller*, Amerikanische Philosophie, 2. Aufl., Stuttgart 1950, 184. Diese und ähnliche Hinweise auf *Whitehead* – obwohl wenig aufschlußreich – und der Erfolg seiner Schriften auf dem Kontinent sind sorgfältig

Dabei wird die unbefangene oder nur erfolgsorientierte Privilegierung der mathematisch-naturwissenschaftlichen Darstellung der Welt beendet. Vor allem aber sollen die Konfusionen von Welt und Erde, Erde und Menschheit, Menschheit und Menschheit einer bestimmten Epoche, Menschheit einer bestimmten Epoche und Gesellschaft in einer bestimmten Region . . . durchschaubar und kontrollierbar gemacht werden.

vermerkt worden: vgl. *G. L. Kline*, Whitehead in the Non-English-Speaking World. In: Process and Divinity. FS Hartshorne, bes. 238ff.

Es sind oft in der Biographie von *Whitehead* drei Phasen unterschieden worden. Man hat – unter Orientierung am Ortswechsel – vom *Mathematiker* in Cambridge, vom *Naturphilosophen* in London und vom *Metaphysiker* in Harvard gesprochen. (S. dazu allein im deutschen Sprachraum: *R. Metz*, Die philosophischen Strömungen der Gegenwart in Großbritannien, Bd. 2, Leipzig 1935, 137–139; *L. Deuel*, Alfred North Whitehead. Einleitung zu SMWd, XII; *H. Reitz*, Was ist Prozeßtheologie? KuD 16, 1970, 82; auch *E. Bubser*, A. N. Whitehead. Organismus-Philosophie und Spekulation. In: Grundprobleme der großen Philosophen. Philosophie der Gegenwart, Bd. I, Göttingen 1972, 268, 271f., der allerdings »Einschränkungen« vermerkt, 265.) Diese und andere Einteilungen (vgl. die differenziertere von *Lowe* in dem hier bereits genannten Aufsatz in: *Schilpp*, 17, 16ff.) haben, wie ich im folgenden dartun werde, den Blick auf die Kontinuität des Denkens *Whiteheads* verstellt.

Wenn man nicht, wie es im weiteren geschehen soll, auf die innere Entwicklungslogik von *Whiteheads* Denken rekurriert, sondern fragt, worauf seine Theorie in den Jahren von 1914–1924 Reaktionen erkennen läßt, so sind zwei elementare Veränderungen zu nennen:
1. Die Veränderung der sozialen Wirklichkeit durch The Revolution in English Social Thought (*J. L. Adams* hat mich freundlicherweise auf den guten Aufsatz dieses Titels von *R. N. Soffer*, AHR 75, 1970, 1938–1964, aufmerksam gemacht).
2. Die Umgestaltung der Fundamente des Denkens durch die relativistische Physik.

Beide Veränderungen veranlassen *Whitehead*, Antworten auf neue Fragen der Vermittlung und Anwendung mathematisch-logistischer Theoriebildung zu suchen. Zu 1. Seine zahlreichen »pädagogisch« zu nennenden Schriften (bes. AE) wollen die Ziele der Erziehung und die Aufgabe der Mathematik in der modernen Bildung neu bestimmen. Zu 2. *Whitehead* erkennt, daß diese Entwicklung nicht auf eine naturwissenschaftliche Diskussion oder einen leicht zu bestimmenden Applikationsbereich beschränkt bleiben wird. Er sieht, daß sie tiefgreifende und irreversible Folgen haben wird für die »Organisation des Denkens« (OT) und den »Begriff der Natur« (CN).

1929 erscheint das Hauptwerk *Whiteheads*: Process and Reality. An Essay in Cosmology (PR). Es ist aus »Gifford-Lectures« an der Universität Edinburgh (irreführend *H.-G. Holl*, Nachwort zu PRd, 650; vgl. dazu *G. B. Burch* u. *D. C. Stewart*, Whitehead's Harvard Lectures, 1926–1927. ProcSt 4, 1974, bes. 201ff.) hervorgegangen, die der Förderung der »natürlichen Theologie im weitesten Sinne dieses Ausdrucks« (*C. M. Schröder*, RGG^3, II, 1575) dienen sollen. Verschiedenen Briefwechseln (s. dazu *V. Lowe*, Whitehead's Gifford Lectures. Southern Journal of Philosophy 7, 1969, bes. 333ff.) können wir entnehmen, daß *Whitehead* seine Zuhörer mit einem extrem hochstufigen Text überraschte und verschreckte. Auch von der publizierten Fassung heißt es, sie sei »nach dem einmütigen Urteil der Kenner nahezu undurchdringlich« (*E. Bubser*, aaO., 272), einem Urteil, dem man, wie unter anderem auch diese Arbeit zeigen wird, sich nicht anschließen sollte. Allerdings stellt der Text von PR bei unvorbereiteter Lektüre vor ähnliche Probleme wie etwa *Hegels* große Logik. Mit Recht hat *H. Topel*, Whiteheads Analyse des »Wirklichen Falles« (Diss.), Bonn 1951, 8, vermerkt, daß PR ohne SMW kaum verständlich sei und daß das populäre Spätwerk *Abenteuer der Ideen* (AId) »ohne gründliche Kenntnis von ›Process and Reality‹ zur bloßen Lektüre« werde. Sie hat selbst in einem guten, wenn auch wesentlich referierenden Beitrag, vor allem zum 3. Kapitel von PR, gezeigt, daß das Hauptwerk *Whiteheads* nicht unerschließbar ist. Die Auffassung von der Unerschließbarkeit dieses Werkes haben vor allem mit eigenständig rekonstruierenden Darstellungen und weiterführenden kritischen Diskursen widerlegt: *J. W. Blyth*, Whitehead's Theory of

Whiteheads reife Theorie, die vor allem im Teil B des zweiten Kapitels vorgestellt und untersucht werden soll, entwickelt ein Konzept der Welt, das diese unsere *Relativierungen der Welt* erklärbar und verständlich macht sowie die Inkonsequenz der Fixierung und Hervorhebung einer raumzeitlich bestimmten Epoche als »der Welt« oder gar als der von Gott gewollten und ihm entsprechenden oder von ihm nicht gewollten Welt erkennbar werden läßt.

Die Bewußtmachung der hinsichtlich ihrer Konsequenzen in der Regel unbedacht durchgeführten Relativierung der Welt dürfte schnell als hilfreich angesehen werden. Haben wir erst einmal von der Welt der Natur und der Welt der Geschichte, von der Welt der Menschen und der Welt der Tiere, von der Welt des Mittelalters und der Welt der Moderne, von der ersten, zweiten, dritten . . . Welt auf dieser Welt, in der wir leben, von der Welt der Religion, der Welt der Wissenschaft, der Welt des Handels und schließlich davon, daß jeder nun einmal seine eigene Welt habe und daß die Welt eigentlich jeden Tag eine andere sei usf., gesprochen, so muß verhindert werden, daß aus diesen Relativierungen der Welt Aufspaltungen und Trennungen werden, die mit Wertungen und Stigmatisierungen verfestigt, für selbstverständlich oder natürlich erklärt und langfristig irrevozierbar gemacht werden.

Wohl bedarf es dieser Relativierungen; sie sind unerläßlich, um überhaupt Bestimmtheit zu erzielen und Verständigungen über die Welt zu ermöglichen. Wir dürfen jedoch nicht eine Perspektive oder eine bestimmte Kombination von benachbarten Perspektiven auf die Welt mit einer universalen Theorie verwechseln – daran ist die Konzeption der »Universalge-

Knowledge, New York 1967, 5ff., 20ff.; *W. A. Christian,* An Interpretation of Whitehead's Metaphysics, New Haven 1959; *Ch. Hartshorne,* in: Hartshorne, bes. die Aufsätze 2, 3, 7 u. 8; *I. Leclerc,* Whitehead's Metaphysics. An Introductory Exposition, London 1965; *E. Pols,* Whitehead's Metaphysics. A Critical Examination of Process and Reality, Carbondale 1967, bes. 25–125; *R. Wiehl,* Der Begriff in den Anschauungsformen der Mittelbarkeit und Unmittelbarkeit, nebst einem Anhang über die Kategorien in Whiteheads »Process and Reality« (Diss.), Frankfurt 1959, – von etlichen hilfreichen Einzeluntersuchungen und vielen Paraphrasen einmal abgesehen.

Die PR folgenden Veröffentlichungen sind erheblich leichter zugänglich; sie bekunden den Tiefsinn und die diagnostische Kraft von *Whiteheads* Theorie, können aber diese – und die Beschäftigung mit ihr – nicht ersetzen (entgegen der von *E. Bubser* öfter vorgetragenen These, vor allem in seiner Dissertation: Die spekulative Philosophie Alfred North Whiteheads, Göttingen 1958, die in ihren wichtigsten Partien an *E. Wind,* Mathematik und Sinnesempfindung: Materialien zu einer Whitehead-Kritik. Logos 21, 1932, 239–280, orientiert ist).

Über die »letzte Phase« im Leben *Whiteheads,* vor allem nach seiner Emeritierung 1937, wissen wir wenig. (Einen Versuch, das *Denken* der späten Werke populär darzustellen, macht *D. Emmet,* A. N. Whitehead: The Last Phase. Mind 57, 1948, 265–274; hilfreicher ist *L. Price,* Dialogues of Alfred North Whitehead, Westport 1977, 10ff. und die Dialoge 21ff.)

1941 publiziert er letztmalig. Am 30.12.1947 ist er gestorben. Einige unveröffentlichte Briefe aus den letzten Lebensjahren, die in den Archiven der Harvard-Houghton-Library liegen, indizieren, daß den hochbetagten *Whitehead* religionsphilosophische Fragestellungen und das Problem der geringen Leistungskraft der menschlichen Sprache beschäftigt haben.

schichte« gescheitert[19] –, und wir können nicht für den von uns absehbaren Abschnitt in der Menschheitsentwicklung den Ausdruck Universalität reservieren oder bevorzugt verwenden[20].

Die *konsequente Relativierung* und die daran anschließende Formulierung der bleibenden Gemeinsamkeit aller Perspektiven auf die Welt hat

19 *W. Pannenberg* hat seine »Hypothese der Universalgeschichte« (s. dazu *G. Klein*, Theologie des Wortes Gottes und die Hypothese der Universalgeschichte. Zur Auseinandersetzung mit Wolfhart Pannenberg, BEvTh 37, München 1964, bes. 11 u. 72ff.) nicht gegen den entscheidenden Einwand verteidigen können, Geschichte sei unablösbar von einem raumzeitlichen Bereich ihrer Erinnerung und Betrachtung; sein Programm müßte also, um konsistent zu sein, den Gedanken »der Universalgeschichte« im strengen Zusammenhang mit einer Theorie der Verbindung einer unbestimmten Mannigfaltigkeit von Perspektiven auf die Geschichte erst ausbilden. Wohl hat er – vor allem im Anschluß an die von *H.-G. Gadamer*, Wahrheit und Methode, 2. Aufl., Tübingen 1965, bes. 286ff. – s. aber auch 356! – vorgetragenen Gedanken zur »Horizontverschmelzung« – den Vorgang der Perspektivenverbindung reflektiert (vgl. Grundfragen systematischer Theologie. Gesammelte Aufsätze, 2. Aufl., Göttingen 1971, bes. 106f.). Er hat aber dabei nur das Phänomen der Bildung eines »neuen, umfassenden Horizont(s)« (ebd. 107) eingehend berücksichtigt. Die wirklich problematischen Fragen der Uneinholbarkeit von Perspektiven, der nicht fusionierbaren Standorte, der Horizontverengung, der Standortverschiebungen durch Horizontveränderungen usf. bleiben offen. Auf jedenfalls feinsinnige und problembewußte Alternativentwürfe wie den von *R. Koselleck*, Geschichte, Geschichten und formale Zeitstrukturen. In: Geschichte – Ereignis und Erzählung. Poetik und Hermeneutik V, hg. *R. Koselleck* u. *W.-D. Stempel*, München 1973, 212ff., bes. 217ff., hat *Pannenberg* defensiv reagiert und positiv nur mit der Reflexion auf das Verhältnis von Geschichte und »einem« Subjekt dieser Geschichte geantwortet. (Vgl. Erfordert die Einheit der Geschichte ein Subjekt? In: Geschichte – Ereignis und Erzählung, aaO., bes. 483f. u. 485f., die Rede von der »›multisubjektiven‹ Auflockerung der Geschichtsschreibung«, die aber leider nicht transzendental reflektiert wird; vgl. ebenfalls Weltgeschichte und Heilsgeschichte, ebd., bes. 310ff.) In seinem Buch Wissenschaftstheorie und Theologie, Frankfurt 1973, hat *Pannenberg* als Integrationsbereich »der menschlichen Welt- und Selbsterfahrung« dann »die *Totalität* der endlichen Wirklichkeit«, die aber »unvollendet«, jedenfalls »für unsere Erfahrung nicht schon abgeschlossen vorhanden« sei (311), eingeführt. Diese Totalität der Wirklichkeit werde als »Sinntotalität« antizipiert (312), und zwar in der »Subjektivität menschlicher Erfahrung« (316). Man kann sich des Eindrucks nicht erwehren, es habe sich der Ausdruck »Sinntotalität« dann gedanklich schwer kontrollieren lassen: »Sinntotalität« tritt einmal auf als die Weise, in der die »Totalität der Wirklichkeit«, das »Ganze( ) der Weltwirklichkeit« antizipiert wird, es soll aber auch die »Sinntotalität des Erfahrungszusammenhangs« antizipiert werden (vgl. 315). *Pannenberg* hat sich daraufhin konsequent subjektivitätstheoretisch zu nennenden Studien zugewandt, in denen die Zusammenhänge von Selbst- und Fremdbezüglichkeit der antizipierenden und antizipierten »Sinntotalität« Aufklärung finden müssen. Ob *Pannenberg* auf diesem Wege dem »Hang zur totalitären Ideologie«, den *J. Moltmann*, Kirche in der Kraft des Geistes, aaO., 241, vgl. 239ff., in seinem Denken festgestellt hat, entgegenwirken könnte, ist ebenso schwer abzusehen wie eine Verbesserung der Kontaktaufnahme mit komplexen Theorien, bei denen er in Schwierigkeiten geraten ist (hinsichtlich seiner Hegel-Interpretation ist dies gezeigt in: Vf., Das theologische Prinzip des Verhaltens zu Zeiterscheinungen. Erörterung eines Problems im Blick auf die theologische Hegelrezeption und Gen. 3,22a. EvTh 36, 1976, 225ff., 234ff.; bezüglich der Theorie funktionaler Systeme vgl. die Diskussion zwischen *Pannenberg* und *Luhmann*: *W. Pannenberg*, Religion in der säkularen Gesellschaft. Niklas Luhmanns Religionssoziologie. EK 11, 1978, 99–103; *N. Luhmann* u. *W. Pannenberg*, Die Allgemeingültigkeit der Religion. Diskussion über Luhmanns Religionssoziologie. EK 11, 1978, 350–357).

20 S. dazu die Überlegungen in Abschn. 6 dieses Kapitels.

Whiteheads Kosmologie das Attribut nachneuzeitlich (»post-modern«) eingetragen. Seine Theorie der Solidarität aller Kreatur, seine Beendigung der *fraglosen* Privilegierung der *bewußten* Subjektivität, vor allem aber seine schwierige Theoriesprache hätten vermutlich auch in den Vereinigten Staaten eine Beschäftigung der Theologie mit Whiteheads Texten lange be- oder gar verhindert, wenn er nicht mit der Entwicklung eines Gottesbegriffs und einer Theorie der Verbindung der Welt mit Gott die Kontaktaufnahme provoziert hätte. Im Teil C des zweiten Kapitels werden wir diese religionstheoretisch zu nennenden Partien von Whiteheads Werk betrachten.

Die theologisch kontrollierte und modifizierte Aufnahme und Aneignung der kosmologischen Theorie Whiteheads ist unter dem einprägsamen, aber mißverständlichen Stichwort *»Prozeßtheologie«* erfolgt. Durch dieses Stichwort sind in der Tat viele ungute Assoziationen freigesetzt worden. Man fühlt sich zunächst an Heraklit, Hegel und Bergson erinnert sowie an die vielen unbewältigten Schwierigkeiten, die ihre Texte bereiten. Es scheint der Verlust oder jedenfalls die empfindliche Einschränkung gedanklicher Kontrolle, wissenschaftlicher Disziplin und sprachlicher Bestimmtheit zu drohen. Vor allem läßt das Wort »*Prozeß*(theologie)« vermuten, daß die Vollkommenheit Gottes, das »Ein-für-allemal« der Christologie und die Kontinuität der Treue Gottes im Leben der Gemeinde problematisiert oder sogar geleugnet werden.

So oder ähnlich lauten die meisten der Einwände gegen die Prozeßtheologie, und sie werden oft noch zu Einwänden gegen Whiteheads Kosmologie fortentwickelt, die eben eine solche Erscheinung hervorgebracht habe. Ob es sich so verhält, was die Prozeßtheologie von Whitehead übernommen, wie sie es verarbeitet und wie sie es theologisch verantwortlich formuliert hat – dies wird das dritte Kapitel der vorliegenden Arbeit untersuchen. Hier wird der Versuch unternommen werden, auf Vorbehalte zu reagieren, die vermutlich die Rezeption und den Dialog mit der Prozeßtheologie bislang verhindert oder erschwert haben und die auch innerhalb der amerikanischen Theologie formuliert worden sind. Um eine differenziertere Reaktion zu ermöglichen, werden in drei Abschnitten die *drei Hauptrichtungen in der amerikanischen Prozeßtheologie* unter Bezugnahme auf ihren jeweils führenden Vertreter vorgestellt: A. die von Charles Hartshorne inspirierte Richtung, deren wichtigster Vertreter Schubert Ogden ist; B. die von Henry Nelson Wieman eingeleitete Entwicklung der »Empirical Whitehead School«, als deren gegenwärtiger Hauptvertreter Bernard Loomer anzusehen ist; C. die von John B. Cobb organisierte und integrierte Richtung, von der heute die stärkste öffentliche Wirksamkeit ausgeht[21].

An einer bloßen Verstärkung dieser öffentlichen Wirksamkeit und an einem bloßen »Theorieimport« ist diese Arbeit nicht interessiert. Sie will

21 Diese Differenzierung, die in der Literatur bislang nicht so klar erkennbar war (vgl. z.B. *J. B. Cobb* u. *D. R. Griffin*, Prozess-Theologie. Eine einführende Darstellung, Göttingen 1979, 177ff.), ist mir aufgrund vieler Gespräche mit amerikanischen Theologen deutlich geworden und hat sich in der Arbeit an den Texten dann bestätigt.

vielmehr untersuchen, ob Whiteheads Kosmologie zu einer Präzisierung der theologischen Rede von der Universalität Gottes beitragen kann und für welche der die Theologie gegenwärtig und längerfristig beschäftigenden Probleme sie zumindest zu Entlastungen oder zu Teillösungsvorschlägen führt. Der Theorie wird also nach ihrer Darstellung immer auch die Beweislast hinsichtlich ihrer theoretischen und praktischen Wirksamkeit auferlegt. Die Berufung auf ihre Bewährtheit durch ihre mathematisch-naturwissenschaftliche Herkunft, die Berufung auf ihre gute Anwendbarkeit und die Berufung auf ihre pädagogischen und publizistischen Erfolge in Amerika, die in der Prozeßtheologie manchmal die Argumente zu ersetzen drohen, sollen zurückgestellt, wenn auch nicht unterdrückt werden. Nicht zurückgestellt werden soll dagegen die Behandlung des m.E. schwierigsten Problems, mit dem die amerikanische Prozeßtheologie auch im eigenen Land zu kämpfen hat. Es handelt sich um ein Problem, dessen Wahrnehmung schon in unserer Abneigung gegen eine unmittelbare Verbindung der Ausdrücke »Prozeß« und »Theologie« deutlich wird. Es ist dies das Problem der engen Verbindung von theologischen und außertheologischen Ausdrücken, im Fall der »Prozeßtheologie« darüber hinaus das Problem der *Aufnahme abstrakter Theoriesprachen* in die Theologie.

5. Das Problem abstrakter Theoriesprachen und vorsprachlicher Äußerungen in der Theologie

Die Forderung, daß die Theologie mit Wissenschaften, die sich wesentlich in abstrakten Theoriesprachen artikulieren, in einen Dialog treten solle, wird so häufig laut, daß sie kaum noch Verwunderung erregt. Besonders wirksam und dringlich zugleich ist sie im Blick auf Theologie und Naturwissenschaften geworden. Da es zahlreiche gewichtige Motive gibt, die ein Gespräch zwischen Theologie und Naturwissenschaften unerläßlich und unaufschiebbar erscheinen lassen, hat es nicht an Bemühungen gefehlt, dieser Forderung zu entsprechen[22]. Daß aber selbst die wirksamsten Bemühungen[23], wechselseitigen Kontakt herzustellen, nur in sehr begrenzter Weise vorbildgebend geworden sind, daß sie weder die Theologen noch die Naturwissenschaftler recht befriedigen konnten[24], läßt sich verständlich machen,

22 S. z.B. den Band Naturwissenschaft und Theologie. Texte und Kommentare, hg. *H. Aichelin* u. *G. Liedke*, 3. Aufl., Neukirchen 1975, der 32 Ansätze zur Verständigung zusammenstellt.

23 Als solche werden in der Regel die Werke von *P. Teilhard de Chardin* – vor allem: Der Mensch im Kosmos, München 1959 – und *K. Heim* – bes. Der christliche Gottesglaube und die Naturwissenschaft. Grundlegung des Gesprächs zwischen Christentum und Naturwissenschaft, 3. Aufl., 1976, und Die Wandlung im naturwissenschaftlichen Weltbild. Die moderne Naturwissenschaft vor der Gottesfrage, 5. Aufl., 1978, (= Bd. IV u. V von: Der evangelische Glaube und das Denken der Gegenwart. Grundzüge einer christlichen Lebensanschauung, hg. *H. M. Niedermeier*, Wuppertal) – angesehen.

24 Dies läßt sich vielleicht dahingehend erklären, daß sowohl *P. Teilhard de Chardin* als auch

wenn man auf eine Präzisierung jener Forderung nach einem Dialog dringt.

In *welcher Sprache*, so ist zurückzufragen, soll der Dialog erfolgen? Soll die Theologie den Versuch unternehmen, sich selbst in einer formalen Theoriesprache zu artikulieren? Soll sie die Naturwissenschaftler veranlassen, das, was sie sonst nur mit Hilfe ihrer mathematischen Sprache ausdrücken können, doch einmal in der sogenannten natürlichen Sprache zu formulieren – und wie könnte sie dabei helfen? Oder angenommen, beide Wege seien ungangbar – können Theologie und Naturwissenschaften ge-

K. Heim einen Dialog faktisch eher zu ersetzen als zu fördern suchten. *Heim* meinte, auf die modernen naturwissenschaftlichen Entwicklungen mit einem von ihm so genannten »Denken in Räumen« adäquat reagiert zu haben. Tatsächlich hat er – auf durchaus fruchtbare und weiterführende Weise – die in konventionellen Theorien meist als Referenz*punkte* konzipierten Korrelata »Ich und Du« sowie »Subjekt und Objekt« sich räumlich vorzustellen empfohlen und dies beispielhaft vorgeführt (vgl. z.B. Glaube und Denken. Philosophische Grundlegung einer christlichen Lebensanschauung, Bd. I der in Anm. 23 genannten Ausgabe, 6. Aufl., 1975, 117ff., 148ff.; Der christliche Gottesglaube, aaO., 67ff.), dabei auf verschiedene Aspekte von Synthesis aufmerksam gemacht (vgl. Glaube und Denken, aaO., 153ff.; Der christliche Gottesglaube, aaO., 154ff.). Wie viele traditionelle Theorien kreist also auch sein Denken um Fragen der Vermittlung von »Ich-Du«- und »Subjekt-Objekt«-Relationen, verbunden jedoch mit dem Vorhaben, »den Begriff des Raums, der in der heutigen Physik eine zentrale Bedeutung erlangt hat, in einem höheren Sinn auf das Weltbild des Glaubens zu übertragen« (Der christliche Gottesglaube, aaO., 121; vgl. auch die Zusammenfassung in: Weltschöpfung und Weltende. Das Ende des jetzigen Weltzeitalters und die Weltzukunft im Lichte des biblischen Osterglaubens, Bd. VI der in Anm. 23 genannten Ausgabe, 4. Aufl., 1976, 186ff.). Durch den »höheren Sinn«, den er dem Raum (als einem numinosen Umgreifenden von Entgegengesetztem und Mannigfaltigem) gegeben hat, sind dann aber physikalische Problemstellungen und neue gedankliche Herausforderungen bis zur Unkenntlichkeit verblaßt (s. Die Wandlung im naturwissenschaftlichen Weltbild, aaO., 94ff., bes. 106, 107ff., 111, 139f.; Der christliche Gottesglaube, aaO., 121ff.).

Vieles spricht dafür, *K. Heims* Werk aufzufassen als Herstellung der Bedingung der Möglichkeit, eine »religiöse Atmosphäre« zu *denken* (vgl. z.B. Die Wandlung im naturwissenschaftlichen Weltbild, aaO., 146ff.), die vom Osterglauben gefüllt werden soll (theologisch bestimmter, aber kaum »naturwissenschaftlich« orientiert: Jesus der Herr. Die Herrschervollmacht Jesu und die Gottesoffenbarung in Christus, Bd. II der in Anm. 23 angegebenen Ausgabe, 5. Aufl., 1977, z.B. 34ff., 157ff., 172ff.; aber auch Weltschöpfung und Weltende, aaO., 161ff.). Daß solch ein Vorhaben auch ohne theologische Absichten und ohne den Anschein, im Dialog mit den Naturwissenschaften zu stehen, jedoch scharfsinnig und materialreich durchgeführt werden kann, läßt erkennen: *H. Schmitz*, System der Philosophie. Bd. III: Der Raum. Teil IV: Das Göttliche und der Raum, Bonn 1977, § 213: Göttliche Atmosphären, 74ff.

Während *K. Heim* de facto vorgeschlagen hat, wie sich der reflektierte Laie mit intellektuellem und religiösem Gewinn ein Bild von einem Prinzip der modernen Naturwissenschaften machen könnte (s. dazu aber auch *Ch. Link*, Die Welt als Gleichnis. Studien zum Problem der natürlichen Theologie, BEvTh 73, München 1976, 326f.), hat *Teilhard de Chardin* mit Hilfe inspirierter Imaginationen und vieler – zum Teil aus naturwissenschaftlichen Abhandlungen übernommener – Beispiele ein Bild des Entwicklungsprozesses des Universums entworfen, das diesen einer lebendigen natürlichen Vorstellungskraft näherbringen kann. Die Natur wie eine immer differenzierter und komplexer werdende Personalität anzusehen und in dieser Personalisierung Religiosität und eine sinnspürende und devotionsbereite Naturbetrachtung zu verbinden ist sein Anliegen. (Vgl. bes. Der Mensch im Kosmos, aaO., 256, 261ff.; zum motivierenden Problem ebd., 268ff., und *S. M. Daecke*, Der Mensch im Kosmos. Die Perspektive Teilhards de Chardin als Beitrag zu einer ökologischen Theologie. Anstösse 26, 1979, bes. 58–61.)

meinsam eine neue Theoriesprache entwickeln, die gleichsam ein Dolmetscher wäre zur wechselseitigen Verständigung; bzw. können sie auf eine bereits entwickelte Theoriesprache zurückgreifen, die beim Sprechen und Verstehen hilft?

Daß die Theologie sich in begrenztem Umfange Theoriesprachen angeeignet hat, ist keine neue oder gar ungewöhnliche Erscheinung. Man denke nur an die Aufnahme des Denkens Hegels oder Heideggers. Daß es dolmetschende Instanzen im Dialog zwischen Theologie und Naturwissenschaften gab und daß sie offenbar erforderlich waren, ist ebenfalls schwer zu bestreiten: Die klassische Philosophie leistete hier lange Zeit Vermittlungsdienste[25].

Erst nachdem sich der Eindruck durchzusetzen beginnt, daß die relativistische Physik und die neueren sozialen und technologischen Entwicklungen die Philosophie überfordert und in Kompetenzschwierigkeiten gebracht haben, nachdem außerphilosophische Theorien sich als diagnostisch höherwertig geltend zu machen beginnen[26], wird die Frage wieder belastend, wie die Theologie auf solche Dialogforderungen reagieren solle[27].

Die Frage wird verstärkt durch eine Forderung, die der nach Kontaktaufnahme und Austausch mit abstrakten Theoriesprachen verwandt ist, obwohl sie ihr auf den ersten Blick geradezu entgegengesetzt zu sein scheint. Es ist dies die Forderung, die Theologie solle stärker auf vorsprachliche Äußerungen – die vorläufig und pauschal Gefühlsäußerungen genannt werden können – rezeptiv, diagnostizierend und reflektierend eingehen, sie solle ferner und vor allem zur Transformation von nur sprachlich artikulierten in auch physisch artikulierte oder zumindest emotionsintensivere Verständigungsweisen anleiten[28] oder, noch allgemeiner und vager formuliert, sie solle »konkreter und praktischer« oder doch »sensibler« werden. Auch hier

25 Sehr einflußreich war dabei der Neukantianismus. Erinnert sei hier vor allem an das Werk *E. Cassirers*, z.B. das vierte Kapitel von: Substanzbegriff und Funktionsbegriff. Untersuchungen über die Grundfragen der Erkenntniskritik, 4. Aufl., Darmstadt 1976, 148ff.; Philosophie der symbolischen Formen, Teil III, 5. Aufl., Darmstadt 1972, bes. 417ff., aber auch 165ff.; schließlich Das Erkenntnisproblem in der Philosophie und Wissenschaft der neueren Zeit, Bd. IV, Darmstadt 1973, 88ff. (mit einem Hinweis auf seine Schriften zu Relativitäts- und Quantentheorie, 90). Aber auch *C. F. v. Weizsäcker* und die von ihm beeinflußten Wissenschaftler haben sich einer kantianisierenden Philosophie bedient, um geisteswissenschaftlich Gebildeten einen Eindruck von der Wandlung des Denkens durch die relativistische Physik zu verschaffen.

26 Vgl. dazu Anm. 17.

27 Zur klassischen Formulierung der Dialogbedingungen: *H.-G. Geyer*, Welt und Mensch. Zur Frage des Aristotelismus bei Melanchthon (Diss.), Bonn 1959, 52ff.; auf das Desiderat einer Neuformulierung macht durch Hinweis auf eine erforderliche »*Erweiterung des überlieferten Erkenntnisbegriffs*« und eine ebenfalls erforderliche »*Erweiterung des überlieferten Naturbegriffs*« aufmerksam: *Ch. Link*, Die Welt als Gleichnis, aaO., ausdrücklich z.B. 319ff., 326ff., auch 339f.

28 Es sei hier nur verwiesen auf *W. Wink*, Bibelauslegung als Interaktion. Über die Grenzen historisch-kritischer Methode, Stuttgart, Berlin, Köln u. Mainz 1976, 22ff.; auf das Nachwort dazu von *G. M. Martin*, Biblische Texte im Kontext des Lebens, ebd., 62ff., sowie weitere Arbeiten *Martins*, z.B. Fest und Alltag. Bausteine zu einer Theorie des Festes, Stuttgart, Berlin, Köln u. Mainz 1973, 54ff.

ist eine Präzisierung der Anforderung hilfreich: Soll die Theologie den Versuch unternehmen, sich selbst in einer non-verbalen Sprache zu artikulieren? Soll sie verstärkt darauf achten, wie vorsprachliche Äußerungen in der Schrift oder in der theologischen Tradition formuliert worden sind, und nach diesen Vorbildern neue Ausdrucksformen einüben? Soll sie Kulturen des – vielleicht bedeutungsvollen – Schweigens und der – gewiß vielsagenden – Bewegung fördern, und soll sie zur Verstärkung und Koordination von natürlichen Handlungsimpulsen beitragen?

Auch an diesem Punkt macht sich der Ausfall der klassischen Philosophie als Koordinationsinstanz bemerkbar. Die Lehre vom *Selbstbewußtsein* galt lange als Hüter und Verwalter des zentralen und relevanten Bereichs vorsprachlicher Äußerungen. Das Selbstbewußtsein repräsentierte den letzten Knotenpunkt, den Kulminationspunkt der betrachtenswerten Gefühle, es war ein Konkretissimum und zugleich als eben vorbewußter Bereich, Grenzbereich aller Artikulationsbemühungen, aufzufassen[29]. Schließlich galt es noch als letztes Exekutionsprinzip: »Konkret und praktisch«, aber auch »zentral und tief« wurde es, wo die Bedingungen der Stimulierung des Selbstbewußtseins erörtert wurden. Erst die neuere Forschung hat die Aporien und die geringe Tragfähigkeit der vorhandenen Selbstbewußtseinstheorien aktenkundig werden lassen[30].

Beachtet man diesen Zusammenhang, so erscheint die Kosmologie Whiteheads zunächst als sehr attraktiver möglicher Nachfolger für die klassischen philosophischen Theorien, da sie eine umfassende und differenzierte *Theorie des Fühlens* entwickelt und *zugleich* eine *Theoriesprache* anbietet, die die Anliegen *natürlicher und formaler Theoriesprachen* auch in einem von der relativistischen Physik geprägten Zeitalter kompetent wahrzunehmen und zu verbinden verspricht[31]. So sehen es viele amerikani-

29 Zur zugleich schwer darzustellenden und theoretisch vielfältig auszubeutenden Stellung des Selbstbewußtseins zwischen »gegenständlichem Bewußtsein« und »bewußtlosen Zuständen« s. z.B. *F. Schleiermacher,* Der christliche Glaube nach den Grundsätzen der evangelischen Kirche im Zusammenhange dargestellt, Bd. I, hg. *M. Redeker,* 7. Aufl., Berlin 1960, 16, und *ders.,* Dialektik, hg. *R. Odebrecht,* Darmstadt 1976, 286ff.; s. aber auch die folgende Anmerkung.

30 Vgl. zunächst die exemplarische Wiederaufnahme der Theorie *Fichtes* bei *D. Henrich,* Fichtes ursprüngliche Einsicht, WuG 34, Frankfurt 1967, bes. 10ff., 18ff.; den Versuch einer Neugestaltung der Theorie: *ders.,* Selbstbewußtsein. Kritische Einleitung in eine Theorie. In: Hermeneutik und Dialektik, I, FS H.-G. Gadamer, hg. *R. Bubner, K. Cramer* u. *R. Wiehl,* Tübingen 1970, 274–280; und den bekümmerten Befund: *ders.,* Die Grundstruktur der modernen Philosophie. In: Subjektivität und Selbsterhaltung. Beiträge zur Diagnose der Moderne, hg. *H. Ebeling,* Frankfurt 1976, 114.

In der Theologie s. vor allem *F. Gogarten,* Die Verkündigung Jesu Christi, 2. Aufl., Tübingen 1965, 9ff., 405ff., 454ff.; *ders.,* Die Wirklichkeit des Glaubens. Zum Problem des Subjektivismus in der Theologie, Stuttgart 1957, 23ff., 153ff. Dazu *R. Weth,* Gott in Jesus. Der Ansatz der Christologie Friedrich Gogartens, FGLP 10,36, München 1968, 12ff., 263ff., und *M. Welker,* Der Vorgang Autonomie. Philosophische Beiträge zur Einsicht in theologischer Rezeption und Kritik, Neukirchen 1975, 52ff. u. 129ff.

31 Abstrahiert man von diesen Anforderungen, so kann man auf das wichtige Werk von *A. R. Peacocke,* Creation and the World of Science, Oxford 1979, zurückgreifen. Die uns in den

sche Prozeßtheologen: Das Problem der Verbindung von Theologie und vorsprachlichen Äußerungen sowie formalen Theoriesprachen kann mit Hilfe der kosmologischen Theorie Whiteheads gelöst werden. Die damit zu erzielende Verbesserung der Dialogfähigkeit und die Steigerung der sogenannten Applikationsmöglichkeiten theologischen Denkens seien außerordentlich groß[32].

Die vorliegende Untersuchung wird sich diese Überzeugung nur mit Einschränkungen zu eigen machen können. Selbst wenn Whiteheads Theorie in den genannten Problembereichen viel zu leisten vermag – was sich zeigen läßt –, so wird doch das entscheidende Problem nur verschoben. Die Frage lautet nun zwar nicht mehr: Wie soll sich die Theologie zu nicht verbal oder formalsprachlich artikulierten Äußerungen verhalten? Sie lautet: Wie soll sie sich zu neuentwickelten Theoriesprachen verhalten, die non-verbale und formale Theoriesprachen zu ersetzen versuchen, aber doch nicht auf die Ebene der natürlichen Sprache gelangen? Es liegt einmal in der Logik der Verschiebung, wenn die Antwort auf diese Frage lautet: Die Theologie sollte solche integrierenden und hilfreichen, aber zugleich doch eigenwilligen Theoriesprachen *in ihrem Bereich zu erübrigen oder zu ersetzen versuchen.*

Zugleich berührt sich diese Antwort mit grundsätzlichen Einwänden, die Karl Barth gegen die Ausbildung einer Kosmologie im Rahmen einer theologischen Dogmatik vorgetragen hat. Zwar dürfe sich die Dogmatik einer »Verkennung des Kosmos, einer Isolierung des Menschen gegenüber der nicht-menschlichen Kreatur . . . nicht schuldig machen«[33], zwar seien menschlicher Glaube und menschliches Zeugnis vom Worte Gottes, indem sie mit einer bestimmten Auffassung und Wiedergabe des Wortes vollzogen werden, immer auch mit bestimmten Kosmologien verbunden[34], doch diese Kosmologien seien variabel, wechselnd und wandelbar[35], und sie seien bewußt als Variablen der Dogmatik zu betrachten und bewußt variabel zu halten.

folgenden Kapiteln ausschließlich interessierende Theorieebene einer relativistischen Kosmologie wird von *Peacocke* indirekt und nachträglich im Anhang ins Auge gefaßt (vgl. 360ff.). Zu der gegenüber konventionellen kosmologischen Modellen bei *Whitehead* erfolgenden Komplexitätssteigerung s. Kap. II dieser Arbeit, aber auch *V. Lowe*, Understanding Whitehead, Baltimore 1968, 34ff. (=Whitehead's Metaphysical System. In: Process Philosophy, 3ff.) und 62ff.; *Ch. Hartshorne*, Whitehead's Metaphysics. In: *Hartshorne*, bes. 9–16; *ders.*, Whitehead's Generalizing Power, ebd., bes. 131ff.; *T. F. Torrance*, Theological Science, Oxford, London u. New York 1978, 258.

32 Kap. III dieser Arbeit wird sich mit dieser Einschätzung näher befassen. S. vorläufig nur allgemein *Cobb* u. *Griffin*, Prozess-Theologie, aaO., 7ff.; *D. Brown* u. *G. Reeves*, The Development of Process Theology. In: Process Philosophy, 21ff.; ferner *E. H. Cousins*, Introduction: Process Models in Culture, Philosophy, and Theology. In: Process Theology, bes. 7ff.

33 *K. Barth*, Die Lehre von der Schöpfung, KD III/2, Zürich 1959, 3, vgl. ebd.

34 Freies Zitat nach KD III/2, 5, vgl. 9.

35 Vgl. KD III/2, 6ff.; s. auch *Barths* Hinweise auf die Entwicklung von *Polanus* bis *Alexander von Oettingen*, ebd., 3f., die Bemerkung zu *Karl Heim*, ebd., 5, und zu den vom Alten Testament in seiner Umgebung *vorgefundenen* kosmologischen Vorstellungen, ebd., 6, 7, vgl. 9f.

Von Detailfragen abgesehen[36] sind die Einwände Barths zunächst zu unterstreichen. Ist es eine Aufgabe der Theologie, die Kosmologie variabel zu halten, so ist damit die Obliegenheit verbunden, einmal rezipierte Kosmologien zu korrigieren und den Bestand jeweils auf das neueste Niveau zu bringen[37]. »Sogar die römische Kirche hat sich wohl gehütet, ihren lange festgehaltenen Widerspruch gegen Kopernikus und gegen Descartes durch Proklamierung eines an Ptolemäus und Aristoteles festhaltenden Dogmas zu fixieren.«[38]

Daß es dennoch Gründe gibt, die dafür sprechen, es nicht bei der Aufgabe einer Renovierung und Modernisierung der von der Theologie verwendeten Kosmologie zu belassen, daß es Gründe gibt, die die Ausbildung einer *theologischen Kosmologie* nahelegen, ist im folgenden darzutun.

Dabei ist zunächst die historisch vermittelte und kultivierte *Befürchtung* zu beseitigen, die Theologie würde sich bei ihrer Rede von Himmel und Erde automatisch blamieren. Sodann ist eine verbreitete Darstellung der Welt in Frage zu stellen, die als eine Reaktion auf die ›kopernikanische Wende‹ verständlich und in vieler Hinsicht verdienstvoll war, nun aber, wie eine geisteswissenschaftliche Karikatur fortlebend, viele Belastungen und kaum noch Erklärungshilfen mit sich bringt.

6. *Die Verteidigung des gesunden Menschenverstandes im »Fall Galilei« und die Personalisierung der Welt*

Noch immer gilt der »Fall Galilei« als Paradigma für den schließlich fehlgeschlagenen Versuch der Kirche, Wissenschaft und Forschung bei der Aufklärung der Welt über ihre wirkliche Beschaffenheit zu behindern und sie mit Gewalt zu unterdrücken, sofern dies nur der Erhaltung der kirchlichen Macht diene. Seit dem »Fall Galilei« scheint die Inkompetenz der Theologie in bezug auf die Kosmologie offenkundig: Über die Welt, über Himmel und Erde kann man von ihr keine vertrauenswürdigen Aufschlüsse erwarten. Aus der Perspektive der relativistischen Physik stellt sich die Sachlage etwas anders dar:

> »*Galilei* sagte, die Erde bewege sich und die Sonne stehe fest; die Inquisition sagte, die Erde stehe fest und die Sonne bewege sich; und die *Newton*schen Astronomen, die eine absolute Raumtheorie annahmen, sagten, es bewege sich sowohl die Sonne wie die Erde. Aber gegen-

36 So wäre zu fragen, ob es hilfreich ist, »Kosmologie«, »Weltanschauung« und »Weltbild« (KD III/2, 3, 5f., vgl. 12) promiscue zu verwenden; warum das Wort Gottes, wenn es denn – sogar »zweifellos« – eine »Ontologie des Menschen«, eine »Ontologie des Menschen unter dem Himmel auf der Erde« (5) enthalte, nicht eine Lehre vom Kosmos des Menschen enthalten könnte und ob *diese* Kosmologie nicht präzise ein Teilgebiet der Lehre vom Gesetz darzustellen befugt und in der Lage wäre.

37 Vgl. KD III/2, 6ff. u. 5. Allerdings wird man nicht sagen können, daß *K. Heim* dies getan habe; vgl. Anm. 24.

38 KD III/2, 6.

wärtig sagen wir, jede dieser drei Feststellungen sei gleich wahr, vorausgesetzt, daß wir den Begriffen der ›Ruhe‹ und der ›Bewegung‹ den Sinn verleihen, den die angenommene Aussage erfordert. Zur Zeit von *Galileis* Streit mit der Inquisition war *Galileis* Art, die Tatsachen zu sehen, ohne Frage die fruchtbarere Methode im Sinn der wissenschaftlichen Forschung. Aber an sich war sie nicht wahrer als die Behauptung der Inquisition. Doch ahnte zu jener Zeit niemand die modernen Begriffe der relativen Bewegung, so daß die Aussagen in Unkenntnis der für ihre vollständige Wahrheit nötigen Einschränkungen gemacht wurden. Und doch drückt dieses Problem der Erd- und Sonnenbewegung eine wirkliche Tatsache des Universums aus, und alle Streitenden hatten wichtige Wahrheiten über sie erfaßt. Aber der Wissensstand jener Zeiten ließ die Wahrheiten als unvereinbar erscheinen.«[39]

Um möglichen Mißverständnissen vorzubeugen: Das für die Emanzipation der Wissenschaften wichtige Bild vom »Fall Galilei« soll nicht verändert oder auch nur retuschiert werden. Es muß aber auf ein Folgeproblem dieses Falles aufmerksam gemacht werden, das nicht konsequent genug beachtet worden ist: die Auswirkungen des Falles Galilei auf den sogenannten gesunden Menschenverstand.

Welche Hintergedanken auch immer das Verhalten der Kirche im Fall Galilei mitbestimmt haben, welche unguten Interessen auch immer ihr Vorgehen leiteten, mit der Niederlage der Kirche scheiterte ein – um es noch einmal zu sagen: mehrdeutiger und zwielichtiger – Versuch, den gesunden Menschenverstand und seine Perspektive auf die Welt zu verteidigen.

Nicht hinreichend ist betont worden, daß mit der Kirche schließlich der gesunde Menschenverstand der Verlierer des »Falles Galilei« gewesen ist. Für den gesunden Menschenverstand, der *die Perspektive und die Befunde seiner unmittelbaren Wahrnehmung verallgemeinert,* für den auch heute noch die Sonne im Osten aufgeht, im Süden ihren Mittagslauf nimmt und für den die Erde sich nur auf dem Bildschirm oder bei einem Erdbeben bewegt, galt fortan: Traue deinen Sinnen nicht[40].

Nur halb wird der gesunde Menschenverstand entschädigt, indem »das *geozentrische* Bild des physikalischen Universums« zwar verschwindet, dafür aber »das *egozentrische* Bild des gesellschaftlichen Universums« aufgebaut wird[41].

39 *A. N. Whitehead,* Wissenschaft und moderne Welt, Zürich 1949 (SMWd), 237f. (SMW, 218).
Vgl. dazu sachlich *A. Einstein,* Über die spezielle und die allgemeine Relativitätstheorie, 21. Aufl., Braunschweig o.J., 55f.; und historisch *H. Blumenberg,* Kosmos und System. Aus der Genesis der kopernikanischen Welt. StGen 10, 1957, bes. 62f.

40 Der neuzeitliche Geist kann geradezu als in (differenzierter) beständiger Auseinandersetzung mit »falschem Weltvertrauen« begriffen aufgefaßt werden. (So hat *H. Blumenberg,* Die Legitimität der Neuzeit, Frankfurt 1966, 384, den Forschergeist des *Francis Bacon* charakterisiert. *Blumenberg* zeigt eindrücklich die Kovarianz von Schwund des anthropozentrischen Bewußtseins und Ausbildung von Strategien der »humanen Selbstbehauptung«, z.B. ebd., 174ff.) S. hierzu und zum folgenden die Ausführungen *E. Brunners,* Der Mensch im Widerspruch. Die christliche Lehre vom wahren und vom wirklichen Menschen, 3. Aufl., Zürich 1941, 437ff., die allerdings mit historischen und sachlichen Befunden nur auf Strecken vereinbar sind.

41 Diese Wendungen gebraucht *N. Elias,* Über den Prozeß der Zivilisation. Soziogenetische

Ablösung des geozentrischen Bildes des physikalischen und Aufbau des egozentrischen Bildes des gesellschaftlichen Universums – erst diese *beiden* Erscheinungen geben die Minimalbestimmungen für den zerrissenen, notwendig chronisch mißtrauischen und auf Selbstbestätigung wirklich angewiesenen, also gar nicht so »gesunden« Menschenverstand der Neuzeit an[42].

Daß die Auflösung des geozentrischen Weltbildes sich als dauerhafter und folgenreicher erweisen würde als der Aufbau des egozentrischen Bildes, das dem gesunden Menschenverstand in vieler Hinsicht zur Rechtfertigung und Stärkung seiner Position dienen konnte, hat der alte Goethe gespürt. Am 24. Juni 1831 schreibt er nach der Lektüre von Werken Galileis in sein Tagebuch: »Er starb in dem Jahre, da Newton geboren wurde. Hier liegt das Weihnachtsfest unserer neueren Zeit. Von dem Gegensatz dieser beiden Epochen geht mir erst jetzt der Begriff auf . . .«[43]

Daß Goethe in der Tat die Auflösung des geozentrischen Weltbildes als *Geburtsstunde der Neuzeit* vor Augen hat, macht er einige Monate später in einem Gespräch mit dem Kanzler von Müller deutlich. Gelassen bemerkt er, daß die großen Wahrheiten den Sinnen widersprächen, und bezeichnet die zur Ablösung des geozentrischen Weltbildes führende Erkenntnis des Kopernikus als »die größte, erhabenste, folgenreichste Entdeckung, die je der Mensch gemacht hat; in meinen Augen wichtiger als die ganze Bibel.«[44]

Ohne auf Goethes Einschätzung, die sicher viele »moderne« Menschen geteilt haben, näher einzugehen, kann immerhin bemerkt werden, daß die Theologie auf jene große, erhabene, folgenreiche Entdeckung nach etlichen

und psychogenetische Untersuchungen. Bd. 1: Wandlungen des Verhaltens in den weltlichen Oberschichten des Abendlandes, 6. Aufl., Frankfurt 1978, LXVI (Hervorhebung Vf.); die vorzügliche Einleitung (s. bes. Abschnitt VIII, LIVff.) plädiert für eine Überwindung des egozentrischen Weltbildes, macht aber auch richtig auf problematische emotionale Folgeerscheinungen einer solchen Überwindung aufmerksam. Als ein Versuch, dieses Weltbild zu stabilisieren, ist gewiß der »Besitzindividualismus« aufzufassen, den *C. B. Macpherson* beschrieben hat, Die politische Theorie des Besitzindividualismus. Von Hobbes bis Locke, Frankfurt 1973, bes. 295ff. Zur Aktualität dieser Diagnose (vgl. ebd., 304ff.) s. *M. D. Meeks*, Gott und die Ökonomie des Heiligen Geistes. EvTh 40, 1980, 46ff.

42 Dies sei gegen einen pauschalen Hinweis auf das »moderne Selbstbewußtsein«, dessen Prototyp in der Regel in Descartes' »ego cogito« lokalisiert wird, vorgebracht. *O. Bayer* hat gezeigt, daß für *Descartes* menschliche Freiheit Freiheit von der Welt, nicht von Gott ist, s. Descartes und die Freiheit. ZThK 75, 1978, 79, 80. Mit der Bindung an Gott, den er »unendliche Substanz«, »höchstes Sein« nennt und den »Natur« zu nennen er jedenfalls erwägt (vgl. z.B. Meditationen über die Grundlagen der Philosophie mit sämtlichen Einwänden und Erwiderungen, PhB 27, Hamburg 1965, 36f., 58, 69), sucht *Descartes* das Weltvertrauen zu gewinnen, ohne das die Freiheit von der Welt weder gebraucht noch genossen werden kann. S. dazu *E. Jüngel*, Gott als Geheimnis der Welt. Zur Begründung der Theologie des Gekreuzigten im Streit zwischen Theismus und Atheismus, Tübingen 1977, 239ff.

43 Tagebücher. Johann Wolfgang Goethe, Gedenkausgabe der Werke, Briefe und Gespräche, hg. *E. Beutler*, 2. Erg.bd., Zürich u. Stuttgart 1964, 565.

44 Gespräch *Goethes* mit *F. v. Müller* am 26.2.1832, Goethes Gespräche. 2. Teil. Johann Wolfgang Goethe, Gedenkausgabe der Werke, Briefe und Gespräche, hg. *E. Beutler*, 23. Bd., 2. Aufl., Zürich u. Stuttgart 1966, 844.

Schwierigkeiten und langem Zögern schließlich erstaunlich gut reagierte, ja, daß sie auf die Relativierung der Position der Welt geradezu vorbereitet schien. Bei dieser Reaktion habe, wenn wir einer neueren Diagnose der Entwicklung des Weltbegriffs trauen können, sogar die Bibel entscheidend geholfen. Die Grundlage, so heißt es, der ego-zentrierten Reaktion auf Kopernikus, die sich später selbst »Kopernikanische Revolution« genannt hat und die »mit Descartes beginnt, ist die alles verändernde christliche Selbsterfahrung, für welche die Welt ein ›Übriges‹ ist, außerhalb unseres Ich-selbst . . .«[45]. Augustin hat sie ausgebildet, doch »die Weltentsagung des frühen Christentums«, welche der »spätantiken Stimmung der Abkehr von der Welt begegnet«, ist ihre Grundlage[46]. Und nicht nur das Neue Testament, sondern auch gleich noch das Alte Testament soll dieser »christlichen Selbsterfahrung« Ausdruck geben: »Das Alte und Neue Testament hat keine Augen für den Kosmos.«[47]

Wir sollten diese Sicht nicht einfach als einseitig oder, schroffer, als zu primitiv abtun, auch wenn wir damit im Recht wären[48]. Lange erfolgreiche Thesen, die plötzlich obsolet erscheinen und schnell aufgegeben werden, sind gerade nach ihrer Entkräftung lehrreich. In unserem Fall kann uns die These von der biblischen Begründung der »christlichen Selbsterfahrung« im Verbund mit einer »Kosmosblindheit« zur Frage veranlassen, ob damit nicht doch allzu eilig der »Anschluß an die Moderne« gesucht worden ist. Töricht und nur experimentierend wäre es, nun im *Gegenzug* die Beschäftigung mit der Sozialitätserfahrung und mit der Welt überhaupt, sozusagen

45 *K. Löwith*, Der Weltbegriff der neuzeitlichen Philosophie, SHAW.PH, 2. Aufl., 1968, 12.

46 *Löwith*, ebd., 10, vgl. 10–12.

47 *Löwith*, ebd., 10. Vorsichtiger in: Gesammelte Abhandlungen. Zur Kritik der geschichtlichen Existenz, Stuttgart 1960, 236f. Es ist nicht verwunderlich, daß dort, wo solche Meinungen gepflegt wurden, die theologische Rede von der Welt karikiert und als wenig aufschlußreich abgetan wurde (vgl. *A. Grünbaum*, Some Highlights of Modern Cosmology and Cosmogony. RMet 5, 1952, 497) bzw. daß Naturwissenschaftler in der Weise auf die »religiöse Frage« eingingen, in der sie die Theologie auf die kosmologischen Fragen reagieren sahen (vgl. *P. Jordan*, Der Naturwissenschaftler vor der religiösen Frage. Abbruch einer Mauer, 6. Aufl., Oldenburg u. Hamburg 1972, 19ff. u. 349; *ders.*, Schöpfung und Geheimnis, Oldenburg u. Hamburg 1970, 143ff., 155ff.; eine lehrreiche Ausnahme stellt *Jordans* Bemerkung gegen *Bultmanns* Fixiertheit auf das Weltverständnis der Wissenschaft des *19. Jahrhunderts* dar, ebd., 157f.). Natürlich hat es auch nicht an Bemühungen gefehlt, den Traditionsverschüttungen auf beiden Seiten entgegenzuwirken. S. nur *A. Koyrés* zahlreiche, ausführlich belegte Hinweise (From the Closed World to the Infinite Universe, 4. Aufl., Baltimore u. London 1976) auf die Korrelationen von kosmologischen und religiösen Fragestellungen, bes. aber die den Cusaner betreffenden, 17ff.; zum Hinweis auf das »relativistische Denken« (18 u. 279) vgl. *N. de Cusa*, De docta ignorantia, II, hg. *P. Wilpert*, PhB 264b, Hamburg 1967, Cap. XI u. XII, bes. 86ff., 92ff.; unklarer: *ders.*, Dialogus de Genesi. In: Philosophisch-theologische Schriften, Bd. 2, hg. *L. Gabriel*, Wien 1966, 400.

48 Vgl. vielmehr die ausgewogene Darstellung der Perspektiven auf die Welt im Neuen Testament bei *O. H. Steck*, Welt und Umwelt, Stuttgart, Berlin, Köln u. Mainz 1978, bes. 199ff. Dieses Buch gibt zugleich selbst eine umsichtige und sachlich fruchtbare Bestimmung des Ausdrucks ›Welt‹ (vgl. ebd., 18f.).

zur Vervollständigung, zu empfehlen. Wir müssen vielmehr nachfragen, ob die unbestreitbar theologisch richtige Prägung der Dogmatik durch die Anthropologie wirklich schöpfungstheologisch und christologisch begründet gewesen ist oder ob sie zu einem Teil nicht auf ein bequemes Arrangement mit dem neuzeitlichen – wie wir sahen, geschädigten – gesunden Menschenverstand zurückzuführen ist.

Positiv formuliert sollten wir fragen, ob die Theologie nicht auch in der Neuzeit fortfährt, den gesunden Menschenverstand – wir müssen jetzt ergänzen: nach Kräften – zu stützen und zu unterstützen. Wenn dies der Fall sein sollte, so wäre das – auch wenn es im wissenschaftlichen Diskurs manchmal nicht so erschiene – alles andere als blamabel. Aber: Die Theologie sollte doch wissen, was sie tut. Zumindest in Konfliktfällen sollte sie prüfen, ob sie wirklich primär an der Lehre von der Schöpfung des gottebenbildlichen Menschen und an der Lehre des menschgewordenen Gottes orientiert ist – oder nicht doch vielmehr am fast selbstverständlichen subjektiven Rechtsempfinden der neuzeitlichen Individualität; sie sollte zumindest klarstellen, in wessen Licht sie die eine und die andere Orientierungsgrundlage betrachtet.

Ein Indiz für ein fragwürdiges Vorgehen könnte die Verwechslung oder partielle Identifizierung der anthropologischen Konzentration mit der Zentrierung auf das Individuum oder sogar mit der Ego-Zentrierung sein. Ein Indiz für ein fragwürdiges Vorgehen könnte die Neigung sein, die Welt als unsere Zeit, unsere Zeit als die Menschheit, die Menschheit als die Menschen, die Menschen als den Menschen und – nun erst kommt das Entscheidende – »den Menschen« dann doch nicht als Jesus Christus (Eph 1,10; Kol 1,16.20!), sondern als Egoität aufzufassen[49].

Natürlich ist einer solchen Neigung – auch und gerade in der Theologie – vorbeugend begegnet worden. Die *Welt* ist als die sich über die Lebenszeit und den Lebensbereich eines Individuums, auch über »unsere Zeit« hinaus

49 Wobei das Problem der Umkehrbarkeit der Aussage »Jesus Christus ist der Mensch« in einer systematischen Neubesinnung auf das Sein der Menschen »in Adam« und »in Christus« zu erörtern wäre. (Großes Gespür für die Reichweite dieses Grundproblems hat *D. Bonhoeffer* gezeigt: Sanctorum Communio. Eine dogmatische Untersuchung zur Soziologie der Kirche, ThB 3, 4. Aufl., München 1969, bes. 72ff.; *ders.*, Akt und Sein. Transzendentalphilosophie und Ontologie in der systematischen Theologie, ThB 5, 3. Aufl., München 1964, 116ff.) Vgl. auch die Erläuterung dazu, daß Jesus Christus »im eigentlichen, vollen Sinne Mensch« ist, die *M. Hengel* in »Was ist der Mensch?« Erwägungen zur biblischen Anthropologie heute. In: Probleme biblischer Theologie. Gerhard von Rad zum 70. Geburtstag, hg. *H. W. Wolff*, München 1971, bes. 128, gegeben hat; dort, bes. 134f., auch gute Hinweise auf die Verflochtenheit von dringlichen anthropologischen und kosmologischen Fragen. Zur aus Ps 8 aufgenommenen Formulierung der »anthropologischen Frage«, bes. zum Interrogativpronomen, s. *J. Moltmann*, Wer ist »der Mensch«?, Einsiedeln, Zürich u. Köln 1975, 7 u. 53; und *M. Heidegger*, Holzwege, 5. Aufl., Frankfurt 1972, 103. Dazu, »daß der bestimmte Artikel neben seinen tüchtigen Leistungen auf dem Gebiete der Metaphysik unter Umständen auch eine ganz ansehnliche politische Aktivität entfalten kann«, s. *W. Stegmüller*, Aufsätze zur Wissenschaftstheorie, 2. Nachdruck, Darmstadt 1974, 2, 1f.

sich erstreckende *Geschichte* verstanden worden[50]. Ferner hat man sie als eine »dem Menschen« *gegenüber* auftretende Größe angesehen, die »den Menschen« herausfordere, von der der Mensch aber um der Begegnung mit Gott willen zu abstrahieren habe[51]. Beide Versuche, einer Tendenz der Anthropologisierung und Subjektivierung der Welt zu wehren, sind aber selbst in Schwierigkeiten geraten, von denen ein einfacher Begriff gegeben werden soll.

Seit einer Weile steht zur Diskussion an, unter welchen Bedingungen jede Darstellung der Geschichte, da sie grundsätzlich nur als *eine* mehr oder minder integrationsfähige *Perspektive* auf die Welt aufzufassen ist, die eigene Relativität zumindest zu kontrollieren und zu reduzieren vermag, wenn sie schon nicht beseitigt werden kann[52]. Im Rahmen dieser Arbeit sei vor allem auf eine Bemerkung Whiteheads verwiesen:

> Die »Vorstellung von einer Geschichte, in der es keine ästhetischen Vorurteile und kein sich Berufen auf metaphysische Prinzipien und kosmologische Verallgemeinerungen gibt, ist nichts weiter als ein Phantasieprodukt, an das nur vom Provinzialismus – dem Provinzialismus einer Epoche, eines Volks, einer Gelehrtenschule oder einer Interessenrichtung – durchtränkte Geister zu glauben vermögen, Geister, die unfähig sind, die noch nicht zur Sprache gekommenen eigenen Grenzen zu verspüren.
>
> Bei seiner Beschreibung der Vergangenheit ist der Historiker von seinem eigenen Urteil über das abhängig, was dem menschlichen Leben seine Bedeutung gibt. Selbst wenn er sich rigoros

50 Z.B. *G. Ebeling*, Die Welt als Geschichte. In: Wort und Glaube, 3. Aufl., Tübingen 1967, bes. 388ff. Zur damit zumindest zufällig korrelierenden Entleerung des Begriffs ›Wirklichkeit‹ s. ebd., 391f., und: Glaube und Unglaube im Streit um die Wirklichkeit, ebd., bes. 398ff. Ob der Ausdruck ›Macht‹, wie *Ebeling*, ebd., vermutet, ein bezeichnendes Licht auf die Wirklichkeit fallen lassen könnte, ist auch nach neueren Bestimmungsversuchen (*N. Luhmann*, Macht, Stuttgart 1975) offen. Präziser und differenzierter, als es die Rede von ›Geschichte‹ zuläßt, hat den Ausdruck ›Welt‹ von Grundformen mentalen menschlichen Verhaltens her bestimmt *G. D. Kaufman*, God the Problem, 2. Aufl., Cambridge 1973, 203ff. Sehr schön zeigt die Inkonsequenz der auf ›Geschichte‹ restringierten Auffassung von Welt der hauptsächlich von *A. Ritschl* geschriebene, von *J. Weiß* überarbeitete Artikel: Welt, RE, 3. Aufl., bes. 85.

51 *Gogarten*, Die Verkündigung Jesu Christi, aaO., z.B. 454ff., bes. 460f., 530, allgemein 542. Daß *Gogarten* von der *Voraussetzung* der »selbstbewußten« Abstraktion von der Welt vergeblich loszukommen sucht, habe ich gezeigt in: Der Vorgang Autonomie, aaO., 129ff., 146ff. u. 206ff.

52 Zur Inkonsistenz der Rede von der »Universalgeschichte« s. die Auseinandersetzung mit *W. Pannenbergs* Gedanken, oben Anm. 19. Die Rede von »Weltgeschichte« hat *O. Köhler* mit der im Anschluß an *H. Freyer* gestellten Frage problematisiert: Ist die *Weltgeschichtlichkeit Europas* die äußerste Grenze der Weltgeschichte? (Was ist ›Welt‹ in der Geschichte? Saec. 6, 1955, 7). Er hat ferner auf das Ausstehen eines ›Menschheitsgeschichtsbewußtsein(s)‹ aufmerksam gemacht (Versuch, Kategorien der Weltgeschichte zu bestimmen. Saec. 9, 1958, 449).

Gegen extrem vereinfachende Darstellungen (z.B. *W. Wiesner*, Die Welt im Verständnis des christlichen Glaubens, Heidelberg 1964, 22ff., 31ff.; und, trotz der Gelehrsamkeit im Detail, *A. Klempt*, Die Säkularisierung der universalhistorischen Auffassung. Zum Wandel des Geschichtsdenkens im 16. und 17. Jahrhundert. Göttinger Bausteine zur Geschichtswissenschaft, Bd. 31, Göttingen, Berlin u. Frankfurt 1960, bes. 81ff.) s. auch die Feststellung im Blick auf das Alte Testament von *H. Wildberger*, Jesajas Verständnis der Geschichte. VT.S 9, 1963, 84, die auch systematische und methodische Gültigkeit hat.

auf einen einzigen Aspekt beschränkt, etwa die Politik oder die Kultur, muß er immer noch irgendwie entscheiden, was den Kulminationspunkt dieser Phase menschlichen Erlebens ausmacht, und was ihren Niedergang.«[53]

Ein Bärendienst ist den Historikern schließlich durch die in Umlauf geratene These geleistet worden, auch die *Natur* sei als »geschichtlich« anzusehen[54]. Diese These schien einerseits den Gedanken der »Geschichtlichkeit der Welt« zu vervollkommnen und indirekt einer Subjektivierung der Welt zu widersprechen, brachte aber andererseits die Geschichtsbetrachtung gerade in einen Assoziationszusammenhang mit dem erfolgsorientierten »Experiment«. Wir können hier nicht auf die Probleme der Geschichtswissenschaft eingehen, die angesichts der Auseinandersetzung mit den *bewußt* von besonderen Arrangements ausgehenden, von besonderen Interessen geleiteten und primär resonanzorientierten Perspektiven auf die Geschichte entstehen. Es ist nur nachdrücklich darauf hinzuweisen, daß die Perspektivität und Subjektivierung der Welt durch ihre »Vergeschichtlichung« keineswegs überwunden, sondern geradezu zum offenen Problem geworden ist[55]. Während auf diesem Gebiet klärende und weiterführende Theorien absehbar, aber auch notwendig sind, kann die *Personalisierung der Welt* nur als Behinderung in theologischer Arbeit angesehen werden. Sie war zwar einleuchtend für den gesunden Menschenverstand, indem sie die Welt wie ein Gegenüber, wie ein alter ego darstellte, mit dem man in Kontakt treten und von dem man sich auch wieder lösen konnte. In der Wendung »Der Mensch zwischen Gott und Welt«[56] ist diese Personalisierung der Welt programmatisch formuliert worden, um dann »den Menschen« zur Abstrak-

53 *Whitehead,* AId, 80f. (AI, 4).

54 Vgl. *C. F. v. Weizsäcker,* Die Geschichte der Natur. Zwölf Vorlesungen, Stuttgart 1948, 33ff.

55 Dies zeigt sich auch noch auf dem bislang höchsten Abstraktionsniveau der Diskussion, das *R. Koselleck* mit seiner These von der »Verzeitlichung der Geschichte« in der Moderne vorgegeben hat: Vergangene Zukunft der frühen Neuzeit. In: Epirrhosis, Festgabe für Carl Schmitt, hg. *H. Barion* u. *E.-W. Böckenförde,* Berlin 1968, 549–566. 551ff. beschreibt die Prozesse der Entdeckung der offenen und riskanten Zukunft und die Versuche, sie kontrollierbar und manipulierbar zu machen. Einmal abgesehen von der Frage, ob damit schon die Temporalisierung der Geschichte erfaßt ist, eröffnet sich in diesem Zusammenhang eine günstige Perspektive, Subjektivität als Antizipationsphänomen zu thematisieren (s. dazu Kap. II, Teil B; und die Andeutung *P. Bieris,* Zeit und Zeiterfahrung. Exposition eines Problembereichs, Frankfurt 1972, 220f.; sowie die Diskussion des damit verwandten Gedankens *Heideggers* bei *E. Tugendhat,* Selbstbewußtsein und Selbstbestimmung. Sprachanalytische Interpretationen, Frankfurt 1979, bes. 186–188).
Auch an diesem Punkt ist – wie neuerdings öfter – die alttestamentliche Forschung ›systematisch‹ fruchtbarer gewesen als die systematische Disziplin. S. zumindest als fördernden Gesprächsansatz: *S. Herrmann,* Zeit und Geschichte, Stuttgart 1977, 101ff., der erkennen läßt, daß der komplizierte Zusammenhang von Verzeitlichung, Vergeschichtlichung und Subjektivität durch Reflexion auf das Geschehen von »Verheißung und Erfüllung« erhellt werden könnte.

56 Dieser Titel eines Buches von *F. Gogarten* (4. Aufl., Stuttgart 1967) ist wohl formuliert im Anschluß an *A. Dempf,* Christliche Philosophie. Der Mensch zwischen Gott und der Welt, Bonn 1938.

tion von der Welt und zur Einsicht in ihre »bloße Gegenständlichkeit« zu bewegen.

Der Mensch zwischen Gott und Welt – das lädt zur Identifikation ein. Ich, der ich mich von Gott und Welt unterscheiden und der ich mich für Welt oder Gott entscheiden kann – dieses Verständnis ist sicher nicht ausgeschlossen[57]. Damit aber wird verdunkelt, daß »der Mensch« zwischen Gott und Welt nicht ich bin, sondern daß, wie der Glaube sagt, Jesus Christus der Mensch ist[58] (1 Tim 2,5), daß ich *ein* Mensch inmitten der Menschen in der von Gott unterschiedenen Welt bin; es wird ferner der Anschein erweckt, als seien Gott und Welt zumindest in bestimmter Hinsicht alternative »Größen« und als sei die christliche Weltentsagung auf einen Entscheidungsakt und einen Abstraktionsprozeß zu reduzieren[59].

Jene Personalisierung der Welt, ihr Aufbau zu einem »Gegenüber«, ist theologisch undurchdacht und hochproblematisch, ganz gleich, mit welchen Hintergedanken und vor welchen Hintergründen sie erfolgen mag, ganz gleich, ob sie ›letztlich, schließlich und endlich‹ nur dem Erweis ihres Gegenteils dienen soll. Sie erreicht auch in einer schließlich vielleicht erzielten »Objektivierung der Welt« nicht die Gleichgültigkeit, die sie erreichen will. Die »als Gegenstand« erkannte Welt wird nicht nur erkannt, sondern weiterhin anerkannt.

Der Mensch zwischen Gott und Welt – diese Wendung suggeriert vor allem, daß ein Mensch – wenn schon nicht Gott und Welt verbinden, so doch – Gott und Welt *trennen,* dazwischentretend die Welt von Gott, Gott von der Welt *scheiden* könne. Dabei wird verdrängt, daß Gott in Jesus Christus in die Welt, ja sogar *in diese Welt* gekommen ist und die Welt mit sich versöhnt hat (1 Tim 1,15; 2 Kor 5,19), was als ein raumzeitlich entferntes Geschehen vorgestellt werden kann, aber nicht muß. Dabei wird verdrängt, daß Gott der Welt, die theologisch als »Himmel und Erde« aufzufassen ist, einwohnt, so wahr er »*Gott im Himmel*« ist (was auch als ein raumzeitlich entferntes Geschehen vorgestellt werden kann, aber nicht muß. Und schon gar nicht nur als ein *nur* räumlich entferntes Geschehen!). Die Personalisierung der Welt – ob sie nun zur Vergötzung oder zur Verachtung der Welt führte – brachte also viele Verzerrungen mit sich, die eine *theologische Kosmologie* korrigieren muß. Abgesehen davon, daß die Welt bald zu einem Gespenst gemacht wurde, von dem dann leicht zu abstrahieren war, bald zu einer so unwiderstehlichen Macht, daß man sich fragen mußte, ob es

57 *Gogarten,* aaO., 8ff., 209ff.

58 S. Anm. 49 u. *Barth,* KD III/2, 67ff. Allerdings arbeitet *Barth* auf dem »Weg der Gegenüberstellung des Menschen mit dem Menschen Jesus« (ebd., 236) doch auch mit dem Gedanken von Setzung und Revokation der Setzung des abstrakten Subjekts: »›Ich bin‹ – das ist die gewaltige Setzung, in der wir alle begriffen sind und von der wir alle überzeugt sind, daß ihr an Wichtigkeit und Dringlichkeit keine andere gleich kommt: die Setzung unseres Selbst . . .« (ebd., 274); vgl. 274ff., 291f.

59 *Gogarten* hat sich gegen diesen Anschein wohl gewendet (vgl. z.B. aaO., 436), ihn dann aber doch immer wieder erzeugt (vgl. z.B. 441f.).

denn nun sinnvoll sei, die derart personalisierte Welt von einem Menschen wieder zu unterscheiden – vor allem brachten solche Auffassungen der Welt als Gegenüber eine maßlose Überschätzung und Überforderung der Menschen mit sich. Als ob wir zwischen Gott und Welt treten könnten, als ob wir die Welt von der Liebe Gottes scheiden könnten! Ja, als ob wir Gott von Himmel und Erde trennen könnten!

Um die Darstellung einer verkümmerten oder gespenstischen oder schlechthin unwiderstehlichen Welt und die Darstellung eines aufgeblähten Menschen, der zwischen Gott und Welt, zwischen Gott und Himmel und Erde stehen könnte, zu beenden, um die Untrennbarkeit und Unmanipulierbarkeit des Verhältnisses von Gott und Welt durch die Menschen deutlich zu machen, muß eine theologische Kosmologie die Rede von *Gott im Himmel* rehabilitieren.

7. Die theologische Darstellung der Welt erfordert Rehabilitierung und Neuverstehen der Rede von »Gott im Himmel«

Der erste Abschnitt von Kants »Grundlegung zur Metaphysik der Sitten« beginnt bekanntlich mit dem Satz: »Es ist überall nichts in der Welt, *ja überhaupt auch außer derselben* zu denken möglich, was ohne Einschränkung für gut könnte gehalten werden, als allein ein guter Wille.«[60] Zudem betont Kant wiederholt, daß das Sittengesetz nicht nur zur Bestimmung *unseres* Willens, des Willens von uns Menschen, sondern für *alle vernünftigen Wesen überhaupt* gelte.[61]

Diese und ähnliche Wendungen haben Befremden erregt. Schopenhauer hat ironisch vermutet, Kant habe dabei wohl »ein wenig an die lieben Engelein gedacht oder doch auf deren Beistand in der Überzeugung des Lesers gezählt«[62].

Tatsächlich aber hat Kant gesehen, daß wir den *Gedanken der Universalität* nicht unter bloßer Orientierung an *unserer Welt* ausbilden können. Das Analogon hinsichtlich der Gültigkeit und Reichweite des Sittengesetzes waren für ihn nicht bedeutende und relativ dauerhafte historische Institutionen dieser unserer Welt, sondern die am bestirnten Himmel exekutierten Naturgesetze. Da Kant den Ausdruck ›Welt‹ für diese unsere Welt, die

60 *I. Kant*, Grundlegung zur Metaphysik der Sitten, Ak. IV, 393, Hervorhebg. von mir, im Original »guter Wille« hervorgehoben.

61 *I. Kant*, ebd., 389, 408 u.ö.

62 *A. Schopenhauer*, Preisschrift über die Grundlage der Moral. In: Kleinere Schriften. Sämtliche Werke, Bd. III, hg. *W. v. Löhneysen*, Darmstadt 1968, 658.
S. aber auch *Kants* vorkritische Allgemeine Naturgeschichte und Theorie des Himmels, Ak. I, 351ff.; auf diese Schrift hat im Zusammenhang einer Studie zu den mehr oder minder abenteuerlichen Versuchen, die *Relativierung* der Welt durch Ausbildung von *Vorstellungen der »Pluralität der Welten«* zu verkraften, wieder aufmerksam gemacht *E. Benz*, Kosmische Bruderschaft. Die Pluralität der Welten, Freiburg 1978, 37ff.

Menschheitsgeschichte auf dieser Erde, verwendete, mußte er von einem Bereich »außer derselben«[63] sprechen.

Man kann sich fragen, ob es so etwas wie ein Galilei-Schuldkomplex war, der die Theologie davon abgehalten hat, den *für uns relativ unbestimmten Bereich der Welt*, das, was Kant »außer der Welt« genannt hat, als Himmel klar zu erfassen. Man kann sich fragen, warum sie es versäumt hat, die sowohl *räumliche* als auch *zeitliche* Bestimmung des Himmels, die die Bibel bietet, aufzunehmen und damit, *raumzeitlich denkend*, das Denken der Moderne weiter zu kultivieren. Sie hätte doch tatsächlich eine Lehre von der Welt entwickeln können, in der die Erde als der den lebenden Menschen raumzeitlich relativ nahe, der Himmel als der den lebenden Menschen raumzeitlich relativ ferne Bereich der Schöpfung, die Erde als der uns relativ verfügbare, der Himmel als der für uns relativ unverfügbare Bereich usf. hätte bestimmt werden können. So hätte sie, ohne Härten und unnötige Konflikte mit den Naturwissenschaften, von *dieser* Welt sprechen können. Ebenso hätte sie die eschatologische Begegnung und Verbindung von Himmel und Erde, die ein Vergehen von Himmel und Erde und ihre Neuschöpfung bedeutet, konsistent lehren können. Das wäre natürlich alles noch sehr äußerlich und formal gewesen und in diesem Jahrhundert dann mit Recht in den beliebten Verdacht einer »abstrakten Spekulation« geraten. Aber aufgrund von verantwortungsbewußter theologischer Besinnung hätte dann doch dargetan werden können, daß die Begegnung des (raumzeitlich verstandenen) Himmels und der (inzwischen tatsächlich auch vom unbefangenen Denken raumzeitlich verstandenen) Erde, d.h. das eschatologische Vergehen der unterschiedenen Bereiche der Schöpfung und ihre Neuschöpfung, daß diese Begegnung in Jesus Christus erfolgt und daß sie für uns Gericht und Gnade ist.

Obwohl dies offensichtlich nicht so geschah, ist freilich der Himmel und die Rede von Gott im Himmel nicht einfach untergegangen. In der Bibel, in den Liedern und Gebeten der Gemeinde ist sie gegenwärtig geblieben. Das, was wahr ist, kann entstellt, aber nicht verschwiegen und vernichtet werden. Und entstellt worden ist die Rede von Gott im Himmel in der Tat. Die philosophischen Gottesgedanken, die abstrakten religiösen Gottesbilder und vor allem die außerchristliche Religionskritik haben sich dieses Bereichs theologischer Rede bedient.

Natürlich haben Religiosität und außerchristliche Religionskritik dabei von Jesus Christus abstrahiert, haben nicht die Freude der Nähe Gottes, sondern das Faszinosum der Ferne Gottes[64] betont: Der *abstrakte Himmel, das Jenseits, das ganz Andere, das Unerreichbare, das alle Erfahrungen Übersteigende, das Transzendente, das Unbestimmbare, das Numinose*

63 Zum Problem der Bestimmung der Welt bei *Kant* s. *R. Torretti*, Die Frage nach der Einheit der Welt bei Kant. KantSt 62, 1971, bes. 96f.

64 Zum theologischen Verstehen des »Willens zur Ferne Gottes« s. *H.-G. Geyer*, Anfänge zum Begriff der Versöhnung. EvTh 38, 1978, 235ff., 243–245.

war von Interesse, derjenige Himmel, der in der Tat »die Erde nie berühren« will[65]. Nicht von Gott *im* Himmel war die Rede, sondern es wurden, allerdings auch unter Aufnahme alter Traditionen[66], *Gott und Himmel konfundiert:*

»Aber in Wahrheit ist kein Unterschied zwischen dem *absoluten Leben*, welches *als Gott*, und dem *absoluten Leben*, welches *als der Himmel* gedacht wird, nur daß im Himmel in die Länge und Breite ausgedehnt wird, was in Gott in *einen* Punkt zusammengedrängt ist.«[67]

Man kann nicht sagen, daß die Theologie sehr viel dafür getan hat, dem Verfall, der religiösen Besetzung, der Entstellung der Rede von »Gott im Himmel« zu wehren. Zwar wurde festgestellt: »Es ist ermüdend und langweilig, immer wieder dem Unverstand eines aufgeklärten Verstandes in bezug auf das religiöse Verständnis vom Himmel entgegentreten zu müssen.«[68] Es ist aber sehr schwer, die Spuren dieses ermüdenden Entgegentretens in der theologischen Literatur aufzufinden. Eher scheint die Vermutung angebracht, daß die Rede von Gott im Himmel lange Zeit kein Thema war, weil es einfach zu schwierig und peinlich schien, sich mit dem aufgeklärten Verstand darüber zu verständigen. Es ist ein Verdienst der nachneuzeitlichen Kosmologie, die Theologie dazu herauszufordern, diese Situation zu ändern.

65 *F. Schiller*, Der Pilgrim. Sämtliche Gedichte, Teil II, hg. *H. G. Göpfert*, München 1965, 171f.

66 Vgl. *H. Traub*, HWP III, 1127; *ders.*, ThWNT V, 511f.; aber auch *M. Hengel*, Judentum und Hellenismus. Studien zu ihrer Begegnung unter besonderer Berücksichtigung Palästinas bis zur Mitte des 2. Jh.s v. Chr., WUNT 10, 2. Aufl., Tübingen 1973, 485f.

67 *L. Feuerbach*, Das Wesen des Christentums. Gesammelte Werke, Bd. 5, hg. *W. Schuffenhauer*, Berlin 1973, 298 (ich folge dem Text der Ausgabe letzter Hand, der »zusammengedrängt« statt »konzentriert« formuliert). Vgl. auch 299f. und überhaupt das ganze Kapitel 293ff.

Auf diese Entwicklung hat sich – mit großer intellektueller Redlichkeit – *G. D. Kaufman* systematisch eingelassen, indem er Gott als einen der Welt externen, die Welt relativierenden »point of reference« auffaßt, s. bes. An Essay on Theological Method, AARSR 11, Missoula 1975. Allerdings ist es schwer, in dieser Konstellation Gottes *offenbarendes Handeln*, das *Kaufman* wichtig ist, zu denken – und sei es auch in seinem Vollzug *in* unserer Imagination (vgl. 64). Unter stärkerer biblisch-theologischer Orientierung hat *P. Hanson*, Dynamic Transcendence. The Correlation of Confessional Heritage and Contemporary Experience in a Biblical Model of Divine Activity, Philadelphia 1978, bes. Kap. 5 u. 6, die schöpferische und *neuschöpferische Aktivität* Gottes in der Geschichte hervorgehoben, die sich in der wirklichen Glaubensgemeinschaft, der lebendigen Gemeinde, erweise. (Diesen Gedanken werden wir in Kap. III C wieder aufnehmen.)

68 *G. Ebeling*, Dogmatik des christlichen Glaubens, Bd. II, 2. Teil, Der Glaube an Gott, den Versöhner der Welt, Tübingen 1979, 322.

Kapitel II

Die Relativität von Welt und Gott. Whiteheads nachneuzeitliche Kosmologie

Teil A

Entwicklung einer Perspektive auf die Welt

1. *Die exakte, abstrakte und hypothetische Darstellung der Welt durch die Naturwissenschaften*

Whiteheads Hauptwerk »Prozeß und Realität« führt den Untertitel »Entwurf einer Kosmologie«[1]. Der schwer erschließbare Text erscheint 1929. Er wird heute zu den wenigen bedeutenden Dokumenten der ersten Hälfte dieses Jahrhunderts gezählt, die der allgemeinen Tendenz entgegenwirken, die Lehre von der Welt, ihre Verwaltung und Fortentwicklung einfach den Naturwissenschaften anheimzustellen und zu überlassen. »Prozeß und Realität« ist freilich kein Kampfruf gegen die zunehmende »Mathematisierung der Welt«[2], und es enthält auch keine detaillierten Vorschläge zur Begrenzung bestimmter fataler Folgeerscheinungen naturwissenschaftlicher Forschung. Das Buch ist vielmehr Höhepunkt und Resultat einer langen gedanklichen Entwicklung Whiteheads, in der Leistungskraft und Kompetenz mathematisch-naturwissenschaftlichen Denkens hinsichtlich einer Theorie der Welt geprüft, verteidigt und schließlich als beschränkt erwiesen werden. Die Darstellung dieser Entwicklung, die mit einer kaum befragten Hochschätzung mathematisch-naturwissenschaftlichen Denkens beginnt, kann der Selbstverständigung unserer Zeit hinsichtlich ihres nun schwindenden Vertrauens in die Leistungskraft der Naturwissenschaften ebenso

1 Process and Reality. An Essay in Cosmology. Gifford Lectures Delivered in the University of Edinburgh During the Session 1927–1928, wird im folgenden zitiert nach 1. der am stärksten verbreiteten Ausgabe: Macmillan Co., New York 1967 (PR). Dabei werden die in *Kline*, 200–207, angegebenen »Corrigenda for Process and Reality« berücksichtigt; 2. der neuen, den besten Text bietenden Ausgabe: Corrected Edition, hg. *D. R. Griffin* u. *D. W. Sherburne*, Free Press, New York 1978 (PRc); 3. der deutschen Übersetzung: Prozeß und Realität. Entwurf einer Kosmologie. Übers. *H.-G. Holl*, Frankfurt 1979 (PRd). Diese Reihenfolge wird auch dann eingehalten, wenn auf den Text der deutschen Ausgabe Bezug genommen wird.

2 Ich nehme diese Wendung von *G. Frey* auf, Die Mathematisierung unserer Welt, Stuttgart, Berlin, Köln u. Mainz 1967. Vgl. auch *E. Husserl*, Die Krisis der europäischen Wissenschaften und die transzendentale Phänomenologie. Eine Einleitung in die phänomenologische Philosophie, hg. *W. Biemel*, 2. Aufl., Den Haag 1962, z.B. 20, 279.

dienen wie der Einführung in Whiteheads reife Kosmologie bzw. der Justierung einer hinreichend differenzierten Perspektive auf die Welt.

Schon 1905 hat Whitehead seine mathematischen Untersuchungen ausdrücklich in den Dienst einer Theorie der Welt gestellt (»On Mathematical Concepts of the Material World«)[3] und – anfangs noch sehr zurückhaltend, auch ironisch – auf »an indirect bearing on philosophy«[4] und auf Konsonanzen mit modernen physikalischen Ideen[5] hingewiesen.

Zweierlei will Whitehead hier grundsätzlich leisten. Er will verschiedene Weisen, die »nature of the material world« zu betrachten, kritisch untersuchen. Er will ferner die »material world« als eine in Bewegung begriffene[6] Einheit und zugleich als nur aus einer Klasse von Entitäten bestehende[7] Welt darstellen.

Betrachtet man dieses Programm aufmerksam, so zeigt sich, daß es schon aufgrund dieser seiner beiden Vorhaben eine auf Konflikte hindrängende Problemstellung birgt. Diese Problemstellung, die Whiteheads Entwicklung einer philosophischen Theorie in Gang bringt und deren innere Schwierigkeiten diese Entwicklung in Gang halten, läßt sich folgendermaßen beschreiben:

Soll der Gedanke an die Einheit und einfache Grundbeschaffenheit der Welt nicht aufgegeben werden, so gerät eine mathematisch artikulierte Theorie der Welt, die den Anspruch auf große Präzision und Universalität erhebt, in Schwierigkeiten, andere Theorien der Welt in ihre Betrachtung einzubeziehen und zu tolerieren. Sie muß in den anderen Theorien entweder defekte Varianten ihrer selbst erkennen, also einfache Vorschläge zu deren Perfektionierung unterbreiten können. Damit würde sie die anderen Theorien faktisch zur Assimilation zwingen. Oder sie steht, wenn sie dies nicht tun will bzw. nicht leisten kann, vor dem Problem, entweder ihre Ansprüche auf Präzision und Universalität aufgeben zu müssen, um sich selbst und die anderen Theorien in eine »umfassendere« bzw. »kompetentere« zu

3 On Mathematical Concepts of the Material World. Philosophical Transactions of the Royal Society of London, Series A, 205, 1906 (MC), 465–525.

4 MC, 465. Vgl. ferner Non-Euclidean Geometry. In: Essays in Science and Philosophy New York 1968 (ESP), 311 (Philosophie und Mathematik. Vorträge und Essays. In Auswahl übers. *F. Ortner,* Wien 1949 [ESPd], 213); An Introduction to Mathematics, London 1969 (IM), 50, aber auch 81 (Eine Einführung in die Mathematik, übers. *B. Schenker,* 2. Aufl., München 1958 [IMd], 42, aber auch 65).
Zum Neuansatz, den MC darstellt, prinzipiell richtig: *W. V. Quine,* Whitehead and the Rise of Modern Logic. In: *Schilpp,* 163; sowie *Lowe,* in: *Schilpp,* 35f.

5 S. MC, 524. S. dazu *Lowe,* in: *Schilpp,* 45.

6 S. MC, 468, 479, 482.

7 S. MC, bes. 525. Vgl. hierzu die spezielleren Hinweise bei *W. Mays,* The Relevance of ›On Mathematical Concepts of the Material World‹ to Whitehead's Philosophy. In: *Leclerc,* 256ff., die aber nicht den vorantreibenden Problemzusammenhang zu bestimmen vermögen. Eine differenzierte Liste der MC mit *Whiteheads* späterer Naturphilosophie verbindenden Positionen bietet die Arbeit von *R. D. Bendall,* ›On Mathematical Concepts of the Material World‹ and the Development of Whitehead's Philosophy of Organism (Masch.), Graduate Theological Union/ Berkeley 1973, 38ff.

integrieren, oder sie muß schließlich doch den Gedanken der Einheit und einfachen Grundbeschaffenheit der Welt preisgeben und andere Orientierungsgrundlagen finden.

Man kann die Schriften nach 1905 als eine Kette von Versuchen auffassen, dieses Problem zu lösen. Sie stellen eine kontinuierliche Differenzierung und Präzisierung des Programms dar, eine offene und *dialogfähige Theorie der Welt* zu entwickeln und zugleich den Begriff einer in näher zu bestimmender Weise »einheitlichen« Welt festzuhalten. In dieser Entwicklung ist der zögernde Übergang von der Ausarbeitung der Theorie in mathematischer Zeichensprache zu einer der sogenannten ›natürlichen Sprache‹ verwandteren Darstellungsweise zu beachten, der schließlich zur Ausbildung einer eigenen und eigenwilligen Theoriesprache führt[8].

Dadurch, daß Whitehead natur- und geisteswissenschaftliche, also schwer harmonisierbare Darstellungsmittel gebraucht und schließlich eine eigene Theoriesprache entwickelt, sieht sich der Leser gezwungen, die meisten seiner reifen Texte erst zu entschlüsseln. Diese Entschlüsselung läßt sich erheblich erleichtern, wenn man sich eine klare Vorstellung von Whiteheads Programm und dessen Entwicklungslogik verschafft. In den folgenden Abschnitten soll dies geschehen. Es wird sich zeigen, daß nicht etwa ein Hang zum Aparten oder gar Obskuren Whitehead veranlaßt, eine eigene Sprache zu entwickeln, sondern das Bedürfnis, über Darstellungsmittel zu verfügen, die an Präzision und Integrationskraft denen der natürlichen Sprache und der formalen Theoriesprache überlegen sind.

Die vorliegende Untersuchung strebt somit an, nicht nur guten Zugang zu Whiteheads Texten zu verschaffen, sondern auch Einsicht in das begrenzte Recht der Entwicklung dieser eigenwilligen Theoriesprache zu vermitteln. Indem sie sich auf den Vortrag der bereits in die nicht-mathematische Theoriesprache umgesetzten und übersetzten Gedanken beschränkt und diese fast durchgängig noch einmal in die ›natürliche Sprache‹ übersetzt, hebt sie aber die Begrenztheit des Rechts einer nicht ohne weiteres zugänglichen Theoriesprache hervor. Im Gegensatz zu manchen Anhängern und Interpreten Whiteheads ist sie also nicht bereit, diese eigenwillige Sprache als *ideale Sprache einer Kosmologie* anzuerkennen, die man nur zu erlernen habe. Sie weicht auch von einem weitverbreiteten Brauch unter angelsächsischen Whitehead-Interpreten ab, eine sachgemäße Textinterpretation primär auf dem Weg von Zitatcollagen bzw. Arrangements von vielen

8 S. schon diese Entwicklung andeutend: MC, 471; vgl. Axioms of Geometry. In: ESP, 246f. (ESPd, 155); Principia Mathematica, Bd. 1, zusammen mit *B. Russel*, Cambridge 1925 (PM), 2; IM, 3 (IMd, 7).
Zur Verwendung (bzw. Beurteilung der Leistungskraft) von mathematischer, natürlicher und poetischer Sprache bei *Whitehead* hat *W. Mays*, The Philosophy of Whitehead, New York 1959, 53–56, Überlegungen angestellt. Viele von *Whiteheads* Bemerkungen über die beschränkte Leistungskraft der natürlichen Sprache wurden von *A. H. Johnson*, Whitehead on the Uses of Language. In: *Leclerc*, zusammengestellt, womit allerdings *Whiteheads* Entwicklung neuer Verständigungselemente noch nicht einleuchtend wird (vgl. ebd. 140f.).

kurz kommentierten Zitaten anzustreben, wie es hierzulande einst viele Hegelianer taten. Auf die Chancen eines solchen Vorgehens und die Schwierigkeiten, die solche Verfahrensweise sowie die konsequente und ausschließliche Verwendung der Theoriesprache Whiteheads der Wirksamkeit seines Denkens bereiteten, ist in anderen Zusammenhängen einzugehen[9].

Zunächst soll die These, daß die von Whitehead 1905 angelegte Problemstellung die Entwicklung seiner Theorie steuert und auch den langsamen Übergang von der mathematischen zur philosophischen Theoriesprache erklärt, in der chronologisch vorgehenden Untersuchung nahezu aller zwischen 1905 und 1929 erschienenen Texte unter Beweis gestellt werden. Dabei wird sich zeigen, daß sich aus der Erkenntnis dieser Problemstellung heraus freie und zugleich systematisch fruchtbare Zugänge zu Whiteheads Gedanken schaffen lassen, die deren – oft bestrittene – Dialogfähigkeit erweisen können.

In den Werken, die Whitehead bis 1911[10] veröffentlicht, will er von anderen Darstellungen der Welt als den mathematisch formulierten abstrahieren. Die hochgradig exakte[11] mathematische Beschreibung der Welt bzw. der »*Eigenschaften des Weltalls*«, des »*Ablaufs des Naturgeschehens*«[12] wird gleichgesetzt mit einer Beschreibung, die als *wissenschaftlich* gelten kann[13]. Zwar liefert die mathematisch-naturwissenschaftliche Darstellung der Welt nur eine *abstrakte* »Weltvorstellung«, aber dennoch können wir, nach Whitehead, unbesorgt und unbeirrt »von allen besonderen Empfindungen, Gedanken und Gemütsbewegungen absehen«[14]: Denn alle Dinge von Belang, die den nicht-mathematischen Betrachtungsweisen zugänglich sind, werden von den mathematisch artikulierten ebenfalls wahrgenommen und eben viel prägnanter ausgedrückt. Um diese Überzeugung zu verteidigen, bedarf es allerdings eines näher zu bestimmenden Glaubens an die Einheit der Welt. Deshalb betont Whitehead: ». . . wir bemühen uns . . ., uns *die Welt als eine einzige, zusammenhängende Folge von Dingen* vorzustellen, welche sämtlichen Empfindungen aller Menschen zugrunde liegt. Es gibt nicht eine Welt von Dingen für meine Empfindungen und eine an-

9 S. Kap. III dieser Arbeit, aber auch Kap. I, Abschn. 4.

10 S. dazu *Lowe*, in: *Schilpp*, 47ff.

11 Vgl. IM, 15 (IMd, 16).

12 IMd, 8, Hervorhebg. Vf. (IM, 5).

13 Vgl. IMd, 8 (IM, 5). Beiläufig sei aber auch darauf hingewiesen, daß *Whitehead*, schon in seinen frühesten Werken, Auffassungen von formalen mathematischen Operationen vertreten hat, die ein philosophisches Denken erkennen lassen. (S. bereits *Grassmann*, aaO., XXXIff.) Vor allem hat er – schon in UA – gegen die Vernachlässigung der *Anordnung* der Elemente einer mathematischen Gleichung betont, daß *unterscheidbare Ordnungszustände als gleichwertig* gesetzt werden können, und somit das Gleichheitszeichen auch für »equivalence-in-diversity« (*Quine*, in: *Schilpp*, 130) verwendet, von den konventionellen Erweiterungen des Applikationsbereichs formallogischen Denkens (vgl. UA, z.B. 99ff.) einmal abgesehen. S. dazu auch *W. Mays*, Whitehead and the Idea of Equivalence. RIPh 15, 1961, bes. 176.

14 IMd, 29 (IM, 33).

dere für die deinigen, sondern *eine einzige Welt,* in der wir existieren . . .«[15]

Ist die Welt tatsächlich als eine einzige, zusammenhängende Folge von Dingen aufzufassen und besitzt die mathematisch-naturwissenschaftliche Theoriebildung den klarsten Blick auf diese einzige Folge, so scheint sie in der Tat andere, konkurrierende Perspektiven zu erübrigen. Offen bleibt freilich die Frage, warum diese überhaupt auftreten konnten. Auch auf diese Frage will Whitehead eingehen, indem er feststellt, die »Ereignisse . . . (der) *abstrakten Welt*«, wie sie von den mathematischen Theorien gesehen und entworfen werden, könnten »zur ›Erklärung‹ unserer Sinneswahrnehmungen genügen«[16]. Mit diesem Anspruch allerdings hat sich die frühe Theorie Whiteheads übernommen. Denn wie kann sie unsere Sinneswahrnehmungen erklären, wenn sie doch gerade »von allen besonderen Empfindungen, Gedanken und Gemütsbewegungen absehen« will? Whitehead gibt auf dieses Problem zunächst keine klare Antwort; entsprechend schwankend ist seine Einschätzung der Leistungskraft der Philosophie, die auf ihre Weise versucht, unter Entwicklung relativ exakter und abstrakter Darstellungsweisen die Sinneswahrnehmungen zu erklären[17]. Auch läßt er schließlich, allerdings beiläufig, Unsicherheit bezüglich der These von der Einheit der Welt erkennen: Ist die abstrakte Welt der Mathematik, die unsere besonderen, individuellen Empfindungen, Gedanken und Gemütsbewegungen »erklären« soll[18], die aber zugleich »nicht wesentlich von irgendwelchen persönlichen Empfindungen . . . abhängt (,) . . . nicht bloß ein ungeheures Zaubermärchen?«[19]

Um nicht Gedanken an zwei Welten – eine der Naturwissenschaft und eine der Sinneswahrnehmung – und an die völlige Unverträglichkeit beider Perspektiven auf die Welt einräumen zu müssen, *reduziert Whitehead die Leistungsansprüche der mathematischen Theorie.* Sie kann die individuelle Sinneswahrnehmung weder erklären noch ersetzen und schon gar nicht dauerhaft verdrängen bzw. vernichten. Sind aber mathematisch-naturwissenschaftliche Theorie und Sinneswahrnehmung nicht ineinander zu überführen, obwohl doch beide sich auf die *eine* Welt beziehen, so ist beiden ein unzureichendes, unsicheres und riskantes Verhältnis zur Welt zu bescheinigen. Die mathematische Theorie liefert jedenfalls nur einen »hypothetischen Unterbau( ) des Universums«[20].

Mit diesem ersten wichtigen Resultat der Betrachtung des dreistelligen Verhältnisses von a) der einen Welt, b) einer Theorie der Welt mit hohen Leistungsansprüchen und c) anderen Kontakten zur Welt, die von der anspruchsvollen Theorie nicht einfach integriert werden können, hat White-

15 IMd, 7, Hervorhebg. Vf. (IM, 4).
16 IMd, 29, Hervorhebg. Vf. (IM, 33).
17 Vgl. die Kritik an *Aristoteles,* IMd, 18, 25, ferner 42 u. 65f. (IM, 18, 28, ferner 50 u. 81f.).
18 IMd, 29f. (IM, 33).
19 IMd, 30 (IM, 33).
20 Mathematics. ESPd, 147, vgl. 142 (ESP, 285, vgl. 281).

head zweierlei erreicht: Der Anspruch auf enormen Vorrang und Einfluß des mathematisch-naturwissenschaftlichen Denkens wird aufrechterhalten: es liefert den »Unterbau« des Universums. Da sich der Anspruch mit nicht einfach aufhebbaren Perspektiven auf die Welt konfrontiert sieht, muß er relativiert, gleichsam dehnbar gemacht werden: Die mathematische Theorie liefert ein nur »hypothetisches« Fundament.

Diese Relativierung ist folgenreich. Da das mathematisch geschulte Denken die Sinneswahrnehmung nicht zu ersetzen und zu erübrigen, ja, nicht einmal zu erklären und hinreichend zu kontrollieren vermag, können andere Theorien unter Berufung auf ihre Verwandtschaft mit der Sinneswahrnehmung neben und zwischen den beiden Darstellungsweisen als Theorie der Welt auftreten. Es bedarf nun einer umfassenderen kosmologischen Theorie, die den prinzipiellen Vorrang des mathematisch-naturwissenschaftlichen Denkens vor den ›imaginations‹ und ›conclusions‹ der Poeten, Philosophen und Theologen[21] aufweist.

Wird zugestanden, daß es neben und zwischen Naturwissenschaft und Sinneswahrnehmung viele gedankliche Zugangsweisen zur einen Welt gibt, so verändert sich auch der Weltbegriff. Nicht nur eine historische Weltsicht, sondern auch einen neuen Stand seiner Theorieentwicklung bezeichnet Whitehead, wenn er 1912 formuliert: »the idea of the *World . . . means to us the whole round world of human affairs* . . .«[22]. Er kann und wird von nun an »die Welt« nicht mehr fraglos als »material world«, nicht mehr ohne weiteres als Naturgeschehen auffassen bzw. geradewegs mit der »Welt der Mathematik« identifizieren[23].

Es wäre oberflächlich zu behaupten, daß es Whitehead hier schon gelungen sei, die These von der Einheit der Welt zu bewahren und zugleich mathematische und andere Darstellungen der Welt in Beziehung zu setzen.

Was verbindet und was ordnet die verschiedenen Theorien, Imaginationen und Folgerungen? Warum läßt die eine Welt eine Mannigfaltigkeit von Perspektiven auf sie zu? Und was spricht dafür, eine dieser Perspektiven – zum Beispiel die mathematisch-naturwissenschaftliche – zu privilegieren? Diese Probleme bringen Whiteheads Theorieentwicklung fortan in starke Bewegung.

2. *Das eine konkrete Universum und die vielen mehr oder minder abstrakten Theorien der Welt*

Das »*konkrete Universum*«, von dem Whitehead nun spricht, *der Naturverlauf betrachtet im weitesten Sinne als die menschliche Gesellschaft ein-*

21 Mathematics and Liberal Education. ESP, 176.

22 ESP, 176.

23 Dieser Schritt ist wichtig, er ist in der Rekonstruktion von *Whiteheads* Entwicklung bisher nicht beachtet worden. Überhaupt zeigen selbst die aufwendigen und detailfreudigen Darstellungen im Bereich der Jahre 1911–1914 große Unsicherheit. Vgl. *Lowe*, in: *Schilpp*, 52; *A. Parmentier*, La philosophie de Whitehead et le problème de Dieu, Paris 1968, 36–38.

schließend[24], ist eher eine Problemformel als ein befriedigendes Resultat.

Es bedarf jetzt nämlich einer Theorie, die zeigt, daß der Naturverlauf die menschliche Gesellschaft einschließt. Es bedarf einer Theorie, die aufweist, wie mathematische Darstellungen der Welt auf andere Darstellungen Einfluß nehmen können.

Daß der Mathematik weiterhin die führende Rolle in der Entwicklung einer kosmologischen Theorie zukommt, steht für Whitehead noch nicht ernsthaft in Frage[25]. Auch wenn sie den Anspruch, eine in besonderer Weise wahrheitsfähige Theorie zu sein, reduzieren muß, auch wenn sie die problemlose Korrespondenz oder gar Einheit von ›naturwissenschaftlicher Beschreibung‹ und der Welt als ›naturwissenschaftlicher Welt‹ nicht mehr fraglos voraussetzen kann[26], so bleibt ihr doch noch ein großer Operationsbereich, den sie unter Berufung auf ihren *Erfolg* absteckt. Allerdings muß nun gezeigt werden, wie das von der Mathematik beeinflußte und geprägte Denken die Fähigkeit generieren kann, »to apply ideas to the concrete universe«[27]. Das leistet der Hinweis auf die moderne technisch-naturwissenschaftliche Entwicklung nur bedingt. Er kann den Anspruch auf die Führungsrolle der Mathematik unterstreichen. Er kann es ihr aber nicht abnehmen, sich selbst *in* einer umfassenderen kosmologischen Theorie *als* ordnende und steuernde Instanz zur Geltung zu bringen.

Das Mittel, das Whitehead bereithält, um diese Aufgabe zu lösen, ließe sich nun auch von dem rekonstruieren, der seine Schriften nicht kennt. Wenn die Theorie der Welt nicht mehr identifiziert wird mit der mathematisch-naturwissenschaftlichen Theoriebildung, die von anderen Kontakten mit der Welt und von anderen Darstellungen der Welt einfach zu abstrahieren sucht, wenn nun mathematische und andere mehr oder minder ausgeprägte Theoriebildungen kooperieren und konkurrieren, so bedeutet dies ja nicht einfach eine konturenlose Gleichsetzung aller nur möglichen Darstellungen der Welt. Diese entfernen sich vielmehr voneinander oder nähern sich einander oder verbinden sich in den Graden, in denen sie von der Welt *abstrahieren.* Wir verfügen also, und das ist eine zunächst trivial erscheinende Feststellung, über mehr oder minder abstrakte Darstellungsweisen der Welt, die uns – wie auch immer – insgesamt ›die Welt‹ darstellen.

Whitehead empfiehlt aufgrund solcher Überlegungen zunächst die Untersuchung, die klare Erfassung und die Übung des »abstract thought« und sieht dabei keine Veranlassung, die Privilegierung des mathematischen Denkens in Frage zu stellen.

Aber es sind keine positiven systematischen Gründe, die ihn zu dieser Bevorzugung nötigen würden. Ginge es nur um die Abstraktheit, so wären

24 Vgl. ESP, 180.

25 S. dazu auch *J. H. Kultgen,* Whitehead's Epistemology 1915–1917. JHP 4, 1966, 51.

26 S. Abschn. 1 dieses Kapitels.

27 ESP, 183. Dabei ist natürlich an ein in formaler Theoriesprache artikuliertes Denken zu denken, nicht einfach an ein irgendwie »strenges« und »skeptisches« Verfahren. Vgl. *R. Norman,* Whitehead and ›Mathematicism‹. In: *Kline,* 33.

alle Perspektiven auf die Welt Kandidaten für die Leitung bei der Schulung des Denkens. Whitehead muß dies zugestehen: Auch die religiöse Kontemplation zum Beispiel ist als ein Typ abstrakten Denkens[28] vorzustellen. Nur im Blick auf anerkannte Erfolge einerseits und mit der Einführung von karikierenden Überzeichnungen andererseits kann Whitehead eine Vorordnung des mathematischen und eine Nachordnung des religiösen Denkens vertreten: »We might train the children to contemplate directly the beauty of abstract moral ideas, in the hope of making them religious mystics«[29]. Ein systematisches Konzept, wie sich beide Typen abstrakten Denkens einander zuordnen lassen, ist erst zu entwickeln. Mathematisches und religiöses Denken sind also Glieder einer Gruppe von grundsätzlich gleichermaßen abstrakten, in ihrer Weise zu abstrahieren freilich zu unterscheidenden Darstellungsmöglichkeiten der Welt.

Diese Einsicht, die Whitehead 1912 erstmals deutlich ins Auge faßt[30], bringt für die Verhältnisbestimmung von Welt, privilegierten und nachgeordneten Theorien der Welt zwei Aufgabenstellungen mit sich: Wie lassen sich die verschiedenen Weisen der abstrakten Darstellung der Welt in einen Zusammenhang bringen, wie ist ihre Kooperation vorzustellen? Was ist, nachdem alles gedankliche Leisten als – mehr oder minder – abstrakt charakterisiert wird, über das Verhältnis der »konkreten« Welt zu ihrer Erfassung und Darstellung auszumachen? Schon jetzt ist absehbar, daß Whitehead nur mit sehr komplexen Theorien diesen Aufgabenstellungen wird gerecht werden können. Ferner ist aber auch erkennbar, daß ohne entscheidenden Umbau der Theoriegrundlagen das ›Konkrete‹ zu einem Numinosen[31] werden wird.

Zu keiner Zeit ihrer Entwicklung ist Whiteheads Theorie kontinentalen Philosophien[32] und auch einer heute noch sehr verbreiteten intellektuellen Stimmung[33] so nahe wie in den Jahren kurz vor und während des ersten Weltkriegs[34]:

28 The Principles of Mathematics in Relation to Elementary Teaching. In: The Organisation of Thought, Educational and Scientific, Westport 1975 (OT), 97f. Ohne sich direkt an *Whiteheads* Texten zu orientieren, hat *G. C. Henry*, Mathematics and Theology. Bucknell Review 20, 1972, bes. 118ff., zu zeigen versucht, daß bei entsprechender Interpretation von Joh 1 dieser Sicht nichts entgegenstehen dürfte.

29 OT, 98.

30 Immerhin hat schon *Melanchthon* in der Praefatio der Loci, Tertia aetas, die mit gelungenen mathematischen Operationen verbundene Gewißheit mit der Gewißheit verglichen, die mit den Artikeln des Glaubens verbunden sein solle, was jedenfalls kein schlechterer Vergleich ist als der heute übliche von mathematischen mit sinnfälligen ›Gewißheiten‹.

31 S. dazu vor allem Abschn. 4 dieses Teils.

32 Damit wird vor allem unter amerikanischen Whiteheadians ein Theorietyp vage erfaßt, der genauer als bewußtseins- oder beobachterorientierte Korrelationstheorie identifiziert werden könnte. Er bestimmt in der Tat das Gros der hierzulande reflektiert oder naiv verwendeten Denk- und Darstellungsformen.

33 D.h.: Die irrige Identifikation von objektiv und konkret, die sich u.a. in der Neigung äußert, Äußerungen und Sachverhalte, die aufwendige Rezeptionsleistungen erfordern, als »zu abstrakt« abzulehnen. S. dazu Abschn. 6 dieses Teils u. Abschn. 3 des Teils B, aber auch *Molt-*

Wird jedes gedankliche Verhalten abstrakt genannt[35], so kommt es zu einem Bruch zwischen ›den Dingen‹ und dem gedanklich kontrollierten Umgang mit ihnen. »I cannot relate logically this thing to that thing, for example this pen to that pen, except by the indirect way of relating some general idea which applies to this pen to some general idea which applies to that pen.«[36]

Da nicht klar absehbar ist, wie ›die Dinge‹ den gedanklichen Umgang mit ihnen steuern, wird die Orientierung am ›Denken einer Epoche‹[37], der Kontakt mit dem verbreiteten Denken[38], gefordert, und der gesunde Menschenverstand wird als entscheidende Instanz gelobt[39]. Anders als in der Zeit, in der es den Anschein hatte, als könnte man vom gesunden Menschenverstand einfach die Anerkennung einer grundsätzlichen Übereinstimmung von wissenschaftlicher Theorie und Welt verlangen, soll er nun feststellen, was aktuell und konkret ist.

In diesen Jahren steht Whitehead ständig in Gefahr, im Blick auf die Vorstellung von konkreter Welt und abstrakter Theorie eine Variante der Korrelationstheorien zu entwickeln, deren Stagnations- und Lähmungserscheinungen heute geradezu zur Plage der Geisteswissenschaften geworden sind: Es werden zwei gedachte Bereiche in Ansatz gebracht, die, wie immer sonst näher charakterisiert, »konkret« und »abstrakt« genannt werden, etwa »abstrakte Theorie« und »konkrete Praxis«. Beide Bereiche werden, das ist entscheidend, durch wechselseitige Verneinung gegeneinander definiert und stabilisiert: Das Abstrakte ist nicht das Konkrete, und das Konkrete ist nicht das Abstrakte. Damit ist das Ende fruchtbarer diagnostischer und hilfreicher therapeutischer Arbeit eingeleitet. Denn nun mag zwar emphatisch eine »Aufhebung«, »Überwindung« etc. dieser doch erst veranstalteten(!) Trennung eingeklagt werden. Da aber die wirkliche Aufhebung das Recht der emphatischen Forderung und die Legitimität der vollzogenen Trennung bestritte, wird sie *nur* gefordert, mit Hilfe der ständig wiederholten Forderung sozusagen auf Distanz gehalten[40]. Die bekannteste – wie-

manns Unterscheidung von spekulativem und abstraktem Denken, Zukunft der Schöpfung, aaO., 103; *Jüngels* Unterscheidung von »falscher Abstraktheit« und »denkender Abstraktion«, Gott als Geheimnis der Welt, aaO., 44; die Bemerkung zur Stigmatisierung komplexerer gedanklicher Operationen und zur Beschwörung des »Konkreten« in: Diskussion über »Der gekreuzigte Gott«, aaO., Einleitung, 10.

34 Tatsächlich äußert er sich jetzt auch erstmals eindeutig positiv über die Philosophie und erwartungsvoll hinsichtlich eines Zusammenwirkens von Mathematik und Philosophie, OT, 75, bes. 90.

35 OT, 72.

36 OT, 97.

37 OT, 70.

38 Vgl. OT, 70, 72f.

39 Vgl. OT, 71.

40 Veranschaulichend zur Fixierung solcher »abstrakter« Rede: *R. Bubner*, Theorie und Praxis – eine nachhegelsche Abstraktion, Frankfurt 1971, bes. 6ff.; zur »professionellen« Fixierung gerade solcher Rede als »konkrete«: *N. Luhmann*, z.B. Funktion der Religion, Frankfurt 1977, 194ff. Auf das Problem besonders sensibel reagierend: die Darstellungen *G. W. F. He-*

wohl unzureichende – Weise, diesem ›dualen‹ oder ›binären‹ Denken jedenfalls vorübergehend zu entgehen, ist die Gewohnheit, einen der ›Bereiche‹ faktisch einfach zu ignorieren. Dies geschieht in der Regel durch gelegentliche Beteuerungen, man sei ›nur ein Theoretiker‹ oder ›nur ein Praktiker‹, aber das, was soeben getan oder vorgetragen worden sei, müsse natürlich ›konkret angewendet‹ bzw. ›umfassender abstrakt reflektiert‹ werden. Zu einer Geißel der Wissenschaften ist dieses Verfahren dadurch geworden, daß die imaginären Bereiche nach Belieben gegeneinander geltend gemacht werden können, so daß z.B. *jede* ›gedankliche Anstrengung‹ als »nicht konkret genug« stigmatisiert werden kann[41].

Erst 1920 wendet sich Whitehead ausdrücklich und nachdrücklich gegen die Gefahr der Aufgabelung der Natur[42] in zwei Bereiche, und erst von dieser Zeit an warnt er beharrlich und mit Recht vor den desaströsen Folgen dieser geläufigen Denk- und Vorstellungsvereinfachung. Seine eigene Theorie entfernt sich, wenn auch zögernd, von dieser Gefahr schon in dem Zeitraum von 1914 bis 1916. Nach fast zwei Jahren des publizistischen Schweigens trägt Whitehead zwei gelehrten Gesellschaften Gedanken vor[43], die bereits wichtige Merkmale seiner reifen Theorie aufweisen. Die beiden entscheidenden Thesen lauten: Niemand lebt in »›an infinite given whole‹, but in a set of fragmentary experiences«[44]. »It is not true that we are directly aware of a smooth running world«[45]. Nur in unseren *Gedanken* leben wir in einer »connected infinite world«[46].

Der Begriff der Welt ist differenzierter zu fassen, um ein unüberwindbares Auseinandertreten von »abstrakten Theorien« und »konkreter Welt« zu vermeiden und um zugleich eine Orientierung für eine Ordnung der Theorien der Welt zu gewinnen.

Bei oberflächlicher Betrachtung scheint sich die Problemstellung von 1905 nur zu wiederholen. Der wesentliche Fortschritt besteht tatsächlich darin, daß eine Reihe von Lösungsmöglichkeiten als unzureichend durchschaut und mit Gründen verabschiedet worden sind. Vor allem ist das Konzept der »einen konkreten Welt« zu dunkel, als daß es in einer Kosmologie ohne weiteres Anwendung finden könnte. Ferner ist die gleichsam erfolgsorientierte Privilegierung der mathematisch-naturwissenschaftlichen Theorie der Welt nicht einfach bei der Ausbildung einer kosmologischen

gels, z.B. zur »Begierde«, Phänomenologie des Geistes, PhB 114, 6. Aufl., Hamburg 1952, 135ff.

41 Nicht öffentlich verbreitet, doch in erneuter Gegenreaktion wieder beliebter ist die Strategie, Äußerungen als nicht oder nur unzureichend ›gedacht‹ abzutun.

42 The Concept of Nature, Cambridge 1971 (CN), VI, 30ff. S. dazu Abschn. 5 u. Anm. 142 dieses Teils.

43 Mit den beiden wichtigen Aufsätzen Space, Time, and Relativity. In: OT, 191–228; und The Organisation of Thought. In: OT, 105–133.

44 OT, 214.

45 OT, 217.

46 OT, 218.

Theorie zugrunde zu legen. Die Vorrangstellung dieser Theorie ist erst noch zu rechtfertigen.

3. *Das gedankliche Konstrukt der einen Welt und unser Leben in Folgen fragmentarischer Erfahrungen*

Das Programm lautet nun: die *fragmentarische Welt der Erfahrung* und die unseren verschiedenen Vorstellungen von Einheit entsprechende *gedanklich konstruierte Welt* und damit zugleich unsere verschiedenen Weisen, die Welt darzustellen, in einen Zusammenhang von Erfahrungen zu bringen. Ausdrücklich werden deshalb vorübergehend die Experimentalpsychologen als wichtige Gesprächspartner der mathematischen Physiker und der Metaphysiker betrachtet[47], da sie über die Gesetzmäßigkeiten der Erfahrungskontinua Auskunft geben können sollten. Zwei Entwicklungsrichtungen der Theorie deutet Whitehead an: Ausgehend von den fragmentarischen individuellen Erfahrungen bedarf es eines mathematischen Konstrukts, das die die innersubjektive sowie intersubjektive Verständigung behindernden partikularen Erfahrungen eliminiert[48]. So muß sich ein Weg bahnen lassen, um die eine zusammenhängende und kommunizierbare Welt darzustellen. Die Welt ist kein »fairy tale«[49].

Damit das Konstrukt der Welt, die *eine* Welt, in der wir *in unseren Gedanken* leben[50], nicht zu einem inhaltslosen Jenseits verschwebt, muß es – und dies ist die andere Richtung der Theorieentwicklung – beständig unseren Perzeptionen angepaßt werden.

Doch wie werden Erfahrungen – z.B. auch die Erfahrungen unserer verschiedenen Sinne – koordiniert, und wie kann die gedachte eine Welt[51] im Blick auf die fragmentarische Welt der Perzeptionen geprüft werden? Wie kann man der in dieser Situation wieder drohenden Fixierung zweier einander entgegengesetzter ›Welten‹ und zweier mentaler Verhaltensweisen entgehen; wie kann das Auseinandertreten der *einen* gedanklich konstruierten Welt und der fragmentarischen, tatsächlich erfahrenen ›Welt‹ verhindert werden?

Whitehead stellt zunächst die bloße Beantwortbarkeit dieser Fragen sicher. Dieser wichtige Schritt erfolgt 1916 in seinem wohl berühmtesten ›pädagogischen‹ Aufsatz »The Aims of Education«[52]. Er scheint zunächst

47 Vgl. OT, 191. Zur Weiterentwicklung dieses Aspekts s. *P. Hughes*, Is Whitehead's Psychology Adequate? In: *Schilpp*, 298f.
48 Vgl. OT, 215.
49 OT, 213. Das Problem hat im Blick auf spätere Arbeiten *Whiteheads* hervorgehoben *A. E. Murphy*, The Anti-Copernican Revolution. JPh 26, 1929, bes. 296ff.
50 Vgl. OT, 218 und die Hinzufügung ebd., 228.
51 Vgl. OT, 218 und den Bezug auf *Kant*.
52 The Aims of Education – A Plea for Reform. In: OT, 1–28. Dieser Beitrag bestimmt den Titel einer weitverbreiteten Sammlung von Aufsätzen (AE). Soweit möglich, werden diese je-

die Theorie der Welt durch die Einführung von vielfältig belasteten, schwer unter gedankliche Kontrolle zu bringenden Ausdrücken in Unsicherheiten und Dunkelheiten zu stürzen: ›Leben‹[53], ›Kultur‹[54] und ›Aktivität des Geistes‹ (mind)[55] lauten die von Whitehead nun erstmals ins Zentrum der Erörterung gestellten Ausdrücke. Tatsächlich aber läßt der Mathematiker nun nicht mit ungewohnter Nachlässigkeit Unschärfe in seine Gedanken einfließen, sondern er faßt den *Übergang von gedachter zu perzipierter Welt* genauer ins Auge:

Wir nehmen die *lebendige Welt* in Fragmenten wahr und versuchen in der *Verbindung* dieser Fragmente ihre *Lebendigkeit* zu erfassen und darzustellen; zugleich ist unser Geist – beständig in Übergängen von Perzeptionen zu Gedanken und umgekehrt – *aktiv*[56]. Kriterium, Regulativ für diese seine Aktivität kann und darf nicht nur das bloße Gelingen der Herstellung einer abstrakten Einheit und Stabilität von Welt sein. Es bedarf vielmehr der Ausbildung und der Pflege einer *Kontinuität und Einheit in einer lebendigen Entwicklung und Aktivität:* Kontinuität und Einheit in einer lebendigen Entwicklung und Aktivität aber gewährleistet – der *Stil.* Es bedarf also der Ausbildung und Pflege von Stil und des Sinnes für Stil[57]. Die substantiale Umgebung, zum Beispiel das soziale Fluidum, in der Stil gedeihen kann, ist als *Kultur*[58] aufzufassen.

Kultur kann als die Verfassung der lebendigen Welt angesehen werden, in der der Geist Stil entwickelt. Damit ist ein Geflecht von Übergängen angelegt: zwischen lebendiger Einheit und fragmentarischer Beschaffenheit der Welt (Leben) sowie zwischen den einzelnen Verhaltensweisen zur Welt (Aktivität des Geistes) sowie zwischen »Aktivität des Geistes« und »lebendiger Welt« (Stil und Kultur). Allerdings sind diese Übergänge bislang eher programmatisch ins Auge gefaßt als wirklich klar beschrieben.

Auf dieser Entwicklungsstufe werden Whiteheads Beiträge erstmals für Geisteswissenschaftler attraktiv, die hohe Ansprüche an die Leistungsfähigkeit von Theorien zu stellen gewohnt sind, zugleich aber den Bereich einer vertrauten Begrifflichkeit nicht verlassen wollen. Von einer Phase kann man sprechen, in der sich Whitehead darauf vorbereitet, nicht nur eine *dynamische Verfassung von Welt zu konstatieren*[59], sondern eine einer »lebendigen« *organischen Welt* entsprechende Theorie in natürlicher Sprache zu artikulieren.

doch nach den zuverlässigeren Ausgaben OT u. ESP zitiert. Zu pädagogischen Reflexionen *Whiteheads* auch in seinen Werken, die *nicht* pädagogischen Fragen gelten, s. *H. W. Holmes,* Whitehead's Views on Education. In: *Schilpp,* 621ff.

53 OT, 13, vgl. 17–24.
54 Z.B. OT, 3, vgl. 23.
55 OT, 12, vgl. 23ff.
56 Z.B. OT, 12.
57 OT, 24 (»sense for style«).
58 Vgl. OT, 23ff.
59 S. dazu Abschn. 2 dieses Teils.

Daß dies Vorhaben auf eine neu zu entwickelnde Theoriesprache hintreibt, kann genaue Beobachtung jetzt schon erkennen. Erstmals bringt Whiteheads Denken – z.B. in Räsonnements über die wechselseitige Steigerung und Begrenzung von ›Kraft‹, ›Stil‹ und ›Schönheit‹[60] – einige der metaphorischen Wendungen hervor, die von nun an seine Schriften so reich an Tiefsinn und Einsichten erscheinen lassen.

Doch die metaphorischen Wendungen, diese Herbergen der Gedanken, sind von ihm nicht als Höhepunkte seiner Texte vorgesehen. Weit davon entfernt, Ruhezustände eines sensiblen Denkens schon als Demarkationen oder Grenzzonen des Erfaßbaren anzusehen[61], beginnt Whitehead nun mit dem Ausbau und der Feinentwicklung seiner Theorie der Welt. Die Welt ist die Natur, in Gedanken erfaßt, so kann diese Entwicklungsphase überschrieben werden[62].

Eine konsequente Darstellung der *lebendigen* Welt und der mentalen *Aktivität* muß auf einen bekannten Theoriegestus verzichten, der in zwei Varianten erscheint. Sie kann nicht mit der Vorstellung oder sogar mit dem Anspruch auftreten, in eine von Ruhe, vielleicht von gesammelter und gespannter Erwartung oder sogar von Erstarrung geprägte Situation hineinzuwirken, um eine Bewegung überhaupt erst einzuleiten. Ebensowenig kann sie sich als Eingriff etwa in ein außer jede Kontrolle geratenes gärendes Chaos verstehen, in dem Stabilität, Ruhe und Ordnung – und sei es auch nur für eine Weile – wiederherzustellen wären[63]. Theorien können aber den

60 Zugleich beginnen auf dieser Entwicklungsstufe die ernsteren Bezugnahmen auf »Religion« sowie die Verwendung direkter und indirekter Schriftzitate. S. dazu die Zusammenstellung von *F. R. Crownfield,* Whitehead's References to the Bible. ProcSt 6, 1976, 270ff.

61 Zu »Übergängen« von Metapher zu Begriff und Begriff zu Metapher s. *H. Blumenberg,* Paradigmen zu einer Metaphorologie. ABG 6, 1960, 89ff., 107ff. Zur Verbindung von Metapher und paradigmatischer Beobachtungsregion s. *St. C. Pepper,* A Proposal for a World Hypothesis. Monist 47, 1963, bes. 269. Zum Entstehen und Verschwinden »des Metaphorischen« s. *G. W. F. Hegel,* Ästhetik, Bd. I, hg. *F. Bassenge,* 2. Aufl., Frankfurt o.J., 391ff. Daß bei hohen Präzisionsansprüchen und Sensibilität für die unterschiedliche Leistungskraft verschiedener Theoriesprachen gelten kann: Worte bleiben Metaphern (s. PR, 6, PRc, 4, PRd, 33), soll hier nur beiläufig vermerkt sein. Diese Perspektive kann sich dann zu der berühmten, vielzitierten Aussage des späten *Whitehead* steigern: »The exactness is a fake«, Immortality. In: *Schilpp,* 700 (ebenso in den in Kap. I, Anm. 18 erwähnten Briefen des unveröffentlichten Nachlasses). Zu der der metaphorischen Rede eigenen Präzision s. *E. Jüngel,* Metaphorische Wahrheit. Erwägungen zur theologischen Relevanz der Metapher als Beitrag zur Hermeneutik einer narrativen Theologie. EvTh, Sonderheft: *P. Ricoeur* u. *E. Jüngel,* Metapher. Zur Hermeneutik religiöser Sprache, 1974, bes. 119f. Zum brisanten Problem einer Differenzierung von theologischer und natürlicher Sprache s. die Bezugnahme auf *Luther* bei *Jüngel,* ebd., 102ff., Anm. 85; aber auch *Luthers* warnende Worte, z.B. in: Auf das überchristlich, übergeistlich und überkünstlich Buch Bocks Emsers zu Leipzig Antwort . . ., 1521, WA VII, bes. 650ff.

62 Entsprechend der bekannten Aussage *G. W. F. Hegels,* Vorrede zu: Grundlinien der Philosophie des Rechts, 1821. PhB 124a, 4. Aufl., Hamburg 1955, 16.

63 Die sich dieser Grundbedingungen bewußte Theorie *Whiteheads* wird von Abschn. 6 dieses Teils an und vor allem in Teil B dieses Kap. vorgestellt. Eine erste Impression können vermitteln *H. Jonas,* Organismus und Freiheit. Ansätze zu einer philosophischen Biologie, Göt-

Blick auf latent vorhandene Konfigurationen und Konstellationen öffnen, schärfen und damit die Kanalisation oder die Stauung, die Koordination oder die Dissoziation von Entwicklungen verstärken. Indem sie Entwicklungsmomente *organisieren* bzw. auf bislang unentdeckte organische Zusammenhänge aufmerksam machen, bringen sie Momente der Stabilität in den Fluß des Lebens, die diesem förderlich sind, bzw. beleben durch Auflösung von Erstarrung und Verkümmerung bedingenden Fehlzentrierungen. Organisiertes und organisierendes Denken strebt eine Stabilität an, die Entwicklungen des Lebens fördert – so oder ähnlich könnte mit programmatischen Formeln Whiteheads Vorhaben empfohlen werden, ehe die Schwierigkeiten, mit denen es zu kämpfen hat, zur Geltung gebracht werden[64].

Wirklich eindrücklich wird Whiteheads Theorie in den Jahren ab 1916 aber nicht durch Programmformeln, die ihre Leistungsansprüche hervorzuheben suchen. Sie verschafft sich Respekt vielmehr durch die Diagnose von Schwierigkeiten, die jeder Theorie der Welt erwachsen, die aber von anderen Theorien mißachtet oder überspielt werden.

Die Schwierigkeiten lassen sich vorläufig in der Formel zusammenfassen, daß eine Theorie der Welt nicht mit ›natürlichen‹ Ruhezuständen oder Nullpunkten rechnen kann, von denen sie ganz unbefangen und zwanglos ihren Ausgang nehmen könnte, daß sie aber auch nicht die Lebendigkeit der Welt mit den Wogen des Chaoswassers verwechseln sollte, auf denen gar die Theorie allein das Rettung und Überleben gewährende Schiff wäre[65].

Unsere Erfahrung des Lebens erfolgt in einem Fluß von »perceptions, sensations, and emotions«[66]. Nun verfügen wir über Organisationsformen des Denkens, die (in der Sprache vorhanden, von der Wissenschaft moduliert[67]) uns zu der Vorstellung veranlassen, wir hätten unmittelbare Erfahrung von einer »neat, trim, tidy, exact world«, einer »world of perfectly defined objects implicated in perfectly defined events which . . . happen at exact instants of time, in a space formed by exact points . . .«[68]

Demgegenüber hebt Whitehead mit Nachdruck hervor: »The most obvious aspect of this field of actual experience is its *disorderly character*. It is for each person a *continuum, fragmentary, and with elements not clearly differentiated*«[69]. Mit seltener Emphase betont er, der erste Schritt zu naturphilosophischer Weisheit sei die Einsicht in die fundamentale Wahrheit, daß die Naturwissenschaft faktisch von einem »radically untidy, ill-adju-

tingen 1973, 148–150; *J. M. Burgers*, Experience and Conceptual Activity. A Philosophical Essay Based Upon the Writings of A. N. Whitehead, Cambridge 1965, 193ff.

64 S. die Abschn. 4 u. 5 dieses Teils.

65 Dazu *H. Rahner*, Das Meer der Welt. ZKTh 66, 1942, 89–118. Das diese Tradition aufnehmende Bild der Schiffer, die auf offener See ihr Schiff umbauen müssen, haben seit *Neurath* gern die Analytiker auf sich bezogen.

66 OT, 109.

67 Vgl. OT, 110.

68 OT, 110.

69 OT, 110, Hervorhebg. z.T. Vf.

sted character of the fields of actual experience« ausgehe[70]. In diesem relativ unbestimmten, *vagen Feld der Erfahrung* vermittelt ein hochorganisiertes Denken dem gesunden Menschenverstand[71] das Bild einer präzisen Welt. »My contention is, that this world is a world of ideas, and that its internal relations are relations between abstract concepts«[72].

Die Frage, die Whiteheads Untersuchungen nun leitet, betrifft die Erhellung der Verbindung zwischen dieser exakten Welt und dem Gefühlsfluß wirklicher Erfahrung. »*How does exact thought apply to the fragmentary, vague continua of experience?*«[73]

4. *Wo zeigt sich die wirkliche Welt? Naturwissenschaft, gesunder Menschenverstand, individuelles Gefühl*

»How does exact thought apply to the fragmentary, vague continua of experience?« Whitehead betont, daß er nicht nach einer kurzen, genial formulierten Auskunft, sondern nach einer sorgfältig ausgearbeiteten Theorie sucht[74]. Sie muß das Verhältnis zwischen gesundem Menschenverstand und Naturwissenschaft untersuchen, denn Naturwissenschaft wurzelt im Denken des gesunden Menschenverstandes, muß von ihm ausgehen und zu ihm zurückkehren[75]. Aber beide, Naturwissenschaft und gesunder Menschenverstand, müssen ihr Verhältnis zu jenem vagen Gefühlshintergrund wirklicher Erfahrung aufhellen, wenn sie ihre Aufgabe, das Denken zu organisieren, vollkommener erfüllen wollen[76].

Ihre Aufgabe muß es sein, die ›unorganischen‹ Abstraktionen, die sie selbst vollziehen, nicht einfach aufzulösen, sondern in neue Weisen des Denkens zu transformieren. Es ist nun die Frage, wie sich die Orientie-

70 OT, 110. Vgl. Science and the Modern World, Glasgow 1975 (SMW), 14 (SMWd, 5). *Whiteheads* berühmte spätere Kritik an der »fallacy of simple location« ist als eine Fortentwicklung, als speziellere und bestimmtere Fassung dieser Einsicht anzusehen. Vgl. damit die richtige Kritik von *N. Lawrence*, Single Location, Simple Location, and Misplaced Concreteness. RMet 7, 1953, bes. 240ff., an *W. P. Alston*, Whitehead's Denial of Simple Location. JPh 48, 1951, bes.717. *Alstons* Versuch, die Auffassung von »simple location« als »single location« im Blick auf frühere Schriften *Whiteheads* zu verteidigen (*ders.*, Simple Location. RMet 8, 1954–1955, 336ff.), ist also nicht nur aufgrund seiner nachlässigen Durchführung gescheitert. Die den Schwierigkeiten zugrundeliegenden Verstehensprobleme zeigt gut *E. B. McGilvary*, Space-Time, Simple Location, and Prehension. In: *Schilpp*, 236ff. Sie werden in diesem Abschnitt durch konsequente historische Betrachtung der sich ausbildenden *kosmologischen* Theorie, im folgenden Abschnitt systematisch durch Beachtung der Stellung der Theorieelemente im *universalen* »Prozeß« bekämpft. Jede isolierende Betrachtung einzelner Theoriebestandteile, die diese ihre Abstraktion nicht kontrolliert, führt von *Whiteheads* Texten weg.

71 Vgl. OT, 111.

72 OT, 110, vgl. 111.

73 OT, 111, Hervorhebg. z.T. Vf.

74 Vgl. OT, 111.

75 Vgl. OT, 112. S. auch SMW, 141 (SMWd, 149).

76 Vgl. OT, 112.

rungsgrundlagen für diese selbstbezügliche Aktivität des Denkens präziser angeben lassen. Warum besteht nicht die beste »Organisation« des Denkens zum Beispiel in der Internalisierung von Anregungen, die der Verstärkung des diffusen wirklichen Fühlens dienen? (Daß diese Frage nicht abwegig ist, bekunden ja viele Menschen dadurch, daß sie vom Angebot Gebrauch machen, Meditationspraktiken einzuüben, die solcher Verstärkung dienen.) Oder warum wäre nicht – das andere Extrem – das bestmöglich organisierte Denken in mentalen Operationen erreicht, die sich gegen dumpfe ›Hintergrunds‹erfahrungen völlig immun zu halten suchen, wie sie zum Beispiel von der Mathematik vollzogen werden? Nicht ohne weiteres bietet der sogenannte gesunde Menschenverstand, der sich von beiden extremen Vollzugsformen der Aktivität des Geistes (mind) entfernt hält, ausreichende Ansätze zur Orientierung: Zum Beispiel versagt er, wie Whitehead betont, »angesichts eines Reichtums an Material«[77]. Deshalb stellt er, auch wenn wir auf ihn nur für kurze Zeit und nur mit relativ großer Anstrengung verzichten können[78], nicht mehr die selbstverständliche Antwort auf die Frage nach der Orientierung der Organisation des Denkens dar. Der gesunde Menschenverstand ist außerdem im beständigen Wandel begriffen[79], und es ist keineswegs deutlich, wie in diesem Wandel das wirkliche Fühlen und das exakt wissenschaftliche Denken fungieren, die *beide* ihn prägen – vermutlich nicht nur deshalb, weil beide reicheres Material bewältigen.

Welches sind die Orientierungsgrundlagen für eine Verbindung von exaktem Denken und vagen Erfahrungskontinua, und wo hat eine Theorie dieser Verbindung ihren Ort? Die Beantwortung dieser Frage würde zugleich über die Grundlage und die Gestalt der Theorie der Welt entscheiden.

Ist die wirkliche Welt die exakte Welt der Naturwissenschaften? Oder ist die wirkliche Welt die Welt des gesunden Menschenverstandes, von dem jede Untersuchung ihren Ausgang nehmen muß? Oder kommt nur im fragmentarischen, vagen, fühlenden Erfahren des Lebens auch die wirkliche Welt zur Präsenz? In eine Fülle möglicher Erwägungen über mögliche Konstellationen einer Theorie der Welt scheint nun Whiteheads Programm auseinanderzutreiben.

Whitehead betont, die Naturwissenschaften könnten nicht warten auf die Beendigung der metaphysischen Debatte darüber, was die wirkliche Welt sei[80].

Zwar stellt er nun (1916, The Organisation of Thought) – erstmals ausdrücklich – die Aufgabe der Metaphysik *neben* die Aufgabenstellung, die Binnenbeschaffenheit des Denkens zu untersuchen[81]. Doch mindestens

77 OT, 127. Auf Kapazitätsprobleme des vorstellungsgesättigten Denkens hat *Descartes* bereits aufmerksam gemacht.

78 Vgl. The Anatomy of Some Scientific Ideas. In: OT, 139.

79 Vgl. dazu OT, 108.

80 Vgl. OT, 109, 113.

81 Vgl. OT, 113f. *Whitehead* hat diese Perspektive später in eine umfassendere Theorie integriert – sie aber nie aus den Augen verloren. So konnte er neuzeitliches und nachneuzeitliches

zwei Jahre lang[82] scheint kaum mehr als die wiederholte Versicherung: »Science does not diminish the need of a metaphysic«, »Science only renders the metaphysical need more urgent«[83] Whitehead davon abzuhalten, seine *Theorie der Welt von einer Theorie des Denkens* ununterscheidbar zu machen. Noch vor ihrer Entfaltung im Feinbau droht die Kosmologie schon an grundsätzlichen Schwierigkeiten ihrer Anlage zu scheitern.

Eine Theorie des Denkens droht die Kosmologie zu absorbieren. Für die physikalische Wissenschaft sind »die Fakten Gedanken, und Gedanken sind Fakten«[84], heißt es nun, und die Ziele der Naturwissenschaft seien die Harmonie des Denkens und die Ausbreitung des harmonisierten Denkens[85].

Offensichtlich steht Whitehead eine neue[86] Aufgabenstellung der Naturwissenschaft vor Augen: die Harmonisierung von gesundem Menschenverstand und individuellem Fühlen[87]. Lassen sich auch die Verhältnisse der verschiedenen mentalen Aktivitäten zur Welt und der Ort der wirklichen Welt zumal nicht genau bestimmen, so scheint doch der Platz des naturwissenschaftlichen Denkens in Relationen zu anderen gedanklichen Verhaltensweisen definiert werden zu können. Das naturwissenschaftliche Denken, so schlägt Whitehead vor, steht vermittelnd und verbindend zwischen dem unartikulierten, relativ diffusen individuellen Fühlen und dem artikulierten Menschenverstand.

Von einem neuartigen, ›konkreten‹ naturwissenschaftlichen Denken könnte man sprechen, das die Begriffe der Natur, die der gesunde Menschenverstand verwendet, erklärt[88], wobei es verdeutlichen soll, warum das Denken des gesunden Menschenverstands von dem individuellen Fühlen abstrahiert. Mit dieser *Rechtfertigung der relativen Abstraktheit* des gesunden Menschenverstandes soll die »Produktion einer Theorie, die mit der Erfahrung übereinstimmt«[89], verbunden sein.

Denken synthetisieren. S. dazu *F. S. C. Northrop*, Whitehead's Philosophy of Science. In: *Schilpp*, bes. 175f. Allerdings läßt sich dies im Blick auf die reife Theorie schwieriger dartun als hinsichtlich der frühen Texte. Vgl. das vergebliche Bemühen, die entwickelte Theorie wirklich zur Sprache kommen zu lassen, bei *I. Leclerc*, Kant's Second Antinomy, Leibniz, and Whitehead. RMet 20, 1966, 38ff. Ebenso hat *E. G. Ballard*, Kant and Whitehead, and the Philosophy of Mathematics. Tulane Studies in Philosophy 10, 1961, 3–29, seine Untersuchung mit zu späten Texten *Whiteheads* beginnen lassen und *Whiteheads* »early interest«, 11, gerade nicht belegen können.

82 1917–1919.

83 OT, 188, 190.

84 OT, 138; übers. Vf.

85 Vgl. OT, 137, vgl. 140.

86 Vgl. OT, 140.

87 Es ist jedoch zu sehr vereinfacht, festzustellen, es gehe *Whitehead* um eine Verbindung von »Sinneswahrnehmung« und »abstraktem Denken«: *D. L. Miller*, Whitehead's Extensive Continuum. Philosophy of Science 13, 1946, 149. *Whitehead* untersucht – auch in seinen frühen Schriften – immer mindestens dreistellige Relationen.

88 Vgl. OT, 140.

89 OT, 140; übers. Vf.

Der gesunde Menschenverstand wird dabei als relativ abstraktes, die diffuse, fragmentarische, individuelle Erfahrung als relativ konkretes mentales Verhalten vorgestellt. Maßstab für diese Sicht von Wirklichkeit und Konkretion ist offenbar das – vermittels seines Instrumentariums[90] – *übersensible* und für neue Erfahrungen sensibilisierte naturwissenschaftliche Denken. Zugleich kurz-, weit- und feinsichtiger, belehrt es uns zum Beispiel darüber: »After a few years we recognise the same cat, but we are thereby related to different molecules.«[91] Mögen wir behaupten, daß die Katze sich freute, uns zu sehen, aber »we merely heard its mewing, saw it arch its back, and felt it rubbing itself against us. We must distinguish, therefore, between the many direct objects of sense, and the single indirect object of thought which is the cat«[92].

Was wir zu ›sehen‹ behaupten, bringen wir nur durch eine näher zu beschreibende Abstraktion von Ereignisserien (series of events) und von Bündeln von Ereignisserien zur Präsenz[93].

Diese abstraktiven Vereinfachungsprozesse[94] sind die Grundlage für die Ausbildung des gesunden Menschenverstandes[95]. Diese Prozesse verlaufen nach dem *Prinzip der Konvergenz zur Einfachheit* (principle of convergence to simplicity[96]), mit dessen Hilfe die Welt erfaßbar, überschaubar, handhabbar, umgänglich gemacht wird.

In diesem Vereinfachungsprozeß – Whiteheads reife Analyse dieses Prozesses soll noch ausführlich diskutiert werden[97] – wird die zeitliche und räumliche *Ausdehnung von Ereignissen verringert*, durch Homogenität gekennzeichnete Regionen des Ereignisses werden hervorgehoben[98]. Gleichsam ehe dieser Übergang von der »fließenden Vagheit der Empfindung«[99] zu den grobschlächtigen, wiedererkennbaren Gedankendingen des gesunden Menschenverstands erfolgt ist[100], setzt die Naturwissenschaft ein, de-

90 Vgl. SMW, 141f. (SMWd, 149f.); auch *H. Gese*, Die Frage des Weltbildes. In: Zur biblischen Theologie. Alttestamentliche Vorträge, BEvTh 78, München 1977, 207f.

91 OT, 141.

92 OT, 142.

93 Vgl. OT, 142f.

94 Eine gute allgemeine Vorstellung von ihnen vermittelt *V. Lowe*, Whitehead's Philosophy of Science. In: Whitehead and the Modern World: Science, Metaphysics, and Civilization. Three Essays on the Thought of Alfred North Whitehead, by *Victor Lowe*, *Charles Hartshorne* and *Allison H. Johnson*, Boston 1950, 5ff. Es handelt sich tatsächlich um einen Kristallisationspunkt der Theorie, ihr *Verfahren* betreffend, der viele Verwandtschaften zu verschiedenen Grundoperationen anderer Theorien aufweist, da er synthetisierende *und* reduzierende Leistungen verbindet. Vgl. auch *R. Wiehl*, Einleitung in die Philosophie A. N. Whiteheads. In: AId, 7ff.

95 Vgl. OT, 153.

96 OT, 146; vgl. OT, 146ff.

97 Von Abschn. 6 dieses Teils an.

98 Vgl. OT, 147.

99 OT, 156; übers. Vf.

100 Vgl. OT, 150, 153ff.

ren Gedankendinge Moleküle, Atome, Elektronen sind[101], mit deren Hilfe sie eine »Brücke« zwischen beiden mentalen Aktivitäten herstellt[102].

Man kann in diesem Stadium der Theoriebildung mit Whitehead leicht darüber streiten, ob seine Diagnose der Mittler- und Vermittlerrolle der Naturwissenschaft hinreichende Grundlagen aufzuweisen hat, ob es tatsächlich angezeigt ist, der Naturwissenschaft eine relative Überlegenheit an Konkretheit gegenüber dem Denken des gesunden Menschenverstandes und relativ größere Abstraktheit nur gegenüber dem individuellen Gefühl zu bescheinigen. Läßt man sich aber auf seine Diagnose einmal ein, so ergeben sich erhebliche Umgestaltungen von fundamentalen und vertrauten Denkgewohnheiten.

»If science be right, nobody ever perceived a thing, but only an event.«[103] Erst durch Abstraktionsprozesse bilden wir – von Serien von Ereignissen ausgehend – die Dinge. Die Wahrnehmungsgegenstände zum Beispiel, mit denen uns konventionelle Theorien ganz unmittelbar und zwanglos in Kontakt treten sahen[104], sind Resultate komplizierter Operationen, die es erst zu durchschauen gilt.

Wird die unbefangene Voraussetzung von ›Dingen‹ problematisch, so wird die *Unklarheit des Gedankens der Einfachheit* offenkundig, der sich am ›einfachen Ding‹ orientierte: »In physics, as elsewhere[105], the hopeless endeavour to derive complexity from simplicity has been tacitly abandoned. What is aimed at is not simplicity, but persistence and regularity«[106]. An diesem Punkt ergeben sich für Whitehead Möglichkeiten, die grundlegenden Thesen von 1905 weiter zu präzisieren, und zwar hinsichtlich des bislang vernachlässigten Gedankens der Einheit und einfachen Grundbeschaffenheit der Welt[107]. Läßt sich Einheit als Regelmäßigkeit und Beständigkeit begreifen, so wird es denkbar, daß Ereignisse, Ereignisserien, Bündel von Ereignisserien bis hin zur ›Welt‹ als ›eine Einheit‹ aufgefaßt und ausgedrückt werden können. »In a sense regularity is a sort of simplicity. But it is the simplicity of stable mutual relations«[108]. Werden Einheit und einfache Grundbeschaffenheit der Welt auf die »simplicity of stable mutual relations« zurückgeführt und läßt sich daraufhin die These aufstellen: »*The modern thought-object of science . . . has the complexity of the whole ma-*

101 OT, 156.
102 OT, 156.
103 OT, 179.
104 Vgl. OT, 179. *Whitehead* kritisiert vor allem die Blickfixiertheit dieses Denkens, das angesichts von Tönen und Gerüchen aber in Artikulationsnöte gerät: vgl. OT, 153.
105 Dieser Zusatz ist gewiß eine Übertreibung.
106 OT, 183.
107 Zur entwickelten Theorie dieser Einheit s. Teil B dieses Kap., bes. Abschn. 2–4. Allerdings ist auch die reife Kosmologie *Whiteheads* auf das Problemniveau, das jetzt zu verlassen ist, herunterpotenziert worden. S. z.B. *E. J. Lintz,* The Unity in the Universe, According to Alfred N. Whitehead. Thom. 6, 1943, s. bes. 318f. S. dazu auch *G. E. Axtelle,* Alfred North Whitehead and the Problem of Unity. Educational Theory 19, 1969, bes. 135.
108 OT, 183.

terial universe«[109], so scheint Whitehead seine Theoriegrundlagen in einem wichtigen Punkt verbessert zu haben.

Aber diese Verbesserung im Detail gefährdet die gesamte bisherige Komposition der Theorie. Warum eigentlich werden, so ist nämlich nun zu fragen, die Operationen des gesunden Menschenverstandes als relativ abstrakter angesehen als die des individuellen Fühlens? Diese Frage kann jetzt überhaupt nicht mehr beantwortet werden. Denn es verschwinden auf diesem Stand der Theorieentwicklung alle einfachen Kriterien zur Sortierung und Privilegierung mentaler Aktivitäten. Auf diesem Stand der Theorie kann, sobald einem mentalen Verhalten irgendein Kontakt zur Welt nicht abgesprochen ist, nicht mehr bzw. noch nicht mit Gründen über Nähe oder Ferne, Adäquatheit oder Diskrepanz zur Welt befunden werden.

Für denjenigen, der gewöhnt ist, elementare Ordnungstypen im Rekurs auf unterschiedene Vermögen der Seele, gedankliche Vollzugsformen oder Stellungen des Bewußtseins zu gewinnen, treibt Whiteheads Theorie jetzt einer chaotischen Verfassung entgegen[110].

Revidiert ist nun nicht nur die Voraussetzung, die naturwissenschaftliche Theorie sei die einzige adäquate Darstellungsweise der Welt[111]; revidiert ist nicht nur die Voraussetzung, die naturwissenschaftliche Theorie sei eine privilegierte und mit guten Gründen zu privilegierende Darstellungsweise der Welt[112]; revidiert ist nicht nur die Voraussetzung, die naturwissenschaftliche Theorie sei eine zentrale, verschiedene mit der Welt befaßte mentale Aktivitäten harmonisierende Theorie[113]; revidiert ist auch die

109 OT, 183, Hervorhebg. Vf.; vgl. 185, 186f.

110 Dafür, daß *Whitehead* dies selbst gespürt hat, spricht der Abschluß von OT, die dort einsetzende Arbeit mit Subjekt-Objekt-Korrelation, Bewußtsein und Gegenstand – ähnlich wie bei *Hegel* in der Einleitung der Phänomenologie des Geistes, aaO., bes. 70f. –, freilich ohne daß er dieses Werk gekannt hätte. Vgl. ESP, 116, den Hinweis *Whiteheads*, *Hegel* nicht gelesen zu haben.

Andererseits ist mit Recht der Einfluß der Hegelianer *Bradley*, *Haldane* und *McTaggart* auf ihn erwähnt worden, s. *F. Kambartel*, »The Universe is More Various, More Hegelian«. Zum Weltverständnis bei Hegel und Whitehead. In: Collegium Philosophicum. Studien Joachim Ritter zum 60. Geburtstag, Basel u. Stuttgart 1965, 73. Handschriftliche Randbemerkungen *Whiteheads* in einem Exemplar von *Bradleys* Logik legen es allerdings nahe, einen positiven Einfluß der Hegelianer nicht zu überschätzen. Zwar wird auch diese Arbeit auf einige fundamentale Verwandtschaften zwischen *Hegels* und *Whiteheads* Denken aufmerksam machen. Doch bleibt ein solcher Vergleich ohne sinnvolle Textbasis immer ein kaum kontrollierbares, fragwürdiges Unternehmen, zumal bei Theorien, die sich so schwer in einen Wettstreit hinsichtlich ihrer definitiven Leistungskraft bringen lassen wie diese beiden. *Kambartel* hat richtig und fruchtbar beide Systeme in bezug auf ihren universalen Geltungsanspruch (vgl. 80ff.) und ihre Bewältigung einiger Folgeprobleme dieses Anspruchs verglichen. S. jedoch auch *R. C. Whittemore*, Hegel's ›Science‹ and Whitehead's ›Modern World‹. Phil. 31, 1956, bes. 48f. u. 54; und *J. E. Barnhart*, Bradley's Monism and Whitehead's Neo-Pluralism. Southern Journal of Philosophy 7, 1969, bes. 398f. Eine genauere Untersuchung verdiente allerdings die Frage, ob nicht das 2. Kapitel von *J. E. McTaggarts* Studies in Hegelian Cosmology, Cambridge 1901, bes. 36ff., *Whiteheads* Kosmologie langfristig – auch positiv – beeinflußt hat.

111 S. Abschn. 1 dieses Teils.

112 S. Abschn. 2 dieses Teils.

113 S. Abschn. 3 dieses Teils.

Voraussetzung einer Ordnung, die mentale Aktivitäten als weltnäher oder weltferner zu sortieren und in Beziehungen zu bringen erlaubte. Es ist dies der »spekulative Charfreitag«[114] der Naturwissenschaftsgläubigkeit.

Whitehead hat eine ganze Reihe von Ansätzen entworfen, die diese Situation extremer Unbestimmtheit vergessen lassen können und der Einsicht in die Relativität aller grundlegend erscheinenden Bestimmungen ausweichen[115]. Doch erst indem er diese Relativität akzeptiert und sie selbst an die Stelle der Voraussetzungen treten läßt, die sie überwinden sollten, beginnt er mit der Entwicklung einer derjenigen Theorien von Rang, die ihre Zeit überdauern[116]. Dieses Vorgehen verbietet gerade eine – wie immer eingekleidete – Zufriedenheit mit »vague aspirations«[117]. Es verbietet aber auch die Scheinklarheit der *unbefragten* Voraussetzung von bestimmten Korrelationen zur Erzeugung von Kontrasten. Whitehead erkennt, daß auch die Korrelationen und Antithesen, die zu ›Selbstverständlichkeiten unserer Zeit‹ geworden sind, historisch bedingt, langfristig revidierbar sowie unter bestimmten Umständen negligeabel sind. So stellt er die interessante und diskussionswürdige Erwägung an, daß die fatale Trennung und Entgegensetzung von Geist (mind) und Körper, Denken und Handlung auf den »perverted sense of values« zurückgeführt werden könnte, »which is the nemesis of slave-owning«, und er vermutet, daß heutige Massenerscheinungen des Kults des Athletismus als Gegenreaktion der Natur auf jene Trennung aufzufassen seien[118].

Die Revision der frühen Voraussetzungen führt natürlich nicht zu der Illusion, wir könnten bei Theoriebildungen auf willkürlich getroffene Voraussetzungen überhaupt verzichten, einer Illusion, die manche der ›Grundlagendebatten‹ auszeichnet, die dann im Sande zu verlaufen pflegen. Sie führt zu der Einsicht, daß wir die immer und unvermeidlich willkürlichen Voraussetzungen von Theorien allerdings unter gedankliche Kontrolle bringen[119] und ihre Regionen von Unklarheit präsent halten und ein-

114 *G. W. F. Hegel*, Glauben und Wissen oder die Reflexionsphilosophie der Subjectivität, in der Vollständigkeit ihrer Formen, als Kantische, Jacobische, und Fichtesche Philosophie, Gesammelte Werke IV, 414, hat damit den *reinen* Begriff, die *reine* Abstraktion (als Moment der höchsten Idee), vor Augen gehabt, in dem alle Bestimmtheit aufgelöst wird und aus dem alle Bestimmtheit hervortreten soll (was aber die frühen Schriften noch nicht zeigen können).

115 Hingewiesen sei auf die schon Anm. 110 erwähnten Überlegungen zu einer raffinierteren Korrelationstheorie; die Gedanken zu einer Abstraktionstheorie in: Technical Education and Its Relation to Science and Literature, in: OT, 29–57; sowie eine Erwägung zu einer Introspektionstheorie, OT, 53, die aber alle über das Stadium experimentierender Ansätze nicht hinausgelangen.

116 Diese These ist freilich nicht dahingehend zu radikalisieren, daß Theorien von Rang *beständig* extreme Dissoziationszustände ins Auge zu fassen hätten.

117 Education and Self-Edukation. In: ESP, 174.

118 OT, 42. Solche langfristigen Diagnosen dürften – zumindest im europäisch-amerikanischen Kulturbereich – zur Zeit mit Skepsis betrachtet werden. Für *Whiteheads* Beobachtung sprächen inzwischen aber auch andere Massenerscheinungen des Kults der Leiblichkeit.

119 S. dazu differenziert *G. Sauter*, Die Begründung theologischer Aussagen – wissenschaftstheoretisch gesehen. In: Erwartung und Erfahrung. Predigten, Vorträge und Aufsätze,

schränken müssen. Sie führt ferner zu der Überzeugung, daß die Bereichsbegrenzung einer Theorie nicht eo ipso mit einer Hypothek von Beweispflichten und einem Verzicht auf oder Verlust an Wirksamkeit verbunden ist. Da diese Situation die Ausgangslage für Whiteheads ›reifes Denken‹ und eine *neue Qualität von Theoriebildung* darstellt, soll sie ausführlicher betrachtet werden[120].

5. *Die eine Natur: komplexes System und Prozeß*

Der kontinuierlichen Ausweitung und Differenzierung seiner Theorie der Welt scheint Whitehead in den Jahren 1919 und 1920 ein frühes Ende zu bereiten. Er tritt mit zwei Werken (An Enquiry Concerning the Principles of Natural Knowledge und The Concept of Nature)[121] an die Öffentlichkeit, die beide ausdrücklich und wiederholt versichern, sich nur mit *der Natur* beschäftigen zu wollen[122]. Rigoros, so scheint es jedenfalls zunächst, wird der Betrachtungsbereich begrenzt.

Dabei wird die Beschäftigung mit der Synthese von »the knower with the known«, die kurz zuvor noch im Rahmen von zusammenfassenden Folgerungen eine zentrale Stellung fand[123], als wenig fruchtbar und kaum aussichtsreich dargestellt[124]. Entschieden wird dekretiert: »none of our perplexities as to Nature will be solved by having recourse to the consideration that there is a mind knowing it. Our theme is the coherence of the known . . .«[125]. Die Ausbildung eines Begriffs von *Realität*, der den der Natur übergreift, will Whitehead nun einer Philosophie überlassen, deren Erfolgsaussichten er offenbar nicht sehr hoch veranschlagt[126].

Weit scheint sich Whitehead damit wieder von dem umfassenden Kon-

ThB 47, München 1972, bes. 274f., und ausführlicher *ders.*, Grundzüge einer Wissenschaftstheorie der Theologie. In: Wissenschaftstheoretische Kritik der Theologie. Die Theologie und die neuere wissenschaftstheoretische Diskussion, München 1973, 308ff.; auch *R. C. Whittemore*, Philosophy as Comparative Cosmology. Tulane Studies in Philosophy 7, 1958, bes. 137ff.

120 Vgl. aber auch *Parmentier*, La philosophie de Whitehead et le problème de Dieu, aaO., 59ff.; *R. D. Bendall*, The Naturalization of Whitehead's God (Diss.), Graduate Theological Union/Berkeley 1977, 144ff.; sehr großschrittig *Leclerc*, Whitehead's Metaphysics, aaO., 12f.; und *W. W. Hammerschmidt*, Whitehead's Philosophy of Time, New York 1975, 9ff.

121 An Enquiry Concerning the Principles of Natural Knowledge, Cambridge 1955 (PNK); und CN s. Anm. 42 dieses Teils.

122 PNK, z.B. VIf.

123 OT, 187ff.

124 Vgl. PNK, VII.

125 PNK, VII. Vgl. CN, 4, 28.

126 Vgl. PNK, VII; und CN, 28, 32, 47, 145f., 151 sowie 47f. die Zitate von *Schelling* und *Lossky*; ferner die Versicherung, die Grenze sei gerade dort gesetzt, wo der metaphysisch interessierte Naturphilosoph wohl beginne »to get excited«. Whiteheads Schwierigkeiten, den Begriff einer »concrete nature« auszubilden, hat klarsichtig erfaßt: *C. L. Morgan*, The Bifurcation of Nature. Monist 40, 1930, 179–181.

zept einer Kosmologie entfernt zu haben, dem er sich, wie wir zeigen konnten, seit 1905 konsequent genähert hatte. Weit scheint er noch entfernt zu sein von dem Konzept einer Kosmologie, das er 1925 mit seinem Buch »Wissenschaft und moderne Welt«[127] gleichsam ankündigen, mit »Prozeß und Realität« 1927/28 vortragen und 1929 veröffentlichen wird[128]. Auf den Stand von 1911 könnte sein Denken auf den ersten Blick zurückgebracht erscheinen, als er die Darstellung des »Ablaufs der Natur« nur mit Hilfe der Mathematik anstrebte. Doch dieser Schein trügt. Whitehead wehrt nun nicht nur der zu eiligen Fusion mit philosophischen, sondern auch der mit physikalischen Theoriebildungen[129]. Die Sprache der Mathematik gebraucht er nur noch sparsam[130]. Er empfiehlt auch nicht mehr ihre formale Sprache als ideale oder nahezu ideale wissenschaftliche Darstellungsform. Vielmehr entwickelt er nun – darin durchaus Hegel und Heidegger vergleichbar – eine *eigene Theoriesprache*.

Neuansatz der Theorie, Begrenzung des Betrachtungsbereichs auf die Natur und Entwicklung einer eigenen Sprache lassen sich in *einem* Zusammenhang verständlich machen, wenn man bedenkt, daß Whiteheads Theorie der Welt in eine Grenzsituation geraten war. Naturwissenschaftliche Theoriebildung, gesunder Menschenverstand und individuelles Fühlen sollten nach Maßgabe ihrer Weltnähe und Weltferne, hinsichtlich ihrer Abstraktheit und Konkretheit zueinander in Verhältnisse gesetzt werden. Es bestanden Wechselverhältnisse zwischen den Beziehungen dieser mentalen Aktivitäten zueinander und ihren jeweiligen Verhältnissen zur Welt. Die Einsicht, daß sich aber kein Gefälle zwischen »abstrakteren« und »konkreteren« Aktivitäten bislang wirklich rechtfertigen ließ, führt zur Infragestellung der vorausgesetzten Korrelation von Theorie überhaupt und Welt. Denn die Berufung auf die Welt versagte als Ordnungsprinzip für die mentalen Aktivitäten, und die bisherige Untersuchung der mentalen Aktivitäten gab keinen klaren Aufschluß über die Ordnung der Welt. Es gibt keine a priori privilegierte mentale Aktivität und keine a priori zu bevorzugende Theorie. Diese Einsicht ist alles andere als trivial, weil sie auch einer unbefragten Vorrangstellung des gesunden Menschenverstandes entgegenwirkt, der vorschlägt, erst einmal »ganz unbefangen« – das heißt aber *auf seine Weise* – die Welt – und das heißt in dieser Epoche seine »Welt der Dinge« – zu betrachten. Die mit der Sanktionierung eines solchen Ansatzes verbundene Anerkennung und Bevorzugung einer uns völlig unverzichtbar erscheinenden mentalen Aktivität (eben des gesunden Menschenverstandes) sollte aber gerade im Rahmen einer umfassenderen Theorie klar erfaßt, überprüft und kontrolliert werden.

127 Vgl. Anm. 70 dieses Teils.
128 Vgl. dazu Kap. I, Anm. 18.
129 Vgl. PNK, VIf.
130 Eine Ausnahme stellt noch einmal The Principle of Relativity, with Applications to Physical Science, Cambridge 1922 (R), dar, vor allem der zweite Teil. S. aber auch die umfassende Bestimmung von »Philosophie«, ebd., 4, 4ff.

Doch weder das individuelle Fühlen noch die naturwissenschaftliche Theorie konnten als fundamentalere ›Rahmen‹ etabliert werden, ohne Entwicklungen einzuleiten, die der Rechtfertigung entbehrten. Soll die unbefragte Privilegierung einer mentalen Aktivität bzw. ihrer Darstellung als Theorie beendet werden, so ist eine Situation herbeizuführen, in der »Theorie« und »Welt« noch nicht getrennt sind. Diese Situation ist die noch nicht gedanklich infizierte und geordnete »*Natur*«. Vom Standpunkt einer elaborierten Theorie aus mag diese Situation als imaginiertes ›Chaos‹ erscheinen. Genauer aber ist von einem noch *diffusen Ensemble von latenten Ordnungszuständen* zu sprechen. Von dieser Situation geht Whitehead in der Tat aus. Diese Situation kann – spekulativ – vorgestellt werden als Theorie und Welt *vor* ihrem Auseinandertreten, das sie eben zu Theorie *und* Welt werden läßt.

Dieses Auseinandertreten beschreibt Whitehead nun prägnanter als ›*diversification of nature*‹[131]: »Our perceptual knowledge of nature consists in the breaking up of a whole . . . This whole is discriminated as being a complex of related entities . . . This process of breaking up the subject matter of experience into a complex of entities will be called the ›diversification of nature‹.«[132]

Diese Diversifikation der Natur kann auf verschiedene Weisen hervorgerufen werden, und die verschiedenen Weisen der Diversifizierung führen zu verschiedenen *Entitäten oder Aspekten der Natur*[133]. Es ist also noch offen, wer oder was diese Diversifizierung der Natur vollzieht. Vorschnelle Benennungen und Bewertungen würden in die unzureichenden Theorien zurücktreiben. Vielmehr ist jetzt zu beachten: »One mode of diversification is not necessarily more abstract than another«[134]. Damit wird angezeigt, daß erst herauszufinden ist, was eine abstraktere von einer konkreteren Diversifizierung der Natur unterscheidet. In den verschiedenen Diversifizierungsprozessen und -entitäten bzw. Komplexen von Entitäten könnten durchaus auch die früher betrachteten mentalen Aktivitäten – nun allerdings nicht mehr getrennt von »ihrer Welt«[135] – wiederzuerkennen sein. Es muß erst ausgemacht werden, was sie in Konkurrenz zueinander und in Verbindung miteinander auftreten läßt.

Neben der trügerischen Klarheit unbefragter Voraussetzungen ist aber ein Grundgedanke, der die Theorieentwicklung leitete, wenn nicht preisge-

131 PNK, 59, 59ff.

132 PNK, 59. Vgl. CN, 15.

133 PNK, 59f.; 60: ». . . each mode of diversification produces natural elements of a type peculiar to itself.« Daß *Whitehead* damit auf die Forderung *Bergsons* eingeht, die Naturwissenschaft müßte die Kontinuität der Dinge darstellen, hat *T. de Laguna* festgehalten in seiner Rezension von PNK, PhRev 29, 1920, 269. Gegen die Überschätzung dieses Einflusses wendet sich besonnen *V. Lowe*, The Influence of Bergson, James and Alexander on Whitehead. JHI 10, 1949, 269ff., bes. 283ff.; radikaler *P. Devaux*, Le bergsonisme de Whitehead. RIPh 15, 1961, bes. 226ff. u. 236.

134 PNK, 60.

135 Zur Kritik an konventionelleren Theorien vgl. z.B. PNK, 8ff., 14f.

geben, so doch sehr gefährdet: Es ist dies die These der einfachen Grundbeschaffenheit der Welt. Whitehead stellt nun jede Art von Theorie in Frage, »in which nature is conceived simply as a complex of one kind of inter-related elements such as either persistent things, or events, or sense-data«[136]. Die mit dieser Infragestellung verbundene Selbstkorrektur ist die einschneidendste Veränderung der Theoriegrundlage von 1905. Sie nötigt dazu, Einheit und Einheitssinn in einer pluralistischen Natur erst zu entdecken.

Doch wie kann eine Theorie der Entdeckung von Einheit tatsächlich Schritt für Schritt entwickelt werden, wenn wir auszugehen haben von einem *unendlich komplexen Ensemble von Diversifizierungsereignissen?* Bei dem Bemühen, diese Situation zu imaginieren, kann sich der Eindruck aufdrängen, Whitehead führe das Denken zunächst einmal ins Chaos. Dieser Eindruck ist nicht einfach als falsch zurückzuweisen, er ist aber ungenau artikuliert: Nicht *jede* gedankliche Aktivität, sondern nur der Versuch, die Totalität der Natur unvermittelt zu imaginieren, führt zu einer Situation, die sich in der Erinnerung mit dem Wort »Chaos« aussprechen läßt[137]. Damit legt sich die Frage nahe, was andere Versuche, das höchst komplexe Ensemble von Diversifizierungsereignissen sich vorzustellen oder zu untersuchen, von jenem Imaginationsversuch unterscheidet. Whiteheads Antwort lautet: eine Begrenzung des Bereichs, die wir in unserem Zeitalter als *Begrenzung des raumzeitlichen Bereiches* auffassen. Bereits mit der Konzentration auf *die Natur* ist eine solche abstrahierende Bewegung vollzogen[138]. Es ist anzugeben, warum diese Begrenzung bzw. dieser begrenzte Bereich selbst noch keine klare Erkenntnis verschafft, zugleich aber die Voraussetzung für einen Erkenntnisgewinn darstellt. Gelänge dies, so könnten im Blick auf die Natur die absolute Relativität und Auflösung von Ordnungszuständen, aber auch die Entwicklung und Ausbildung von Ordnungszuständen erfaßt werden.

Mit großem Nachdruck betont Whitehead, daß wir bei dieser Konzentration auf die Natur die Aufspaltung, die *»Aufgabelung der Natur« (bifurcation of nature) in zwei Systeme der Realität*[139] vermeiden müssen. Dieser Protest[140] gegen konventionelle Theorieansätze ist sehr populär geworden. Whitehead hat ihn mit der Feststellung verstärkt, daß der Leser, der hierin nicht mit ihm zur Übereinstimmung gelange, nicht ein Wort von dem, was er geschrieben habe, verstehen werde[141]. Tatsächlich würde die »Aufgabelung der Natur« wieder in die Schwierigkeiten zurücktreiben, die mit dem Neuansatz der Theorie gerade vermieden werden sollten: Wir würden uns

136 PNK, 15.
137 Vgl. aber Anm. 114 dieses Teils.
138 Dies verwischt *R. G. Collingwood,* The Idea of Nature, New York 1970, indem er den Prozeß der Natur und den »cosmic process« konfundiert, 167.
139 CN, 30; vgl. 26ff.
140 Vgl. CN, 30f.
141 Vgl. CN, VI.

wieder in aussichtslosen Erwägungen darüber verlieren, welche »Seite« oder welcher »Bereich« als der »wirkliche«, welcher als der gründende und grundlegende aufzufassen sei, in welcher Weise diese Grundlegung im »anderen Bereich« wirksam werde etc.[142]; oder wir würden dann doch eine zweite Größe einzuführen uns genötigt sehen, die die »beiden Naturen« verbände[143]. Statt willkürliche Aufspaltungen vorzunehmen, Bereiche oder Entitäten zu erfinden, die nicht zur Erscheinung gelangen[144], und diese zur Grundlage für Behauptungen über existierende Dinge zu erklären[145], soll durch Betrachtung der *Zusammenhänge in der einen Natur*[146] vielmehr ausfindig gemacht werden, auf welche Probleme die »aufgabelnden« gedanklichen Verhaltensweisen zu reagieren versuchten.

Diese Betrachtung ist allerdings leichter gefordert als durchgeführt, wenn sich die Natur – zumindest in einer der Perspektiven auf sie – als hochgradig dissoziiert darstellt. Whitehead sucht dieser Schwierigkeit zu begegnen, indem er Natur als »a complex of passing events«[147], als ein komplexes System[148] bestimmt. Beschreibung und Erfahrung der Natur als *Aktivität und Passage*[149], die Auffassung der Natur als System[150] und der Gedanke der Einheit der Natur[151] schließen relative und begrenzte Überwindung der Dissoziation nicht nur nicht aus, sie stellen Natur vielmehr als

142 Vgl. CN, 31f. Eine kurze Zusammenstellung der wichtigsten Zitate zu *Whiteheads* Kritik der »theory of bifurcation« in CN bieten *A. G. A. Balz,* Whitehead, Descartes, and the Bifurcation of Nature. JPh 31, 1934, 281f.; und *H. M. Tiebout,* Appearance and Causality in Whitehead's Early Writings. PPR 19, 1959, 49–51. Der Anm. 126 zitierte Beitrag von *Morgan* trägt nichts zur Interpretation von Whiteheads Kritik der ›bifurcation‹ bei, sondern wendet den Ausdruck gegen ihn; ebenfalls, allerdings weniger überzeugend die ›bifurcation‹ kritisch gegen *Whitehead* geltend machend: *F. Cesselin,* La bifurcation de la nature. RMM 55, 1950, bes. 48f.

143 Vgl. CN, 31; ferner 43 u. 38.

144 Vgl. CN, 40f. *P. A. Rovatti,* Whitehead e Husserl: una relazione. Man and World 1, 1968, 592f., hat an diesem Punkt auf die Nähe zu *Husserls* Werk: Die Krisis der europäischen Wissenschaften, aaO., aufmerksam gemacht und dabei wohl bes. die §§ 10 u. 11 vor Augen gehabt. Kaum wiederzuerkennen sind Gedanken *Whiteheads* dagegen in *E. Paci,* Über einige Verwandtschaften zwischen der Philosophie Whiteheads und der Phänomenologie Husserls. RIPh 15, 1961, 237–250, da er Empfinden und Wahrnehmung, Objektivität und Konkretion gleichsetzt, z.B. 243. S. aber auch die Überlegungen zur sachlichen Differenz von *Whitehead* und *Husserl,* die *G. Martin,* Neuzeit und Gegenwart in der Entwicklung des mathematischen Denkens. KantSt 45, 1953–1954, 155ff., bes 161–164, angestellt hat.

145 Vgl. CN, 45. Dazu und zur Umkehrung dieser Perspektive s. auch die Betrachtungen von *J. Dewey,* The Objectivism-Subjectivism of Modern Philosophy. JPh 38, 1941, bes. 534 u. 537ff.

146 Vgl. CN, 41. S. dazu auch *M. Scheler,* Die Stellung des Menschen im Kosmos, 8. Aufl., Bern 1975, 75ff.

147 CN, 166; vgl. 185.

148 Vgl. CN, 146, 163, 185.

Genauere Hinweise zum Systembegriff in SMW, 62f. (SMWd, 59f.).

149 CN, 185, vgl. 73: »The passage of nature . . . is only another name for the creative force of existence.«

150 Vgl. The Philosophical Aspects of the Principle of Relativity. PAS 22, 1921–1922, 219, und noch R, 20, 63.

151 S. CN, 148. Vgl. Science in General Education. In: ESP, 196.

bewegten Bereich möglicher Ordnungszustände dar: *Natur ist ein Prozeß*[152].

Dies ist nicht so zu verstehen, daß Natur einer ihr äußerlichen ›Zeit unterworfen‹ sei, daß sie unter anderem auch ›eine Geschichte‹ habe etc.[153]. Natur ist nicht *in* einem ihr zugleich externen Prozeß begriffen, sondern sie *ist* das Übergehen, das als »complex of passing events« aufgefaßt werden kann[154]. Raum und Zeit sind *Abstraktionen* von dieser Passage und prozessualen Ausdehnung von Ereignissen[155]. Natur ist nicht aufzufassen als ein variables Ensemble von Materiepartikelchen, arrangiert oder verstaut in »einem Raum« und organisiert, desorganisiert und reorganisiert im Verlauf einer monolinear vorgestellten Zeit. Raum, Zeit und Materie sind Abstraktionen von der prozessualen Natur[156], deren Elemente oder Momente Whitehead zunächst »event« (Ereignis) nennt[157], später präzisierend »actual occasion« und »actual entity«[158].

Es ist richtig öfter vermerkt worden, daß Whitehead damit die von Minkowski[159] und Einstein verbreitete Lehre von der wesentlichen Einheit von Raum und Zeit aufnimmt[160]:

»Von Stund an sollen Raum für sich und Zeit für sich völlig zu Schatten herabsinken und nur noch eine Art Union der beiden soll Selbständigkeit bewahren.«[161]

Sein entscheidender Beitrag aber ist, daß er die Trennung und Isolierung von Raum und Zeit bzw. die Betrachtung von räumlichen oder zeitlichen Begebenheiten als *Abstraktionen* in einer *Theorie dieser Abstraktionen* zu erfassen versucht. Raum und Zeit sind Abstraktionen von Ereignissen[162],

152 Vgl. CN, 53. S. a. ESP, 223.
153 Vgl. dazu Kap. I, 6. Zum Problem der Vermischung von Auftreten von Zeit und Auftreten in der Zeit s. die lehrreiche Diskussion, *R. M. Gale*, Has the Present any Duration? Noûs 5, 1971, 39ff., und *L. S. Ford*, The Duration of the Present. PPR 35, 1974, bes. 100–103.
154 Vgl. CN, 166.
155 Vgl. CN, 34, 37, 78, 114f., 168, 185. Zur Weiterentwicklung dieser Konzeption s. *Hammerschmidt*, aaO., 74ff.
156 Vgl. CN, 75. Vgl. dazu die Bemerkung von *T. M. Forsyth*, The New Cosmology in its Historical Aspect: Plato, Newton, Whitehead. Philosophy 7, 1932, 59f. Zur präzisen Bestimmung von Raum und Materie, Zeit und Materie s. SMW, 66f. (SMWd, 64f.); in diesem Werk findet sich auch der richtige und konsequente Hinweis, daß auch die Raum-Zeit eine Abstraktion darstellt, SMW, 84 (SMWd, 84f.).
157 CN, 75.
158 S. dazu Teil B, Abschn. 2 dieses Kap.
159 Vgl. CN, VIII, 131. Dazu *W. Band*, Dr. A. N. Whitehead's Theory of Absolute Acceleration. Philosophical Magazine 7, 1929, bes. 435f.
160 Vgl. aber schon die Gifford Lectures von *S. Alexander*, Space, Time, and Deity, London 1920, bes. Bd. 1, 58ff.; ferner seine Auseinandersetzung mit *Bergson*, ebd. 140ff., und Bd. 2, 38ff.
161 *H. Minkowski*, Raum und Zeit. In: Verhandlungen der Gesellschaft Deutscher Naturforscher und Ärzte. 80. Versammlung zu Cöln. 20.–26. September 1908. 2. Teil, 1. Hälfte, Leipzig 1909, 4.
162 Vgl. CN, 78. Zur Bestimmung von ›event‹ vgl. noch einmal CN, 50.

Resultate intellektueller Abstraktionsprozesse[163]. Ohne diese Abstraktionsprozesse bliebe die Natur ein Ensemble von Diversifikationsereignissen, in dem keine der uns vertrauten Aktionen der Orientierung anzusetzen oder auszumachen wären, ganz zu schweigen von Operationen, die denen eines »Bewußtseins« verwandt wären. »Denn jedes Ereignis ist wesentlich einzigartig und unvergleichbar«[164]. Vergleichen, wiedererkennen und zu Orientierungsgrundlagen machen können wir nur »Objekte« – diese aber sind Resultate intellektueller Abstraktionsprozesse[165].

6. *Das Objektive ist das Abstrakte. Kontrolle der Abstraktion*

Keineswegs verdient alles, was wir »abstrakt« zu nennen uns angewöhnt haben, die Bezeichnung »objektiv«. Aber das »objektiv« zu Nennende ist immer als Resultat eines Abstraktionsprozesses zu begreifen. Angesichts des Ausdrucks »abstrakt« ist nicht nur an gedankliche Operationen zu denken, die wir kompliziert, unanschaulich und vielleicht überhaupt unnötig, jedenfalls im Augenblick nicht verwertbar finden. Sind die konkreten Fakten der Natur »passing events«[166], so sind alle Akte der Fixierung und der Reidentifizierung Abstraktionen. Abstraktionsprozesse sind, allgemein gesprochen, die Voraussetzung nicht nur für intersubjektive Kommunikation, sondern auch für innersubjektive Kontinuität und Identität. Die Bedingung der Möglichkeit und die Resultate dieser Abstraktionen – das hier angelegte Problem ist noch zu diskutieren[167] – nennt Whitehead »Objekte«[168]. Beschreiben wir das Verhältnis von »Objekt« und »Ereignis« sozusagen konventionell, im Blick auf ein Verhältnis von Bewußtsein und Natur, so gilt: »The discrimination of nature is the recognition of objects amid passing events«[169].

Wir können dann, wie geschehen, davon sprechen, daß ohne Abstraktion gar keine Objekte zur Präsenz kämen und Orientierungsprozesse nur der

163 Vgl. CN, 64f.
164 CN, 125, übers. Vf. Vgl. 143.
165 Vgl. CN, 125.
166 Vgl. CN, 75, 125. Vgl. *R. Wiehl*, Zeit und Zeitlosigkeit in der Philosophie A. N. Whiteheads. In: Natur und Geschichte. Karl Löwith zum 70. Geburtstag, Stuttgart 1967, 379: ». . . nichts, was wahrhaft ursprüngliche Realität hat, wiederholt sich; und umgekehrt: was sich wiederholt, hat keine wahre und grundlegende Realität. Realität ist absolut einmalig und Einmaligkeit eine Grundform alles Seienden.« Vgl. auch 390, 391. S. hierzu den Vorschlag, nicht den Ausdruck »Gegenstand«, sondern »Situation« zu verwenden, *T. E. Burke*, Whitehead's Conception of Reality. Her. 93, 1959, 6; vor allem aber Teil B, Abschn. 2 dieses Kap. Eine Zusammenstellung von Zitaten zur Verwendung des Ausdrucks ›event‹ bei *Whitehead* in den Jahren 1916–1918 bietet *W. L. MacKenzie*, What Does Dr. Whitehead Mean by ›Event? PAS 23, 1923, bes. 231ff.
167 Vgl. aber schon CN, 189.
168 Vgl. CN, 77, 125, 169, 189.
169 CN, 144.

Art stattfänden, wie sie vielleicht das Mitgerissenwerden von einem Wasserstrom und das Gefühl dieses Mitgerissenwerdens illustrieren mögen.

Da die Passage der Natur von überwältigender Komplexität[170] ist, hat der gesunde Menschenverstand eine Abstraktionsstrategie entwickelt, die von der Wissenschaft dann systematisch angewendet wird[171], um zunächst einfache, dann immer höherstufige »Objekte«, die man Ordnungskonstellationen nennen könnte, zu fixieren und wiederzuerkennen[172].

Diese Abstraktionsstrategie, von Whitehead zunächst »convergence to simplicity«, dann »*method of extensive abstraction*«[173] genannt, folgt einem einfachen Gesetz: »Wenn A und B zwei Ereignisse sind, und A′ ist Teil von A und B′ ist Teil von B, dann werden in vielfacher Hinsicht die Beziehungen zwischen den Teilen A′ und B′ einfacher sein als die Beziehungen zwischen A und B. Dies ist das Prinzip, das alle Bemühungen um exakte Beobachtung leitet.«[174]

Wie erfolgen diese Abstraktionsprozesse? Solange wir Whitehead nicht nachgewiesen haben, daß sein Vorhaben in den frühen zwanziger Jahren, sich ausschließlich auf die Natur zu konzentrieren, nicht gelingt – was gleich geschehen soll –, müssen wir die Frage enger fassen: Wie stellen sich diese Abstraktionsprozesse in der Natur dar? Darauf gibt Whitehead zwei Antworten, genauer: zwei ausführliche Hinweise. Wir können uns diese Abstraktionsprozesse plastisch vor Augen führen, indem wir sie uns als Set von ineinandergeschachtelten Körpern vorstellen, zum Beispiel Kästen (Whitehead nennt »the nest of boxes of a Chinese toy«[175]; heute sind wohl vertrauter russische Spielzeugpuppen), wobei allerdings, im Unterschied zum Spielzeug, dieses »abstractive set« kein kleinstes Element aufweist, das sein Ende oder seine Grenze darstellen könnte[176], und wobei mit einer beliebig gewählten Extension begonnen werden kann[177].

Aufgrund dieses ersten Hinweises und ohne den zweiten bliebe noch völlig offen, wie diese Abstraktionsprozesse initiiert oder abgebrochen werden

170 Zu diesem Ausdruck s. *Luhmann*, Soziologische Aufklärung, Bd. II, aaO., 210ff.
171 Vgl. CN, 78f.
172 *Whitehead* variiert und verbessert damit seine in Abschn. 4 dieses Teils vorgetragenen Grundgedanken.
173 OT, 146ff.
174 CN, 79, übers. Vf. Vgl. CN, 172.
175 CN, 61.
176 Vgl. CN, 79f.
Vgl. hierzu den Gedanken *T. de Lagunas*, Extensive Abstraction. A Suggestion. PhRev 30, 1921, 216f., und die illustrativen referierenden Darstellungen von *N. Lawrence*, Whitehead's Method of Extensive Abstraction. Philosophy of Science 17, 1950, 145f., 148f., und *ders.*, Whitehead's Philosophical Development. A Critical History of the Background of ›Process and Reality‹, New York 1968, 76ff.; in beiden Fällen hat *Lawrence*, offenbar aus Respekt vor *Whiteheads* Hauptwerk, zu starke Qualitätsdifferenzen zwischen den Schriften der frühen und denen der späten zwanziger Jahre behauptet, andererseits zu enge Verwandtschaften in Detailgestaltungen der Theorie vermerkt. Beides wird im Blick auf das Vorhaben seines Buches (vgl. z.B. XIV) verständlich.
177 Vgl. CN, 79f., 82.

können. Der zweite Hinweis betrifft die Objekte, von denen es, wie Whitehead einräumt[178], eine unbestimmte Anzahl von Arten (types) gebe[179]. Orientiert offenbar an seiner alten Einteilung: individuelles Gefühl, gesunder Menschenverstand und Naturwissenschaft[180], betont Whitehead, daß drei Arten von Objekten Beachtung verdienten; er nennt sie: »sense-objects« (zum Beispiel ein bestimmter Blauton)[181], »perceptual objects« (zum Beispiel eine blaue Jacke)[182] und »scientific objects« (zum Beispiel ein bestimmtes Elektron)[183].

Diese Objekte unterscheiden sich, wie Whitehead – wenig glücklich – formuliert, durch ihre Weise, in die Ereignisse einzutreten (ingression; um nicht das irreführende Bild vorhandener Ereignisse, in die sich Objekte geisterhaft hineinbegäben, zu erzeugen, sollten wir davon sprechen, daß Objekte in Ereignisse und in Ereignissen eintreten): Das »scientific object« ist ein Ding in der Natur, das eine »systematische Korrelation der Charaktere aller Ereignisse in der gesamten Natur« darstellt[184]. »Scientific objects« sind der Passage der Natur relativ verwandt; sie können geradezu als systematische Modifikationen der Ereignisse aufgefaßt werden[185].

Im Gegensatz dazu nehmen die »sense objects« nicht wirklich an der Pas-

178 CN, 149, läßt Verlegenheit erkennen. Nimmt man aber diesen zweiten Hinweis nicht ernst, so gerät *Whiteheads* Theorie in Schwierigkeiten, deren Überwindung gänzlich unabsehbar ist. *R. Carnap*, Der logische Aufbau der Welt, Nachdruck der 4. Aufl., Frankfurt, Berlin u. Wien 1979, 164, hat darauf aufmerksam gemacht. Man kann seinen höflichen Hinweis allerdings auch als eine Kritik an *Whiteheads* unzureichendem Versuch auffassen, die Abstraktionsprozesse durch die Einführung von Objekten zu begrenzen.

179 Daß hier bleibende fundamentale Schwächen der Theorie *Whiteheads* vorliegen, gegen die er in den folgenden Jahren vergeblich anzukämpfen sucht, sei an dieser Stelle nur erwähnt. In Teil C, Abschn. 1 u. 2 dieses Kap. werde ich zeigen, daß und wie *Whitehead* schließlich mit der Einführung eines Gottesbegriffs diese Schwächen zu beheben sucht. Andeutungen hierzu finden sich auch bei *A. Grünbaum*, Whitehead's Method of Extensive Abstraction. British Journal for the Philosophy of Science 4, 1953, 222f.

180 Vgl. Abschn. 4 dieses Teils und die Darstellung der »différentes sortes d'objets« bei *J. Wahl*, La philosophie spéculative de Whitehead. RPFE 112, 1931, 120–123.

181 CN, 149, 150f. *L. S. Stebbing*, Universals and Professor Whitehead's Theory of Objects. PAS 25, 1924–1925, 305–330, hat, obwohl Whitehead ausdrücklich einräumt, daß er den Ausdruck ›object‹ unkonventionell verwendet, ihn kritisch mit den vertrauten Sprachregelungen konfrontiert. Sie hat festgestellt: »There are important resemblances between Prof. Whitehead's ›object‹ and what is commonly called a ›universal‹«, 327.

182 CN, 149 u. 151ff.

183 CN, 149, 158ff. Den Übergang von ›perceptual‹ zu ›scientific object‹ beschreibt *G. Vlastos*, Whitehead, Critic of Abstractions (Being the Story of a Philosopher Who Started with Science and Ended with Metaphysics). Monist 39, 1929, 181.
Überhaupt ist in der Literatur die Tendenz zu Elimination eines Objekttyps und Reduktion auf zweistellige Relationen zu erkennen. Hilfreich zur Kontrolle der dabei leitenden Motive ist der Vergleich mit der zeitlich benachbarten und auch terminologisch dem Denken *Whiteheads* ähnlichen, sonst aber konventionell dualistischen Theorie *C. D. Broads*, The External World. Mind 30, 1921, bes. 395ff.

184 CN, 158 (übers. Vf.). Vgl. CN, 158f. Vgl. auch CN, 161, u. SMW, 100 (SMWd, 103). Gegen die zu starke Belastung des Beispiels »Elektron« s. *H. R. King*, A. N. Whitehead and the Concept of Metaphysics. Philosophy of Science 14, 1947, 135.

185 Vgl. CN, 159f.

sage der Natur teil. Whitehead wird sie deshalb »*eternal objects*« (zeitlose Objekte[186]) nennen[187]. Sie treten zwar in Ereignisse/n ein, sind aber zugleich Glieder von abstraktiven Sets, die das *Reich der Möglichkeit* ausmachen: Glieder in Reihen von Farbtönen, Tonfrequenzen, Intensitätsgraden, geometrischen Formen etc.[188]. Der Eintritt von »sense objects« bzw. zeitlosen Objekten in Ereignisse/n stellt also jeweils *eine* Konstellation des Reichs der Möglichkeit dar, ihr Auftreten ist eine *Abstraktion vom Reich der Möglichkeit.* Ehe wir dieses genau betrachten und damit die Ebene der reifen Theorie Whiteheads erreichen ist festzuhalten, daß die Lehre von diesen Objekten[189] über das Vorhaben, sich auf die Betrachtung allein der *Natur* zu konzentrieren, hinaustreibt.

Dieses Elektron und dieser Farbton – in beiden Fällen handelt es sich um Abstraktionen: Während jedoch das Elektron einem raumzeitlichen Bereich angehört, der durch *ein* ›abstractive set‹ bestimmt werden kann, ist dies bei einem Farbton nicht möglich. So tritt, um es plastisch auszudrücken, ein bestimmter Blauton eben nicht nur in unserer kosmischen Epoche auf, schon gar nicht nur auf unserer Erde, schon gar nicht nur in Tübingen, schon gar nicht nur auf der Jacke eines Postbeamten und schon gar nicht nur auf dem rechten Kragenrand am Vormittag des 26. Oktober 1973 um exakt 11 Uhr – und schon gar nicht nur durch eine Versuchsanordnung in einem Institut auf der Morgenstelle festgestellt . . . Wohl aber wäre dies eine mögliche erzählende Grobbeschreibung eines ›abstractive set‹ zur Lokalisierung eines ›scientific object‹: Eine Serie von ›events‹, die alle als Kandidaten für das Eintreten eines zeitlosen Objekts – eines bestimmten Blautons – in die bzw. in der Natur auftreten können, die jedoch zugleich alle ein ›abstractive set‹, einen Approximationsweg zum Auftreten nur eines ›scientific object‹ beschreiben, ist damit festgehalten.

Diese imaginierte Serie von Ereignissen möglichen Eintretens eines zeit-

186 Ich verwende die Übersetzung von PRd. S. auch den Unpublished Letter from Whitehead to Kemp Smith. Southern Journal of Philosophy 7, 1969, 339.

187 Zur Veranschaulichung vgl. *S. E. Hooper,* Whitehead's Philosophy: Eternal Objects and God. Philosophy 17, 1942, bes. 53ff.; nur äußere Bedingungen der Möglichkeit der Lehre von den ›eternal objects‹ erwägt *G. Gentry,* Eternal Objects and the Philosophy of Organism. Philosophy of Science 13, 1946, 252ff.; vgl. dazu auch *W. Jung,* Über Whiteheads Atomistik der Ereignisse. PhN 7, 1961–1962, 427f.; und die Vermischung der Grundbegriffe bei *P. Hoßfeld,* Atom und Molekül innerhalb der Seinslehren von N. Hartmann und A. N. Whitehead. PhN 12, 1970, 350f.; wichtige Definitionen und Zitate stellt zusammen *V. M. Root,* Eternal Objects, Attributes, and Relations in Whitehead's Philosophy. PPR 14, 1954, bes. 197–199.

188 Bei der Näherbestimmung von ›eternal objects‹ ist die Sekundärliteratur sehr unsicher geblieben; selbst ein so guter Beitrag wie der von *W. Mays,* Whitehead's Theory of Abstraction. PAS 52, 1951, z.B. 97, Anm. 4.

189 S. zu *Whiteheads* Lehre von den Objekten auch den guten Aufsatz von *Wind,* Mathematik und Sinnesempfindung, aaO., bes. 251–259. *Wind* hat richtig gesehen: »Machen wir . . . mit Whiteheads Definition der Objekte ernst, so können wir die Wahrnehmungsobjekte in ihrer Mehrdeutigkeit nicht als ›echte‹ Objekte anerkennen«, 257; er hat aber auch auf die Weiterentwicklung des »Objekt«-Begriffs hingewiesen, 257, 276ff.; s. dazu noch einmal die Anm. 178f. dieses Teils.

losen Objekts ist nicht als *Passage der Natur*, sondern als *Passage des Geistes* (mind) aufzufassen. Diese ist der Passage der Natur verwandt, denn sie konvergiert ja mit dem ›abstractive set‹ eines ›scientific object‹; aber sie geht doch über die Natur hinaus, indem sie raumzeitliche Bereiche fixiert, präsent und kopräsent hält, die die Natur in dem wirklichen Ereignis (zum Beispiel dem auf der Morgenstelle zu jener Zeit beobachteten Elektron) nicht ausfüllt. »In passage we reach a connexion of nature with the ultimate metaphysical reality«[190], oder »the reign of the quality of passage extends beyond nature«[191].

Whitehead versucht zunächst, die Passage des Geistes, die in einer Mischung von Erinnerung und Antizipation[192] den Routen von zeitlosen Objekten folgt, auszublenden. In den Bereich des bloßen Spekulierens verweist er noch Gedanken über die Verbindung der Passage der Natur mit der des Geistes in irgendeinem letzten Charakter von Passage, der alles Seiende beherrscht[193].

Noch einmal versucht er, sich ausschließlich auf die Abstraktionen der Wissenschaft, ohne die die »konkrete Natur« nicht untersucht werden könne, zu konzentrieren[194], also auf die den Ereignissen im Prozeß der Natur so ähnlichen »scientific objects« und deren Mikrostruktur, die er auf »event-particles« zurückführen will. Doch diese überzogenen Abstraktionen führen zu einer Beschreibung von ›ultimate elements‹[195], deren diagnostischer Wert fragwürdig ist, deren experimentelle Verifizierung aussteht und die Fragen aufwerfen lassen wie die, warum die Natur nicht durch absolute Monotonie charakterisiert sei.

Die inneren Spannungen der Theorie und die relative Unfruchtbarkeit ihrer Resultate führen zu einer Revision der fundamentalen Thesen, die die Untersuchungen bisher fraglos einführten. Auf seine eigenen Grundlagen wendet Whitehead an, was er zur Hauptaufgabe der Philosophie erklären wird: die *Kontrolle der Abstraktionen* und die *Kritik der Abstraktionen*[196].

In einem pädagogischen Aufsatz zum Beispiel (»The Rhythm of Education«[197]) hebt er hervor, daß in konkreten Lernprozessen die schwierigen Gegenstände den einfachen vorangingen: Man denke an den Erwerb der gesprochenen und der geschriebenen Sprache, d.h. die Verbindung von Bedeutungen mit Tönen (die »an analysis of ideas and an analysis of

190 CN, 55. Vgl. ebd.
191 CN, 66.
192 Vgl. CN, 69, 73.
193 Vgl. CN, 69.
194 Vgl. CN, Kap. VIII, die Zusammenfassung (Summary), bes. 173.
195 Vgl. zu diesen »ultimate elements of the four-dimensional space-time manifold«: CN, 173, 191, 93f.
196 Vgl. SMWd, 75, 79, 86, 105, 107f., 112 (SMW, 76, 79, 85, 102f., 104f., 109); aber auch: Symbolism, Its Meaning and Effect. New York 1959, (S), 7; und PR, 15, 22, 26 (PRc, 10, 14f., 17, PRd, 43f., 51f., 56).
197 The Rhythm of Education. In: AE, 15–28.

sounds«[198] verlangt) und »von Tönen mit Formen«[199]. Es ist also kein fraglos empfehlenswertes Verfahren, zunächst von schwierigeren und komplexeren Sachverhalten und Aufgabenstellungen zu abstrahieren.

In einem philosophischen Beitrag (»Gleichförmigkeit und Zufall«[200]) schränkt er das Recht der Abstraktion vom Bewußtsein bei der Betrachtung und Darstellung der Natur ein: »Der Kennzeichnung der Natur durch das Bewußtsein entspricht die durch die Natur bedingte Kontinuität des Bewußtseins. Natur offenbart sich als durch ein Bewußtsein wahrnehmbar.«[201]

Konsequent wendet er sich nun der Betrachtung der Wahrnehmungsobjekte (»perceptual objects«) und der Sinnesobjekte (»sense objects« oder »eternal objects«) zu. Doch wie die bloße Konzentration auf die »scientific objects« zu unfruchtbaren Ergebnissen führte, so münden die Überlegungen zum Verhältnis von Wahrnehmungs- und Sinnesobjekten in die fragwürdige bloße Berufung auf »das populäre Urteil«, das lautet: Die Wahrnehmungsobjekte inaugurieren, leiten und steuern den Eintritt der Sinnesobjekte in die Natur[202].

Um zu konsistenteren Befunden zu kommen, bedarf es also doch der Untersuchung des »alles umfassenden Geschehen(s)«[203]. Es bedarf der *Betrachtung der die Natur* (und vor allem eine nur in einem linearen Zeitfluß verlaufend vorgestellte Natur) *übergreifenden*[204] *Welt*[205]. Es bedarf der Berücksichtigung auch der nicht-naturwissenschaftlichen bzw. nicht naturwissenschaftlich diagnostizierbaren Entwicklungselemente der, wie Whitehead jetzt sagt, Zivilisation[206].

Die Untersuchung dieses universalen Prozesses darf aber nicht mit einer Aufgabelung der Natur verbunden sein. Aus *einem* prozessualen Geschehen müssen zum Beispiel verständlich gemacht werden: das Auftreten eines »funkelnden Lichtpunkt(es), der mein ›sense-datum‹ eines Sterns ist«; die Hunderte von Jahren zurückliegenden großen »Ansammlungen von Molekülen, die der wirkliche Stern genannt werden, . . . die Lichtwellen in den folgenden Jahren bis zur Gegenwart und schließlich die Irritationen in meinem Körper«[207]. Wird dies nicht in einem Prozeß dargestellt, sondern auf

198 AE, 16.

199 Vgl. AE, 16.

200 ESPd, 47–68 (Uniformity and Contingency. In: ESP, 132–148).

201 ESPd, 60 (ESP, 142). Vgl. aber ESPd, 50ff. (ESP, 134ff.).

202 ESPd, 66f. (ESP, 146f.).

203 S. ESPd, 61 (ESP, 142).

204 Vgl. ESPd, 56f. (ESP, 139); ferner The First Physical Synthesis. In: ESPd, 109f. (ESP, 242).

205 Vgl. ESPd, 108 (ESP, 241).

206 Vgl. The Place of Classics in Education. In: AE, 72, 75.

207 Symposium – The Problem of Simultaneity: Is There a Paradox in the Principle of Relativity in Regard to the Relation of Time Measured and Time Lived? Zusammen mit *H. Wildon Carr* u. *R. A. Sampson*, PAS.S 3. Relativity, Logic, and Mysticism, 1923, 41 (übers. Vf.). Dieser Prozeß wird nicht mit der Differenz von »›seen now‹« und »›real now‹« und ihrer Überwindung erfaßt. S. dazu *M. Capek*, Note about Whitehead's Definitions of Co-Presence. Phi-

unterschiedene ›Bereiche‹ verteilt, so sind beliebige Versicherungen über den Verlauf und den Zusammenhang dieses Ereignisses möglich[208].

Während sich der zeitliche Prozeß, der sich zwischen dem sogenannten wirklichen Stern und dem nach Hunderten von Lichtjahren irritierten Körper abspielt, gut als ein Naturprozeß mit Hilfe eines ›abstractive set‹ darstellen ließe, bereitet die Integration des Sinnesdatums, des »funkelnden Lichtpunktes«, in diesem Prozeß Schwierigkeiten. Der blinkende Lichtpunkt ist aber die Bedingung der Möglichkeit fixierter, identifizierter und realisierter Erfahrung. Ohne das Auftreten des funkelnden Lichtpunktes hätten mich die Irritationen meines Körpers durch die Lichtwellen so sehr oder so wenig irritiert wie die übrigen Irritationen, die das Universum durch jene Lichtwellen in den vergangenen Jahrhunderten erfahren hat. Es bedarf also der Untersuchung dessen, was zum Beispiel als funkelnder Lichtpunkt zur Präsenz kommt, wenn die sehr große Elektronenansammlung ›Stern‹ und ein menschlicher Körper über weite raumzeitliche Distanzen hinweg in noch näher zu bestimmender Weise in Kontakt treten, oder was als eine bestimmte Tonfrequenz zur Präsenz käme, wenn zum Beispiel eine bestimmte und in bestimmter Weise irritierte Elektronenansammlung ›Stimmgabel‹ und eine bestimmte Region eines menschlichen Leibes, ›das Ohr‹, über eine sehr geringe raumzeitliche Distanz hinweg in Kontakt träten. Es ist also zu fragen nach dem Auftreten von jenen Entitäten, die im Blick auf die Beteiligung des menschlichen Körpers am Naturgeschehen[209] zum Beispiel Sinnesdaten genannt werden und die schlechthin unreduzierbare Elementarbestandteile menschlicher Erfahrung zu sein scheinen.

Um die Rolle dieser Entitäten, die Whitehead ›zeitlose Objekte‹ nennt, im Prozeß der Natur und in dem die Natur übergreifenden Prozeß aufzuklären, muß von der Suche nach einer *Perspektive auf die Welt* zur Darstellung und Untersuchung von Whiteheads reifer *Konzeption von Welt* übergegangen werden.

Auch die reife Konzeption kann noch als eine – allerdings einschneidende – Modifikation der Problemkonstellation von 1905 aufgefaßt werden. Erinnern wir uns: Es ging um die Bestimmung der Verhältnisse zwischen 1) der einen Welt, 2) einer dominierenden bzw. privilegierten Theorie und 3) anderen Theorien der Welt. Als dominierende Theorie traten zunächst die Mathematik bzw. die sich in mathematischer Theoriesprache artikulierenden Naturwissenschaften auf, als schwächere Theorien in der Regel die, wie Whitehead sagte, Beobachtungen und Folgerungen der Philosophen, der Dichter und der Priester. Schwierigkeiten, die Vormachtstellung der Mathematik zu rechtfertigen und die These von der Einheit der Welt aufrechtzuerhalten – wir haben sie dargestellt und erörtert –, führten zu einer Ein-

losophy of Science 24, 1957, 79ff. Das hat *Whitehead,* wie *Capek* kritisiert, in CN noch nicht hinreichend deutlich gemacht.

208 »Ich kenne keine Kriterien, durch die Behauptungen geprüft werden können.« Symposium, aaO., 41; übers. Vf.

209 S. dazu den Hinweis in S, 18, und Teil B dieses Kap., bes. Abschn. 5.

grenzung der beobachteten Welt auf die Natur (erste Reduktion des Initialbereichs der Theorie).

Doch auch hier waren noch *verschiedene* Verhaltensweisen zur Welt hinsichtlich ihrer Kompatibilität zu betrachten. Whitehead hob dabei hervor: die naturwissenschaftliche Theorie, den gesunden Menschenverstand und das individuelle Gefühl. Obwohl nun die Frage nach der Vorrangstellung zurücktritt, bleiben die Probleme der Bestimmung der Zuordnung dieser mentalen Verhaltensweisen bestehen. Zudem läßt sich die Begrenzung der Theorie der Welt auf den Bereich ›Natur‹ nicht mehr plausibel machen.

Mit einer zweiten Initialbereichsreduktion beseitigt Whitehead einen Teil dieser Problemstellungen und gelangt zugleich auf die Ebene seiner reifen Theorie. Nicht mehr verschiedene Theorien der einen Welt, nicht mehr unterschiedlich disziplinierte mentale Verhaltensweisen im Blick auf die Natur – sondern die *Elemente einer Beobachtungssituation überhaupt* sind jetzt zu betrachten. Diese zweite Bereichsreduktion orientiert sich durchaus – aber nicht nur! – an der Beobachtung eines bestimmten Ereignisses im Naturverlauf durch einen bestimmten Beobachter, wie die von uns betrachteten Beispiele zeigten. Zugleich ist sie eben nicht auf solche Beispiele fixiert. Die Elemente einer Beobachtungssituation überhaupt können als Natur und mentale Verhaltensweisen, sie können auch als Welt und Theorie der Welt aufgefaßt werden. Die neue Theoriestrukturierung ist also offen für die Integration der vorangegangenen Positionen, die nun als gleichsam unkonzentriertere und weitläufigere Varianten der Neukonzeption erscheinen.

Es geht nicht mehr primär um das Verhältnis von Theorie und Welt, mentalen Verhaltensweisen und Natur, sondern, abstrakter, um Übereinstimmung »unserer Meinungen und Überzeugungen . . . mit der anschaulichen Erfahrung«[210], die sich allerdings auch als gelungenes Verhältnis von Theorien und Welt, von mentalen Verhaltensweisen und Natur äußern kann. Es geht nicht mehr primär um die Rangordnung und Kompatibilität von Theorien, um das Zusammenspiel von mentalen Verhaltensweisen, sondern, schlichter, um »Klarheit des gedanklichen Inhalts«[211], der dann allerdings die gelungene Kooperation von Theorien und mentalen Verhaltensweisen ausdrücken kann.

Übereinstimmung mit der anschaulichen Erfahrung und Klarheit des gedanklichen Inhalts – wenn sich diese »beiden Kriterien ohne jede Schwierigkeit anwenden ließen, wäre das selbstverständlich alles, was wir brauchten«[212], bemerkt Whitehead.

Doch die auf den früheren Theoriestufen aufgetretenen Schwierigkeiten kehren wieder bei dem Versuch, »die Erfahrung ins Verhör zu nehmen«[213],

210 Die Funktion der Vernunft, übers. *E. Bubser*, Stuttgart 1974 (FRd), 55 (The Function of Reason, Louis Clark Vanuxem Foundation Lectures, Princeton University, March 1929, Princeton 1929 [FR], 53).

211 FRd, 55 (FR, 53).

212 FRd, 56 (FR, 54).

213 FRd, 55 (FR, 54). Vgl. FRd, 56 (FR, 54). Dieses Problem wird in der Literatur zu wenig

die Elemente einer Aussage vollständig zu kontrollieren, und es erweist sich als »extrem schwierig . . ., zu einem Urteil über die genaue Übereinstimmung einer Aussage mit der Erfahrung zu kommen, aus dem auch der letzte Rest von Zweifel eliminiert worden ist«[214].

Deshalb will Whitehead ein Kriterium entwickeln, das uns »eine Prozedur an die Hand (gibt), die uns hilft, die Schwierigkeiten bei der Beurteilung einzelner Aussagen zu überwinden – durch den Rückgriff auf ein System von Ideen, die wechselseitig zu ihrer Klärung beitragen, weil jede für alle übrigen relevant ist . . .«[215].

Unsere Meinungen und Überzeugungen sollen beurteilt werden durch »die Einordnung in ein *logisches* Schema, das (a) weitgehend mit der Erfahrung übereinstimmt, (b) nirgendwo mit ihr in Konflikt gerät, (c) auf kohärenten Grundbegriffen bzw. Kategorien *(categoreal notions)* beruht, und (d) bestimmte methodologische Konsequenzen hat«[216].

Die Ausbildung eines solchen Schemas wäre als Entwicklung einer *offenen, wandlungs- und dialogfähigen*[217] *Theorie der Welt* aufzufassen, dies ist Whiteheads Überzeugung.

Unter Orientierung an einer Beobachtungssituation überhaupt müssen Grundbegriffe entwickelt werden, die der Charakterisierung von Erfahrung dienen können. Im Blick auf die so artikulierte Beschaffenheit einer Beobachtungssituation müssen sich Konflikte mit Erfahrungen ausschließen und Erfahrungen – zumindest weitgehend – rekonstruieren lassen, in welcher Theorie auch immer sie auftreten mögen[218], welcher mentalen – oder anderen – Aktivität sie sonst immer zugeschrieben werden mögen.

Dieses Vorgehen, das die Konzentration auf historisch vorgegebene Theorien und Perspektiven sowie die »ziemlich unergiebig(e)« Konzentration auf das »im unmittelbar gegenwärtigen Augenblick unmittelbar bewußt«[219] Gewordene überschreitet, nennt Whitehead »Spekulation«. Überzeugt davon, daß bloße »Praktiker« diejenigen sind, die »die Irrtümer« ihrer »Vorfahren anwende(n)«[220], versucht Whitehead, dem Verfall des

beachtet, vgl. z.B. *T. E. Hill*, Contemporary Theories of Knowledge, New York 1961, 271; und *H. Bergmann*, Der Physiker Whitehead. Kreatur 2, 1928, 360; dazu *W. C. Peden*, The Structure of Whitehead's Method of Philosophy. Radford Review 21, 1967, bes. 172f.

214 FRd, 56 (FR, 54). Vgl. ebd.

215 FRd, 56 (FR, 55).

216 FRd, 55 (FR, 53).

217 Vgl. FRd, 62f. (FR, 60f.). Vgl. auch *T. G. Henderson*, Whitehead: Philosophy as Approximation. In: Philosophy in the Mid-Century, hg. *R. Klibansky*, Florenz, 4, 1959, 205 u. 207.

218 Vgl. dazu FRd, 63 (FR, 60).

Zum Problem der Entwicklung einer eigenen Theoriesprache zu diesem Zweck s. Kap. I; ferner *E. Bubser*, Sprache und Metaphysik in Whiteheads Philosophie. APh 10, 1960, 82–87 u. 102f.; sowie *W. M. Urban*, Whitehead's Philosophy of Language and its Relation to his Metaphysics. In: *Schilpp*, bes. 306 u. 309ff.

219 FRd, 63 (FR, 61). Vgl. FRd, 64 (FR, 62).

220 IMd, 24 (IM, 26). S. aber auch *H. S. Leonard*, Logical Positivism and Speculative Philosophy. In: Philosophical Essays for Alfred North Whitehead, hg. *F. S. C. Northrop* u.a., New York 1967, 125–128.

Ausdrucks »Spekulation« entgegenzutreten: Die Geschichte zeige, »daß es abstrakte Spekulationen gewesen sind, die die Welt gerettet und vorangebracht haben«[221]. »Wer der Spekulation Grenzen ziehen will, begeht Verrat an der Zukunft«[222], wobei allerdings allein das »Wechselspiel zwischen Denken und Praxis« den »Prüfstein (darstellt), der die Spekulation von Scharlatanerie freihält«[223].

Nur die *disziplinierte Spekulation* kann unmittelbares Erleben und historisch gewordene Erfahrung verbinden, indem sie beide in ein logisches Schema integriert[224]. Die Ausbildung eines solchen Schemas ist das letzte Ziel von Whiteheads Denken und der Höhepunkt seiner Theorieentwicklung. »Bei der (spekulativen) Kosmologie handelt es sich um den Versuch, ein Gedankenschema zu entwerfen, das den allgemeinen Charakter des gegenwärtigen Entwicklungszustands des Universums wiedergibt«[225].

Dieses Schema, das zugleich als Theorie und als Theorieelement der Welt aufzufassen ist, wird der folgende Teil dieses Kapitels betrachten. Wie die Mehrzahl der Texte über Whitehead stellen auch wir die wichtigsten Bestandteile dieses Schemas Schritt für Schritt vor, behalten allerdings unablässig ihre Interdependenzen im Auge. Im Gegensatz weiterhin zu den meisten der vorliegenden Interpretationsbeiträge soll zudem geprüft und erläutert werden, ob bzw. warum es sich um die Komponenten eines *kosmologischen* Schemas handelt und welche neuen und fruchtbaren Funktionen diese Konzeption der Welt erfüllen kann. So wollen wir die – sehr komplexe und extrem integrationsfähige – Abstraktion kontrollieren, die Whiteheads kosmologisches Schema selbst darstellt. Neben der Kohärenz der Grundbegriffe sind also die Reichweiten der Vision dieser kosmologischen Theorie und die von ihr angedeuteten Aussichten ihrer Fruchtbarkeit zu prüfen.

221 FRd, 62 (FR, 60).
222 FRd, 62 (FR, 60). Vgl. bes. AId, 395ff. (AI, 222ff.), hier auch den Hinweis auf PR.
223 FRd, 66 (FR, 64f.). Vgl. dazu die Bemerkungen zur »spekulativen Vernunft«, FRd, 33ff., 34 (FR, 29ff., 30); ferner den Hinweis auf 1 Kön 3,5–15.
224 Vgl. FRd, 71 (FR, 70).
225 FRd, 62, vgl. 69f. (FR, 61, vgl. 68f.). S. ferner *G. Martin*, Metaphysik als Scientia Universalis und als Ontologia Generalis. In: Gesammelte Abhandlungen, Bd. 1, KantSt.E 81, 1961, 229f.

Teil B

Die Konzeption der Welt

1. *Die ›zeitlosen Objekte‹ oder das Reich der Bedingungen der Möglichkeit von Erfahrung*

Alle wirklichen Ereignisse, so lautete Whiteheads These, sind einmalig, unwiederholbar und als entstehende und verschwindende Übergänge aufzufassen. Dennoch lassen sich – jedenfalls bei Verzicht auf große Genauigkeit – Dauer, Wiederholungen und Rhythmen im Prozeß der Natur beobachten. Mit Hilfe von höherstufigen Abstraktionen werden von uns ferner sogar hohen Präzisionsansprüchen genügende Wiederholungen und Rhythmen sowie durch Stabilität und Kontinuität charakterisierte Bereiche festgestellt und hergestellt. Aber auch die einmaligen, unwiederholbaren, verschwindenden Übergänge, die wirklichen Ereignisse, sind durch relative Dauer ausgezeichnet – möge sie für unser Empfinden beachtlich oder noch so minimal sein[1]. Sie sind untereinander durch Verwandtschaften und Ähnlichkeiten verbunden – mögen diese sich mühelos oder noch so schwer auffinden lassen. Relative Kontinuität und Stetigkeit, Wiederholung, Ähnlichkeit etc. gewährleisten *im Fluß der wirklichen Ereignisse*[2] *die zeitlosen Objekte*. Diese sind abstrakt, d.h. »verständlich . . . ohne Beziehung auf irgendwelchen besonderen Erfahrungsanlaß«[3], aber keineswegs von wirklichen Ereignissen getrennt.

So kann, um ein ziemlich abstraktes Beispiel von Whitehead aufzunehmen, in einem wirklichen Ereignis »eine bestimmte Schattierung von Rot mit der Kugelgestalt in einer bestimmten Weise verknüpft sein. Aber diese Schattierung von Rot und die Kugelgestalt reichen über dieses Ereignis hinaus, weil jedes der beiden auch andere Beziehungen zu anderen Ereignissen besitzt«[4]. Es wäre unzureichend, nun nur zu folgern, daß bei wechselnden

1 Dazu hilfreich illustrierend AId, 350ff. (AI, 192ff.); auch *J. W. Lango*, Whitehead's Ontology, Albany 1972, 37f.

2 Ihn werden die folgenden Abschnitte darstellen. Ich orientiere mich dabei auch insofern am Vorgehen *Whiteheads* in PR, als ich von Abschnitt zu Abschnitt immer differenziertere Darstellungen des universalen Prozesses gebe. Es ist also zunächst mit relativ groben, vielleicht konstruiert wirkenden, aber leicht verständlichen Beschreibungen zu rechnen, dann mit gedanklich sensibleren, realitätsnäher erscheinenden, aber auch hinsichtlich ihres Nachvollzugs anspruchsvolleren.

3 SMWd, 206 (SMW, 191). Ich übernehme den Text von SMWd, übersetze jedoch im allgemeinen »actual occasion« nicht mit »aktualem Anlaß«, sondern als »wirkliches Ereignis«; außerdem – wie bisher im Anschluß an PRd – »eternal object« als »zeitloses Objekt«.
Vgl. zum folgenden aber auch die späte Lehre, Modes of Thought. Six lectures delivered at Wellesley College, 1937–1938, and two lectures at the University of Chicago, 1933; New York 1968 (MT), 67–73.

4 SMWd, 205 (SMW, 190).

Lichtverhältnissen jene bestimmte Kugelgestalt auch mit einer anderen Rotschattierung oder der Rotton in Verbindung mit einem ellipsoiden geometrischen Gebilde auftreten könnte, denn damit wäre nur *ein* Spektrum von Beobachtungsperspektiven auf diesen einen imaginierten Gegenstand fingiert. Es bliebe auch unzureichend, nur zu folgern, daß wir der Rotschattierung oder der Kugelgestalt oder ihrer Verbindung oder ihren in der Reihe der Rottöne und der geometrischen Formen verschobenen Verbindungen auch in anderen wirklichen Ereignissen begegnen[5], die wir »genau gleich«, »ähnlich«, »in gewisser Hinsicht ähnlich« usw. nennen können. Die Beziehungen zu möglichen anderen wirklichen Ereignissen, die diese beiden zeitlosen Objekte und das von ihnen gemeinsam gebildete komplexe zeitlose Objekt darstellen und ermöglichen, reichen weiter.

Sie reichen so weit, und diese Feststellung ist von großer Wichtigkeit, wie *sinnvolle nicht-wahre Aussagen* über das wirkliche Ereignis gemacht werden können, in das bzw. in dem die genannten zeitlosen Objekte eingetreten sind[6]. Man kann davon sprechen, daß die Beziehungen der zeitlosen Objekte, die in ein wirkliches bzw. in einem wirklichen Ereignis eintreten, zugleich einen *Assoziationsbereich* bilden, der die »gleichwertigen Möglichkeiten« zu diesem wirklichen Ereignis erfaßt. Im Falle unseres Beispiels enthielte dieser Bereich zunächst unbestimmt viele Farbschattierungen sowie eine unbestimmte Mannigfaltigkeit geometrischer Gestalten. Denn als sinnvolle nicht-wahre Aussagen würden auch dem phantasielosesten ›Empiriker‹ Behauptungen erscheinen wie die, es handle sich um ein n-Eder in der Schattierung x der Farbe y. Für die Beurteilung von Lichtverhältnissen, Sichtfähigkeiten und räumlichen Vorstellungsvermögen sind solche oder ähnliche Aussagen ja durchaus von Belang. Neben diesen (nicht-wahren, im Sinne von) unrichtigen Aussagen, die ich trivial-falsch nennen möchte, gibt es aber bedeutsamere nicht-wahre Aussagen über einfache oder komplexe zeitlose Objekte in wirklichen Ereignissen. Man denke nur an unsere Rede von einem »warmen« Rotton, einem »tiefen Rot«, einem »intensiven Rot«, mit der wir die Reihe der Farbtöne mit anderen Bestimmungen als denen der geometrischen Gestalten in Verbindung bringen und mit der wir Bereiche von nicht-wahren Aussagen anderer Qualität als den trivial-falschen erschließen: »Die reale Bedeutung der nicht-wahren Aussagen über wirkliche Ereignisse offenbart sich in der Kunst, im Roman, in der auf Ideale gegründeten Kritik«[7].

Aus diesen Erörterungen wird deutlich, daß zeitlose Objekte in bestimmte/n wirkliche/n Ereignisse/n eintreten, daß sie zugleich über diese Ereignisse hinausgehen, indem sie auch anderen wirklichen Ereignissen angehören, daß sie aber den anderen wirklichen Ereignissen in je anderer Weise an-

5 Vgl. SMWd, 206 (SMW, 190).

6 Hierzu vorzüglich *Christian*, An Interpretation of Whitehead's Metaphysics, aaO., 208ff., auch 263–271; stärker referierend *Lawrence*, Whitehead's Philosophical Development, aaO., bes. 266ff.

7 SMWd, 206 (SMW, 190).

gehören. Der Eintritt in konkrete Ereignisse und die Weise der Angehörigkeit ist durch die *Konstellation* der zeitlosen Objekte untereinander, durch ihre Beziehungen zueinander bestimmt. Um dies noch einmal mit einem abstrakten Beispiel zu illustrieren: Ein bestimmter Rotton tritt nicht nur in Verbindung mit einer bestimmten Kugelgestalt (somit als wirkliches Ereignis), sondern auch in Verbindung mit anderen geometrischen Körpern auf. Diese Verbindungen mit anderen geometrischen Körpern sind nicht nur Bedingungen der Möglichkeit *anderer* wirklicher Ereignisse, sondern diese Verbindungen zeitloser Objekte stellen ebenso einen (Teil-)Bereich gleichwertiger Möglichkeiten des jeweiligen wirklichen Ereignisses dar: die rote Kugelgestalt ist nicht ein rotes n-Eder, (n+1)-Eder . . . usw. Das Entsprechende gilt für die Verbindung der Kugelgestalt mit anderen Farbtönen und für Verbindungen der zahllosen möglichen geometrischen Körper mit zahllosen Farbtönen. Wir müssen nicht die Komplexität der Verbindung der zeitlosen Objekte noch steigern, damit Whiteheads Meinung an Überzeugungskraft gewinnt, »daß jedes zeitlose Objekt seine besondere Verknüpfung mit jedem solchen Ereignis besitzt«[8]. Wichtiger als die Verstärkung dieser sich nachgerade selbst aufdrängenden (allerdings noch näher zu betrachtenden) These ist der Hinweis darauf, daß die zeitlosen Objekte in *abgestufter* Weise in wirkliche Ereignisse eintreten und daß sich die wirklichen Ereignisse in dem Maße voneinander unterscheiden bzw. daß sie einander in dem Maße ähneln, in dem diese Abstufung erfolgt.

So ist bei einer bestimmten Abstufung, die vielen als »natürlich« erscheinen mag, ein rotschattiertes Ellipsoid der rotschattierten Kugelgestalt verwandter als ein rotschattierter Würfel oder gar ein grünschattierter Würfel. Ebenso stellt ein grünschattierter Würfel eine *entferntere gleichwertige Möglichkeit* des wirklichen Ereignisses rotschattierte Kugelgestalt dar als ein rotschattiertes Ellipsoid. Wir werden in gewöhnlichen Beobachtungssituationen die Verwechslung der rotschattierten Kugelgestalt mit einem grünschattierten Würfel erstaunlicher finden und emphatischer verneinen als die Verwechslung mit einem rosafarbenen Ikosaeder.

Mit dieser relativ aufwendigen ersten Illustration von Whiteheads Grundbestimmungen: actual entity/actual occasion und eternal object und ihres einfachen Zusammenspiels soll nicht nur der Zugang zu seinen schwierigen Texten erleichtert, sondern auch auf eine Qualität seines Denkens aufmerksam gemacht werden, die für den an philosophischen Theorien konventioneller Bauart orientierten Leser ungewohnt und irritierend sein mag. Es handelt sich um ein *sensibles Denken*, das auch relativ extreme Möglichkeiten, wie etwa die, von denen eine uns augenblicklich fernstehende Dichtung bestimmter Epochen Gebraucht macht, als Kandidaten für eine Darstellung der Welt mit im Auge behalten will. Auch sehr entfernte theoretische und praktische Zusammenhänge sollen jedenfalls nicht a li-

8 SMWd, 206 (SMW, 191).

mine durch wertende Bereichstrennungen (diskutabel/indiskutabel; angebracht/unangebracht usw.) zerstört oder verstellt werden.

Dieses Denken, das für feingliedrige Untersuchungen, aber auch für umsichtigere Konfliktlösungs- und Interessenausgleichsprozesse von nicht zu unterschätzender Bedeutung sein dürfte, stellt sich jedoch zunächst als extrem vage dar. Jedes wirkliche Ereignis erscheint von einem Hof von nahezu beliebigen gleichwertigen, eng verwandten Möglichkeiten umgeben und von noch viel mehr gleichwertigen Möglichkeiten, über die sinnvolle nicht-wahre Aussagen gemacht werden können; als zahllos erscheinen die echten und falschen Alternativen des wirklichen Ereignisses in seiner näheren und ferneren Umgebung, die wir Assoziationsbereich genannt haben.

Dieser Eindruck verschwindet, wenn wir nicht nur bei dem *bloßen Beispiel* eines hochabstrakten wirklichen Ereignisses, dem Auftreten einer rotschattierten Kugelgestalt, verweilen, sondern das ganze »Reich« der zeitlosen Objekte betrachten in seiner Beziehung zu jedem möglichen wirklichen Ereignis. »Das Reich der zeitlosen Objekte wird treffend mit ›Reich‹ bezeichnet, denn jedes zeitlose Objekt hat seinen *Status* in diesem allgemeinen systematischen Komplex wechselseitiger Bezogenheit.«[9]

Wir betrachten zunächst das Verhältnis des Reichs der zeitlosen Objekte zur raumzeitlichen Beziehungswelt, sodann das Verhältnis der zeitlosen Objekte zueinander im Blick auf ein wirkliches Ereignis von geringerer Extension.

Das Reich der zeitlosen Objekte ist nicht zu trennen von dem raumzeitlichen Kontinuum, in dem sich für uns die wirklichen Ereignisse darstellen. Es reicht aber zugleich darüber hinaus, in andere Raumzeitsysteme – wie die unserer Traumwelten[10] – und selbst in Bezugssysteme, die in dieser kosmischen oder historischen Epoche als »unmöglich« gelten bzw. völlig außer Betracht bleiben.

Die »raumzeitlichen Beziehungen, in denen der wirkliche Lauf der Dinge ausgedrückt werden muß, (sind) nichts anderes als eine Wahlbegrenztheit innerhalb der allgemeinen systematischen Beziehungen zwischen zeitlosen Objekten. Auf das raumzeitliche Kontinuum angewendet, bedeutet ›Begrenzung‹ hier jene tatsächlichen Bestimmungen – wie die drei Dimensionen des Raumes, die vier Dimensionen des raumzeitlichen Kontinuums –, die dem wirklichen Lauf der Dinge innewohnen, die sich aber in Hinsicht auf eine abstraktere Möglichkeit als willkürlich darstellen.«[11]

9 SMWd, 209 (SMW, 193).

10 S. dazu ESP, bes. 135ff. (ESPd, bes. 51ff.).

11 SMWd, 209 (SMW, 193f.), vgl. SMWd, 212 (SMW, 196). Dazu im Sinne *Whiteheads* erhellend *G. W. Leibniz*, Hauptschriften zur Grundlegung der Philosophie, Bd. 2, hg. *E. Cassirer*, 3. Aufl., Hamburg 1966, 220ff.; daß *Whitehead* von »Möglichkeit« spricht, obwohl er, wie *Leibniz*, stets Kombinationen von Reihen von Möglichkeiten vor Augen hat, wird im folgenden deutlich werden. S. dazu die gute Arbeit von *Ch. Axelos*, Die ontologischen Grundlagen der Freiheitstheorie von Leibniz, Berlin u. New York 1973, 165, 165ff., die auf Strecken geradezu zur Erläuterung von Texten *Whiteheads* verwendet werden könnte.

Es bedarf nun nicht erst des Hinweises auf Traumwelten oder Ignoranzhorizonte, um die Transzendierung des raumzeitlichen Kontinuums und damit die Reichweite des Reiches der zeitlosen Objekte zu illustrieren. »In jeder besonderen Prüfung einer Möglichkeit können wir das raumzeitliche Kontinuum als transzendiert auffassen«[12], aber auch einer Operation der Negation[13] kann eine solche transzendierende Funktion zugesprochen werden[14].

Die Prüfung einer Möglichkeit und die Verneinung können jedoch nicht den abgestuften Bereich der Verbindungen zeitloser Objekte soweit überschreiten, daß eine Auflösung der das raumzeitliche Kontinuum bedingenden Konstellation erfolgte. Die Trennung von Wirklichkeit und Möglichkeit vom Absurden und Sinnlosen, die Whitehead in den Zusammenhang seiner Gedanken zum Gottesbegriff[15] stellt, ist im Teil C dieser Kapitel zu betrachten. Hier ist zunächst festzuhalten, daß das Raumzeitkontinuum ein (hochkomplexes und noch differenzierter zu bestimmendes) wirkliches Ereignis darstellt, das zugleich als eine (ebenfalls sehr komplexe) Konstellation zeitloser Objekte aufzufassen ist[16]. Aber auch das wirkliche Ereignis geht über die Konstellation der zeitlosen Objekte, die in es bzw. in ihm eingetreten sind, hinaus, indem es bestimmte Verbindungen dieser zeitlosen Objekte untereinander und zu anderen zeitlosen Objekten einschließt, andere Verbindungen – und damit natürlich auch andere zeitlose Objekte – ausschließt[17]. Damit weist jedes wirkliche Ereignis Regionen näherer und fernerer Möglichkeiten auf. Hinsichtlich *bestimmter* zeitloser Objekte bildet jedes wirkliche Ereignis »eine Synthese von *Sein* und *Nichtsein*«[18]. Dabei ist zu beachten, daß ein bestimmtes wirkliches Ereignis wohl irgendein zeitloses (einfaches oder komplexes) Objekt in *allen* seinen bestimmten Beziehungen ausschließen, aber nie in allen, sondern nur in *einigen* seiner bestimmten Beziehungen einschließen kann. Ein bestimmtes wirkliches Ereignis kann den Beziehungsreichtum eines zeitlosen Objektes (»denn einige dieser Beziehungen stehen zueinander in Widerspruch«) nicht ausschöpfen[19]. In seinem Bereich der Möglichkeit dagegen hält es in unbestimmter

12 SMWd, 210 (SMW, 194).

13 Vgl. *Whiteheads* Hinweis auf die ›große Weigerung‹, SMWd, 206 (SMW, 190).

14 Vgl. auch AId, 411ff. (AI, 232f.); zur noch sehr offenen neueren Diskussion über diese Operation s. *H. Weinrich* (Hg.), Positionen der Negativität, München 1975, bes. die Beiträge von *Weinrich, R. Koselleck, N. Luhmann, R. Warning, W. Hübener* u. *D. Henrich.*

15 Vgl. SMWd, 225ff. (SMW, 207ff.).

16 Dies zu betonen ist wichtig gegen die Neigung in der Literatur, die Vorstellung einer absoluten Punktualität der wirklichen Ereignisse zu kultivieren, womit *Whiteheads* Theorie zur Konstruktion eines Modells wird, dessen ›Applikationsfähigkeit‹ nur noch in vagen Andeutungen gelobt, aber nicht mehr unter Beweis gestellt werden kann. Zum Problem des Gedankens des Raumzeitkontinuums s. z.B. MT, 139f.; aber auch *K. Heipcke*, Die Philosophie des Ereignisses bei Alfred North Whitehead (Diss.), Würzburg 1964, 54–58.

17 Vgl. SMWd, 211 (SMW, 195).

18 SMWd, 212 (SMW, 195).

19 SMWd, 211, vgl. 211f. (SMW, 195, vgl. 195f.).

(und unausschöpfbarer) Weise alle Bezogenheiten auf zeitlose Objekte präsent. Die Aktualisierung bestimmter Bezogenheiten würde aber den Auftritt eines *anderen* wirklichen Ereignisses bedeuten, in dem eine andere Konstellation von zeitlosen Objekten zur Darstellung gelangte.

Fassen wir die wirklichen Ereignisse als Begrenzungen und Auswahlen aus dem Reich der Möglichkeit auf, so ist in einer genaueren Untersuchung des Reiches der Möglichkeit zu zeigen, wie bestimmte Konstellationen von zeitlosen Objekten auftreten und was unter ihrem »Eintreten in ein wirkliches Ereignis« zu verstehen ist[20].

Wir hatten bereits, wenn auch erst beiläufig, *einfache* und *komplexe* zeitlose Objekte unterschieden[21], wobei die komplexeren zeitlosen Objekte als Beziehungsgeflecht zwischen mehreren zeitlosen Objekten aufzufassen waren. Dabei erschien die Komplexität minimal (eine Kugelgestalt mit bestimmter Rotschattierung) oder extrem hoch (ein farbiges Polyeder); wir erfaßten also komplexe zeitlose Objekte, die Beziehungen von wenigen einfachen zeitlosen Objekten darstellen, sowie komplexe zeitlose Objekte, die eine unbestimmte Mannigfaltigkeit von Beziehungen nicht nur zwischen einfachen zeitlosen Objekten, sondern auch komplexen zeitlosen Objekten darstellen.

Die komplexen zeitlosen Objekte, deren »Komponenten«[22] selbst komplexe zeitlose Objekte sind, bilden eine *»abstraktive Hierarchie«*[23], mit unendlichen oder endlichen Stufen von Komplexität, wobei das zeitlose Objekt auf der höchsten Komplexitätsstufe (in unserem Beispiel das farbige Polyeder) *»Vertex«* genannt wird[24]. Das als Vertex auftretende zeitlose Objekt begrenzt den Bereich der Möglichkeiten, den Assoziationsbereich eines wirklichen Ereignisses[25], und verhindert die wirkliche Unbegrenztheit. Es steckt sozusagen die (nicht nur raumzeitliche) Umgebung eines wirklichen Ereignisses ab.

Diese wenigen Termini lassen sich unter die relativ schwache, aber für uns wichtige Kontrolle durch Imagination bringen, wenn wir uns eine abstraktive Hierarchie aus unbestimmt vielen, aber wohlsortierten Farbschattierungen und unbestimmt vielen, aber wohlunterschiedenen geometrischen Körpern aufgebaut denken, die wir je als einfache zeitlose Objekte mit der Komplexität Null[26] auffassen wollen. Nun lassen wir die nächste Kom-

20 Vgl. SMWd, 212f. (SMW, 196f.).
21 Vgl. SMWd, 216 (SMW, 199f.).
22 Vgl. SMWd, 216 (SMW, 199).
23 Vgl. SMWd, 218 (SMW, 201). Dazu auch *Mays*, Whitehead's Theory of Abstraction, aaO., bes. 108f.
24 Vgl. SMWd, 219 (SMW, 202).
25 Vgl. SMWd, 222 (SMW, 205). Diesen Gedanken hat *L. S. Ford*, On Some Difficulties with Whitehead's Definition of Abstractive Hierarchies. PPR 30, 1970, 453f., gegen die öfter geäußerte These aufgenommen, es gebe nur unendliche Hierarchien.
26 Vgl. SMWd, 216 (SMW, 200). Zum Problem dieser Operation s. *R. M. Martin*, On Whitehead's Concept of Abstractive Hierarchies. PPR 20, 1960, bes. 376, dessen Vorschlag, die »Hierarchie« mit »actual entities« beginnen zu lassen, allerdings *Whiteheads* Theorie zerstört, nicht verbessert (vgl. 382).

plexitätsstufe durch eine eins-zu-eins Korrelation von bestimmter Körperform und bestimmter Farbschattierung bestimmt sein, so daß wir von der Gruppe der durch Farbschattierungen charakterisierten geometrischen Körper und der durch geometrische Formen charakterisierten Farbschattierungen sprechen können. Jetzt heben wir diese eins-zu-eins Restriktion auf und erreichen auf einer weiteren Komplexitätsstufe das komplexe zeitlose Objekt ›vielfarbiges Polyeder‹ usw.

Diese Illustration, die sich mathematisch vielleicht durch gruppentheoretische Operationen einfach, aber unanschaulich darstellen ließe[27], ist in unserem Zusammenhang wichtig für die *Unterscheidung zweier Abstraktionsrichtungen*, die mit Whitehead kurz *Abstraktion von der Wirklichkeit* und *Abstraktion von der Möglichkeit* genannt werden sollen[28].

Wir werden vergeblich nach wirklichen Ereignissen suchen, in die bzw. in denen ›nur‹ ein zeitloses Objekt in Gestalt einer Farbschattierung eingetreten ist; leichter werden wir – etwa bei Kristalluntersuchungen oder bei Anschauungsmaterial für den Schulunterricht in Mathematik oder Physik – Gegenstände finden, die einem gleichflächigen, einfarbigen Polyeder jedenfalls nahekommen, und der Begegnung mit einem vielfarbigen Polyeder können wir gar nicht entgehen, wenn unsere Wahrnehmungsfähigkeit auch in der Regel nicht dazu ausreichen mag, dies festzustellen. Das heißt, mit der Beschreibung von hochgradig komplexen zeitlosen Objekten nähern wir uns der Wahrscheinlichkeit, wirkliche Ereignisse, in die bzw. in denen sie eingetreten sind, identifizieren zu können. Oder, noch plastischer: Wenn wir ein wirkliches Ereignis beschreiben wollen, so empfiehlt es sich, über ein hochstufig komplexes Objekt der ihm zugeordneten abstraktiven Hierarchie Aussagen zu machen. »Mit einem hohen Grad der Komplexität gewinnen wir daher eine engere Annäherung an die volle Konkretheit« eines bestimmten wirklichen Ereignisses, »und mit einem niedrigeren Grad entfernen wir uns weiter von ihr«[29].

Die komplexen zeitlosen Objekte sind als *wirklichkeitsnäher*, die einfachen zeitlosen Objekte sind als *wirklichkeitsferner* aufzufassen. Die Tatsache, daß hochkomplexe zeitlose Objekte ihre Hierarchie nicht ausschöpfen, kann uns dazu veranlassen, *jede* Beschreibung eines wirklichen Ereignisses als relatives Scheitern zu betrachten[30]. »Die Feststellung, daß es unmöglich ist, die Beschreibung eines wirklichen Ereignisses mittels Begriffen zu vervollständigen, meint nichts anderes als das Bestehen einer . . . unendlichen abstraktiven Hierarchie«[31].

Umgekehrt aber *entfernen* wir uns mit jeder Steigerung der Komplexität zeitloser Objekte vom Reich der Möglichkeit. Die Verbindung von Farbtö-

27 S. *Whiteheads* Andeutungen, SMWd, 218 (SMW, 201).
28 Vgl. SMWd, 217 (SMW, 200).
29 SMWd, 221 (SMW, 204).
30 S. dazu auch die eindrückliche Darstellung in *Hegels* Phänomenologie des Geistes, aaO., 86–89.
31 SMWd, 221 (SMW, 204).

nen und geometrischen Figuren überhaupt schließt bereits die ›bunten‹ Laute möglicher Dichter und farblose Leiber von Astralgestalten in der Phantasie möglicher Science-fiction-Liebhaber aus; der Übergang zu vielfarbigen Polyedern läßt Imaginationsprodukte des Geometrie-Lernenden und phantasievolle Vereinfachungen verschwinden. »Im Maße, wie wir von der Stufe einfacher zeitloser Objekte zu höheren und immer höheren Stufen der Komplexität steigen, gelangen wir zu immer höheren Stufen der Abstraktion vom Reich der Möglichkeit«[32].

Die einfachen zeitlosen Objekte stellen den höchsten Grad der Abstraktion vom Reich der Wirklichkeit und den geringsten Grad der Abstraktion vom Reich der Möglichkeit dar. *Wie sehr wir im Reich der Möglichkeit mit unseren Vorstellungen leben* oder jedenfalls faktisch leben möchten, zeigt sich daran, daß über solche Abstraktionen selten Klage geführt wird. Im Gegenteil: Wir klagen über Abstraktionen, die Entfernungen vom Reich der Möglichkeit und Annäherungen an das Reich der Wirklichkeit darstellen, z.B. »eine hochentwickelte logische Konstruktion«[33].

Damit ist nicht in Abrede gestellt, daß es sinnvoll sein kann, die Abstraktionen vom Reich der Möglichkeit *als abstrakt,* die Abstraktionen vom Reich der Wirklichkeit *als konkret* anzusehen. Ein »wirklich« genanntes Ereignis *in der Natur* ist nur eine Abstraktion von einem wirklichen Ereignis, das eben auch einen *Hof von Möglichkeiten* einschließt. »Ein vollständiges Ereignis schließt auch das ein, was in der erkennenden Erfahrung die Form der Erinnerung, der Voraussicht, der Einbildung und des Gedankens annimmt«[34].

Man muß hier genau lesen, um Whitehead nicht fehlzuinterpretieren. Wirkliche Ereignisse sind nicht um der erkennenden Erfahrung (z.B. eines menschlichen Bewußtseins) willen als von einem Hof von Möglichkeiten, einem Assoziationsbereich umgeben vorzustellen. Es wäre ebenso irrig, wirkliche Ereignisse nur nach dem Modell eines beweglichen Dinges oder eines modifizierbaren Gedankens aufzufassen. Die zeitlosen Objekte bilden nicht nur das Reich der Bedingungen der Möglichkeit einer Erfahrungsart, die wir »bewußt« nennen und oft allein Menschen vorbehalten. Diese Erfahrung fällt nicht außer Betracht, ist aber nur *ein* Thema und *ein* Kriterium für die Triftigkeit der Untersuchung[35].

Whiteheads Konzeption des Reiches der Möglichkeit und der wirklichen Ereignisse ist vielmehr so angelegt, daß alle Vorkommen von elementaren kosmischen Vorgängen, die in der Regel nur Gegenstand der Betrachtung der Naturwissenschaften sind, bis hin zu hochkomplexen Bewußtseinsakten in und aus *einem theoretischen Zusammenhang* erläutert werden können. Die Theorie der Welt soll dartun, was das heißt, daß etwas »der Fall«

32 SMWd, 217 (SMW, 201).
33 SMWd, 222, vgl. 221f. (SMW, 204, vgl. ebd.).
34 SMWd, 222, vgl. 94f. (SMW, 205, vgl. 92f.).
35 S. dazu bes. Abschn. 5 dieses Teils.

sei, welche Binnenbeschaffenheit das »Der-Fall-Sein« habe, wie Dinge in die Einheit eines »Sachverhaltes« geraten[36] und wie der Zusammenhang der Sachverhalte darzustellen ist, der als Welt aufgefaßt werden soll. Dieses Programm bringt Whitehead auf die Begriffe »Prozeß und Realität«.

2. *Die ›wirklichen Ereignisse‹ oder die Relativität und Endlichkeit der wirklichen Welt*

Whiteheads Hauptwerk ist primär eine Lehre von den *»wirklichen Ereignissen«* (actual occasions) oder den *»wirklichen Einzelwesen«* (actual entities). Wiederholt weist er darauf hin, daß er den »Terminus ›wirkliches Ereignis‹ synonym zu ›wirkliches Einzelwesen‹« verwende[37].

Der reife »Entwurf einer Kosmologie« soll »das Werden, das Sein und das Bezogensein von ›wirklichen Einzelwesen‹«[38] oder *»wirklichen Ereignissen«* (ich werde bevorzugt diesen Ausdruck verwenden[39]) untersuchen und darstellen.

Eingängiger formuliert, ist der Gegenstand der Untersuchung »die wirkliche Welt, zu der wir selbst gehören«[40].

Die wirkliche Welt wird als Prozeß einer (genauer zu betrachtenden) Verbindung von Ereignissen aufgefaßt, die ihrerseits als Prozesse aufzufassen sind usw. Unsere vage Totalperspektive auf die ›ganze wirkliche Welt‹ weist also ebenso die Struktur dieses Ereignisse verbindenden Prozesses auf wie bewußtlos verlaufende Naturereignisse von geringer Extension, die sich unserer natürlichen Beobachtung entziehen. Selbstverständlich sind dabei signifikante Differenzen hinsichtlich der Komplexität des Prozesses und der beteiligten wirklichen Ereignisse zu beachten. Aber prinzipiell, im Ansatz und in der grundlegenden Verfassung, gleichen diese Prozesse einander. Der Ausdruck ›*wirkliche Welt*‹ ist den Ausdrücken »gestern« oder »morgen« vergleichbar[41]; er ist *relativ zu einem Standort definiert*, und mit dem Standort verändert sich seine Bedeutung. Es gibt keinen natürlicherweise

36 Es sei hier auf die im Vergleich mit *Whiteheads* reifen Texten erheblich nachlässiger ausgearbeitet erscheinenden Anfangsthesen von *L. Wittgensteins* Traktat hingewiesen, Tractatus logico-philosophicus. Logisch-philosophische Abhandlung, 5. Aufl., Frankfurt 1968, 11f., 14ff.; s. aber auch *Wiehl*, Der Begriff in den Anschauungsformen der Mittelbarkeit und Unmittelbarkeit, aaO., 134.

37 PR, 119 (PRc, 76f., PRd, 155f.). Vgl. PR, 27, 33, 113, 321 (PRc, 18, 22, 73, 211, PRd, 57, 64, 149, 390).

38 PR, VIII (PRc, XIII, PRd, 25).

39 M.E. tritt dieser Ausdruck bruchloser in die mit seinem Vorgänger »event« gesetzte Tradition ein. (S. dazu die Zusammenfassung von Bestimmungen, *N. Lawrence*, Locke and Whitehead on Individual Entities. RMet 4, 1950, bes. 225.) Auch verhindert er zu aufdringliche Assoziationen von Einzeldingwahrnehmungen und personenähnlich vorgestellten Entitäten.

40 PR, 6 (PRc, 4, PRd, 33).

41 PR, 102 (PRc, 65, PRd, 137).

privilegierten Standort. Stellen wir uns das Universum als eine Ansammlung von Raum-Zeit-Materie-Punkten vor, so kann jeder dieser Punkte als der eine wirkliche Welt bestimmende ›Archimedische Punkt‹ auftreten.

Gerade deshalb aber spricht nichts gegen eine »one-substance world«[42], und es ist unsere Aufgabe, die »obvious solidarity of the world«[43] zu erhellen, ohne dabei »a static monistic universe, without unrealized potentialities«[44] zu konstruieren.

Mit diesem Ansatz ist eine konsequente Beachtung der *Relativität der ›wirklichen Welt‹* verbunden, die die inkonsequente Relativierung, die wir sprachlich und gedanklich bereits vollzogen haben[45], korrigieren und überwinden will. Die wirkliche Welt ist als ein »Nexus«, eine Verbindung von wirklichen Ereignissen aufzufassen und die wirkliche Welt *eines* wirklichen Ereignisses als ein untergeordneter Nexus in wirklichen Welten, die über dieses wirkliche Ereignis hinausreichen[46]. Jedes wirkliche Ereignis in dieser wirklichen Welt hat in unserer Perspektive[47] nur *seine* wirkliche Welt; doch diese wirkliche Welt ist selbst eine komplexe Verbindung wirklicher Ereignisse (Nexus)[48] in anderen Welten, so daß jedes Ereignis grundsätzlich als fundamentaler Ordnungsbestandteil des ganzen Universums aufgefaßt werden kann: »atomism does not exclude complexity and universal relativity. Each atom is a system of all things«[49].

42 PR, 9, vgl. 10, 29 (PRc, 6, vgl. 19, PRd, 37, vgl. 59).
43 PR, 10 (PRc, 7, PRd, 38). S. dazu genauer Abschn. 4 dieses Teils; aber auch *Ch. Hartshorne*, Organic and Inorganic Wholes. PPR 3, 1942, 134f., der den Ausdruck »Kosmos« verwendet.
44 PR, 72 (PRc, 46, PRd, 102).
45 Vgl. oben das erste Kapitel, Abschn. 4, und PR, z.B. 76, »(the) doctrine of universal relativity, on which the present metaphysical discussion is founded, blur(s) the sharp distinction between what is universal and what is particular« (PRc, 48, PRd, 106).
46 PR, 42, vgl. 34f. (PRc, 28, vgl. 22f., PRd, 74f., vgl. 65 u. 67).
Paradigmatisch für Verstehensschwierigkeiten aufgrund der Annahme einer absoluten raumzeitlichen Welt s. *R. B. Winn*, Whitehead's Concept of Process: A Few Critical Remarks. JPh 30, 1933, 713, anstatt der Annahme eines Schemas, das eine Mannigfaltigkeit von Perspektiven auf die Welt, ihre Korrelations- und Transformationsbedingungen artikuliert. Zu letzterem s. *W. Mays*, Whitehead's Account of »Speculative Philosophy« in Process and Reality. PAS 46, 1945, bes. 22ff.
Zur Erhellung von *Whiteheads* Vorgehen hat *C. O. Schrag* bemerkt, daß *Whitehead* es vermeiden will, »Erfahrung auf eine bloß augenblickliche Gegenwart zu reduzieren« (Struktur der Erfahrung in der Philosophie von James und Whitehead. ZPhF 23, 1969, 491); das ist richtig. Allerdings hätte *Schrag* hinzufügen müssen, daß eine solche Erfahrung ein Konstrukt ist und daß es Whitehead um die Erfassung und Bestimmung der *relativen* Vergangenheit und Zukunft einer Erfahrung gehe. Der Hinweis darauf, daß es *Whitehead* um die »Berücksichtigung der Vergangenheit und der Zukunft« zu tun sei, ist unzureichend. Präziser dazu: *L. Udert*, Zum Begriff der Zeit in der Philosophie Alfred North Whiteheads. ZPhF 21, 1967, 423ff.
47 PR, 124, vgl. 127, 321 (PRc, 80, vgl. 83, 210, PRd, 161, vgl. 166, 389).
48 Vgl. PR, 30, 35 (PRc, 20, 24, PRd, 60, 67).
Diesen Gesichtspunkt erfaßt *J. H. Kultgen*, Intentionality and the Publicity of the Perceptual World. PPR 23, 1973, bes. 507.
49 PR, 53 (PRc, 36, PRd, 87). Vgl. PR, 71f. (PRc, 45, PRd, 101). Vgl. dazu die Definition von Organismus-Philosophie als »atomic theory of actuality«, PR, 40 (PRc, 27, PRd, 72); ferner SMWd, 52f., 130ff., 82, 103, 141, 191f. (SMW, 56, 124ff., 82, 100, 133, 178f.).

Diese Betrachtungsweise der Welt, die bereits in Platons Parmenides tiefsinnig ausgearbeitet[50] und in attraktiver Weise neuerdings von der funktionalen Systemtheorie wieder verwendet wird[51], führt aber noch nicht notwendig über die Imagination einer auf mannigfache Weise synthetisierbaren und synthetisierten Mannigfaltigkeit von Entitäten hinaus. *Dieser* Gesichtspunkt einer ›absoluten Relativität‹[52] ist wohl gegenüber vielen sehr primitiven Theorien der Welt zu betonen, bleibt aber ohne Verbindung mit weiteren Gesichtspunkten unfruchtbar.

Unzureichend wäre eine Vorstellung der Welt als Ensemble von beliebig vielen, beliebig variablen, einander überlagernden und jeweils mehr oder minder weitreichenden Regionen bzw. Perspektiven. Die Ausbildung einer solchen oberflächlichen Vorstellung wird von Whitehead verhindert durch seine Lehre vom Prozeß: eine Lehre von der *Endlichkeit, der Vergänglichkeit und der begrenzten Kapazität der wirklichen Welt.*

Die wirklichen Ereignisse sind in einem Prozeß des Entstehens, Bestehens und Vergehens begriffen und als solche aufzufassen, in einem Prozeß, der ihre Einmaligkeit und Unwiederholbarkeit ausmacht. Im Blick auf diesen Prozeß werden die wirklichen Ereignisse, diese – wie Whitehead sagt – realsten Grundbestandteile der Welt[53], »Erfahrungströpfchen«[54], »Geschöpfe«[55], von den zeitlosen Objekten unterscheidbar. Dieser Prozeß, in dem *neue* wirkliche Ereignisse entstehen[56], wird aufgefaßt als *Übergang*, in dem viele eins werden[57]. Dieses Einswerden der vielen, die »Konkretisie-

50 *Platon*, Parmenides, z.B. 145a; s. auch PR, 63 (PRc, 39, PRd, 91f.).

51 Mit unausdiskutierten Differenzen allerdings hinsichtlich der Verwendung des Ausdrucks »Welt«: vgl. *Luhmann*, Funktion der Religion, aaO., 13ff., 13f. Anm. 12, sowie 148ff. Ein stark an der Methodologie der Whiteheadschen Philosophie interessiertes Denken (s. *E. Laszlo*, Beyond Scepticism and Realism. A Constructive Exploration of Husserlian and Whiteheadian Methods of Inquiry, Den Haag 1966, 3ff., bes. die guten Beobachtungen zu *Whiteheads* Methode, 37ff.) hat jedoch den Weg von der Organismus-Philosophie zur »Systems Philosophy« gesucht (*ders.*, Introduction to Systems Philosophy. Toward a New Paradigm of Contemporary Thought, New York 1972), allerdings noch nicht die diagnostische Leistungskraft der soziologischen Systemtheoretiker erkennen lassen (vgl. ebd., 281ff.).
Die Gemeinsamkeiten und Grenzen in der Theorieverfassung von Organismus-Theorie und funktionaler Systemtheorie sind noch kaum diskutiert. Um eine Nebeneinanderstellung hat sich *T. J. Fararo* bemüht, On the Foundations of the Theory of Action in Whitehead and Parsons. In: Essays in General Theory. In Honor of Talcott Parsons, hg. *J. Loubser* u.a., New York 1974, s. bes. 104ff. – Zu *Laszlos* Unternehmungen s. *R. L. Moore*, Process Philosophy and General Systems Theory. A Review Article. ProcSt 4, 1974, 291ff.

52 Vgl. PR, 33 (PRc, 22, PRd, 64).

53 Vgl. PR, 27 (PRc, 18, PRd, 57f.).

54 PR, 28 (PRc, 18, PRd, 58). Daß *Whitehead* damit ferner nicht nur *Beobachtungs*gegenstände erfaßt wissen will, ist gegen *A. Grünbaums* Kritik, Relativity and the Atomicity of Becoming. RMet 4, 1950, 159, zu betonen; s.a. Abschn. 4 dieses Teils.

55 PR, 30, 33 (PRc, 20, 22, PRd, 61, 64). Zu diesem Ausdruck s. auch *G. L. Kline*, Form, Concrescence, and Concretum. A Neo-Whiteheadian Analysis. Southern Journal of Philosophy 7, 1969, 351.

56 Es gibt dagegen keine neuen zeitlosen Objekte; vgl. PR, 33 (PRc, 22, PRd, 64).

57 Vgl. PR, 32 (PRc, 21, PRd, 63).

rung«[58], ist nicht einfach als eine Koordination oder Konfiguration zu verstehen.

Eine Koordination ist aber im Blick auf die zeitlosen Objekte auszusagen, die in das wirkliche Ereignis bzw. in ihm eintreten[59]. Man kann feststellen, daß eine bestimmte Koordination von zeitlosen Objekten in einem und durch ein wirkliches Ereignis ausgedrückt und dargestellt wird[60]. Dies erfolgt jedoch auf eine je neue, einmalige und unwiederholbare Weise, die sich im Blick auf die zeitlosen Objekte nicht begreiflich machen läßt, und zugleich allerdings auch auf eine erinnerungsfähige Weise, die sich im Blick auf die einmaligen wirklichen Ereignisse jedenfalls nicht ohne weiteres erklären läßt[61].

Aber damit sind die beiden »fundamentalen Arten von Entitäten«, wirkliche Ereignisse und zeitlose Objekte, noch nicht hinreichend unterschieden und einander zugeordnet. Da alle anderen Arten von Entitäten nach Whiteheads Überzeugung »nur beschreiben, wie alle Einzelwesen dieser beiden grundlegenden Typen in der wirklichen Welt eine Gemeinschaft bilden«[62], ist der Prozeß ihrer Verbindung näher zu betrachten. Genaugenommen ist diese Betrachtung – in verschiedenen Perspektiven, mit unterschiedlichen Gewichtungen und auf unterschiedlich differenzierte Weise erfolgend – das einzige Thema von »Prozeß und Realität«.

Die zunächst gröbere, dann feinere Darstellung dieses Prozesses, zu der wir nun übergehen wollen, muß vermutlich mit einer Vorstellungsschwierigkeit rechnen, auf die hier noch kurz einzugehen ist. Wie können wir von Entstehen und Vergehen wirklicher Ereignisse und von Endlichkeit wirklicher Welten sprechen und zugleich am Prinzip der Relativität festhalten: ». . . ein wirkliches Einzelwesen (ist) nach dieser Theorie in anderen wirklichen Einzelwesen. Tatsächlich müssen wir, wenn wir Grade der Relevanz und unbedeutende Relevanz berücksichtigen, sagen, daß jedes wirkliche Einzelwesen in anderen wirklichen Einzelwesen ist«[63]. Wir müssen nur unsere abstrakte Vorstellung und Darstellung von Endlichkeit mit Hilfe eines (meist linearen) begrenzten Zeitparameters korrigieren. *Jeder Prozeß findet in der Fülle der Zeiten statt*, tritt aus ihr hervor und in sie zurück. Eine Illustration mag der von der Meeresoberfläche aufspritzende Wassertropfen

58 PR, 32 (PRc, 21, PRd, 63).

59 Vgl. den vorangegangenen Abschnitt. Zum folgenreichen Problem der *Bestimmtheit* der Koordination, das *Whitehead* schließlich mit Hilfe seines Gottesgedankens zu lösen sucht, s. Teil C dieses Teils, bes. die Abschn. 1–3; aber auch *G. A. de Laguna*, Existence and Potentiality. PhRev 60, 1961, 171f.

60 Vgl. PR, 63 (PRc, 39f., PRd, 92).

61 S. PR, 69 (PRc, 43, PRd, 98).

62 PR, 37 (PRc, 25, PRd, 69). Vgl. dazu *E. Laszlo*, La métaphysique de Whitehead: recherche sur les prolongements anthropologiques, Den Haag 1970, 23ff. Seine Bemühungen, jeder *Phase* des Prozesses eine »Welt« zuzusprechen (bes. 24f.), sind dagegen nicht mit *Whiteheads* Theorie in Einklang zu bringen.

63 PR, 79 (PRc, 50, PRd, 110f.). Zur Kontrolle der »degrees of relevance« s. *W. P. Alston*, Internal Relatedness and Pluralism in Whitehead. RMet 5, 1952, 542ff.

geben; wir wollen dieses Auftreten des Wassertropfens als ein wirkliches Ereignis auffassen. Genaugenommen handelt es sich bereits um eine Serie von wirklichen Ereignissen. Sein Auftreten bringt eine Bewegung des ganzen Meeres mit sich und ebenso sein Zurücktreten ins Meer – das ist leicht vorstellbar. Für eine hochsensible Wahrnehmung erfährt sogar der gesamte Kosmos eine Irritation. Angenommen, wir könnten im Blick auf dieses wirkliche Ereignis grundsätzliche relative Ruhezustände definieren[64] und hätten auch Sensorien und vielleicht zusätzliche Instrumente, die feinfühlig genug wären, dieses Ereignis tatsächlich zu erfassen, so stünden wir vor der Fragestellung, im Blick auf welche Ereigniszusammenhänge wir dieses wirkliche Ereignis diagnostizieren sollen: *Wo* messen wir die Irritation, die Bewegung, die der aufspritzende und zurückfallende Wassertropfen verursacht hat? Wie auch immer wir diese Frage beantworten, wie weit wir uns raumzeitlich von unserem Wassertropfen entfernen oder uns ihm annähern – *dieser* erhebt sich für einen Augenblick von der Wasseroberfläche, fällt wieder zurück und *hat darin sein eigenes Zeitsystem.* Es gibt keine privilegierte Verbindung, die anders als willkürlich dieses Ereignis in einen es integrierenden ›Strang‹, in eine ›Linie‹ einbeziehen könnte[65].

»Es gibt ein weit verbreitetes Mißverständnis, wonach ›Werden‹ für sein Fortschreiten ins Neue die Vorstellung einer einzigen Serialität voraussetzt. Das ist der klassische Begriff der ›Zeit‹, den die Philosophie vom gesunden Menschenverstand übernahm. Die Menschheit leitete aus ihrer Erfahrung mit dauerhaften Gegenständen eine unglückliche Verallgemeinerung ab. Diesen Begriff hat die Physik kürzlich aufgegeben. Dementsprechend sollten wir nun die Kosmologie von einer Betrachtungsweise befreien, die sie niemals als metaphysisches Grundprinzip hätte übernehmen dürfen. In diesen Vorlesungen kann der Terminus ›kreatives Fortschreiten‹ nicht im Sinne eines einzigen seriellen Fortschreitens interpretiert werden.«[66]

Die Dispensierung einer monolinearen Zeitvorstellung ermöglicht es uns, jedes wirkliche Ereignis als eine besondere Konkretion des Universums aufzufassen[67], in der das Universum auf andere Konkretionen seiner selbst

64 S. dazu PR, 195 (PRc, 127f., PRd, 244).
65 Vgl. PR, 107 u. 191, (PRc, 69 u. 125, PRd, 143 u. 239f.).
66 PR, 52 (PRc, 35, PRd, 86).
67 Vgl. PR, 80, 81, 89, 250 (PRc, 51, 52, 56f., 165, PRd, 111, 113, 121, 309). Oder man kann mit einer schönen Wendung von *E. M. Kraus,* Individual and Society: A Whiteheadian Critique of B. F. Skinner. In: Person and Community, hg. *R. J. Roth,* New York 1975, 126, »the individual as a perspectival culmination of the environment« auffassen. Allerdings ist es wichtig, »perspectival culmination« nicht schon als Vollkommenheit und Bestimmtheit zu verstehen. Sonst wird *Whiteheads* Theorie durch die *Leibniz'* ersetzt. Hierzu verdanke ich Aufschlüsse der Magisterarbeit von *W. Kasprzik,* Die Bestimmtheit der Kategorie der Wechselwirkung in Kants Kategorientafel (Masch.), Tübingen 1976, bes. 11ff.
Ein befriedigender Vergleich von *Leibniz'* und *Whiteheads* Denken, der auch *Russells* Leibniz-Rezeption einbeziehen müßte, steht aus. Vgl. aber, jedenfalls zu den ›eternal objects‹ und zum Gottesbegriff, *A. Lichtigfeld,* Leibniz und Whitehead: Eine vergleichende Untersuchung ihrer metaphysischen Grundbegriffe und deren Weiterentwicklung durch Jaspers. In: Akten des Internationalen Leibniz Kongresses, Hannover, 14.–19. November 1966. Band V: Geschichte der Philosophie (Studia Leibnitiana), Wiesbaden 1971, bes. 190ff.

reagiert, viele wirkliche Ereignisse synthetisiert; ebenso können wir das wirkliche Ereignis als ein Stimulans des ganzen Universums[68] auffassen – obwohl es zugleich in seiner eigenen wirklichen Welt unbeirrbar und unmanipulierbar wird, Bestand hat und seine subjektive Vollendung anstrebt und findet[69].

Jedes wirkliche Ereignis tritt also in seiner wirklichen Welt[70] *irgendwo* im Universum auf[71]; es ist aber zugleich Resultat und Initiator eines Prozesses, der vermittels der wirklichen Welt des Ereignisses das ganze Universum erfaßt, und in diesem Sinne tritt es *überall* im Universum auf[72]. Dies ist detaillierter zu betrachten.

3. *Der ›Prozeß der Konkretisierung‹ oder die Ausbildung von Subjektivität*

Whiteheads Philosophie kennt keine Privilegierung des Menschen, die sich von selbst verstehen soll. Subjektivität wird nicht mit bewußter Individualität identifiziert und schon gar nicht nur den Menschen zugesprochen. Subjektivität ist ein Resultat des Prozesses der Konkretisierung, in dem freilich auch die Menschen, aber mit ihnen und wie sie alle Kreaturen begriffen sind. Man kann davon sprechen, daß die Menschen eine differenziertere, reichere Subjektivität ausbilden als andere Organismen, aber es ist ebenso festzuhalten, daß sie eben wie andere Organismen im Konkretionsprozeß bzw. in Serien von Konkretionsprozessen stehen. Man kann davon sprechen, daß die Menschen auf hochentwickelte Weise Erfahrungen machen und selbst komplexe Prozesse und Ereignisserien generieren, aber es ist auch festzuhalten, daß neben ihnen viele Kreaturen die Schwelle zum Bewußtsein in ihren Erfahrungen überschreiten und daß vor allem jeder

68 Statt von Universum spricht *Whitehead* auch von »extensive continuum«, vgl. PR, 103f., 112, 118 (PRc, 66f., 72, 76, PRd, 138f., 148, 155). Wir verwenden diesen Ausdruck nicht, um die Einführung der für viele Leser ungewohnten Termini überschaubar zu gestalten. An wenigen Stellen allerdings spricht *Whitehead* statt von wirklichen Ereignissen in ihrer wirklichen Welt im Universum von wirklichen Ereignissen in ihrem wirklichen Universum im ›extensiven Kontinuum‹. Diese kleinen Inkonsequenzen sind jedoch vom Leser leicht unter Kontrolle zu bringen.

69 Vgl. PR, 94 (PRc, 60, PRd, 127).

70 Zum Verhältnis von wirklichem Ereignis und wirklicher Welt bemerkt *Whitehead* in einer zusammenfassenden Bestimmung des Programms zur »Organismus-Philosophie«: »In der organistischen Philosophie wird daran festgehalten, daß der Begriff ›Organismus‹ zwei Bedeutungen hat, die zwar verbunden, aber intellektuell voneinander zu trennen sind, nämlich die mikroskopische und die makroskopische Bedeutung. Die mikroskopische betrifft die formale Beschaffenheit eines wirklichen Ereignisses, betrachtet man dieses als einen Prozeß der Realisierung einer individuellen Einheit der Erfahrung. Die makroskopische Bedeutung bezieht sich auf das Gegebensein der wirklichen Welt, sieht man diese als die eigensinnige Tatsache an, die die Gelegenheit für das wirkliche Ereignis zugleich begrenzt und schafft.« (PR, 196f., PRc, 128f., PRd, 246) Vgl. auch PR, 224 (PRc, 148, PRd, 278).

71 Vgl. PR, 104 (PRc, 67, PRd, 140).

72 Vgl. PR, 104f. (PRc, 67, PRd, 140).

Mensch auch (und zwar in quantitativ hohem Maße) primitive Erfahrungen macht, die den Bereich des Bewußtseins in der Regel nur in einem dumpfen ›Körpergefühl‹, in einem Gefühl der Leiblichkeit und verschiedener Grade von Präsenz erreichen. Zwar kann es in vieler Hinsicht wichtig und nützlich sein, vom Menschen nur als »dem bewußten Wesen« zu sprechen und zu versuchen, in allen Überlegungen von diesem bewußten Wesen auszugehen, wie es manche Philosophien getan haben. Aber dieses Vorgehen sollte seine Abstraktionen und Theoriearrangements unter Kontrolle halten und sich nicht als einzig mögliche oder einzig fruchtbare Betrachtung des Menschen und seine Verwendung des Ausdrucks ›Subjektivität‹ nicht als einzig sinnvolle ausgeben.

Whitehead will den Prozeß der Konkretisierung als Genese von Subjektivität darstellen. In diesem Prozeß, den wir als Erfahrungsprozeß auffassen können, wenn wir Erfahrung nicht nur an Bewußtsein binden, wird Subjektivität ausgebildet, aus diesem Prozeß, genauer: *in* diesem Prozeß geht Subjektivität hervor.

Die Theorien, die ein ›Subjekt‹, das die (mehr oder minder komplexen) Erfahrungen mache, dem Erfahrungsprozeß voranstellen[73], haben nach Whiteheads Überzeugung Subjektivität nicht klar konzipiert. Sie setzen ein bereits »objektiviertes Individuum« voraus[74], erfassen aber nicht die gemeinte »individuelle Privatheit«[75]. Der Prozeß der Konkretisierung beginnt mit einer Mannigfaltigkeit von Objektivierungen, Daten, die in einem Erfahrungsprozeß die Einheit eines Subjekts erlangen[76].

73 *Whitehead* sieht *Descartes* (vgl. PR, 228, 241, PRc, 150f., 159, PRd, 282f., 297f.) und *Kant* (vgl. PR, 236, PRc, 156, PRd, 292) als Vertreter einer Theorie an, die die Subjektivität den Erfahrungsprozessen voranstellt.

74 Vgl. PR, 229 (PRc, 151, PRd, 283). Dies ist nicht verfehlt, sollte aber als Voraussetzung von z.B. objektivierten Körperempfindungen unter gedankliche Kontrolle gebracht werden. Zur Wichtigkeit *dieser* Voraussetzung objektivierter Subjektivität s. z.B. *Ch. Hartshorne*, The Logical Structure of Givenness. PhQ 8, 1958, 314f.; *C. L. Morgan*, »Subjective Aim« in Professor Whitehead's Philosophy. Philosophy 6, 1931, 293f. Hinsichtlich abstrakterer, schwach vermittelter Objektivierungen s. z.B. *S. Ichii*, Whitehead's Theory of Significance and his »Justification of Induction«. Science of Thought 2, 1956, 55 u. die dort angegebenen Belege. Als ein Versuch, die konventionelle Sicht mit der *Whiteheads* zu vermitteln, kann die Darstellung des »Problem(s) der Individualität« bei *P. Novak*, Studien zur Kohärenz des Whitehead'schen Denkens (Diss.), Heidelberg 1968, 63f., aufgefaßt werden.

75 Vgl. PR, 229 (PRc, 151, PRd, 283). Auf den besonderen Charakter der *Darstellung* dieses Phänomens hat *Ch. Hartshorne*, Whitehead and Ordinary Language. Southern Journal of Philosophy 7, 1969, 441, aufmerksam gemacht; s. aber auch *I. Stearns*, Time and the Timeless. RMet 4, 1950, 198f.

76 Vgl. PR, 234 (PRc, 155, PRd, 290). S. dazu auch *G. Böhme*, Whiteheads Abkehr von der Substanzmetaphysik. Substanz und Relation. ZPhF 24, 1970, 552f. Die Schwierigkeit, daß dieses Subjekt (und auch komplexe Verbindungen von Konkretisierungsereignissen) nicht mit allen herkömmlichen Vorstellungen von »denkender Person« zu vereinbaren ist, hat viele Federn bewegt. Sie zu beheben suchen *F. Wood*, A Whiteheadian Concept of the Self. Southwestern Journal of Philosophy 4, 1973, 59ff.; *R. B. Edwards*, The Human Self: An Actual Entity or a Society? ProcSt 5, 1975, 199ff.; ein menschliches Individuum sich vorstellend, *D. Platt*, Transcendence of Subjectivity in Peirce and Whitehead. Pers. 49, 1968, 246, 253f. S. schließ-

Werden diese Daten als *Daten für* einen Erfahrungsprozeß aufgefaßt, nicht als *Resultate von* zurückliegenden Erfahrungsprozessen, so wird eine *ausstehende, antizipierte Subjektivität in der Tat vorausgesetzt, aber eben als eine im Werden, in der Ausbildung begriffene.* In dieser Weise setzt Whiteheads Organismus-Philosophie Subjektivität in allen Erfahrungsprozessen voraus. Subjektivität ist das antizipierte, zur Ausbildung gelangende und resultierende Element im Erfahrungsprozeß.

Whitehead beansprucht, damit konsequenter zu verfahren als die Philosophie der Moderne, die Subjektivität faktisch als eine dem Erfahrungsprozeß zugrundeliegende ›Substanz‹ auffaßt[77]. Sie läßt sich dabei, vermutet Whitehead, von der Subjekt-Prädikat-Struktur der natürlichen Sprache gängeln und von Denk- und Darstellungsformen irritieren, die bewährt und für vieles hilfreich, aber nicht für die Darstellung von Subjektivität tauglich sind[78]. Die Subjekt-Prädikat-Aussage ist eine hochgradige Abstraktion[79]; wird diese unbedacht verwendet[80], so bleibt der Blick auf so elementare Prozesse wie den der Ausbildung von Subjektivität verstellt.

Whitehead beschreibt den Prozeß vereinfachend als Folge von vier Phasen oder Stadien[81]: Zunächst findet das wirkliche Ereignis in seiner wirklichen Welt objektivierte, vergangene Ereignisse vor, die die Initialbedingungen seines Prozesses ausmachen. Wir könnten auch davon sprechen, daß das in und mit den Initialbedingungen, den Daten, antizipierte, noch

lich den interessanten Beitrag von *R. M. Rorty,* The Subjectivist Principle and the Linguistic Turn. In: *Kline,* zumindest 144, aber auch 152f.

77 Vgl. PR, 241, 243 (PRc, 159, 160, PRd, 297f., 300). Deshalb ist die Rede von ›actual entity‹ als »a fully concrete substance« mißverständlich. S. *I. Leclerc,* Whitehead's Transformation of the Concept of Substance. PhQ 3, 1953, 227.

78 Vgl. PR, 253 (PRc, 167, PRd, 312). Zur begrenzten Leistungskraft der natürlichen Sprache und zu den »subject-predicate habits of thought« vgl. PR, 20, 80f., 84f., 339 (PRc, 13, 51, 54, 222, PRd, 50f., 112, 117, 406). Diese Denkgewohnheiten werden noch nicht abgelegt mit dem Versuch, *Whiteheads* Prozeß mit Hilfe von Aktivität, Produkt dieser Aktivität und deren Einheit zu illustrieren. S. *J. L. Nobo,* Whitehead's Principle of Process. ProcSt 4, 1974, 279ff. Zu dieser Sicht, die man ›fichteianisierend‹ nennen kann, s. die Kap. I, Anm. 30 angegebenen Arbeiten.

79 Vgl. PR, 209 (PRc, 138, PRd, 261).

80 S. dazu *Wiehl,* Einleitung zu AId, 32f., auch 66ff.; und vor allem *Hegel,* Phänomenologie des Geistes, aaO., 50ff.; aber auch *Ch. Hartshorne,* Whitehead on Process: A Reply to Professor Eslick. PPR 18, 1958, 516.

81 Vgl. PR, 227, sowie 65f. u. 127ff. (PRc, 149f., sowie 40–42 u. 83ff., PRd, 281, sowie 93–95 u. 166ff.). Die folgenden Abschnitte werden, darin *Whiteheads* Verfahren aufnehmend, den Prozeß nicht nur in jeweils größere Differenziertheit erfordernden Perspektiven darstellen, sondern auch dabei verschiedene Züge von Whiteheads Verwendung des Prozeßdenkens erhellen. Eindrücklichere Applikationsleistungen lassen sich am besten anhand der populären Ausführungen von AI erkennen.
Ein Exempel gibt aber auch *W. Morgan,* The Organization of a Story and a Tale. JAF 58, 1945; ihm hat *Whitehead* ein engagiertes Vorwort geschrieben, vgl. ebd., 169. S. dazu auch *G. Hélal,* La cosmologie: un nouvel examen de sa nature et de sa raison d'être. Dialogue 8, 1969, 227. – Beachtet man nur die ersten drei Phasen, wozu viele Textstellen verführen, so ergeben sich zahllose unbeantwortbare Fragen. S. *Wiehl,* Der Begriff in den Anschauungsformen der Mittelbarkeit und Unmittelbarkeit, aaO., 128.

ausstehende, potentielle Subjekt dieses Prozesses diese Bedingungen vorfindet. In der zweiten Phase, die im engeren Sinne als Prozeß aufgefaßt werden kann, tritt das Subjekt in der fühlenden Aneignung oder fühlenden, verbindenden Transformation der Daten auf. Es tritt nicht von irgendwoher hinzu, sondern es wird in diesem Prozeß, »in dem viele eins werden«[82]. Die dritte Phase ist die der Erfüllung (satisfaction), mit der der Prozeß das subjektive Ziel (subjective aim) erreicht. Abstrahieren wir das wirkliche Ereignis von seinem Werdeprozeß, so haben wir das Stadium der »satisfaction« vor uns[83]. Die ›konkrete‹ Entität, die erfüllte Subjektivität, stellt dieses Stadium dar. Hier »ist« das wirkliche Ereignis das, »was es ist«, wie wir zu sagen pflegen.

> »Jedes wirkliche Einzelwesen wird als ein Erfahrungsakt interpretiert, der aus Daten hervorgeht. Es ist ein Prozeß des ›Empfindens‹ der vielen Daten, mit dem Ziel, sie in die Einheit der einen, individuellen ›Erfüllung‹ zu absorbieren. ›Empfinden‹ steht hier für die grundlegende, allgemeine Operation des Übergehens von der Objektivität der Daten zu der Subjektivität des jeweiligen wirklichen Einzelwesens. Empfindungen sind verschiedenartig spezialisierte Vorgänge, die ein Übergehen in Subjektivität bewirken.«[84]

Dies ist die wohl prägnanteste kurze Darstellung der ersten drei Phasen des Empfindungsprozesses, der als Genese und Auftreten von Subjektivität und als Prozeß der Konkretion, des »Zusammenwachsens« der Daten, aufzufassen ist.

Konventionelle Theorien der Subjektivität dagegen haben erst den Übergang zur vierten Phase vor Augen, in der das wirkliche Ereignis untergeht

82 Besonders diese Phase ist in den folgenden Abschnitten eingehend zu untersuchen. Die *frühe* Theorie des Erfassens, die der Darstellung dieser Phase vorausgeht, referiert ausführlich *Wahl*, La philosophie spéculative de Whitehead, aaO., 359–365.

83 Vgl. PR, 129 (PRc, 84, PRd, 168f.). Weitere kurze und doch hilfreiche Darstellungen des Prozesses der Konkretisierung geben *I. Leclerc*, Being and Becoming in Whitehead's Philosophy. KantSt 51, 1959–1960, 433; und, unter dem im folgenden zu betrachtenden Gesichtspunkt der »prehensions«, die in Anm. 90 dieses Teils genannten Texte. Zum Übergang vgl. *Parmentier*, La philosophie de Whitehead et le problème de Dieu, aaO., 212ff. S. zur Phase der »satisfaction« auch die Zusammenstellung der Belege aus PR bei *D. W. Sherburne*, A Whiteheadian Aesthetic. Some Implications of Whitehead's Metaphysical Speculation, New Haven 1961, 69ff.

84 PR, 65 (PRc, 40f., PRd, 93f.). Vgl. PR, 335 (PRc, 219, PRd, 401). *L. Moser*, Die Dimension des Dynamischen im Seinsbegriff. Versuch, das whiteheadsche Wirklichkeitsverständnis für einen dynamisch bestimmten Seinsbegriff auszuwerten (Diss.), Freiburg/Schweiz 1975, hat sich in seiner referierenden Darstellung der Theorie *Whiteheads* (63ff.) nicht von der Voraussetzung einer Subjekt-Objekt-Korrelation gelöst und aufgrund der Rede von Daten, die erst zu objektivieren seien, sowie einer Subjektivität, die auf Daten reagiere (z.B. 102), quasi eine ›Rückübersetzung‹ *Whiteheads* in konventionelle Theorien geleistet.
Diesem Problem entgeht auch nicht die sonst schöne Arbeit von *Topel*, Whiteheads Analyse des »Wirklichen Falles«, aaO., vgl. bes. 76ff., 80ff.; allerdings begrenzt sie das Ausmaß der Verzeichnung der Theorie durch die Rede vom »emotionalen Entwurf«, den das (von ihr konventionell gedachte) Subjekt vollziehe (z.B. 79).

und selbst zum Datum in anderen Konkretisierungsprozessen wird[85]. Damit aber werden sie der Subjektivität und ihrer Ausbildung nicht ansichtig. Sie meinen, Subjektivität bereits thematisiert zu haben, und betrachten doch nur objektivierte Bedingungen ihres Auftretens.

4. *Das universale Empfinden und die Solidarität aller Kreatur*

Die differenzierte Darstellung des skizzierten Prozesses verbunden mit einem umsichtigen Plädoyer für seine Universalität ist das Thema von Whiteheads Hauptwerk. Es stellt in seinem ersten Teil die Grundbegriffe und Grundoperationen seiner kosmologischen Theorie vor. Dabei ergeht die Versicherung, daß sie in den Ausführungen der folgenden Teile an Plausibilität, Plastizität und Klarheit gewinnen würden[86]. Im zweiten Teil bietet er eine Reihe von Expositionen von Teilstücken seiner Theorie in Dialogen mit philosophischen Denkern der Tradition, unter wechselnden Perspektiven, aber dabei immer wieder versuchend, Skizzen der gesamten Theorie zu geben[87]. Der dritte und vierte Teil bringen die eigentliche Ausarbeitung der kosmologischen Theorie ohne die Beschränkungen, die eine erste und vorläufige Vorstellung erforderlich macht, und ohne die Modifikationen, die eine Theorie durch die kontinuierliche Berücksichtigung fremder Positionen im Rahmen von Dialogen erfährt. Diese Teile, in denen Whitehead pädagogisch recht unbekümmert vorgeht, stellen zwei ausgearbeitete Betrachtungen des Konkretisierungs- bzw. *Ausdehnungsprozesses* dar, einmal hinsichtlich seines Charakters der Subjektivität (Teil III), zum anderen hinsichtlich seiner Objektivierbarkeit (Teil IV). Beide Betrachtungen sind zwar als nur unterschiedlich gewichtende Untersuchungen des einen Prozesses aufzufassen[88]; doch die verschiedene Gewichtung führt zu unterschiedenen Themenstellungen, die die klassische neuzeitliche Philosophie ganz verschiedenen Erfahrungsbereichen zugeordnet hätte.

Der dritte Teil bildet eine »Theorie des Erfassens« aus. Das »positive Erfassen« nennt Whitehead ›feeling‹, *Empfinden*[89]. Man kann sagen, daß die *Theorie des Empfindens* der ihm wichtigste philosophische Beitrag seiner reifen Kosmologie ist[90]. Im Blick auf sie hat Whitehead sein eigenes Programm mit den Werken von Kant und Hegel verglichen:

85 Vgl. PR, 227, auch 44, 222 u. 336 (PRc, 150, auch 29, 147 u. 220, PRd, 281f., auch 76, 276 u. 402). S. dazu auch Abschn. 6 dieses Teils. Zum Konkretisierungsprozeß in der Erfahrung des gesunden Menschenverstandes s. *S. E. Hooper*, Whitehead's Philosophy: Theory of Perception. Philosophy 19, 1944, 157f.

86 Zur in der Tat unbefriedigenden Organisation des ersten Teils s. die Kritik bei *Wiehl*, Der Begriff in den Anschauungsformen der Mittelbarkeit und Unmittelbarkeit, aaO., 108ff.

87 S. dazu den vorzüglichen Beitrag von *L. S. Ford*, Some Proposals Concerning The Composition of »Process and Reality«. ProcSt 8, 1978, 153.

88 Vgl. PR, 448 (PRc, 292f., PRd, 529f.).

89 PR, 337, vgl. 337ff., 35 (PRc, 221, vgl. 221f., 23, PRd, 404, vgl. 404ff., 66).

90 »Diese Lehre vom ›Empfinden‹ spielt für das Werden eines wirklichen Einzelwesens eine

»Die organistische Philosophie strebt danach, eine *Kritik des reinen Empfindens* in der philosophischen Position aufzubauen, in die Kant seine *Kritik der reinen Vernunft* stellte.«[91] »Anstelle der Hegelschen Hierarchie von Kategorien des Denkens entdeckt die organistische Philosophie eine Hierarchie von Kategorien des Empfindens.«[92]

Die Theorie des Erfassens bzw. Empfindens untersucht die drei ersten Phasen des im vorangegangenen Abschnitt bereits kurz vorgestellten Prozesses der Konkretisierung. Dieser Prozeß wird nun eingeteilt »in eine Anfangsphase vieler Empfindungen und in eine Abfolge späterer Phasen mit komplexeren Empfindungen, die die früheren, einfacheren Empfindungen integrieren, bis hin zu der Erfüllung, die eine komplexe Einheit des Empfindens ist«[93].

Die auf unbestimmt viele Weisen analysierbaren wirklichen Ereignisse[94] werden hinsichtlich ihrer Verbundenheit durch Erfassen bzw. Empfinden betrachtet[95], wobei noch einmal betont werden sollte, daß *bewußte* Erfassensakte und Gefühle, die auf die Ebene des Bewußtseins gelangen, nur *eine* und zudem extrem hoch entwickelte Sorte von Empfindungen darstellen[96], zumal geistige Operationen »nicht notwendig Bewußtsein ein(schließen)«[97]. Unter Erfassen und Empfinden sind also elementare Kontaktaufnahmen und Verbindungen zu verstehen, die sowohl im Bereich des Anorganischen als auch, höher entwickelt und komplexer, im Bereich des Organischen diagnostiziert werden können, die aber auch – wiederum höher entwickelt – bei ›bewußt‹ kommunizierenden Lebewesen aufzuzeigen sind. Mit dem Problem, diese Untersuchung durchzuführen und zu zeigen, wie wirkliche Ereignisse in andere wirkliche Ereignisse eintreten bzw. wie sie von ihnen aufgenommen und verbunden werden, stellt sich das »Problem der Solidarität des Universums«[98].

zentrale Rolle.« (PR, 356, PRc, 233, PRd, 426) *Topel*, Whiteheads Analyse des »Wirklichen Falles«, aaO., 7, hat dies mit Recht hervorgehoben. Eine gute Vorstellung des Prozesses unter dem Gesichtspunkt eines »process of prehension« vermitteln *Lowe*, Understanding Whitehead, aaO., 39f.; *Leclerc*, Whitehead's Metaphysics, aaO., 148ff.; *Bendall*, The Naturalization of Whitehead's God, aaO., 309ff.

91 PR, 172f. (PRc, 113, PRd, 218), erste Hervorhebg. Vf. Die Möglichkeiten, bei *Whitehead* auch »Kritiken« des praktischen und des ästhetischen Empfindens zu erkennen, hat *R. Assunto* im Blick auf AI erwogen, s. La forma e l'arte. RF(R) 5, 1956, bes. 335, u. 6, 1957, 43ff.

92 PR, 252 (PRc, 166, PRd, 310). Es ist aber zu einseitig, nur zu schließen, daß *Whitehead* die Rationalität der Empfindungen rechtfertigen wollte. S. dazu *D. B. Kuspit*, Whitehead's Cosmology. APh 12, 1963–1964, 117.

93 PR, 337 (PRc, 220, PRd, 404). Vgl. auch *Actis*, Cosmologia e assiologia in Whitehead, aaO., 199f.

94 Vgl. PR, 28 (PRc, 19, PRd, 58).

95 Vgl. PR, 29 u. 82 (PRc, 20 u. 52, PRd, 60 u. 113).

96 Vgl. PR, 22, 83, bes. 362 (PRc, 15, 53, bes. 236, PRd, 52, 115, bes. 433). S. dazu auch *R. J. Blaikie*, Being, Process, and Action in Modern Philosophy and Theology. SJTh 25, 1972, bes. 137f.

97 PR, 130 (PRc, 85, PRd, 170).

98 PR, 88 (PRc, 56, PRd, 121).

Grundlage für diese Solidarität ist, daß alle Ereignisse, wie hochstufig und komplex sie im Verlauf ihrer Konkretisierung auch ausgebildet werden, ihren Werdeprozeß mit *einfachen physischen Empfindungen* beginnen und daß sie am Ende über sich selbst hinausgehen als Objekte in anderen Konkretisierungsprozessen[99]. Die Betrachtung des Prozesses des Empfindens konzentriert sich auf die Phasenfolge des Prozesses, die mit einfachen physischen Empfindungen beginnt und zur höchsten Konkretisierung des empfindenden Subjekts in der Erreichung der Erfüllung (satisfaction) bzw. des subjektiven Ziels (subjective aim) führt. Die Betrachtung gilt also dem Prozeß bis zur dritten Phase vor dem Übergang in andere Konkretisierungsprozesse, in denen das bislang Empfindende zum Empfundenen wird. Das heißt nicht, daß die Betrachtung des Prozesses des Empfindens die vierte Phase gänzlich aus dem Auge ließe. Sie ist präsent im Anfang, in dem das Fühlen viele *andere* objektivierte wirkliche Ereignisse aufnimmt. Konzentriert auf die *Subjektivität* im Werdeprozeß, ist die Integration der *vielen* objektivierten Ereignisse *in ein* Fühlen zu betrachten; die Betrachtung des Übergangs des *einen* Fühlenden *in viele* objektivierte Ereignisse ist hierbei nur indirekt thematisch.

Ganz formal kann man den Prozeß so darstellen: Viele objektivierte Ereignisse werden in und von einem subjektiven, empfindenden Ereignis integriert, und das eine subjektive, empfindende Ereignis geht mit Erreichung seiner Vollkommenheit selbst in die Reihe der objektivierten Ereignisse über, wird eines der vielen von einem anderen subjektiven, empfindenden Ereignis integrierten Ereignisse.

Doch mit diesem Übergang verlieren wir das hier verkürzend so genannte ›subjektive Ereignis‹ gleichsam aus den Augen. Sein Übergehen in die Reihe der vielen objektivierten Ereignisse erscheint als ein *Untergehen* (perishing), als ein *Verschwinden.* Doch in Wahrheit wird es nicht eliminiert, vernichtet, sondern nur *transformiert.* Es verliert seine Subjektivität, aber es ist damit nicht ins Nichts zerronnen. Vielmehr gewinnt es – was wir im folgenden noch näher betrachten müssen – in diesem Übergang seine *objektive Unsterblichkeit.*

Die Betrachtung des Empfindens konzentriert sich also auf die Subjektivität. »Wenn wir das Subjekt von dem Empfinden abstrahieren, verbleiben uns viele Dinge.«[100] Wie im vorangegangenen Abschnitt gezeigt, ist das Subjekt zuerst als antizipiertes präsent. Es wird erst noch, doch es leitet schon den Prozeß des Empfindens.

Es bestimmt ihn gerade durch seine Noch-Abwesenheit. Die Empfindungen sind auf *ihr* Subjekt gerichtet[101]. Um das zugrundeliegend Exekutierende *und* das ausstehend Sollizitierende des Subjekts hervorzuheben, soll-

99 Vgl. PR, 336 (PRc, 220, PRd, 402).

100 PR, 338 (PRc, 221, PRd, 405).

101 Vgl. PR, 339 (PRc, 222, PRd, 406). Das verbreitete Unbehagen im Blick auf diese Darstellung von Subjektivität als Antizipationsphänomen artikuliert *G. Gentry,* The Subject in Whitehead's Philosophy. Philosophy of Science 11, 1944, 224.

ten wir, so schlägt Whitehead vor, von »subject-superject« sprechen[102]. Wenn man die treibende Präsenz des Futurischen jedoch klar erfaßt, die Whiteheads Subjektbegriff zu artikulieren sucht, kann auf die Einführung dieses Ausdrucks und einiger anderer, die das Denken Whiteheads so schwer zugänglich machen, verzichtet werden. Wir können seine Theoriesprache dann auf Strecken in eine leichter zugängliche und zugleich der theologischen Sprache näherliegende übersetzen.

Subjekt ist also das noch nicht voll gegenwärtige, unvollendete, das gerade durch sein Ausstehen selbst Wirkende[103].

»Ein wirkliches Einzelwesen empfindet so wie es empfindet, um das wirkliche Einzelwesen zu sein, das es ist.«[104] Aber indem es sich als Empfindendes, als Aktives zu erhalten sucht, treibt es sich gleichsam über sich hinaus. Das sich über sich hinaustreibende und so erhaltende Empfinden *ist* das Subjekt[105].

Limitiert ist der Empfindungsprozeß durch die wirkliche Welt des Subjekts bzw. – prägnanter gesprochen – durch die wirkliche Welt des empfindenden, subjektiven wirklichen Ereignisses[106].

Eine wirkliche Welt hatten wir uns bisher vorgestellt als Nexus der wirklichen Ereignisse, die ein wirkliches Ereignis umgeben, wobei jedem Ereignis seine relative Welt zuzusprechen war[107]. Dies können wir nun genauer formulieren, indem wir die *wirkliche Welt eines wirklichen Ereignisses als den Bereich seiner möglichen Empfindungen* bestimmen.

In diesem Bereich tritt das Ereignis als subjektives, empfindendes auf, in-

102 PR, 339 u.ö. (PRc, 222, PRd, 406). Vgl. *J. W. Lango*, Towards Clarifying Whitehead's Theory of Concrescence. Transactions of the Charles Peirce Society 7, 1971, 153, 153f.

103 Vgl. *E. Bloch*, Experimentum Mundi, Frankfurt 1975, 3f. In *Blochs* Denkstil müßten *Whiteheads* Grundgedanken etwa formuliert werden: Ich habe und werde; ich kann mich noch nicht als vollkommen annehmen und werde noch nicht gehabt. Darum bin ich noch nicht. Einen schönen, wenn auch weniger prinzipiellen Vergleich von *Blochs* und *Whiteheads* Denken hat angesetzt *L. Gilkey*, Reaping the Whirlwind. A Christian Interpretation of History, New York 1976, 110–114.

104 PR, 339 (PRc, 222, PRd, 406). Darin sieht sich *Whitehead* mit *Spinoza* einig. Die Differenz hat betont *D. Bidney*, The Problem of Substance in Spinoza and Whitehead. PhRev 45, 1936, bes. 587ff.; daß hier bei *Whitehead* eine Variante der Dialektik *Hegels* festgestellt werden könnte, hat *G. Vlastos*, Organic Categories in Whitehead. In: *Kline*, 166 u. 161ff., betont.

105 Vgl. PR, 342 (PRc, 223f., PRd, 409). Hierzu erhellend *M. B. Bakan*, On the Subject-Object Relationship. JPh 55, 1958, 92ff.

106 Vgl. – auch zu den folgenden Gedanken – PR, 345f. (PRc, 226f., PRd, 413f.).

107 Vgl. Abschn. 2 dieses Teils.
Ch. Hartshorne hat auch von einer »*Relativität* des Subjekts« gesprochen (Das metaphysische System Whiteheads. ZPhF 3, 1948–1949, 571), eine Wendung, die aber der Präzisierung bedarf, da damit z.B. eine Relativität (auch des Subjekts) einer wirklichen Welt oder die Relativität der Präsenz eines Subjekts in seinem Werdeprozeß gemeint sein kann. Das Problem ist m.E. nicht genau genug gefaßt, wenn man nur fragt, ob ein Subjekt aufgrund der Kenntnis der Bedingungen seines Auftretens bestimmt werden kann. Vgl. dazu *Ch. Hartshorne*, Creativity and the Deductive Logic of Causality. RMet 27, 1973, 63; s. auch, stärker in *Whiteheads* Systematik eingebettet, *G. A. de Laguna*, On Existence and the Human World, New Haven 1966, z.B. 53f.

dem es andere wirkliche Ereignisse objektiviert, zu empfundenen macht. Was wir bisher wie ein *Vorfinden* von objektivierten Ereignissen auffaßten, ist tatsächlich ebenso ein Tun des subjektiven, objektivierenden Empfindens. Dieses Objektivieren erzielt das wirkliche Ereignis, indem es die Empfindungsprozesse der anderen Ereignisse nicht mitvollzieht, sondern abbricht, negativ erfaßt (negative prehension). Es findet vor, aber es empfindet nicht oder nur begrenzt mit. Es empfindet z.B. die Ereignisse B, C, D – aber nicht das Empfinden des B von C und D . . . usw., und schon gar nicht das mögliche Empfinden von C hinsichtlich eines möglichen Empfindens von D betreffend Bs Empfinden von C . . . usf. Das subjektive Element tritt in seine wirkliche Welt durch *Verneinungen* ein[108]. Mit den negativen Erfassensakten reduziert das subjektive Empfinden die Komplexität seiner wirklichen Welt, reduziert damit aber zugleich das Potential seiner eigenen Selbstverwirklichung. Als Allgemeinplatz formuliert: Das alles vereinfachende, möglichst vieles ausblendende und häufig verneinende Subjekt führt ein beschränktes Leben in einer primitiven Welt.

Der Prozeß der Objektivierung, Ausblendung, Verneinung und des positiven Erfassens der verbleibenden Daten wird durch den Begriff gesteuert, den das subjektive Element von seinem In-der-Welt-Sein[109] hat. So könnte mit einem Ausdruck einer vielleicht konventionelleren Theoriesprache formuliert werden, daß der Bereich möglicher und wirklicher Empfindungen für das wirkliche Ereignis von einem *komplexen zeitlosen Objekt* geordnet wird. Eine (mehr oder minder) komplexe Konstellation des Reiches der Bedingung der Möglichkeit von Erfahrung[110] bestimmt Intensität, Differenziertheit, Reichweite und Ausgestaltung der Weltperspektive des subjektiven Empfindens, damit eben auch seine Stellung in seiner Welt, den Werdeprozeß und das Ausmaß der Erfüllung, in die der Prozeß mündet. Dieser Zusammenhang, diese Verschmelzung von zeitlosen Objekten und wirklichen Ereignissen, vom Reich der Bedingungen der Möglichkeit von Erfahrung und von wirklichen Welten wirklicher Ereignisse ist freilich noch genauer zu betrachten.

Den Kontakt, den ein wirkliches Ereignis mit anderen wirklichen Ereignissen aufnimmt, nennt Whitehead physisches Empfinden (physical feeling), den Kontakt, den es mit zeitlosen Objekten aufnimmt (wobei noch

108 S. dazu auch *A. P. Ushenko*, Negative Prehension. JPh 34, 1937, 265f. Nicht ganz korrekt rezipiert hat *Whiteheads* Theorie der ›negative prehensions‹ die selbst hyperkritische Arbeit von *Blyth*, Whitehead's Theory of Knowledge, aaO., z.B. 13f.; sie vermag dann auch nicht Subjektivität als Antizipationsphänomen aufzufassen, was weitere Verstehensprobleme generiert (vgl. 100). Hilfreicher, weil sich vom üblichen Assoziationsfeld des Ausdrucks ›Subjekt‹ befreiend, stellt das Auftreten wirklicher Ereignisse dar *C. Orsi*, La filosofia dell' organismo di A. N. Whitehead, Neapel 1956, 59ff.

109 Vor einer Überschätzung der Nähe der Verwandtschaft zwischen dem Denken *Whiteheads* und *Heideggers* hat *Wiehl* wiederholt gewarnt, s. bes. die letzte Anm. von Zeit und Zeitlosigkeit in der Philosophie A. N. Whiteheads, aaO.

110 Vgl. Abschn. 1 dieses Teils.

nicht notwendig ein Bewußtsein vorliegt![111]), nennt er geistiges Empfinden (mental feeling) oder auch begriffliches Empfinden (conceptual feeling)[112].

Obwohl mehr oder minder komplexe zeitlose Objekte bzw. Konstellationen und Kontraste von zeitlosen Objekten die wirkliche Welt eines wirklichen Ereignisses und damit den Verlauf seines Empfindungsprozesses sowie die Ausbildung seiner Subjektivität prägen, erübrigen sie nicht die physischen Empfindungen. Man kann auch nicht sagen, daß die geistigen Empfindungen die physischen beherrschten und vollständig leiteten. Dies gilt auch für komplexe Konstellationen von wirklichen Ereignissen und für Operationen, die wir ›rein geistig‹ nennen würden. Whitehead gibt ein schönes Beispiel für die Unverzichtbarkeit und Irreduzibilität der *physischen Empfindungen:*

»*Ein* wirkliches Einzelwesen nimmt unter anderen wirklichen Einzelwesen einen Status ein, der sich nicht vollständig mit Hilfe von Kontrasten zwischen zeitlosen Gegenständen beschreiben läßt. Beispielsweise ist der komplexe Nexus vom altrömischen Reich zur europäischen Geschichte nicht vollständig in Universalien beschreibbar. Es ist nicht bloß der Kontrast zwischen einer Art Stadt – Reichsstadt, römisch und alt – und einer Art Geschichte von einer Art Kontinent – mit Interesse an der Seefahrerei, durch Flüsse zergliedert, mit Gebirgsgrenzen, von größeren Kontinentalmassen und Wassermengen umgeben, zivilisiert, barbarisiert, kommerzialisiert, industrialisiert. Der betreffende Nexus schließt einen solchen komplexen Kontrast von Universalien tatsächlich ein. Aber er umfaßt noch mehr. Denn er ist der Nexus *dieses* Roms und *dieses* Europas. Wir können uns dieses Nexus nicht rein mit Hilfe von begrifflichen Empfindungen bewußt sein. Er ist unterhalb des Bewußtseins in unseren physischen Empfindungen enthalten.«[113]

Allerdings wären die physischen Empfindungen ohne aufwendige geistige Empfindungen der zeitlosen Objekte perspektivenarm[114]. Sie wären nicht auf etwas ausgerichtet, was wir als ›Ziel‹ anerkennen würden, d.h., sie hätten kein komplexes Ziel oder sie wären gleichsam im Nu an ihrem Ziel, sie würden nur eine sehr primitive Subjektivität ausbilden. Aus systematischen Gründen ist aber die Betrachtung von *einfachen physischen Empfindungen*[115] wichtig, in denen nur der Kontakt zweier wirklicher Ereignisse – das eine als Datum auftretend für das andere, das als Subjekt auftritt – betrachtet wird. Denn die einfachen physischen Empfindungen stellen die elementarsten Bausteine der Kosmologie der Organismus-Philosophie dar[116]. In ihnen soll das, was andere Theorien mit Subjekt-Objekt-Korrelationen imaginieren oder gedacht haben wollen, disziplinierter erfaßt werden.

111 Vgl. PR, 355 (PRc, 232, PRd, 425).
112 Vgl. PR, 347 (PRc, 227, PRd, 415).
113 PR, 350 (PRc, 229, PRd, 419f.).
114 Vgl. PR, 353 (PRc, 231, PRd, 422f.).
115 Vgl. PR, 361ff. (PRc, 236f., PRd, 432ff.).
116 S. PR, 365 (PRc, 238, PRd, 436). Vgl. PR, ebd. (PRc, 238f., PRd, 437) *Whiteheads* Hinweis, daß er hier einen Zusammenhang sowohl mit der Philosophie des *Cartesius* als auch mit der Quantentheorie aufweisen wolle.

Das objektive Element des einfachen physischen Empfindens, das Datum, ist selbst als Resultat eines Prozesses aufzufassen, es »ist die ›Objektivierung‹ *seines* Subjekts für das Subjekt des einfachen physischen Empfindens«[117].

Das erste Subjekt, das Subjekt des Datums, dessen Werdeprozeß wir aber nun nicht mehr unmittelbar betrachten, geht – objektiviert – allerdings nicht nur die eine Verbindung ein, die wir jetzt isoliert betrachten wollen. Die Fülle der möglichen Verbindungen bringt seine Objektivierung in den von uns zu betrachtenden Prozeß des physischen Empfindens mit ein als »›Perspektive‹ des anfänglichen Datums«[118]. Dieses anfängliche Datum *verursacht* ein einfaches physisches Empfinden, seine *Wirkung*. Wir könnten illustrierend formulieren: Es lädt ein, empfindend seine Perspektive auszuschöpfen. In unserem Fall, im Fall des einfachen physischen Empfindens, ist die Ausschöpfung der Perspektive – und vielleicht auch, aber nicht notwendig, diese Perspektive selbst – sehr bescheiden. Das einfache physische Empfinden ist klar, aber karg. Entsprechend einfach ist auch das Subjekt des Empfindens, d.h. das Subjekt, worauf das Empfinden zielt, das im Empfinden auftritt und sogleich sein Ausstehen anzeigt, das im Empfinden antizipiert wird und doch diese Antizipation leitet.

Dieses Subjekt, ein einzelnes wirkliches Ereignis, ist als die Wirkung des Empfindens und die mittelbare Wirkung des anfänglichen Datums aufzufassen, wenn wir sein Ausstehen, sein Antizipiertsein hervorheben. Betonen wir aber, daß es das physische Empfinden *leitet*, so können wir es auch die unmittelbare Wirkung des anfänglichen Datums nennen[119]. Der gesamte Vorgang stellt den einfachsten »kausalen Vorgang«, das einfachste Element aller kausalen Abläufe dar, ist aber ebensogut als einfachster »Typ eines Wahrnehmungsaktes« anzusehen[120].

In diesem einfachen Empfinden können wir das empfundene Empfinden und das empfindende Empfinden unterscheiden, ja, wir müssen diese Unterscheidung treffen, wenn wir den weiteren Prozeßverlauf analysieren wollen. Mögen auch die beiden Empfindungen einander extrem nahe verwandt sein, mag auch das subjektive, empfindende Empfinden eine bloße (oder hervorragende) Kopie des empfundenen Empfindens, des Datums, sein – es wird *nie eine Reproduktion im Sinne eines erneuten Auftretens des Subjekts des objektiven Datums* sein. Oder, wie Whitehead sagt: Die Ursache des Empfindens wird in seiner Wirkung nicht bloß repräsentiert[121].

117 PR, 361 (PRc, 236, PRd, 432).

118 PR, 361 (PRc, 236, PRd, 432).

119 Vgl. PR, ebd. (Wir müssen also unsere *Perspektive*, unsere gewichtende Perspektive auf den Prozeß genau kontrollieren.)

120 PR, ebd. u. 362 (PRc, ebd. u. 237, PRd, ebd. u. 433). Deshalb kann man nicht mit *W. Mays* sagen, *Whitehead* sei zu »engaged in an epistemological rather than a causal enquiry«, Whitehead and the Philosophy of Time. StGen 23, 1970, 521. Vgl. auch *S. Kerby-Miller*, Causality. In: Philosophical Essays for Alfred North Whitehead, hg. *F. S. C. Northrop* u.a., New York 1967, 174f.

121 Vgl. PR, 363 u. auch 381 (PRc, 237 u. auch 249, PRd, 434f. u. auch 454f.).

Wirkliche Ereignisse sind einmalig und unwiederholbar. Und unwiederholbar ist auch jede Phase des einfachen physischen Empfindens. Indem das neue Subjekt, das empfindende Empfinden der von uns betrachteten Phase, die Perspektive nicht ausschöpft, die das empfundene Empfinden, das Datum, bietet, bringt es seine eigene, subjektive Form ein. Es erfaßt negativ und geht gerade damit über seine wirkliche Welt hinaus[122].

Dies Hinausgehen muß nicht ein Fortschritt zum Besseren sein. Im Gegenteil. Das von uns gegebene Beispiel des *einfachen* physischen Empfindens, in dem das neue Subjekt jeweils nur Wirkung *eines* objektivierten wirklichen Ereignisses ist, stellt ein Glied in der Kette eines *Verfallsprozesses* dar: das jeweils neue Subjekt ist nur durch Negationen individuell und neu. Es schöpft damit nicht die Perspektiven seines Vorgängers aus, aber es verfügt auch nicht über die Möglichkeit, diesen Schwund durch Anschluß an andere Vorgänger, durch das Empfinden von mehreren perspektivenreichen Daten, zu kompensieren oder gar das negativ Erfaßte durch positive Erfassensakte zu überbieten.

Man könnte in diesem Zusammenhang interessante und wohl auch aktuelle Überlegungen zum notwendig atrophischen Charakter von Bewegungen oder Epochen anstellen, die sich wesentlich durch Negationen ihrer Tradition bzw. Umgebung konstituieren. In unserem Zusammenhang wollen wir uns auf den Hinweis beschränken, daß Whitehead mit der modernen Physik einen *beständigen Verfallsprozeß des physischen Universums* diagnostiziert hat[123], dessen begrifflicher Erfassung die Untersuchung jener einfachen physischen Empfindungen zugrunde liegt. Im strengen Sinne *einfache* physische Empfindungen generieren Verfallsprozesse, da die jeweils neuen Empfindungen die Komplexität ihrer Vorgänger nicht erreichen, deren Perspektivenreichtum unterbieten. Doch auf der Basis des »allmählichen Verfall(s) der umfassenden physikalischen Ordnung«[124], in der gerade das; was »wie Stabilität aussieht, . . . ein relativ langsamer Prozeß der Atrophie und des Verfalls« ist[125], entsteht eine – wenn auch nicht entgegengesetzte, so doch entgegengerichtete – Bewegung von Entwicklungen, eine Bewegung von Aufwärtsentwicklungen[126]. Die Aufwärtsentwicklungen sind verbunden mit der Ausbildung von komplexeren, höherstufigen Empfindungen.

122 Vgl. PR, 362 (PRc, 237, PRd, 433). Es wäre reizvoll, *Whiteheads* These, daß damit die Irreversibilität der Zeit zusammenhänge (PR, 363, PRc, 237, PRd, 434), angesichts der modernen physikalischen Theorien, die solche Umkehrprozesse doch diagnostizieren, zu überprüfen.

123 Dies erklärt auch äußerlich, aber plastisch *Whiteheads* (auf *Platons* »Staat« rückbezogenes) Vorhaben, die Philosophie des Werdens durch eine Philosophie des »perishing« zu ergänzen. Dieses Vorhaben ist mit wenig Verständnis aufgenommen worden; vgl. z.B. *J. R. Simmons*, An Antinomy of Perishing in Whitehead. Pers. 50, 1969, 564–566.

124 FRd, 27, vgl. 3 u. 29! (FR, 23, vgl. VII u. 25!)

125 FRd, 67 (FR, 66).

126 Vgl. FRd, 3, 27 (FR, VII, 23).

5. *Der Prozeß der Höherentwicklung der Empfindungen und die Überwindung der Trennung von Körper und Bewußtsein*

Auch einfache physische Empfindungen treten verbunden mit negativen Erfassensakten auf, d.h.: ein wirkliches Ereignis blendet Perspektiven seiner Vorgänger aus, es entläßt Möglichkeiten, wie Whitehead formuliert. Doch es kann *nicht beliebig* negieren und ausblenden: Die Daten, die seine Entstehensbedingungen darstellen, *muß* es empfinden, die Möglichkeiten, die das Datum dank seiner Entstehungsgeschichte mit sich führt, *kann* es empfinden oder ausblenden.

Bezüglich des *empfundenen Elements* liegt hierin der Unterschied zwischen wirklichem Ereignis und zeitlosem Objekt: »Bei dem einen handelt es sich um einen unabänderlichen Sachverhalt; das andere dagegen verliert niemals seinen ›Akzent‹ der Potentialität.«[127]

Bezüglich des *empfindenden Elements* unterscheidet Whitehead einen »physical pole« und einen »mental pole« eines *jeden* wirklichen Ereignisses: ein wirkliches Ereignis ist wesentlich *bipolar*[128]. Sein Werdeprozeß kann als Ausstehen eines Ausgleichs zwischen physischem und geistigem Pol, als Koordination von physischen und geistigen Empfindungen, als Ausbildung eines seinem zeitlosen Objekt entsprechenden wirklichen Ereignisses angesehen werden, wobei diese drei Momente des Ausgleichens, des Koordinierens und des Ausbildens einer Entsprechung nur drei Perspektiven auf ein und dasselbe Geschehen bezeichnen: das wirkliche Ereignis hinsichtlich seiner Verfassung, seines empfindenden Verhaltens und seines Gegenstandes (der eben es selbst, d.h. sein Auftreten in seiner wirklichen Welt ist).

Es ist von größter Wichtigkeit, zu beachten, daß Whitehead mit seinen oft befremdlich anmutenden Ausdrücken jeweils *verschiedene Konstellationen der Prozeßelemente* oder verschiedene Betrachtungshinsichten erfassen will. So ist z.B. die subjektive Form, die den Empfindungsprozeß steuert, *ohne* das Empfinden betrachtet, *nicht mehr* die subjektive Form, sondern ein komplexes zeitloses Objekt[129]. So ist das zeitlose Objekt, sofern es noch nicht in das wirkliche Ereignis eingetreten ist (womit es subjektive Form würde), aber als Bedingung des Auftretens des wirklichen Ereignisses schon vorhanden ist, der Begriff seiner wirklichen Welt. Die wirkliche Welt oder die Umgebung des wirklichen Ereignisses ist als Datum aufzufassen, sobald wir auf die »Abstraktion durch Objektivierung«[130] achten. Jede neue Gewichtung, jede neue Beachtung einer Interdependenz, eines Wechselverhältnisses im Prozeß, hat Konsequenzen für die Sprachregelung. Nur so werden Entwicklung und Bewegung wirklich *gedacht*.

In den wichtigsten und interessantesten Partien seiner Texte nötigt Whitehead den Leser immer wieder, *Übergänge zu denken*. Dabei wechseln

127 PR, 366 (PRc, 239, PRd, 438).
128 Vgl. PR, ebd.
129 Vgl. z.B. PR, 356 (PRc, 233, PRd, 426).
130 Vgl. z.B. PR, 309f. (PRc, 203, PRd, 377).

die Konstellationen zwischen wirklichen Ereignissen und zeitlosen Objekten, und um dies anzuzeigen, müssen auch die Ausdrücke wechseln. Der Löwe mag uns in der Wüste als »König der Tiere«, im Zoo als »Exemplar einer Tiergattung« oder, bei Aufhebung der uns von ihm trennenden Gitter, als »gefährliches Raubtier« erscheinen, das, erlegt und ausgestopft, zu einem »schönen Museumsstück« oder, in der Wüste verendet, ein »Fraß der Raubvögel« werden kann. Whiteheads Wendungen sind gewiß schwieriger imaginativ zu kontrollieren als solch ein Beispiel. Die Schwierigkeiten lassen sich aber sehr reduzieren, wenn man den vierphasigen Prozeß, der nur formal oder äußerlich betrachtet eine ›ewige Wiederkehr des Gleichen‹ ist, vor Augen behält und beachtet, welcher Übergang gerade Thema ist und *wo* unsere Betrachtung ihren Ausgang nahm[131] bzw. wohin sie führen soll.

Wir stehen im Augenblick beim Übergang von den empfundenen Daten zur Erfüllung, d.h. noch immer in der eigentlich »Prozeß« genannten Phase, in der die Entwicklung der Subjektivität statthat. Das subjektive Element wird in diesem Empfindungsprozeß zur vollen Darstellung seiner selbst, zur Erfüllung gelangen und dann (was jetzt außerhalb des Bereichs unserer Betrachtung liegt) durch seinen eigenen Empfindungsprozeß und durch das Empfinden anderer wirklicher Ereignisse objektiviert werden. Im Augenblick empfindet es noch selbst andere wirkliche Ereignisse, die von ihm, aber auch durch ihren eigenen (jetzt sozusagen auf der anderen Seite außerhalb des Bereichs unserer Betrachtung liegenden) Empfindungsprozeß objektiviert werden. Unser wirkliches Ereignis beginnt mit physischen Empfindungen. Diese Empfindungen reichen nicht aus, um die Verbindung von

131 Letzteres hat *R. Wiehl* in seinen sonst ausgezeichneten Überlegungen zu *Whiteheads* Darstellung des Prozesses nicht konsequent genug beachtet. Deshalb hat er vermerken müssen, *Whiteheads* »Schema der Logik des Werdens . . . entbehrt einer paradoxalen Struktur nicht«; Zeit und Zeitlosigkeit in der Philosophie A. N. Whiteheads, aaO., 385, vgl. ebd. Die Schwierigkeit läßt sich dann beheben, wenn wir, wie *Wiehl* es tut, festhalten, daß das werdende wirkliche Ereignis erst eine »Unterscheidung seiner selbst vom Anderen« (von den Daten, von seiner wirklichen Welt, von anderen wirklichen Ereignissen) wird, »indem es selbst allererst wird« (ebd., 397). Nun dürfen wir aber nicht hinzufügen, das werdende Ereignis habe »seinen Ursprung . . . in einer Welt von Ereignissen, der es selbst angehört, indem es eines von diesen *ist*« (ebd., Hervorhebg. von mir. Das Interpretationsproblem findet sich schon in *Wiehls* Dissertation, Der Begriff in den Anschauungsformen der Mittelbarkeit und Unmittelbarkeit, aaO., z.B. 107, auch 131; s. aber auch die 166f., Anm. 4 erreichte Klarheit). Das werdende Ereignis unterscheidet sich von den anderen Ereignissen, indem es diese synthetisiert, (auf *seine* Weise) *wie* diese wird. In der vollbrachten Synthese aber ist es eines *von* diesen *geworden*. Wir können *nun* nicht mehr davon sprechen, daß es *sich* unterscheide. Als objektiviertes Ereignis wird es *von andern* unterschieden, in anderen Werdeprozessen. Wird *diese* Veräußerlichung nicht gedacht (vgl. ebd., 400, aber auch die Andeutung 402), so kann nicht mehr konsistent von Endlichkeit und Neuheit der wirklichen Ereignisse gesprochen werden. Es droht dann die Gefahr der Vermischung von dem nur Konstellationsveränderungen erfahrenden Reich der zeitlosen Objekte mit dem wirklichen Universum. Nicht entschieden genug sehe ich diese Gefahr in *Wiehls* Whitehead-Interpretation gebannt, der ich mehr Aufschlüsse verdanke als anderen Beiträgen. Die auch bei *Whitehead* selbst offenen Folgeprobleme dieser Diskussion liegen in den Fragestellungen, die sich unter dem Thema »Subjektivität und Zeiterfahrung« andeuten lassen. Darauf sei hier – wie bei *Wiehl* (401f.) – nur hingewiesen.

wirklichen Ereignissen, die seine Daten darstellen, zu objektivieren, d.h. deren Objektivierung (auf eigene Weise) zu wiederholen. Unser wirkliches Ereignis, das die Perspektive seiner wirklichen Welt ausschöpfen will, gerät also in eine Spannung, die wir erstens durch seine beiden Pole darstellen (gleichsam als seine private Spannung), zweitens durch die Entwicklung komplexerer Empfindungen (als Darstellung seiner Spannung zu den nicht ohne weiteres zu integrierenden Daten). Die komplexeren Empfindungen bauen *zugleich* seine innere und seine äußere Spannung ab. Die Bipolarität kann als die innere Darstellung der äußeren Relationen oder diese können als der äußere Ausdruck für die interne Verfassung des wirklichen Ereignisses aufgefaßt werden. *Selbst- und Weltverhältnis* des wirklichen Ereignisses sind *kopräsent* und *kovariant*.

Die Entwicklung der komplexeren Empfindungen des wirklichen Ereignisses können wir als *Reaktion* auf seine einander entsprechenden äußeren und inneren Spannungen auffassen. Das wirkliche Ereignis wird dann als Reaktion auf die durch seine wirkliche Welt in ihm aufgebaute Spannung verstanden. Es empfindet also eine Spannungen aufbauende und selbst durch Spannungen aufgebaute Verbindung von Daten, eine komplexere wirkliche Welt, die *Kontraste* birgt. Das kontrastierende, partiell unvereinbare Elemente verbindende Element ist ein zeitloses Objekt[132]. Nun werden zeitlose Objekte per Definition durch den ›geistigen Pol‹, durch geistige Empfindungen empfunden. Aber sie treten eben für Ereignisse auf, die die – allerdings allen entwickelten Ereignissen eigene – Spannung von physischem und geistigem Pol erst entwickeln müssen[133]. Oder, so können wir auch sagen, sie objektivieren sich für ein physisches Empfinden durch ihre eigenen geistigen bzw. begrifflichen Empfindungen.

Dieses Auftreten von begrifflichen Empfindungen für physische Empfindungen[134], womit zugleich die Entwicklung von begrifflichem Empfinden im zunächst nur physisch empfindenden wirklichen Ereignis provoziert wird[135], ist für Whitehead ein entscheidendes und zentrales Element seiner Theorie. Hier werden alle Duale und Dualismen in *einem Übergang* aufgehoben. In dieser Darstellung des Übergangs von begrifflichen Empfindungen, die in physischen Empfindungen aufgenommen werden sollen und diese zur Veranlassung des Auftretens von begrifflichen Empfindungen veranlassen[136], glaubt Whitehead die *»verheerende Trennung« von Körper und Geist*, Leib und Seele aufgehoben zu haben, die für alle philosophischen

132 Vgl. Abschn. 1 dieses Teils.

133 Vgl. dazu PR, 379 (PRc, 248, PRd, 453).

134 *Whitehead* nennt das so auftretende Empfinden »hybrides physisches Empfinden«, vgl. PR, 376f. (PRc, 246, PRd, 450).

135 Dieses Empfinden, in dem physisch empfundene Daten in ein geistiges Empfinden integriert werden, wird als *Umwandlung* bezeichnet: »Umwandlung ist die Weise, in der die wirkliche Welt aufgrund der in ihr vorherrschenden Ordnung als eine Gemeinschaft empfunden wird.« (PR, 383, PRc, 251, PRd, 457f.) Vgl. PR, 382ff. (PRc, 250f., PRd, 456ff.).

136 Vgl. PR, 376 (PRc, 246, PRd, 449f.).

Systeme, die »in irgendeiner wichtigen Hinsicht vom Cartesianismus« abstammen, charakteristisch ist[137].

Ganz allgemein können wir das Auftreten des geistigen Pols als Reaktion des Subjekts auf seine physische Reaktion auf seine wirkliche Welt auffassen. Mit dieser Reaktion auf seine Reaktion tritt erst das Moment des Subjektiven in den Prozeß ein. Erst mit dem Auftreten des geistigen Pols wird das physische Empfinden als subjektive Reaktion, *als* Empfinden, als *subjektives* Element, als *sein* Empfinden identifiziert und qualifiziert. Das Subjekt stellt nun *seine* Kontinuität her, die zugleich die Einführung von Neuheit und die kreative Gestaltung der eigenen Entwicklungsgeschichte ausmacht[138].

Das subjektive Element treibt den *Kontrast* in der Kontinuität von Empfundenem und physischem Empfinden hervor[139]. Dieser Kontrast ist nicht weniger als der *Entwicklungsspielraum* des betrachteten wirklichen Ereignisses. Erst jetzt können wir davon sprechen, daß das Ereignis *sich* empfinde. Freilich empfindet es sich noch als weitgehend erst antizipiert. Die Entwicklung der Intellektualität setzt hier ein und ist gekoppelt mit dem *Offenhalten dieses Antizipationsspielraums.*

Da wirkliche Ereignisse (und auch die komplizierten Serien von Serien wirklicher Ereignisse, die wir sind) physisch empfinden, *sich* physisch empfinden und damit über sich selbst hinauswachsen und sich objektivieren *müssen,* ist es gar nicht leicht, den Antizipationsspielraum nicht einfach immer nur erneut zu öffnen (wobei er eigentlich nur immer neu geöffnet gesehen und ein veränderter, genaugenommen immer ein anderer würde), sondern ihn offenzu*halten.* Die Kraft, ihn offenzuhalten, ist die Kraft der *begrifflichen* Objektivierung, die Kraft der *Abstraktion*[140].

Ein Resultat der Integration von physischen und begrifflichen (oder geistigen) Empfindungen, selbst als Empfinden aufgefaßt, nennt Whitehead »*aussageartiges Empfinden*« (propositional feeling)[141]. Mit diesem Empfinden nähert sich das Ereignis seinem subjektiven Ziel, seiner Erfüllung. Zugleich können wir die aussageartigen Empfindungen als diejenigen Abstraktionen auffassen, die den Antizipationsspielraum der Subjektivität offenzuhalten vermögen.

137 PR, 376 (PRc, 246, PRd, 449), Hervorhebg. Vf. S. dazu *Wiehl,* Einleitung zu AId, 21ff., auch 59ff.; Hinweise und Belege für die Entwicklung seit PNK bei *Bendall,* The Naturalization of Whitehead's God, aaO., 370ff.

138 Vgl. bes. PR, 380f. (PRc, 248f., PRd, 453ff.).

139 Vgl. PR, 381 (PRc, 249, PRd, 455). S. dazu die Darstellung von *Pols,* Whitehead's Metaphysics, aaO., 39ff., aber auch 141f.

140 Vgl. PR, 388f. (PRc, 254, PRd, 464).

141 Vgl. PR, 391ff. (PRc, 256f., PRd, 467ff.), aber auch die vorläufige Darstellung PR, 280ff., bes. 299f. (PRc, 184ff., bes. 196f., PRd, 343ff., bes. 364f.). S. dazu die übersichtliche Zusammenfassung bei *S. E. Hooper,* Whitehead's Philosophy: The Higher Phases of Experience. Philosophy 21, 1946, 75–78.
Es sei hier auch auf *Whiteheads* wichtige späte Lehre von den »propositions« verwiesen: Analysis of Meaning. In: ESP, bes. 126ff. (ESPd, 40ff.); zuvor schon: Indication, Classes, Numbers, Validation. In: ESP, bes. 328ff., und die kritische Bemerkung zu PM, 331.

Diese Empfindungen *begrenzen* den Möglichkeitsbereich zeitloser Objekte[142] auf die empfundenen objektivierten wirklichen Ereignisse, und sie machen zugleich die empfundenen Ereignisse zu begrenzt variablen Elementen dieses Möglichkeitsbereichs[143]. Die Proposition ist so ein *Anreiz* zum Empfinden, zur Intensivierung, Kultivierung, Ausbreitung des Empfindens[144].

Die aussageartigen Empfindungen bilden einen *Imaginationsbereich* aus und stellen so einen Kontrast zu den physischen Empfindungen her; erst in diesem Kontrast tritt *Bewußtsein* auf[145]. Wir müssen uns nun nach Whiteheads Ansicht davor hüten, die Propositionen *nur* hinsichtlich ihrer Umsetzung in richtige und sprachlich artikulierte Informationen[146] zu betrachten bzw. das Bewußtsein nur in der Rolle der richtige von falschen Propositionen unterscheidenden Instanz zu sehen oder sehen zu wollen:

> »Die Tatsache, daß Aussagen (Propositionen, Vf.) zuerst im Zusammenhang mit der Logik untersucht wurden, sowie die moralische Voreingenommenheit für wahre Aussagen haben die Rolle von Aussagen in der wirklichen Welt verschleiert. Die Logiker untersuchen nur das Urteil über Aussagen. In der Tat gelingt es einigen Philosophen nicht, Aussagen von Urteilen zu unterscheiden; und die meisten Logiker betrachten Aussagen lediglich als Anhängsel an Urteile. Die Folge ist, daß falsche Aussagen ein böses Schicksal hatten, auf den Misthaufen geworfen und mißachtet wurden. Aber in der realen Welt ist der Reiz einer Aussage wichtiger als ihre Wahrheit. Die Bedeutung der Wahrheit besteht darin, daß sie noch zur Interessantheit hinzukommt.«[147]

Die wichtigste Aufgabe der aussageartigen Empfindungen können wir als »sinnvolle Welterweiterung« bezeichnen, indem sie ein bewußtes Empfinden dessen ermöglichen, »was sein könnte, aber nicht ist«[148]. Damit tritt zugleich auf hochintensive Weise Subjektivität auf; in extremer Weise transzendiert das subjektive Ziel die wirkliche Welt, in der und aus der der Prozeß hervorgeht, wobei ebenso richtig formuliert werden kann: In diesem Fall machen sich das subjektive Ziel und damit die Subjektivität dieses

142 Vgl. dazu Abschn. 1 dieses Teils.

143 Vgl. PR, 394f., 398f. (PRc, 258, 261, PRd, 470f., 475f.). Vgl. dazu auch *S. E. Hooper*, Whitehead's Philosophy: Propositions and Consciousness. Philosophy 20, 1945, bes. 63f. Zur Schwierigkeit, hier mit one-to-one relations zu arbeiten, s. *M. A. Greenman*, A Whiteheadian Analysis of Propositions and Facts. PPR 13, 1952–1953, 480ff.

144 Vgl. PR, 427 (PRc, 280, PRd, 509). Man könnte Propositionen als Konzentrationsbereiche des Empfindens bestimmen. *N. Lawrence*, Alfred North Whitehead: A Primer of his Philosophy, New York 1974, 124, hat vorgeschlagen, sie als »theories« aufzufassen, vgl. auch 124f. S. aber auch die heftige Kritik an *Whiteheads* Verwendung des Ausdrucks ›proposition‹ bei *Blyth*, Whitehead's Theory of Knowledge, aaO., 68ff.

145 Vgl. PR, 399, 402f., 407f. (PRc, 261, 263f., 266f., PRd, 476, 480f., 485f.). S. auch die Rede von »intellectual feelings«, PR, 523 (PRc, 344, PRd, 615).

146 Vgl. dazu PR, 403f. (PRc, 264f., PRd, 482).

147 PR, 395f. (PRc, 259, PRd, 472). Vgl. das Selbstzitat aus SMW in PR, 287 (PRc, 189, PRd, 351).

148 PR, 417 (PRc, 273, PRd, 497). S. auch die ausführlicheren Darstellungen bei *Topel*, Whiteheads Analyse des »Wirklichen Falles«, aaO., 91–104.

Prozesses in hohem Maße geltend, oder: in diesem Falle intensiviert der Empfindungsprozeß die Erfüllung, die den Höhepunkt des Prozesses darstellen wird, in besonders starker Weise. Denn die »Welterweiterung« ist zugleich eine Weltentfremdung und Selbstentfremdung, sie steigert die Spannung zwischen den Phasen des Prozesses und (was ja nur eine andere Perspektive auf das eine Ereignis ist) zwischen den Polen des Ereignisses. Solange die Spannung nicht zur Unvereinbarkeit gesteigert wird, worauf der Prozeß für *dieses* wirkliche Ereignis stagniert, können wir das »subjektive Ziel« als noch nicht erreicht, den Prozeß der Konkretion noch als in der Phase der Integration von Empfindungen begriffen betrachten. »Das subjektive Ziel strebt innerhalb eines allgemeinen Musters nach Weite für seine Kontraste.«[149] Die Erreichung dieses Ziels stellt für das wirkliche Ereignis seine Erfüllung (satisfaction) dar[150], die unterschiedliche Intensitätsgrade erreichen kann[151], aber weder von diesem wirklichen Ereignis überboten[152] noch auch nur bewußtgemacht werden kann[153]. »Mit der Konzeption des wirklichen Einzelwesens in seiner Erfüllungsphase hat das Einzelwesen seine Absonderung von anderen Dingen erreicht; es hat das Datum absorbiert und hat sich noch nicht in seinem Umschwung zu der ›Entscheidung‹ verloren, durch welche sein Streben ein Element in den Daten anderer Einzelwesen wird, die an seine Stelle treten. Die Zeit ist stehen geblieben – wenn das nur möglich wäre.«[154]

Dieses individuierte, gleichsam komplettierte wirkliche Ereignis könnten wir nun als Datum in einem *neuen* Konkretisierungsprozeß betrachten, der aber der Prozeß eines *anderen* wirklichen Ereignisses wäre. Dieser Prozeß könnte durchaus dem betrachteten ähneln, wäre aber so wenig identisch mit ihm, wie etwa eine wiederholte Betrachtung des Konkretisierungsprozesses oder eine wiederholte Lektüre dieser Beschreibung des Prozesses der ersten Betrachtung bzw. der soeben durchgeführten Lektüre entspräche.

Abstrahieren wir aber von der neuen Subjektivität des neuen Prozesses, betrachten wir nur das vollendete wirkliche Ereignis hinsichtlich seiner *Fähigkeit*, in andere wirkliche Ereignisse integriert zu werden, so haben wir das vor Augen, was Whiteheads *frühe* Werke untersuchten und vergeblich als *wirkliche Welt* zu verstehen suchten[155]: die von der Subjektivität getrennte Welt, den arretierten Prozeß, die eine abstrahierte Phase, den phy-

149 PR, 426 (PRc, 279, PRd, 508); vgl. PR, 37 (PRc, 24 u. 25, PRd, 68 u. 69).

150 Zur »Erfüllung« s. PR, 29, 38f., 71, 251f. (PRc, 19, 25f., 45, 166, PRd, 59, 70, 100, 310).

151 Vgl. PR, 127f. (PRc, 83, PRd, 166f.). S. dazu *Alexander*, Space, Time, and Deity, Bd. 2, aaO., 132ff.; allerdings spricht er statt von »satisfaction« von »enjoyment«.

152 Vgl. PR, 129 (PRc, 84, PRd, 168).

153 Vgl. PR, 130 (PRc, 85, PRd, 169).

154 PR, 233 (PRc, 154, PRd, 288f.); vgl. PR, 323 (PRc, 212, PRd, 392). Zur Vorstellung des gesunden Menschenverstandes von ›satisfaction‹ s. *M. Jordan*, New Shapes of Reality. Aspects of A. N. Whitehead's Philosophy, London 1968, 56f. Zum Problem von ›satisfaction‹ und ›objektiver Unsterblichkeit‹ s. Teil C, Abschn. 4 dieses Kap., aber auch *F. Cesselin*, La philosophie organique de Whitehead, Paris 1950, 38–41.

155 Vgl. Teil A dieses Kap., bes. die Abschn. 5 u. 6.

sischen Pol des wirklichen Ereignisses. Wie aber ist eine solche Abstraktion, eine solche Objektivierung der Welt möglich, ohne die Grundlagen der Organismus-Philosophie zugunsten einer neuen »Spaltung der Realität« preiszugeben?

6. *Die Abstraktion von der antizipierten Subjektivität und die Öffentlichkeit der Ordnung der Welt*

Will man einem Leser, dessen Denken von der frühneuzeitlichen Philosophie geprägt ist, einen eingängigen Überblick über die entscheidenden Partien von Whiteheads Hauptwerk verschaffen, so ist die Feststellung angebracht: Teil III von »Prozeß und Realität« (The Theory of Prehensions) betrachtet den universalen Prozeß, in dem jedes und alle wirklichen Ereignisse begriffen sind, hinsichtlich seines subjektiven Moments, als *res cogitans*. Teil IV des Hauptwerks (The Theory of Extension) betrachtet eben diesen Prozeß hinsichtlich seines objektiven Moments, als *res extensa*.

Wie jeder eingängige und kurze Überblick über komplexe philosophische Theorien ist aber diese Darstellung auch irreführend. Sie beraubt Whiteheads Denken geradezu seiner Pointe: daß im Prozeß ein und dasselbe Ereignis in *beiden* Gestalten auftritt, beide Momente aufweist. Whitehead bekämpft jede Form von Dualismus, indem er ihn radikal universalisiert[156]: Es gibt kein noch so elementares und universales Prozeßelement oder Moment eines Elements, das nicht zweipolig wäre und diese zwei Pole in einem Wechselverhältnis, das als inneres oder äußeres betrachtet werden kann, zum Ausgleich brächte[157].

Die Betrachtung des subjektiven Moments des Prozesses war also ebenso als eine Betrachtung der Synthetisierung und Integration der objektivierten Momente aufzufassen, nur waren wir nicht fähig, beides zugleich auszudrücken. Bisher hatten wir uns auf das subjektive Moment vornehmlich konzentriert, den Prozeß als »Konkretisierung« aufgefaßt. In diesem Prozeß war das subjektive Moment gerade als das nicht abgeschlossen vorausgesetzte, das werdende, im Prozeß antizipierte und zu realisierende Moment – aber damit auch als das den Prozeß prägende, lenkende und seinen Verlauf bestimmende Element anzusehen. (Die klare Fassung dieses Gedankens bringt übrigens die meisten Schwierigkeiten bei der Lektüre Whiteheads zum Verschwinden, erklärt seine wichtigste Kritik an den Theorien der philosophischen Tradition und an der Überschätzung der Leistungskraft der natürlichen Sprache[158].)

156 Zum Verhältnis von *Whitehead* und dem cartesischen Denken erhellend: *Leclerc*, Whitehead's Metaphysics, aaO., bes. 128f. u. 146f.

157 Zur Kritik dieser Grundverfassung von *Whiteheads* Theorie s. Teil C dieses Kapitels, Abschn. 6.

158 S. dazu präziser *Hegel*, Phänomenologie des Geistes, aaO., bes. die Kritik an der Fixierung auf den natürlichen Satz, 32f.; aber auch den Hinweis auf die »göttliche Natur« des

Wohl wäre es bequemer gewesen, sich das subjektive Moment *außerhalb* der objektivierten Daten *vorzustellen*, etwa wie ein Ereignis, zu dem von allen Seiten Menschen herbeiströmen, oder ein Magnet, der die Eisenspäne in seiner Umgebung anzieht. Doch Whitehead will festgehalten wissen, daß ohne wandernde Eisenspäne das Metallstück eben nicht Magnet und daß ohne die herbeiströmenden Menschen die Situation nicht zum Ereignis würde[159]. Das Ereignis wird also ebenso antizipiert und realisiert in und von allen sich in Bewegung setzenden Eisenspänen bzw. in den und von den herbeieilenden Menschen. Das, was wir eben noch als subjektives Moment betrachtet haben, ist also ebenso als objektiviertes Moment aufzufassen. Der Magnet ist ein wesentliches objektiviertes Ereignis im Prozeß des wirklichen Ereignisses, das die Bewegung eines Eisenspans auf diesen Magnet hin ausmacht. Doch damit haben wir eben entweder ein *anderes* wirkliches Ereignis betrachtet als das, was wir uns grob mit Hilfe z.B. eines Magneten illustriert hatten (z.B. einen magnetisch beeinflußten Eisenspan), oder aber wir betrachteten das Ereignis des Magneten in einer *anderen Perspektive*, als *Prozeß der »Transition«*[160].

Denn nun wird der von uns vorgestellte *objektivierte* Magnet ein Datum (oder genauer eine Mannigfaltigkeit von Daten) in vielen und für viele (wenn auch nicht für alle![161]) wirkliche Eisenspanereignisse. Es findet also eine gewisse *Aufteilung* des vormals als (subjektive) synthetisierende Einheit betrachteten, nun objektivierten Ereignisses statt. Diese Aufteilung des über sich hinausgewachsenen, in andere Ereignisse als Datum eingegangenen subjektiven Ereignisses betrachtet Teil IV von »Prozeß und Realität«. (Wobei unser Beispiel schön illustrieren kann, daß Entstehen und Vergehen von wirklichen Ereignissen *zugleich* erfolgen und kovariant sind. Schon *in* der Realisierung der Subjektivität des Magneten wird dieser zum Datum in anderen wirklichen Ereignissen[162].)

Nun läßt sich aber die Aufteilung und Objektivierung von wirklichen Ereignissen nicht begreiflich machen, ohne zu anderen (abstrahierenden, objektivierenden und subjektivierenden) Ereignissen überzugehen, d.h.: sie läßt sich überhaupt nicht als Aufteilung *dieses* Ereignisses explizieren. Eine Aufteilung der Subjektivität des Prozesses läßt diese unkenntlich werden,

»Sprechens«, z.B. 88f.; ferner *W. A. Christian*, Some Uses of Reason. In: *Leclerc*, 68ff. und die Konklusion 86.

159 Auch hier ist auf Verwandtschaften mit *Hegels* Denken hinzuweisen, vor allem auf dessen starke Kritik am »Räsonieren nach Gründen«.

160 Dazu übersichtlich und hilfreich *D. W. Sherburne*, A Key to Whitehead's »Process and Reality«, Bloomington 1971, 238f.

161 In *Whiteheads* Handexemplar von *Bradleys* Logik finden sich etliche handschriftliche Randbemerkungen, die indizieren, daß er dem Hegelianer vor allem an diesem Punkt leichtsinnige Verwechslungen, insgesamt zu sorglose Übergänge in der Verwendung von bestimmtem und unbestimmtem Artikel vorwarf.

162 In dieser Hinsicht kann der Prozeß durchaus als »Kreisbewegung« vorgestellt werden; vgl. *Wiehl*, Der Begriff in den Anschauungsformen der Mittelbarkeit und Unmittelbarkeit, aaO., 145.

zerstört sie. Whitehead löst dieses Problem, indem er das wirkliche Ereignis von seiner raumzeitlich ausgedehnten Region unterscheidet[163] und feststellt, daß wir *diese Region* als aufgeteilt und auf diese Weise das Hinauswachsen über die Subjektivität des wirklichen Ereignisses, seine Objektivierung, denken können. Allerdings: »Bei der Teilung des Gebiets lassen wir die subjektive Einheit außer acht, die einer solchen Teilung widerspricht. Aber das Gebiet ist nach alledem teilbar, auch wenn es seinem genetischen Wachstum nach ungeteilt ist.«[164]

Während also der Empfindungsprozeß, der die Subjektivität des wirklichen Ereignisses ausmacht, nicht zerteilt werden kann, ohne daß man entweder bewußt von *anderen* Prozessen spricht oder die Organismus-Philosophie aufgibt und sich ihrer Leistungskraft begibt, kann durchaus im Rahmen dieser Philosophie die von der Subjektivität, von der vollendeten Subjektivität in der erlangten Erfüllung integrierte wirkliche *Welt* als ein Bereich von Empfindungen betrachtet werden, der geteilt werden *könnte*[165]. Damit analysieren wir jedoch nur den *physischen Pol*[166]. Die Betrachtung des schlechthin unteilbaren *geistigen oder begrifflichen Pols* jenseits der subjektiven Erfüllung leistet der *Gott und Welt* gewidmete Teil V.

Will man die Komposition von Whiteheads Kosmologie durchschauen, so ist es wichtig, diese zwei Gestalten des Übergangs zur Betrachtung des transsubjektiven Prozeßelements zu beachten. Auf diesen doppelten Übergang gründet seine Überzeugung, nicht nur eine Theorie des Empfindens und der (physischen und bewußten, individuellen und sozialen) Subjektivität entwickelt zu haben, sondern auch die Integration von Naturwissenschaften *und* Religion in ein kohärentes Schema vollziehen zu können[167]. Einmal erfolgt die kontrollierte Abstraktion von dem die Einheit des Prozesses stiftenden Moment der Subjektivität, zum anderen wird die Aufbewahrung der Subjektivität ohne Kontinuitätsverlust im transsubjektiven Bereich dargestellt[168].

Ignoriert man die Einheit der Subjektivität, so scheint es zunächst kein anders als willkürlich festzulegendes Maß der Aufteilung des Bereichs des

163 Vgl. PR, 434 (PRc, 283, PRd, 513f.).

164 PR, 435 (PRc, 284, PRd, 514).

165 Vgl. PR, 435 (PRc, 284, PRd, 514). Von möglichen zerteilten Empfindungen dagegen können wir genaugenommen nicht sprechen, da wir damit die Einheit von Subjektivität und Empfindung auflösen würden.

166 Vgl. PR, 436 (PRc, 285, PRd, 516).
Da die Abstraktion vom ›mental pole‹ auch die Abstraktion von der *Individualität* bedeutet, haben wir nun einen »makroskopischen Prozeß« (vgl. *Sherburne*, A Key to Whitehead's »Process and Reality«, aaO., 238f.) vor Augen. Den Prozeß der Konkretisierung dagegen bezeichnet *Whitehead* als »mikroskopischen Prozeß«, wobei dieser Ausdruck, obwohl er die Tendenz zur verschwindenden Subjektivität schön verbildlicht, irreführend ist, da er die Vorstellung der *absoluten* Punktualität aller Ereignisse pflegt.

167 Vgl. PR, 23 (PRc, 15, PRd, 53).

168 S. Teil C dieses Kap. Vgl. dazu auch die allerdings nur schwach von *Whiteheads* Denken inspirierte Darstellung der »Überwindung« von Subjektivität bei *H.-G. Holl*, Subjekt und Rationalität. Eine Studie zu A. N. Whitehead und Th. W. Adorno (Diss.), Frankfurt 1975, 87ff.

wirklichen Ereignisses zu geben. »Mit anderen Worten: Genau wie eine atomistische Wirklichkeit für einige Zwecke so behandelt werden kann, als handele es sich um viele koordinierte Wirklichkeiten, kann ein Nexus von vielen Wirklichkeiten für andere Zwecke auch so behandelt werden, als sei er *eine* Wirklichkeit. So verfahren wir gewöhnlich im Falle der Lebensspanne eines Moleküls, eines Felsstücks oder eines menschlichen Körpers.«[169]

Analog jedoch zu einer Betrachtung der Verbindung von Erfassensakten – aber ohne bestimmen und deutlich machen zu können, *was* vermittelt wird[170] – läßt sich ein Schema der Verbindungen von Extensionen entwikkeln, mit dessen Hilfe »die physische Welt zutreffend als eine Gemeinschaft beschrieben wird«[171]. Allerdings ignoriert diese Betrachtung die Beschaffenheit der Natur als Komplex von Serien wirklicher Ereignisse, die die Charaktere von Subjektivität aufweisen:

»Die Vorstellung von der Natur als einer organischen ausgedehnten Gemeinschaft läßt den gleichermaßen wichtigen Gesichtspunkt außer acht, daß die Natur niemals vollständig ist. Sie geht immer über sich selbst hinaus. Das ist das kreative Fortschreiten der Natur.«[172] Die Grundlegung der Naturwissenschaften ist also mit einer Verdrängung des Charakters der Subjektivität des Betrachteten und Betrachtenden verbunden[173]. Die Welt wird nur betrachtet, *als ob* sie Einheitssinne aufwiese, obwohl sie tatsächlich durch und durch voller einheitsstiftender Subjektivität ist.

Die abstrakte, hypothetische und also gar nicht *in jeder Hinsicht* so exakte[174] Betrachtungsweise der Naturwissenschaft ist aber andererseits über die Partikularität und Individualität der wirklichen Ereignisse erhaben. Sie hat nur einen unzureichenden und unscharfen Begriff von Einheit, kann aber dafür Ereignisserien und Ereignisensembles auf eine zugriffsstarke und zügige Weise zu ›Einheiten‹ zusammenfassen, die der gesunde Menschenverstand oder das sensiblere Denken in der Regel nicht erreichen. Ebenso kann sie Einheiten in einer Weise auflösen, die der natürlichen Betrachtung zunächst als sinnlose Destruktion erscheinen muß, bis sie dann mit neuen, unerwarteten Synthesen überrascht und vielleicht auch beschwichtigt wird.

Man kann sagen, daß die Untersuchung des Werdeprozesses des wirklichen Ereignisses nach Whiteheads Überzeugung ein Paradigma für das Vorgehen der Geisteswissenschaften darstellt[175], daß dagegen das naturwissenschaftliche Denken die Funktion der zeitlosen Objekte in jenem Wer-

169 PR, 439 (PRc, 287, PRd, 519).
170 Vgl. PR, 441 (PRc, 288, PRd, 521).
171 PR, 442 (PRc, 288, PRd, 522).
172 PR, 443 (PRc, 289, PRd, 523).
173 Vgl. auch PR, 447 (PRc, 292, PRd, 528).
174 Vgl. Teil A, Abschn. 1 dieses Kap.
175 Vor allem in AI hat *Whitehead* Applikationsleistungen seiner Theorie vor Augen geführt, s. dazu Teil C dieses Kap., Abschn. 5. Vgl. auch *W. Morgan*, The Organization of a Story and a Tale, aaO., und Anm. 81 dieses Teils.

deprozeß zu erfassen und zu imitieren versucht[176]. Ohne jede Partizipation am wirklichen Prozeß wäre das naturwissenschaftliche Denken allenfalls so fruchtbar wie mathematische Operationen, für die wir noch keinen Applikationsbereich haben, und ohne Bezug auf das Reich der zeitlosen Objekte würde eine Beschreibung des Prozesses in einer dem Zungenreden verwandten Privatsprache verbleiben.

Whitehead versucht nun, ein Bindeglied zwischen natur- und geisteswissenschaftlicher Betrachtungsweise der Welt herzustellen, indem er auf die Transformation von Subjektivität in exkludierende und inkludierende Ausdehnung aufmerksam macht[177]. Es ist dies der vielleicht am wenigsten befriedigend ausgearbeitete, zugleich aber einer der aussichtsreichsten Gesichtspunkte dieser kosmologischen Theorie[178]. Den gegenläufigen Übergang – von Bereichskontakten zu Subjektivität – beschreibt Whitehead mit Hilfe einer Verbindung seiner Abstraktionstheorie[179] mit der Darstellung des Konkretionsprozesses. Der Synthetisierungsprozeß, in dem Subjektivität auftritt, ist gleichermaßen ein Vereinfachungs- und Abstraktionsprozeß, der zugleich auf das wirkliche Ereignis wie auf seine Welt gerichtet vorgestellt werden kann[180]. Doch zugleich ist er ein Extension, Nexus und relative Dauer herstellender Prozeß, in dem die Individualität der beteiligten wirklichen Ereignisse durch negatives Erfassen unterdrückt oder vernachlässigt wird[181]: »Wenn also Bergson die ›Verräumlichung‹ der Welt einer durch den Intellekt eingeführten Verzerrung zuschreibt, so befindet er sich im Irrtum. Diese Verräumlichung ist ein realer Faktor in der physischen Beschaffenheit jedes wirklichen Ereignisses, das zur Lebensgeschichte eines dauerhaften physischen Gegenstandes gehört . . . Die Realität der Ruhe und der Bewegung dauerhafter physischer Gegenstände beruht auf dieser Verräumlichung für Ereignisse auf deren historischen Wegen.«[182]

Die so auftretende, so hergestellte und dargestellte Welt der Individualität ist die Bedingung der Möglichkeit der Naturwissenschaften. Die Wahrnehmung dieser Welt hat Whitehead als Wahrnehmung »in der Weise der vergegenwärtigenden Unmittelbarkeit«[183] bezeichnet: In ihr ist sowohl das Höchstmaß von konkreter Selbstvergessenheit der Subjektivität[184] als auch der subjektive Ausgangspunkt naturwissenschaftlicher Betrachtung der

176 Vgl. PR, 447 (PRc, 292, PRd, 529).
177 Vgl. PR, 470f. (PRc, 308f., PRd, 555ff.).
178 Vgl. dagegen die naive Kritik des gesunden Menschenverstandes PR, 474ff. (PRc, 311f., PRd, 561ff.).
179 Vgl. Teil A, Abschn. 6 dieses Kap.
180 Vgl. PR, 479f. (PRc, 314f., PRd, 566ff.); ferner *I. Leclerc*, Form and Actuality. In: *Leclerc*, 182ff.
181 Vgl. PR, 483f., 485f. (PRc, 317f., 318f., PRd, 571ff., 574f.).
182 PR, 489f. (PRc, 321, PRd, 579).
183 Am eingängigsten stellt diese Wahrnehmungsweise dar: S, z.B. 16f., 57f., 78ff.; s. auch die Belege und ihre Erläuterung bei *P. F. Schmidt*, Perception and Cosmology in Whitehead's Philosophy, New Brunswick 1967, 134ff.
184 Vgl. PR, 498 (PRc, 326f., PRd, 588).

Welt zu erkennen[185]. Das Maß der Erschließung dieser Welt ist jedoch die (allerdings nicht nur und vielleicht nur zu einem sehr geringen Teil die bewußte[186]) gestaltete Subjektivität bzw. die Verbindung und relative Wiederholung von Subjektivität in »Gesellschaften« (wobei ebenfalls nicht nur und vielleicht nur zu einem geringen Teil menschliche Gesellschaften dominieren). Diejenige Definition »ist die für die jeweilige kosmische Epoche wichtige Definition«, die die Beschaffenheit dominierender, mit hochgradig ähnlichen und in weitreichenden Verwandtschaften auftretender wirklicher Ereignisse berücksichtigt. Die Erschließung der Welt durch »Messung ist ein systematisches Verfahren, das von den dominierenden Gesellschaften der kosmischen Epoche abhängt.«[187] Die am weitesten verbreiteten und am längsten hochgradig ähnliche Nachfolgeereignisse aufweisenden Prozeßelemente sind die – zu entdeckenden – besten Maße aller Dinge.

Die in solchen Entdeckungsprozessen erfolgende ›Vermessung‹ der Welt gehört zu den Selbstverständlichkeiten unserer Zeit. In einer Ausbildung universalen Konsenses (der aber nicht nach dem schlichten Modell des Vertragsabschlusses, sondern als Entdeckungsprozeß des universalen Maßes vorzustellen ist) erfolgt die Erstellung und Veröffentlichung der Ordnung der Welt. Der Prozeß der Perfektionierung der Messung und der der Veröffentlichung der Ordnung der Welt ist in nur sehr begrenzter Weise verheißungsvoll. Er führt zu einer immer perfekteren Enthüllung einer Welt, der es fehlt »an allen Elementen, die die subjektive Form begründen, wobei dies emotionale, genießende und zwecksetzende Elemente wären«[188]. Es ist dies vermutlich eine Welt, für die eine so diskontinuierliche Subjektivität, wie die menschliche es ist, nur ein Risiko und eine Last darstellt. Die Ausschöpfung der Möglichkeiten, leicht meßbare Ordnungszustände zu generieren, könnte selbst eine extreme Anpassungsleistungen erbringende Menschheit noch gefährden. Einer *fortgesetzten Reduktion der Privatheit der Natur* – die nur zum Teil und ungenau mit dem eingängigen Ausdruck »Naturzerstörung« erfaßt wird – könnten schon in relativ frühen Stadien so komplizierte Organismen wie die menschlichen zum Opfer fallen.

Aber die naturwissenschaftliche, nur Schemen der Subjektivität verwendende Betrachtung und Organisation der Welt ist nicht der Höhepunkt und schon gar nicht das letzte Wort von Whiteheads Kosmologie.

185 Vgl. PR, 498 (PRc, 327, PRd, 589f.).

186 *Bendall*, The Naturalization of Whitehead's God, aaO., 534f.

187 PR, 506 (PRc, 332, PRd, 597). Zum Verhältnis von »order and society« s. *Leclerc*, Whitehead's Metaphysics, aaO., 213–217.

188 PR, 498 (PRc, 327, PRd, 588). Bei der Reflexion auf die Bedingungen der Möglichkeit, diese Elemente wieder verstärkt einzubringen (s. den Gedanken der »ästhetischen Wahrnehmung der Natur« in *T. Koch*, Der Leib und die Natur. Zum christlichen Naturverhältnis. NZSTh 20, 1978, 294–316, bes. 310ff.), könnte *Whiteheads* Theorie noch eingehender konsultiert werden. Selbst die besten Beiträge (z.B. *J. B. Cobb*, Der Preis des Fortschritts. Umweltschutz als Problem der Sozialethik, München 1972, 144ff., aber auch die relativ unbestimmten Empfehlungen, bes. 163f., und *Cobb* u. *Griffin*, Prozess-Theologie, aaO., die Kap. 4 u. 9) schöpfen *Whiteheads* Theoriepotential keineswegs aus.

Teil C

Gott und die objektive Unsterblichkeit

1. *Die Unabtrennbarkeit des universalen Prozesses von Gott: Gott als Prinzip des Konkretwerdens*

Der fünfte und letzte Teil von »Prozeß und Realität« bietet im wesentlichen Reflexionen über einen Gottesbegriff, über die Verbindung von Whiteheads Gott mit dem Universum und über das Problem der Vermittlung von Dauer und Fluß, Beständigkeit und Wandel[1]. Doch auch hier gilt das, was wir im Blick auf die anderen Teile des Werkes festgehalten haben, uneingeschränkt: Jeder Teil stellt den einen universalen Prozeß dar. Es wechseln lediglich die die Darstellung begleitenden Interessen und Perspektiven. So wie der erste Teil die Ausdrücke und Grundgedanken zur Darstellung des Prozesses einführt, der zweite Teil diese Darstellung des universalen Prozesses, diesen Typ von Kosmologie, in Dialogen mit der Tradition zu rechtfertigen und seine Fruchtbarkeit durch die Wahl verschiedener Aspekte unter Beweis zu stellen sucht, so wie der dritte Teil den Prozeß hinsichtlich seines Charakters einer res cogitans, der vierte den Prozeß bezüglich seines Charakters einer res extensa betrachtet – so stellt ihn der letzte Teil hinsichtlich seiner Verbindung mit Gott dar[2].

Dieser Teil bringt also keineswegs einen grundsätzlich und fundamental neuen Sachverhalt ein. Er stellt weder einen unerwarteten religiösen Höhepunkt noch einen – gar entbehrlichen – frommen Anhang dar. Man muß vielmehr sagen, daß Whiteheads reife Kosmologie durchgängig und beständig begleitet wird von kurzen oder ausführlichen Hinweisen auf einen mit dem universalen Prozeß auf unabtrennbare Weise verbundenen Gott. Diese Hinweise nimmt der letzte Teil auf. Sie werden dort zusammengestellt und ergänzt, erweitert, illustriert und in mancher Hinsicht verbessert. Aber grundsätzlich gilt, daß ein Gottesgedanke alle kosmologischen Überlegungen Alfred North Whiteheads begleitet. »An Stelle von Aristoteles' Gott als Erstem Beweger brauchen wir Gott als *Prinzip des Konkretwerdens*«, formuliert schon »Science and the Modern World«[3]. Die reife Kosmologie präzisiert diesen Gedanken.

In der Tat: Whitehead *braucht* einen Gottesgedanken als Prinzip des Konkretwerdens. Wer die Entwicklung seiner kosmologischen Theorie und ihre Schwierigkeiten kennt, der sieht, daß Whitehead auf die Einführung

1 Die Standarddarstellung hierzu bietet *Christian*, An Interpretation of Whitehead's Metaphysics, aaO., Teil 3, 283ff.

2 Vgl. aber zur Präzisierung den Anfang des Abschn. 6 von Kap. II, Teil B.

3 SMWd, 226 (SMW, 208). S. dazu die guten Erläuterungen von *A. E. Taylor*, Dr. Whitehead's Philosophy of Religion. DublR 181, 1927, 31ff.

eines universal sich zur Geltung bringenden Prinzips des Konkretwerdens nicht verzichten kann. Man mag mit Philosophen und Theologen darüber streiten, ob er gut daran tat, dieses Prinzip »Gott« zu nennen[4], aber man kann nicht behaupten, daß seine kosmologische Theorie auch ohne dieses Prinzip konsistent sei.

Um den Zwang, unter dem Whitehead den Gottesgedanken einführt, deutlich erkennbar werden zu lassen, müssen wir hier an den ersten Teil unserer Darstellung erinnern. Dort hatte sich gezeigt, daß Whitehead mit großer Konsequenz über Jahrzehnte hin Schritt für Schritt eine kosmologische Theorie auszubilden suchte. Es hatte sich aber auch gezeigt, daß diese Theorie in ein höchst kritisches Stadium geriet, in dem sie keine überzeugenden Kriterien mehr vorzuweisen hatte, um verschiedene Darstellungen der Welt hinsichtlich ihres Ranges und ihrer Geltung voneinander zu unterscheiden und einander zuzuordnen. Grundlegend für dieses Problem war die andere ungelöste Schwierigkeit, daß Whitehead es nicht vermochte, die Theorie der Welt von der »wirklichen« Welt ohne Willkür und deutlich zu unterscheiden. Statt vor einer wohlkomponierten Kosmologie standen wir vor einem diffusen Ensemble von *latenten* Ordnungszuständen[5].

Mit zwei Schritten, so stellten wir fest, hat Whitehead diesen unbefriedigenden Zustand bekämpft. Er hat einmal eine Methode entwickelt, die die Prozesse des Gewinns von objektiver Klarheit und subjektiver Bestimmtheit zu erhellen und kontrolliert zu vollziehen erlaubt. Unter manchen Umbenennungen und auf kunstvolle Weise hat er dann diese verbindende und zugleich reduzierende Tätigkeit plastischer, weniger mechanisch und technisch, gefaßt und in seine Theorie des universalen Prozesses eingefügt. Doch mit Hilfe der verbindenden und reduzierenden Tätigkeit allein konnte Whitehead nicht überzeugend deutlich machen, warum es Bestimmteres und Unbestimmteres, Klareres und Unklareres, Wesentlicheres und Unwesentlicheres[6] in der Welt gibt, elaboriertere Ordnungszustände und scharf formulierte und vielleicht zudem fruchtbare Theorien sowie Auflösung, Diffusion, laxe Verbindungen und vage Meinungen.

In einem zweiten Schritt hatte die frühe Theorie, allerdings mit dem beiläufigen Eingeständnis von Willkür[7], hier verschiedene Typen von Objekten eingeführt, die als Elementarbestandteile verschiedener Ordnungszustände gelten sollten. Diese Notlösung zur Begrenzung der (abstrahierenden) Objektivierungs- und der (subjektiven) Konkretisierungsprozesse hatte sich jedoch nicht bewährt. Es sprach nämlich nichts gegen die Einfüh-

4 Vgl. *Wiehl*, Der Begriff in den Anschauungsformen der Mittelbarkeit und Unmittelbarkeit, aaO., 127. S. auch *M. J. Kerlin*, »Where God Comes in« for Alfred North Whitehead. Thom. 36, 1972, 115.

5 Vgl. Teil A dieses Kap., die Abschn. 4 u. 5.

6 Vgl. dazu die Kritik von *Wiehl*, Der Begriff in den Anschauungsformen der Mittelbarkeit und Unmittelbarkeit, aaO., bes. 155; ferner *N. Rotenstreich*, On Whitehead's Theory of Propositions. RMet 5, 1952, 395.

7 Vgl. Teil A, Abschn. 2 dieses Kap.

rung zahlloser Objekttypen mit je verschiedenen Folgen für Natur, Dauer, Reichweite des Prozesses.

Whitehead hat schließlich die Anzahl der fundamentalen Entitäten auf zwei (die dauernden zeitlosen Objekte und die vergehenden wirklichen Ereignisse) reduziert und die Regulierung des Prozesses zur Aufgabe Gottes erklärt. Nach der reifen Theorie ist, wie wir sehen werden, Gott die Bedingung der relativen Endlichkeit des Prozesses und die Bedingung der Überwindung der Endlichkeit. Gott setzt die *Ordnung*, innerhalb derer der Prozeß verläuft, und Gott ist die Ermöglichung des *Neuen*, das den Prozeß voranbringt und über sich hinaustreibt.

Es ist Gott, der jedem wirklichen Ereignis seine wirkliche Welt bestimmt und damit seinen Entwicklungsbereich und seine Horizonte vorgibt[8].

Es ist Gott – um denselben Sachverhalt in einer anderen Perspektive zu formulieren –, der die relative Bedeutung der zeitlosen Objekte für ein wirkliches Ereignis bestimmt, damit dessen Konkretisierungsprozeß steuernd[9].

Es ist Gott, der damit jedem wirklichen Ereignis sein Maß setzt, seinen Ort in seiner Welt zuweist, seine Umgebung und seine Kapazität, seine Grenzen und seine Kraft festlegt, die Möglichkeiten innerhalb dieser Grenzen auszuschöpfen.

Es ist Gott, so könnten wir im Blick auf die komplizierten Verbindungen von Serien wirklicher Ereignisse, die die Menschen sind, folgern, der diese an die Grenzen des Leibes, an die begrenzte Dauer des menschlichen Lebens und an eine mehr oder minder imponierend groß oder weit erscheinende raumzeitliche Region des Universums bindet.

Es ist aber auch Gott, der jedem wirklichen Ereignis ein sehnsüchtiges Streben nach Konkretisierung, nach Realisierung seiner Individualität eingibt und der es lenkt[10].

Es ist Gott, der einen kreativen Fortschritt auf das subjektive Ziel eines jeden wirklichen Ereignisses hin stimuliert, der den Anreiz der Entwicklung höherer Empfindungen schafft und die Geschöpfe so zur Steigerung der Ausschöpfung ihres Entwicklungsspielraums veranlaßt[11].

8 S. auch *Christian*, An Interpretation of Whitehead's Metaphysics, aaO., 302ff.

9 Zu diesem in der Literatur unzureichend erörterten Aspekt s. *Ch. Hartshorne*, Whitehead's Idea of God. In: *Schilpp*, 555ff.; aber auch *St. L. Ely*, The Religious Availability of Whitehead's God. A Critical Analysis, Madison 1942, 25ff. Der genannte Mangel ist auf die Schwierigkeit zurückzuführen, die Funktion komplexer zeitloser Objekte im Konkretionsprozeß zu bestimmen. Paradigmatisch für diese Schwäche ist die sonst gute Zusammenfassung von *A. Shimony*, Quantum Physics and the Philosophy of Whitehead. In: Philosophy in America, hg. *M. Black*, 2. Aufl., Ithaca 1967, 242.

10 S. dazu *D. J. Moxley*, The Conception of God in the Philosophy of Whitehead. PAS 34, 1933–1934, 169ff.; zum Problem der Unbestimmtheit des von *Moxley* durchgehend verwendeten Ausdrucks ›creativity‹ s. Abschn. 6 dieses Teils, auch Anm. 154.

11 *Wiehl*, Der Begriff in den Anschauungsformen der Mittelbarkeit und Unmittelbarkeit, aaO., 168–170, hat bemerkt, daß Gott nur die *Bedingungen* des Werdens der wirklichen Ereignisse, nicht aber das »tätige Prinzip« selbst bereitstellt; er hat dabei allerdings von *White-*

Es ist schließlich auch Gott – und damit tritt ein neuer Gesichtspunkt in die Betrachtung des universalen Prozesses ein –, der die über sich selbst hinausgetriebenen, zur Erfüllung gelangten und untergegangenen wirklichen Ereignisse aufbewahrt[12].

Dieses Moment der *empfangenden Aktivität Gottes* ist es, das die *objektive Unsterblichkeit* der wirklichen Ereignisse gewährleistet. Gottes Teilnahme auch an der letzten Phase des universalen Prozesses, des Prozesses der Konkretisierung, der in den Prozeß der Transition übergeht, gewährleistet, daß die wirklichen Ereignisse eine Identität wahren auch in und nach ihrem Untergehen, in und nach ihrer Objektivierung, in und nach ihrem Eingehen in *andere* Konkretisierungsprozesse. Keine einzige Phase des Prozesses ist also unabhängig von einem Gott gedacht, dessen genauere Beschaffenheit und dessen enge Verflochtenheit mit dem universalen Prozeß nun darzustellen ist.

2. *Die Verbindung von Gott und verwirklichbarer Welt. Gottes erste, ordnende, das Streben nach Neuem lenkende Natur*

Der Konkretisierungsprozeß der wirklichen Ereignisse, die Konkretion ihrer jeweiligen wirklichen Welt, der universale Prozeß, in dem alle wirklichen Ereignisse in ihren relativen wirklichen Welten stattfinden, läßt sich ohne Gott nicht begreiflich machen.

Diese Überzeugung vertritt Whiteheads reife Kosmologie. Allerdings verändert sich die Weise, in der Whitehead den Gottesgedanken einführt, um den bestimmten Verlauf des universalen Prozesses begreiflich zu machen, in den Jahren zwischen 1925 und 1929 stark.

1925, in »Science and the Modern World«, ist Gott der letzte, selbst unbegreifliche Garant einer Ordnung, die den Gang der Ereignisse bestimmt. Mit dem Hinweis auf Gott soll das sonst Unerklärliche erklärt werden, »daß der Verlauf der Ereignisse sich inmitten einer vorhergehenden Begrenzung entwickle«[13]. Gott wird als letzte Begrenzung eingeführt, für die kein weiterer Grund angegeben werden kann, als ein Prinzip, »das durch die abstrakte Vernunft nicht zu entdecken ist«[14].

heads Theorie des wesentlich *erfassenden* Gottes abstrahiert. S. dazu *L. S. Ford*, Is Process Theism Compatible with Relativity Theory? JR 48, 1968, bes. 132ff.; und in unserem Zusammenhang bes. *L. S. Ford* u. *M. Suchocki*, A Whiteheadian Reflection on Subjective Immortality. ProcSt 7, 1977, 10f.

12 Auf *B. Russell* als Urheber des Ausdrucks »immortality of the past« verweist *M. Capek*, Bergson and Modern Physics. A Reinterpretation and Re-evaluation, Dordrecht 1971, 153f.

13 SMWd, 231f. (SMW, 212f.).

14 SMWd, 232 (SMW, 213). Vgl. ebd. Dieses Prinzip, das für einfache apologetische Strategien attraktiv erscheinen mag (s. Kap. III, Teil A, Abschn. 2), sollte nicht als »Whiteheads Gottesgedanke« ausgegeben werden. Vgl. jedoch *A. Lichtigfeld*, Jaspers und Whitehead: Eine vergleichende Untersuchung ihrer philosophischen Grundbegriffe. PhN 8, 1964, 301. Den stärksten Verteidigungsversuch bietet *Hartshorne*, Whitehead's Idea of God, aaO., 550ff.

Wäre Whitehead bei diesem Gottesgedanken geblieben, so hätte er damit schwerlich größere Aufmerksamkeit der Theologie erringen können; dieser Gedanke ist zu undifferenziert und auf zu offensichtliche Weise eine Verlegenheitslösung:

»Gott ist die letzte Begrenzung und Seine Existenz ist die letzte Irrationalität. Denn es kann kein Grund gerade für *die* Begrenzung gegeben sein, die zu setzen in Seiner Natur liegt. Gott ist nicht konkret, aber er ist der Grund der konkreten Wirklichkeit. Für das Wesen Gottes kann keine vernunftgemäße Erklärung gegeben werden, weil dieses Wesen selbst die Grundlage aller Vernunftmäßigkeit ist.«[15]

Diese Situation verändert sich schon Anfang 1926. Die im Februar gehaltenen und bald darauf unter dem Titel »Religion in the Making«[16] veröffentlichten Vorlesungen beginnen mit der Entwicklung eines differenzierten Gottesgedankens, indem sie die *Verbundenheit* Gottes mit dem Universum und seine Stellung im universalen Prozeß strenger reflektieren.

Gott muß als der Grund für den Eintritt der zeitlosen Objekte in den bestimmten Prozeß der zeitlichen Welt aufgefaßt werden, der eben durch diesen Eintritt Bestimmtheit erhält[17]. Gott ist nicht einfach mit der Welt zu identifizieren, wohl aber ist er die Bedingung für jeden schöpferischen Akt[18] und damit Bedingung für das Stattfinden der Konkretionsprozesse, die die Welt ausmachen. Ohne Gott wäre das Reich der zeitlosen Objekte, das Reich der idealen Formen, wie Whitehead hier auch formuliert[19], im Dissoziationszustand, also ein chaotischer, nicht den Namen »Reich« verdienender Aggregatzustand, selbst ungefügt und auch keine Bedingung möglicher Erfahrung. Gott aber ist die Ordnung, ja, die Wohlordnung dieses Reiches, das wohlgeordnete Reich ist Gott selbst. Tatsächlich identifiziert Whitehead in »Religion in the Making« dieses Reich, Gottes »ideale Welt«, nicht nur mit dem »Himmelreich«, sondern auch mit Gott selbst[20]:

15 SMWd, 232 (SMW, 213). Daß die weiteren Schriften die Funktion Gottes als »Grund der Rationalität« nicht ausschließen, betont *L. S. Ford*, The Viability of Whitehead's God for Christian Theology. PACPA 44, 1970, 147; s. auch die positivere bzw. mildere Darstellung bei *J. B. Cobb*, A Christian Natural Theology. Based on the Thought of Alfred North Whitehead, Philadelphia 1965, 137–143.

16 Vgl. Religion in the Making, New York 1960 (RM), 7. Zur Notwendigkeit der Erläuterung des Kapitels »God« von SMW durch die späteren Texte s. auch *Lawrence*, Alfred North Whitehead: A Primer of his Philosophy, aaO., 171f.; s. auch die Animosität gegen *Whiteheads* Denken erkennen lassenden Bemerkungen zum Verhältnis der Gottesgedanken von SMW und PR, die RM überspringen, bei *Ely*, The Religious Availability of Whitehead's God, aaO., 12f.; dagegen *Whiteheads* Denken – auch schon in SMW – als theologisch akzeptabel, ja, schließlich als Theologie darstellend *W. Jung*, Zur Entwicklung von Whiteheads Gottesbegriff. ZPhF 19, 1965, bes. 609, 627ff.

17 Vgl. RM, 146; auch *A. Parmentier*, Whitehead et la découverte de l'existence de Dieu. RThPh 5, 1969, 315.

18 Vgl. RM, 148.

19 Vgl. RM, 148.

20 Vgl. RM, 148. S. auch die Darstellung der Funktion Gottes nach RM bei *Cobb*, A Christian Natural Theology, aaO., bes. 147–150.

»This ideal world of conceptual harmonization is merely a description of God himself. Thus the nature of God is the complete conceptual realization of the realm of ideal forms. The kingdom of heaven is God.«[21]

Da er sich hinsichtlich dieser Identifizierungen auch auf den christlichen Glauben beruft[22], werden wir mit ihm an diesem Punkt noch in eine Auseinandersetzung eintreten müssen[23].

Die begriffliche Harmonisierung, die das Reich der idealen Formen ausmacht, bestimmt, antizipiert und realisiert auch die Ordnungszustände in der wirklichen Welt. Whitehead kann 1926 sogar Gott als die einzige vollkommen bestimmte Entität in der Welt bezeichnen[24]. Dieses Auftreten des Reichs in der wirklichen Welt dient zugleich – auf eine wenig erhellte Weise[25] – der Überwindung des Bösen durch das Gute. Dunkel formuliert Whitehead: »Every event *on its finer side* introduces God into the world.«[26]

Der Prozeß der Überwindung des Bösen bleibt unklar, der Aspekt des *Rettenden* in Whiteheads Gottesgedanken, den er in »Prozeß und Realität« mit dem Gedanken einer *zweiten Natur* betonen wird, ist hier nur angedeutet[27].

Ausführlicher dagegen artikuliert Whitehead die schöpferische und ordnende Funktion seines Gottes. Die wirkliche Welt, jedes Geschöpf, jedes wirkliche Ereignis wäre nicht ohne Gott[28], die Welt ist nur wirklich, weil es Ordnungszustände gibt, die im Reich der idealen Formen konzipiert und durch ihre bestimmte Konzeption realisiert werden[29]. Die ausstehende volle Realisierung des Reiches wird aber von Gott ebenso antizipiert wie die partiellen Realisierungen im Prozeß der wirklichen Welt, im Prozeß der Konkretisierung. Dem Raunen der Rhythmik dieses Prozesses, so scheint es hier noch, muß die Verheißung auch der Überwindung des Bösen abgelauscht werden: »Thus God in the world is the perpetual vision of the road which leads to the deeper realities.«[30]

Daß das Raunen des Weltprozesses, daß jenes ordnende Erscheinen Gottes in diesem Prozeß unklar, mehrdeutig und mißverständlich ist, läßt Whitehead selbst erkennen.

21 RM, 148.
22 Vgl. RM, 70.
23 Vgl. Abschn. 6 dieses Teils.
24 Vgl. RM, 88, aber auch ebd. und 86ff. die vom Hauptwerk abweichende Konzeption der Grundbegriffe und die wesentlich undifferenziertere Beschreibung des universalen Prozesses.
25 Vgl. RM, 147, 148f.
26 RM, 149, Hervorhebg. Vf.
27 S. RM, 148: »He is the ideal companion who transmutes what has been lost into a living fact within his own nature. He is the mirror which discloses to every creature its own greatness. The kingdom of heaven is not the isolation of good from evil. It is the overcoming of evil by good.« S. dazu aber die Interpretation von *Ch. Hartshorne*, The Immortality of the Past: Critique of a Prevalent Misinterpretation. RMet 7, 1953, 105ff.; ferner *Cobb*, A Christian Natural Theology, aaO., 161.
28 Vgl. RM, 150.
29 Vgl. RM, 150.
30 RM, 151.

Wohl ist Gott in jedem wirklichen Ereignis präsent, wohl könnte ohne Gott keine Welt sein, »because there could be no adjustment of individuality«[31], *aber:* »Every act leaves the world with a deeper *or a fainter* impress of God. He then passes into his next relation to the world with enlarged, *or diminished,* presentation of ideal values.«[32]

Den völlig unbefriedigenden Gottesgedanken von »Science and the Modern World« und die vage bleibende Konzeption einer Verbindung von Gott (bzw. Himmelreich) und Welt zur Bestimmung und Beförderung des universalen Prozesses in »Religion in the Making« hat Whitehead in seinem Hauptwerk noch einmal korrigiert und verbessert.

»Zunächst darf Gott nicht als eine Ausnahme von allen metaphysischen Prinzipien behandelt werden, eingeführt, um deren Zusammenbruch vorzubeugen.«[33] Dieser Satz aus »Prozeß und Realität« liest sich wie eine Selbstkritik hinsichtlich der früheren Rede von Gott als der letzten, selbst irrationalen Begründung von Bestimmtheit. Gott ist aber nicht nur nicht als die große Ausnahme von allen metaphysischen Prinzipien zu behandeln, er »ist ihre wichtigste Verkörperung«[34]. Dieser Zusatz läßt eine präzisere Bestimmung des Verhältnisses von Gott und Welt, von Gottes Stellung im Verhältnis von Reich der Möglichkeiten und wirklicher Welt im Konkretisierungsprozeß erwarten.

Diese präzisere Bestimmung erfolgt tatsächlich, wobei manches dafür spricht, daß Whitehead erst *während* der Abfassung von »Prozeß und Realität« zu gewisser Klarheit hinsichtlich seines Gottesbegriffs gelangt ist[35]. Die präzisere Bestimmung erfolgt einmal aufgrund der Unterscheidung *zweier Naturen Gottes,* einer »primordial nature« (uranfängliche Natur, Urnatur) und einer »consequent nature« (folgerichtige Natur, Folgenatur)[36]. Sie erfolgt ferner aufgrund einer Klärung der engeren Verbindung von Funktionen Gottes und Verlaufsmomenten im universalen Prozeß. Dabei ist zu beachten, daß die Unterscheidung der zwei Naturen aufgrund einer genaueren Darstellung des Prozesses entwickelt worden ist. Die Klärung der Lehre vom Entstehen und Vergehen der wirklichen Ereignisse und von der Relativität und Vergänglichkeit ihrer jeweiligen wirklichen Welt macht die Unterscheidung einer das Mögliche verwirklichenden und einer das unwirklich Gewordene bewahrenden Natur Gottes erforderlich.

Verwenden wir dafür die differenzierte Rede vom schaffenden und ret-

31 RM, 152.

32 RM, 152, Hervorhebg. Vf.

33 PR, 521 (PRc, 343, PRd, 613). Hierzu illustrierend *D. B. Kuspit,* Whitehead's God and Metaphysics. In: Essays in Philosophy, University Park 1962, 208f.

34 PRd, 613 (PR, 521, PRc, 343).

35 Vgl. z.B. die Rede von drei Naturen Gottes, PR 134f. (PRc, 87, PRd, 174).

36 »›The primordial nature‹ – dieser Terminus gemahnt an die causae primordiales des Johannes Scotus Eriugena«, *L. Herdt,* Immanenz und Geschichte. Zum Begriff der Kreativität in der Metaphysik A. N. Whiteheads (Diss.), Frankfurt 1975, 41. Dazu auch *I. Leclerc,* Whitehead and the Problem of God. Southern Journal of Philosophy 7, 1969, 453. Zur »consequent nature« s. den folgenden Abschn. dieses Teils.

tenden Gott, die sich einigen Andeutungen Whiteheads entnehmen läßt, so mag dies der Theologie eine erste Verstehens- und Orientierungshilfe bieten. Eine adäquate Verstehens- und Dialoggrundlage für die Begegnung und Auseinandersetzung mit Whiteheads Kosmologie ist damit allerdings noch nicht gegeben[37].

Gott, in seiner ersten (primordial) Natur betrachtet, ist die unbegrenzte begriffliche Verwirklichung des absoluten Reichtums der Möglichkeiten[38]. Diese abstrakte Natur Gottes ist *mit*, nicht *vor* aller Schöpfung[39] – sie ist mit aller Schöpfung, aber sie ist nicht wirklich, bzw., wie Whitehead genauer formuliert, sie ist vom Wirklichen entfernt, ihr gebricht es an voller Verwirklichung[40]. Gottes Empfindungen sind in seiner ersten Natur nur begrifflich, denn sie sind nicht auch *physisch* und entbehren gerade deshalb des Bewußtseins. Gott hat in dieser ersten Natur kein Bewußtsein – weil ihm die physischen Empfindungen fehlen, während er die geistigen, begrifflichen in unendlicher Fülle besitzt[41]. In dieser seiner ersten Natur ist Gott unbewegt vom Lauf der Dinge[42], der (mit der Schöpfung seiende) Schöpfer reagiert als solcher nicht auf eine gestaltete Umgebung.

Gottes begriffliches Empfinden ist die Macht, die die Ordnung des Universums und den Verlauf des universalen Prozesses bestimmt. Er ordnet die zeitlosen Objekte[43], er bestimmt damit das fundamentale Ordnungsgefüge unserer (und jeder zukünftigen) kosmischen Epoche ebenso wie das Ordnungsgefüge eines jeden kurzlebigen Ereignisses. Seine begrifflichen Empfindungen bestimmen die jeweiligen Konstellationen und Hierarchien der zeitlosen Objekte[44], die ihrerseits die relative wirkliche Welt und das subjektive Ziel jedes wirklichen Ereignisses bestimmen bzw. die nichts anderes sind als diese Bestimmung[45]. Nicht nur die Umgebung und die Stellung eines jeden wirklichen Ereignisses in seiner wirklichen Welt bestimmt Gott, er lenkt auch die Konkretisierung der Umgebung in der Entwicklung des jeweiligen Ereignisses und seine subjektive Erfüllung. »Er ist der Anreiz für das Empfinden, der zeitlose Drang des Begehrens. Seine besondere Relevanz für jeden kreativen Akt, wie sie aus seinem eigenen bedingten Standpunkt in der Welt erwächst, macht ihn zu dem anfänglichen ›Gegenstand

37 Vgl. hierzu schon *A. E. Taylor*, Some Thoughts on Process and Reality. Theol. 21, 1930, 77f.

38 Vgl. PR, 521 (PRc, 343, PRd, 614) und *G. Morgan*, Whitehead's Theory of Value. International Journal of Ethics 47, 1936/37, 315.

39 Vgl. PR, 521 (PRc, 343, PRd, 614).

40 Vgl. PR, 521 (PRc, 343, PRd, 614).

41 S. PR, 521, vgl. 522 (PRc, 343, vgl. 344, PRd, 614, vgl. ebd.).

42 Vgl. PR, 522, vgl. 160f., auch 50 u. 373 (PRc, 344, vgl. 105, auch 34 u. 244, PRd, 614, vgl. 205, auch 84 u. 446).

43 Vgl. PR, 522 (PRc, 344, PRd, 614). Illustrierend hierzu: *Hooper*, Whitehead's Philosophy: Eternal Objects and God, aaO., 64f.

44 S. Teil B, Abschn. 1 dieses Kap.

45 Vgl. Teil B, Abschn. 2 u. 3 dieses Kap.

der Begierde‹, der die Anfangsphase jedes subjektiven Ziels einrichtet.«[46]

Diese erste Natur, diese »primary action of God on the world«, durch die er das »Prinzip der Konkretion, des Konkretwerdens« ist, wird – manchmal ausführlicher, oft beiläufig – durchgängig in »Prozeß und Realität« thematisiert.

In *einem* Akt vollzieht Gott die Ordnung des Reiches der zeitlosen Objekte und die eben dadurch abgestufte Verwirklichung der Möglichkeiten im universalen Prozeß[47]. Diese Verwirklichung können wir als Ordnung von wirklichen Welten auffassen, in denen Spannungszustände zum Auftreten einheitsstiftender Subjektivität führen – oder als antizipiertes und realisiertes Auftreten von subjektiven Momenten wirklicher Ereignisse in Spannungszuständen ihrer relativen Welt. Unabhängig aber von der Wahl der Perspektive ist festzuhalten, daß Gott der relativen wirklichen Welt bzw. der in ihr auftretenden Subjektivität das Konkretionsziel vorgibt. In dieser den Fortbestand und die Einholung von unrealisierten Möglichkeiten betreffenden Hinsicht ist »Gott das Organ des Neuen, das auf Intensivierung hinzielt«[48].

Gott ist also nicht nur Bedingung und Garant der relativen Ordnungszustände im Schöpfungsprozeß, sondern auch der relativen Defizite an Ordnung, die gerade den ebenfalls erforderlichen Freiraum zum Auftreten einheitsrealisierender Subjektivität schaffen.

Um nun nicht auch die Theorie einer destruktionsbewußt und zerstörungsorientiert sich ausbildenden Subjektivität entwickeln zu müssen, was, sehe ich recht, seine (in Teil B dargestellten) Theoriegrundlagen überfordern würde, muß Whitehead die Subjektivität mit einem Empfinden für die erste Natur Gottes ausstatten, das ihren Prozeß zum Ziel der Einheit subjektiver Erfüllung steuert[49].

Mit der Einführung eines solchen Empfindens aber hat Whitehead[50] den Prozeß der Konkretisierung so perfekt mit Gott verbunden, daß seine Behauptung, jedes wirkliche Ereignis habe einen *eigenen* Entscheidungs- und Entwicklungsspielraum[51], unglaubwürdig (weil im Rahmen seiner begrifflichen Dispositionen nicht mehr nachvollziehbar) zu werden droht. Die metaphysische Stabilität, die Gottes Ordnung gewährleistet[52], läuft nun Gefahr, den universalen Prozeß zu einem Spiel der Routine werden zu lassen[53].

46 PR, 522 (PRc, 344, PRd, 614f.). Vgl. auch PR, 377 (PRc, 247, PRd, 451).

47 Vgl. PR, 46, 47 (PRc, 31, PRd, 79, 80).

48 PR, 104 (PRc, 67, PRd, 140). *H. S. Fries*, The Functions of Whitehead's God. Monist 46, 1936, wollte Gott sogar als »absolute standard of intensity« aufgefaßt wissen, 49.

49 Vgl. PR, 287 (PRc, 189, PRd, 351).

50 Unter Aufnahme früherer Gedanken, vgl. den Hinweis auf SMW, Kap. XI.

51 Vgl. PR, 343 (PRc, 224, PRd, 411).

52 Vgl. PR, 64, auch 382 (PRc, 40, 250, PRd, 92, 456).

53 Zum anderen Extrem s. die in Anm. 11 dieses Abschn. erwähnten Gedanken *Wiehls*. Auf die hier zugrundeliegende Inkonsistenz in *Whiteheads* Theorie gehe ich in Abschn. 6 dieses Teils ein.

Nicht zuletzt, um die These vom individuellen Entwicklungsspielraum der subjektiven Momente wirklicher Ereignisse zu retten, unterstreicht Whitehead, daß Gott wohl Schöpfer jedes wirklichen zeitlichen Ereignisses genannt werden könne[54], daß aber die elementare Kreativität des Universums nicht Gottes Willen zuzuschreiben sei[55]. Auch auf diese Spannung werden wir in unserer Diskussion von Whiteheads Verwechslung von Gott und einem Geschöpf eingehen.

Überzeugender und theologisch interessanter ist zunächst Whiteheads Bemühen, ein Moment der Unbestimmtheit in den Konkretisierungsprozeß durch seine Ausrichtung auf seine transsubjektive Phase[56] einzubringen. Der Übergang von der Phase der subjektiven Erfüllung zur Objektivierung des jeweiligen Ereignisses in anderen Ereignissen nötigte dazu, jeweils von einem *anderen* Ereignis zu sprechen. Mit Erreichung des subjektiven Ziels hatte das betrachtete Ereignis keine *eigene* Zukunft und keine wirkliche Subjektivität mehr. Seine Zukunft in *anderen* Ereignissen (als objektiviertes Datum) war nur als Vergangenheit dieser anderen Ereignisse zu bestimmen[57].

Der interessante Gesichtspunkt, den Whitehead eher beiläufig einführt, lautet nun: Ein wirkliches Ereignis, d.h. das im Konkretionsprozeß begriffene subjektive Moment, antizipiert empfindend seine »transzendente Zukunft«, d.h. sein bleibendes Vergehen in anderen Ereignissen. Und Whitehead deutet an, daß mit *dieser* Antizipation die über den jeweiligen individuellen Entwicklungsprozeß und die individuelle wirkliche Welt hinausreichende Ordnung der zeitlosen Objekte empfunden wird[58]. Es ist zu prüfen, ob in diesem Zusammenhang der Eindruck verschwinden kann, Gott sei nur die in allen Vollzugsschritten des Prozesses einfach vorausgesetzte Kraft der Bestimmung ihres genauen Verlaufs.

Whitehead hat die Theorie von den an ihrer nachindividuellen Zukunft orientierten wirklichen Ereignissen allerdings indirekt bereits mit seinen Überlegungen zur Grundlegung der Naturwissenschaften skizziert[59]. Ausdrücklicher und direkter beschäftigt sich mit der nachindividuellen Zukunft wirklicher Ereignisse seine Rede von der *zweiten Natur Gottes*. Hier hat er versucht, den Gedanken eines Gottes zu formulieren, den das über seine wirkliche Zukunft und seine relative wirkliche Welt hinausgehende wirkliche Ereignis berührt und betrifft.

Dieser Gottesgedanke, der Gedanke der »consequent nature of God«, ist nun darzustellen. Sodann ist von dem über sich hinauswachsenden, in an-

54 Vgl. PR, 343 (PRc, 225, PRd, 411). Vgl. auch PR, 373 u. vor allem 523 (PRc, 244 u. 345, PRd, 446 u. 616).

55 Vgl. PR, 344, vgl. auch 392 (PRc, 225, vgl. 257, PRd, 411, vgl. 468).

56 Vgl. Teil B dieses Kap., bes. die Abschn. 5 u. 6.

57 Hierzu hilfreich: *Sherburne*, A Key to Whitehead's »Process and Reality«, aaO., 238; *Christian*, An Interpretation of Whitehead's Metaphysics, aaO., 29.

58 Vgl. PR, 425, dort aber die Bindung an Gottes erste Natur (PRc, 278, PRd, 506).

59 Vgl. Teil B, Abschn. 6 dieses Kap.

deren Ereignissen objektivierten und vergangenen Ereignis zu handeln, das »objektive Unsterblichkeit« genießt.

3. *Die Verbindung von Gott und vergänglicher Welt. Gottes zweite, das Universum in sich aufnehmende Natur*

Eine vereinfachende Betrachtung von Whiteheads universalem Prozeß könnte feststellen: Der Prozeß der Welt verläuft von Gott zu Gott. Gott ist »the beginning and the end«[60]. Das heißt nicht, daß Gott nur in einer – vielleicht ferneren – Vergangenheit und in einer entlegenen Zukunft zu suchen sei[61]. Gott initiiert jedes wirkliche Ereignis, und in ihm findet jedes wirkliche Ereignis eine dauernde Erfüllung, die wir transsubjektiv nennen können. Gott begleitet empfindend und durch sein Empfinden wirkend alle Phasen des universalen Prozesses. Aufgrund seiner begrifflichen Empfindungen ordnet er für jedes wirkliche Ereignis seine relative wirkliche Welt und reizt es zur Ausschöpfung seiner Möglichkeiten, zur Erreichung seines subjektiven Ziels und seiner subjektiven Erfüllung.

Aber Gott führt nicht nur auf diese Weise die Vollendung, die Konkretion von Ereignissen herbei. Er bewahrt diese Ereignisse auch *nach* ihrem Erreichen des subjektiven Ziels, *in* ihrem Untergehen, *in* ihrem Objektiviertwerden in anderen Ereignissen.

Die zweite Natur Gottes, die *»consequent nature of God«*, stellt diese reagierende, physisch empfindende, bewahrende und – wie Whitehead auch sagt – rettende Aktivität Gottes dar[62].

Gott provoziert und stimuliert nicht nur die Entwicklung wirklicher Ereignisse, er partizipiert auch mitempfindend an ihrem Konkretionsprozeß. Gott vergißt nicht die wirklichen Ereignisse, nachdem sie über sich selbst hinausgegangen sind und zu Objekten der Vergangenheit anderer Ereignisse geworden sind.

Diese zweite Natur bedeutet aber nicht nur die Rettung des in der wirklichen Welt Vergänglichen und die Rettung der vergehenden Welt; sie stellt zugleich eine Vervollkommnung des Empfindungsvermögens und damit der Subjektivität Gottes dar. Der die wirklichen Ereignisse auch physisch empfindende und sie so in ihrer Individualität bewahrende Gott erst *erfährt* die Welt. Erst aufgrund dieses physischen Empfindens kann, wie bereits erwähnt, von einem Bewußtsein Gottes gesprochen werden. Allerdings wird Gott damit auch einem Geschöpf gleichgesetzt, oder – Whitehead läßt es hier (wie in Abschnitt 6 dieses Teils zu zeigen ist) an der nötigen Klarheit

60 PR, 523 (PRc, 345, PRd, 616). Vgl. *L. Azar,* »Esse« in the Philosophy of Whitehead. NSchol 37, 1963, 467.

61 Vgl. PR, 523 (PRc, 345, PRd, 616).

62 Vgl. PR, 526, auch 46, unklarer noch 18f. (PRc, 346, 31, 12f., PRd, 618, 79, 48). S. dazu *F. F. Centore,* Whitehead's Conception of God. Philosophical Studies (Ireland) 19, 1970, bes. 165ff.

fehlen – »die Natur Gottes (ist), *analog* zu der aller wirklichen Einzelwesen, bipolar«[63].

Wohl soll in Gott eine gegenüber den betrachteten wirklichen Ereignissen umgekehrte Ordnung des Empfindens statthaben. »Gott entwickelt sich in seinem Vervollständigungsprozeß aus begrifflicher Erfahrung, wobei dieser Prozeß durch folgerichtige, physische Erfahrung motiviert wird, die ihre Wurzel in der zeitlichen Welt hat.«[64] Aber diese Umkehrung der Ordnung der Empfindungen gilt nur, wenn wir, wie »Prozeß und Realität« es fast durchgängig, aber eben doch nicht völlig konsequent tut, alle wirklichen Ereignisse mit physischen Empfindungen beginnen sehen. Beginnen sie dagegen, wie im vorangehenden Abschnitt dargetan, *mit einer antizipierenden Partizipation an Gottes begrifflichem Empfinden*, so fällt eine grundsätzliche Unterscheidung von Gott und Geschöpf dahin. Es bleibt das unbefriedigende Bemühen, mit Hilfe gradueller Unterscheidungen deutlich zu machen, daß von Gott und nicht von einem Geschöpf die Rede ist.

Man kann dann davon sprechen, daß Gott das *ganze* Reich der zeitlosen Objekte und *alle* Möglichkeiten empfindet und ordnet, während andere wirkliche Ereignisse minder komplexe Konstellationen der zeitlosen Objekte und begrenzte Möglichkeiten empfinden und konkretisieren. Die wirklichen Ereignisse würden Gott als eine absolute, unausschöpfliche ›Welt‹ empfinden, und Gott würde an den unvollkommenen, mißlungenen Konkretionen der wirklichen Welt leiden, die die wirklichen Ereignisse darstellen. Der ganze Wechselprozeß von Gott und wirklichen Ereignissen würde dann aus dem Bemühen des jeweiligen wirklichen Prozesses bestehen, Gottes Vollkommenheit einzuholen, und Gottes mitleidigem Verstehen angesichts des Versagens[65]. Oder, mit umgekehrter Blickrichtung gedacht: Gott würde die Welt zur Einholung der Möglichkeiten seines Reichs bewegen, die Welt aber Gott durch ihre Endlichkeit betrüben, vielleicht aber auch durch ihre akzeptierte Endlichkeit empören – oder beschämen.

Doch Whiteheads Kosmologie schließt nicht mit einem Ausblick auf das Leiden an der Endlichkeit der Welt. »Das Thema der Kosmologie, das allen Religionen zugrunde liegt, ist die Geschichte der unablässigen Anstrengung der Welt, in immerwährende Einheit überzugehen, und der statischen Erhabenheit der göttlichen Einsicht, die ihre Zwecksetzung der Vervollständigung dadurch verwirklicht, daß sie die Vielheit von Anstrengungen in der Welt aufnimmt.«[66] Aber auch dieses Zitat würde – als letztes Wort der Kosmologie Whiteheads ausgegeben – nicht seine Betonung der Selbständigkeit und selbsterworbenen Würde des Endlichen[67] angemessen wiedergeben. Die Pointe seiner Theorie ist nicht in ihrer zweifellos erkennbaren

63 PR, 524 (PRc, 345, PRd, 616), Hervorhebg. Vf.
64 PR, 524 (PRc, 345, PRd, 617); hier weicht meine Übersetzung von PRd ab.
65 Vgl. PR, 532, die vielzitierte Wendung: »In this sense, God is the great companion – the fellow-sufferer who understands.« (PRc, 351, PRd, 626)
66 PR, 529f. (PRc, 349, PRd, 623).
67 Vgl. PR, 533 u. den folgenden Abschn. dieses Teils (PRc, 351, PRd, 626f.).

und gewiß angelegten Tendenz zu suchen, in einen religiösen Traktat einzumünden.

Whiteheads Bemühen, eine Vorrangstellung Gottes in seiner Theorie sofort wieder zu relativieren, muß immerhin als ein *Versuch geprüft* werden, seine Kosmologie vor einer Dominanz ihrer religiösen Komponente zu bewahren[68].

Ausdrücklich hat er eine Unterscheidung von Gott und Welt mit der Relativierung dieser Unterscheidung verbunden. Wir können die prozessuale, fließende, vielgestaltige wirkliche Welt in Gott erfassen, der die Welt übersteigt[69]. Wir können aber auch einen prozessualen, fließenden, vielgestaltigen, wirklichen Gott in der Welt erfassen, die ihn übersteigt[70]. »Es ist genauso wahr zu sagen, daß Gott die Welt erschafft, wie zu behaupten, daß die Welt Gott erschafft.«[71]

Man kann jedoch auch nicht behaupten, daß Whitehead mit dieser – berühmt gewordenen – Relativierung schon die Möglichkeiten ausgeschöpft hat, die sein Denken zur Formulierung eines Gottesbegriffs bereitstellt. Die Prozeßtheologie sollte nicht nur als ein Applikations- und Aneignungsphänomen in der Folge dieser kosmologischen Theorie angesehen werden, sondern auch als ein Bemühen, die in Whiteheads Kosmologie angelegten, aber nicht ausformulierten und zum Teil wieder verdeckten religiösen Einsichten ans Licht zu bringen.

Whitehead hat freilich viele einzelne Einsichten in aphoristisch bleibenden Wendungen aufblitzen lassen[72]. Aber nur dort, wo sie sich *unter Orientierung an den Phasen des Prozesses* gedanklich artikulieren ließen, hat er sich ihrer Ausarbeitung zugewendet. Zu diesen Stücken zählt seine Lehre von der objektiven Unsterblichkeit, die das »weltliche« Korrelat zur zweiten Natur Gottes darstellt.

4. *Die Vollendung des universalen Prozesses durch die objektive Unsterblichkeit*

In der zweiten Natur Gottes findet jedes wirkliche Ereignis seine bleibende Erfüllung. Die zweite Natur Gottes bewahrt eine Identität des über sein subjektives Ziel hinausgegangenen, in anderen Ereignissen objektivierten, also subjektiv untergegangenen Ereignisses. Genaugenommen sollte dieses

68 In einem ausgedehnten Versuch, diese Dominanz zu betonen, gipfelt das Buch von *Parmentier*, La philosophie de Whitehead et le problème de Dieu, aaO., bes. Kap. XI u. XIII.

69 Vgl. die Gegensatz- und Kontrastpaare, PR, 528 (PRc, 348, PRd, 621).

70 Vgl. PR, 528 u. 529 (PRc, 348 u. 349, PRd, 621 u. 622). S. hierzu auch *S. Alexander*, Theism and Pantheism. HibJ 25, 1926–27, 257ff.

71 PR, 528 (PRc, 348, PRd, 621). In dieser Perspektive wäre mit einem Wort *S. Alexanders* »God as the whole Universe tending towards deity« aufzufassen (Some Explanations. Mind 30, 1921, 428).

72 Einen Eindruck davon soll besonders Abschn. 5 dieses Teils vermitteln.

transsubjektive Sein des wirklichen Ereignisses nicht als *seine* Erfüllung bezeichnet werden. Angesichts dieser Phase nach der subjektiven Erfüllung können wir nämlich auf keinen Fall von einer Selbstbeziehung des wirklichen Ereignisses in der Weise des *Habens*[73] sprechen.

Den Antizipationsspielraum, der ihm in der Weise des habenden, verfügenden, objektivierenden, aber auch *sich* ausbildenden, *sich* entwickelnden Empfindens zur Verfügung steht, hat das wirkliche Ereignis mit dem Erreichen seiner subjektiven Erfüllung ausgeschöpft. Es hat keine Zukunft mehr, die rein seine private, die nur und strenggenommen die *seine* wäre. Unter Orientierung an der Logik des universalen Prozesses können wir feststellen, daß es keine subjektive Zukunft mehr hat. Nur in der Vergangenheit anderer Ereignisse sind seine Objektivierungen präsent, unausschöpflich, aber auch unausgeschöpft und unausschöpfbar hinsichtlich ihrer vergangenen einmaligen subjektiven Einheit.

Gottes zweite Natur aber rettet und bewahrt das wirkliche Ereignis und damit auch dessen Subjektivität im Untergehen in anderen Ereignissen. Obwohl es *keine subjektive Zukunft* mehr hat, erlangt es doch in Gott *objektive Unsterblichkeit.*

Ohne Gottes zweite Natur müßte sich die Welt mit dem untilgbaren, »elementare(n) Übel« abfinden, das »in der Tatsache (liegt), daß die Vergangenheit schwindet, daß Zeit ein ›stetiges Vergehen‹ ist«[74]. Die wirklichen Ereignisse würden ohne Gottes zweite Natur in ihren Nachfolgeereignissen schneller oder langsamer verklingen und diffundieren. Aufgrund von Gottes zweiter Natur aber müssen wir nicht die Endlichkeit der Dinge mit einer »Weisheit des Verdämmerns« zu bewältigen versuchen[75]. Wohl ist Objektivierung mit Elimination verbunden; wohl ist es in der zeitlichen Welt eine Tatsache, daß der Prozeß Verlust bedeutet, daß vergangene Ereignisse nur mit Hilfe von Abstraktionen in anderen Ereignissen vergegenwärtigt werden[76]. »Es gibt aber keinen Grund von höchster metaphysischer Allgemeinheit, warum das schon alles (the whole story) sein sollte.«[77]

Mit dem Gedanken der zweiten Natur Gottes, in der die wirklichen Ereignisse objektive Unsterblichkeit »genießen«, antwortet nach Whiteheads Überzeugung seine Theorie auf die für höher entwickelte Religionen grundlegende Frage, wie die Sehnsucht nach dem Neuen und die Trauer über den

73 Zur konkreten Aufhebung der Selbstbeziehung in der Weise des Habens durch die Liebe s. *Jüngel,* Gott als Geheimnis der Welt, aaO., z.B. 437ff., 542f.

74 PR, 517 (PRc, 340, PRd, 609). Umgekehrt muß natürlich diskutiert werden, ob *mit* Gottes zweiter Natur die Rede von »perishing« noch sinnvoll ist. S. dazu *Ch. Hartshorne,* Whitehead's Novel Intuition. In: *Hartshorne,* bes. 165; und *D. R. Griffin,* Hartshorne's Differences from Whitehead. In: Two Process Philosophers, hg. *L. S. Ford,* Missoula 1973, 53f.

75 Vgl. dazu PR, 518f. (PRc, 341f., PRd, 610f.).

76 Vgl. PR, 517 (PRc, 340, PRd, 609).

77 PR, 517 (PRc, 340, PRd, 609). S. aber auch *Alexander,* Space, Time, and Deity, Bd. 2, aaO., 423–425. *Whiteheads* späte Lehre von der Unsterblichkeit, die diese aber aus der engen Verbindung mit dem Gottesgedanken löst, stellt referierend dar: *Cesselin,* La philosophie organique de Whitehead, aaO., 226ff.

Verlust des Vergangenen[78] in eine harmonische Einheit gebracht werden können[79].

Whiteheads Antwort lautet: Der gegenwärtig erlebte Augenblick erlangt eine Unauslöschlichkeit in Gott. Auch wenn die gegenwärtige wirkliche Welt – unsere oder die wirkliche Welt anderer Perspektiven –, auch wenn das gegenwärtige wirkliche Ereignis *nie mehr* in einer *bewußten Erinnerung* objektiviert werden sollte, so bedeutet dies *doch nicht seine Vernichtung*. Was wir hier und jetzt erleben, mag fortan völlig ignoriert, subjektiv vergessen bleiben – es ist doch damit nicht revoziert, ausgelöscht – »so gut, als wär es nicht gewesen«. Dies will Whitehead positiv mit Hilfe seines Gottesgedankens dartun. In Gottes zweiter Natur erlangt jedes wirkliche Ereignis (bzw. seine in ihm konkretisierte Welt) objektive Unsterblichkeit.

In der zweiten Natur Gottes erhält das in der wirklichen Welt Vergehende Gegenwärtigkeit und Dauer. Allerdings sollte diese Natur nicht einfach als ein absoluter Raum vorgestellt werden, in dem jedes Moment des Prozesses irgendwie aufbewahrt werde. »Die Folgenatur Gottes ist sein Urteil über die Welt.«[80] Die Kopräsenz aller wirklichen Ereignisse – und das heißt auch aller Perspektiven auf Welt – in Gott ist nicht nur als ein universales Aggregat oder Ensemble des Geschehenen vorzustellen. Gott empfindet jedes wirkliche Ereignis hinsichtlich seiner Verbindung und Stellung in seinem umfassenden Urteil. Die objektive Unsterblichkeit in Gott ist nicht nur als Rettung, sondern, wie Whitehead vorsichtig – und unter Hinweis darauf, daß hier nur bildhafte Ausdrücke zur Verfügung stehen – betont, *auch als Gericht* aufzufassen: »Die Revolten des zerstörerischen Übels, die immer eigennützig sind, werden in ihre Trivialität als bloß individuelle Tatsachen abgewiesen«[81].

Dominierend aber ist in dieser zweiten Natur Gottes die Rettung, ja, die Vollendung der Welt in ihrem Erlangen der objektiven Unsterblichkeit: »Er rettet die Welt, so wie sie in die Unmittelbarkeit seines eigenen Lebens übergeht. Es ist das Urteil von einer Zartheit, die nichts verliert, was gerettet werden kann. Es ist auch das Urteil von einer Weisheit, die alles verwendet, was in der zeitlichen Welt bloß Trümmer ist.«[82]

Die in den Augen der jeweils wirklichen Welt einer atrophierenden Vergangenheit und einer zunehmenden Vergessenheit überantworteten wirklichen Ereignisse, aber auch ihre verpaßten, zerstörten und verweigerten Möglichkeiten werden in der zweiten Natur Gottes zu objektiver Unsterblichkeit erhoben, »ohne durch irgendeinen Verlust an individueller Identität oder an Vollständigkeit der Einheit eingeschränkt zu werden«[83].

78 Vgl. PR, 516 (PRc, 340, PRd, 608).

79 Zum Problem von »flux and permanence« s. PR, 513f., 526, 529 (PRc, 338, 346, 348, PRd, 604f., 619, 622).

80 PR, 525 (PRc, 346, PRd, 618).

81 PR, 525 (PRc, 346, PRd, 617f.).

82 PR, 525 (PRc, 346, PRd, 618).

83 PR, 532 (PRc, 350f., PRd, 626). S. dazu auch *R. J. Blackwell*, Whitehead and the Problem of Simultaneity. MSM 41, 1963, 72.

Dieses Geschehen der Erhaltung und Vollendung der vergänglichen Welt durch die objektive Unsterblichkeit stellt Whitehead einerseits als ein Selbstverhältnis Gottes dar, in dem die zweite Natur Gottes dem uranfänglichen begrifflichen Empfinden des Reichs der zeitlosen Objekte mit seinem unendlichen Reichtum an Möglichkeiten zu entsprechen strebt. Andererseits aber verhält sich Gott damit wie jedes andere wirkliche Ereignis im Rhythmus des universalen Prozesses[84].

Deshalb kann Whitehead auch sagen: »Die Folgenatur Gottes *ist* die fließende Welt, die durch ihre objektive Unsterblichkeit in Gott ›immerwährend‹ wird.«[85] Was aber spricht dann noch dagegen, Whiteheads Gott als Artikulation eines Selbstverhältnisses des Universums aufzufassen?

Gegen die These, Whitehead verwechsle zwar nicht Gott und eine relative wirkliche Welt – aber doch Gott und die universale Einheit aller relativen möglichen und wirklichen Welten, sprechen wiederum Bemerkungen, die auf die Unterschiedenheit von Gott und Welt aufmerksam machen sollen: »Gott ist die unendliche Grundlage aller Geistestätigkeit, die Einheit der Einsicht, die nach physischer Vielheit strebt. Die Welt ist die Vielheit des Endlichen, von Wirklichkeiten, die nach vollkommener Einheit streben.«[86]

Diese Mischung von Vorordnungen, Identifikationen und Wechselverhältnissen bezüglich der Verbindung und Unterscheidung von Gott und Welt, die wir bereits im vorangehenden Abschnitt erkannten, läßt sich erklären. Sie läßt sich erklären, wenn wir beachten, daß Whitehead Gottes zweite Natur nicht nur als zur Unsterblichkeit gelangte Welt auffaßt, sondern daß er der zweiten Natur Gottes auch »die Funktion des Himmelreichs«[87] zuspricht, und wenn wir untersuchen, wie er dies begründet und welche Folgerungen er daraus zieht.

Die Vermischung von Gott, Welt und Himmelreich, die Whitehead mit lehrreicher Konsequenz betreibt, ist im letzten Abschnitt dieses Teils zu erhellen. Zuvor soll in einem Exkurs die – wenn nicht zweideutige, so doch zweiseitige – Ausprägung von Whiteheads religiösem Denken auch hinsichtlich seiner Theorie der Religion aufgezeigt werden.

5. Exkurs: Whiteheads Gesellschafts- und Religionskritik. Seine Theorie der Religionsentwicklung

Whiteheads *Religionskritik* ist in der bisherigen wissenschaftlichen Diskussion bei weitem nicht in dem Maße behandelt worden wie seine Theorie der Religion und der religiösen Erfahrung. Sollten sich aber in der amerikanischen Prozeßtheologie in Hinblick auf ihre Rezeption Whiteheads verstärkt

84 Vgl. PR, 527 (PRc, 347, PRd, 620).
85 PR, 527 (PRc, 347, PRd, 620); Hervorhebg. Vf.
86 PR, 529 (PRc, 348f., PRd, 622); vgl. ebd.
87 PR, 531 (PRc, 350, PRd, 625); hier folgt meine Übersetzung nicht der von PRd, die »kingdom of heaven« mit »Königreich des Himmels« wiedergibt.

Parallelen zu Phänomenen der (theologischen und religionskritischen) Rezeption Hegels im 19. Jahrhundert bei uns zeigen, so wäre auch ein »Links-Whiteheadianismus« noch zu erwarten. Grundlagen für eine solche Weise der Aneignung bietet Whitehead durchaus. Neben einer Religionskritik finden sich bei ihm zudem Rudimente einer Kritik der Erhaltung und Ausbreitung unfreier Gesellschaftszustände.

Man kann sogar sagen, daß sein spätes Werk an Bestandteilen einer Theorie der Befreiung reicher ist als manche literarischen Äußerungen, die sich ausdrücklich als Beiträge zu einer solchen Theorie vorstellen. Das ist wohl deshalb wenig beachtet worden, weil Whiteheads Werk nur eine schwache moralistische Tönung aufweist, vornehmlich mit Langzeitdiagnosen arbeitet[88] und die Triebkraft aktionistisch-appellierender Theoriegestaltung offensichtlich gering veranschlagt.

Whitehead beschäftigen in seinen Langzeitdiagnosen die Kräfte, deren Fortwirken und deren Fortentwicklung die *Sklaverei* als »Grundvoraussetzung der politischen Theorie« und der gesellschaftlichen Praxis ablösten und sie durch die Voraussetzung der *Freiheit* als Grundlage von Theorie und Praxis der Gesellschaft ersetzten[89]. Wichtig dabei sind: seine sensible Beobachtung der sich erst langfristig geltend machenden Folgewirkungen von verhärteten Unrechtsverhältnissen[90]; seine Berücksichtigung der Schubkraft von tatsächlich oder scheinbar »impraktikable(n) . . . Ideale(n)«[91]; vor allem aber seine Beachtung der beharrlichen Triebkraft des in seinem Ausmaß von keinem Denker erfaßten und gar nicht erfaßbaren dumpfen Leidens unterprivilegierter Klassen[92]. Lehrreich ist ferner seine Würdigung von ehemaligen Fermenten der Befreiung in Verbindung mit seiner Kritik ihres unfruchtbaren Fortbestehens oder ihrer fehlorientierten Wiederbelebung. Sie betreffen z.B. den Neo-Feudalismus der modernen Industriege-

88 S. aber auch z.B. An Appeal to Sanity. In: ESP, 53–74; The Study of the Past – Its Uses and Its Dangers. In: ESP, bes. 158ff. *A. H. Johnson* hat viele Beiträge zu *Whiteheads* Sozialphilosophie veröffentlicht, die man als themenorientierte Neukompositionen der Texte *Whiteheads* ansehen kann. Zum folgenden s. z.B.: Whitehead's Philosophy of Civilization, New York 1962, 88ff.

89 Vgl. AI, 13, 13ff., 20f., 44, 51f. (AId, 93, 93ff., 103ff., 138, 148ff.). Bezeichnend für die ihn bei seinen Diagnosen leitende Haltung ist das folgende Zitat: »Der Fortschritt, der wirklich gelingt, kriecht langsam von Punkt zu Punkt voran und prüft den Boden vor jedem Schritt. Es ist ganz einfach, die Verteidigungsrede zu entwerfen, die Cicero gehalten hätte, wenn man ihm das Problem der Sklaverei entgegengehalten hätte. Die römische Verfassung, so hätte er gesagt, ist die einzige Hoffnung der Menschheit. Zerstört Rom, und wo werdet ihr die feste und gemäßigte Haltung des römischen Senats wiederfinden, die Disziplin seiner Legionen, die Weisheit seiner Rechtsvertreter, die Vorkehrungen gegen das Überhandnehmen der Mißherrschaft, die verständnisvolle Schutzherrschaft über die griechische Kultur? Aber so prosaisch hätte er das wohl kaum gesagt. Sein Genius hätte sich zur Prophetie aufgeschwungen . . .« (AId, 104, AI, 20f.).

90 Zur Langfristigkeit von *Whiteheads* Diagnosen s. aber auch Teil II A, Anm. 118.

91 AI, 15ff., dazu auch 46ff. (AId, 96ff., dazu auch 141ff.).

92 S. AI, 21 (AId, 105).

sellschaft[93], die Verbindung eines Neo-Renaissance-Individualismus mit dem Wettbewerbsdenken[94], die Verluste fortschrittlicher Impulse des Mittelalters durch den »reaktionären Triumph( ) eines Perikleischen Individualismus in der politischen Philosophie des achtzehnten und neunzehnten Jahrhunderts«[95], die Verengung des »Inhalt(s) des Begriffs der Freiheit ... auf das Bild des denkenden Menschen ..., der seine Zeitgenossen konsterniert ...«[96]. Diese und viele andere Überlegungen, die auch Whiteheads frühes praktisches Engagement für eine Reform der Pädagogik und die Emanzipation der Frauen[97] fortsetzen, sind getragen von der Überzeugung, daß die Wahrheit durch die gewaltlose Nötigung zur Einsicht sich mit der Freiheit versöhnen läßt[98] und daß alles darauf ankomme, ein solches Machtmonopol auszubilden und zu erhalten. Die Überzeugung, »daß die göttliche Überredungskraft die Quelle aller Ordnung in der Welt ist«[99], durchdringt Whiteheads Denken[100].

»Der Barbar« dagegen »spricht in Begriffen, die es mit der Macht zu tun haben; er träumt vom Übermenschen mit der gepanzerten Faust. Er kann seine Lust an der Macht mit einer sentimentalen Moralität Carlyleschen Typs verkleiden; aber schließlich und letztlich kommt es ihm doch auf nichts anderes an als seinen Willen anderen aufzuzwingen. Und das ist intellektuelle Barbarei.«[101] Und hier setzt denn auch Whiteheads Religionskritik an.

Whitehead vermutet nämlich Züge dieser Barbarei in der »theistischen Philosophie, die mit dem Aufstieg des Islam endete«[102] und aus der er drei Grundgestaltungen des Gottesgedankens hervorgehen sieht: »Gott nach dem Bild eines Reichsherrschers, Gott nach dem Bild einer Personifizierung moralischer Energie und Gott nach dem Bild eines philosophischen Grundprinzips«[103]. Man kann fragen, ob Whiteheads Gottesgedanke nicht zumindest Tendenzen zeigt, eine Variante der dritten der genannten Gestalten darzustellen. Ausdrücklich beruft er sich jedoch auf ein anderes Vorbild für sein Bemühen, einen *nicht nur statischen*, sondern durch Dauer *und* Fluß charakterisierten Gottesgedanken zu formulieren: »Es gibt jedoch im galilä-

93 Vgl. AI, 27f. (AId, 113f.).
94 Vgl. AI, 31ff., dazu auch 43ff. (AId, 119ff., dazu auch 137ff.).
95 AId, 162 (AI, 60). Vgl. auch die Auseinandersetzung mit dem »Gospel of Individualism«, ESP, bes. 155ff.
96 AId, 172 (AI, 65f.). Vgl. ebd. ff.
97 Vgl. seinen Aufsatz aus dem Jahr 1906: Liberty and the Enfranchisement of Women, wieder abgedruckt in ProcSt 7, 1977, 37–39.
98 Vgl. AI, 67f. (AId, 175).
99 AId, 306 (AI, 160). Zu ergänzen ist allerdings: »... daß sie aber nicht mehr Harmonie hervorzubringen vermag, als sich im Widerstreit der rohen Naturkräfte erhalten kann«, ebd.
100 Vgl. AI, 166 (AId, 315).
101 AId, 149 (AI, 51).
102 PR, 520 (PRc, 342, PRd, 612).
103 PR, 520 (PRc, 342f., PRd, 612). Vgl. auch PR, 519 (PRc, 342, PRd, 611); aber auch RM, 66f.

ischen Ursprung des Christentums noch eine andere Anregung, die zu keinem der drei Hauptstränge des Denkens (scil. der theistischen Philosophie) so richtig paßt. Sie legt das Schwergewicht weder auf den herrschenden Kaiser, noch auf den erbarmungslosen Moralisten oder den unbewegten Beweger. Sie hält fest an den zarten Elementen der Welt, die langsam und in aller Stille durch Liebe wirken.«[104]

Die Intention, diese »Anregung« des Christentums aufzunehmen, einerseits und die Neigung, Gott doch als ein metaphysisches Prinzip darzustellen, andererseits vermitteln sich für Whitehead offenbar ganz zwanglos dank seiner Überzeugung, »daß die Macht des Christentums darin besteht, daß es im realen Geschehen offenbarte, was Platon in der Theorie vorausgeahnt hat«[105].

Zwar stellt er fest, daß das »Wesen des Christentums . . . in einem Appell an das Leben Christi als Offenbarung Gottes und seines Wirkens in der Welt«[106] besteht, wobei er aber vermerkt:

». . . es gibt keinen Zweifel darüber, durch welche Teile dieses Berichts sich das Beste in der menschlichen Natur angesprochen fühlt: durch die Mutter und das Kind in der ärmlichen Krippe, durch den schlichten Mann, der, heimatlos und sich selbst verleugnend, seine Botschaft vom Frieden, von der Liebe und vom menschlichen Mitgefühl verkündet hat, durch sein Leiden, seine Schmerzen, die Sanftmut seiner Worte und den letzten Aufschrei der Verzweiflung, und durch den Glanz eines unübertroffenen Sieges, von dem dies alles umgeben ist.«[107]

Aber gerade dies sei im realen Geschehen die Darstellung dessen, was Platon vorausgeahnt habe[108].

Die Meinung, daß »the Galilean origin of Christianity« schon in Platons Theorie gedanklich antizipiert worden sei, dürfte wohl der letzte Grund dafür sein, daß Whitehead es nicht als inkonsequent empfindet, die Theologen zur Erarbeitung eines metaphysischen Prinzips aufzurufen. Sie sollen ihre große, in der Regel unterschätzte, zu rühmende und als einzige an einem

104 PR, 520 (PRc, 343, PRd, 612f.). Dies habe die christliche Kirche in ihrer Gotteslehre nicht zur Geltung gebracht, stellt RM, 72, fest: »In respect to its doctrine of God the Church gradually returned to the Semitic concept, with the addition of the threefold personality. It is a concept which is clear, terrifying, and unprovable . . . On the whole, the Gospel of love was turned into a Gospel of fear. The Christian world was composed of terrified populations.« Und *Whitehead* verweist auf die »merkwürdige« Aussage Spr 1,7 und vorwurfsvoll auf 2 Thess 1,8.9 (s. RM, 72f.) und empfiehlt, den von der modernen Welt verlorenen und gesuchten Gott (vgl. RM, 72) mit Hilfe »of John and not of Paul« (ebd., 73) zu suchen und zu finden. Vgl. aber auch die kritischen Einschränkungen, die *B. E. Meland*, The Realities of Faith. The Revolution in Cultural Forms, New York 1962, 268ff., hinsichtlich der Betonung der »tender elements« geltend macht.

105 AId, 316 (AI, 167). Dazu nimmt kritisch Stellung *W. D. Geoghegan*, Platonism in Recent Religious Thought, New York 1958, 121, auch 117ff.

106 AId, 316 (AI, 167).

107 AId, 316 (AI, 167). S. dazu die milde Kritik an dem »somewhat one-sided view« bei *J. S. Lidgett*, Contrasted Cosmologies. Centennial Review 144, 1933, 553, 553f.

108 AI, 316 (AI, 167).

»ganz zentralen Punkt«[109] über Platon hinausführende Leistung – die Ausbildung des Gedankens der *wechselseitigen Immanenz in der Trinitätslehre*[110] – auch hinsichtlich des Verhältnisses von *Gott und Welt*[111] bewähren und fortentwickeln.

Die protestantische Theologie soll die »barbarische« Vorstellung vom Verhältnis Gottes zur Welt, die sich am Vorbild des Verhaltens der »frühen ägyptischen bzw. mesopotamischen Könige zu den von ihnen unterworfenen Völkern«[112] orientierte, aufgeben. Anstelle dieser eine unüberbrückbare Kluft zwischen Gott und Welt setzenden Vorstellung[113] solle die Theologie – und nun empfiehlt Whitehead der Theologie, das auszuformulieren, was seine Gedanken zum Gottesbegriff entwerfen – die Welt und Gott in einer umfassenden »Interpretation des Universums« mit einem einheitlichen Kategorienaufgebot begreifen[114]. Dieses Unternehmen aber soll letztlich der Aufgabe dienen, »uns das Element in unserem vergänglichen Leben (zu) zeigen, das unvergänglich ist, weil in ihm die Vollkommenheiten zum Ausdruck kommen, die unserem endlichen Wesen angemessen sind. Denn dann werden wir verstehen können, daß es im Leben eine Befriedigung gibt, die tiefer geht als Freude oder Schmerz«[115]. Der Aufweis des Bleibenden und Erhaltenen im Vergehenden und Zerstörten ist aber vor allem deshalb erforderlich, weil Leben *Räuberei* ist. Ein lebender Organismus braucht Nahrung, und die Nahrung besteht aus zerstörten Ereignisserien: »Leben ist Räuberei. Genau an diesem Punkt wird im Zusammenhang mit dem Leben das Problem der Moral akut. Der Räuber muß sich rechtfertigen.«[116] Das Problem der Rechtfertigung verbindet die Religion mit der Moral; das Problem der Rechtfertigung der durch Zerstörung lebenden Subjektivität generiert die Religion: ». . . justification is the basis of all religion«[117].

109 AId, 317 (AI, 167).

110 Vgl. AI, 167ff. (AId, 317, 318f.). Das hat *E. Schweizer*, Das Evangelium nach Matthäus, NTD 2, Göttingen 1976, festgehalten: »Nach einem der berühmtesten mathematischen Logiker der Moderne, Whitehead, ist die Dreieinigkeitslehre eine der größten Leistungen menschlichen Denkens«, 350.

111 Vgl. AI, 169 (AId, 319). S. dazu *W. H. Capps*, »Being and Becoming« and »God and the World«. An Analysis of Whitehead's Account of their Early Association. RPL 63, 1965, bes. 579ff.

112 AId, 319 (AI, 169). Vgl. auch den Hinweis auf Ps 24,1 u. 10 in RM, 54, 54ff. Dazu mildernd: *D. D. Williams*, Deity, Monarchy, and Metaphysics: Whitehead's Critique of the Theological Tradition. In: *Leclerc*, 358, 358ff.; erläuternd: *Christian*, An Interpretation of Whitehead's Metaphysics, aaO., 383ff.

113 Vgl. AI, 169 (AId, 320). An diesem Punkt tritt mit *Whitehead* in einen – vage bleibenden – Disput: *K. F. Thompson*, Whitehead's Philosophy of Religion, Den Haag u. Paris 1971, bes. in seinem Kap. über: Religion and Morality, 131ff.

114 Vgl. AI, 170 (AId, 320). S. schon im Ansatz RM, 67f., 81ff., 97f.

115 AId, 324 (AI, 172).

116 PR, 160 (PRc, 105, PRd, 204f.). Vgl. ebd.

117 RM, 15; vgl. 83. Zum Verhältnis von Religion und Moralität bei *Whitehead* s. *D. L. Hall*, The Autonomy of Religion in Whitehead's Philosophy. Philosophy Today 13, 1969, 276ff.

Nach Whiteheads Überzeugung erfolgt diese Rechtfertigung – mit welcher die positive Darstellung der Religionsentwicklung ansetzt – durch den Aufweis von Gottes Immanenz im universalen Prozeß. Zu rechtfertigen ist dabei die durch Objektivierung anderer wirklicher Ereignisse antizipierte, entstehende Subjektivität. Deshalb gilt: »Religion is what the individual does with his own *solitariness.*«[118] Dies wird jedoch erst bei höher entwickelter Religiosität erkennbar[119]. Die primitiven Formen von Religiosität, die Whitehead untersucht, sind noch »essentially social phenomena«, in denen die wirkliche Subjektivität erst langsam aus ihrer wirklichen Welt hervortritt[120]. Nur in ihrem Verfall sinkt Religion zurück »into sociability«[121].

Mit der Phase der Ausbildung der individuellen Subjektivität zum Zentrum der Religion setzt aber zugleich der Prozeß ein, in dem die Religion universale Ausbreitung erlangt. Whitehead macht darauf aufmerksam, daß – entgegen der schlichten Vorstellung des gesunden Menschenverstandes – der Prozeß der Ausbreitung und der Prozeß der Vereinsamung nicht voneinander zu trennen sind; sie verlaufen simultan und kovariant. Denn in diesem Prozeß *löst* sich die Religion aus dem Geflecht der Beziehungen, das sie mit einer bestimmten Lebenswelt verknüpft. Sie löst die Bindungen an die vorgegebene natürliche Umgebung und macht die sozialen Routinehaltungen und eingespielten Handlungen nicht mehr unbefragt mit[122]. Mit dieser Vereinsamung bildet sich ein nicht mehr auf bestimmte Regionen der natürlichen Umgebung fixiertes Verhalten aus, es entwickelt sich ein Welt-Bewußtsein und es entsteht »world-loyalty«[123]. Mit dem Verlust der provinziellen Mentalität erst entsteht ein bestimmter Gottesbegriff.

In der ersten Phase dieses Prozesses ist Gott eine unbestimmte, leere, dunkle, allenfalls geahnte und vage empfundene Größe. In der zweiten Phase versucht die Individualität, mit dem Willen Gottes zu kämpfen; im beständigen Wechsel von Bindung und Einsamkeit, der die Übergangserfahrungen charakterisiert, wird Gott zum Feind. Erst in der dritten Phase,

118 RM, 16, Hervorhebg. Vf.; vgl. ebd. 28f., 35, 58f., 86. Daß *Whitehead* damit nicht den Rückzug des Individuums auf individuierende Erfahrungen propagiert, hat *H. W. Hintz,* A. N. Whitehead and the Philosophical Synthesis. JPh 52, 1955, 231f., richtig hervorgehoben; zum Problem s. auch *A. H. Johnson,* The Social Philosophy of Alfred North Whitehead. JPh 40, 1943, 268.

119 Vgl. RM, 19.

120 Vgl. RM, 22ff. S. auch Teil B dieses Kap., bes. Abschn. 3ff. S. ferner dazu die – sonst sehr fehlerhafte – Darstellung von *P. Hoßfeld,* Das Christentum in der Religionsphilosophie von A. N. Whitehead. ThGl 59, 1969, 471.

121 RM, 23, vgl. 37.

122 S. z.B. RM, 38, 38f., 47.

123 RM, 59. Vgl. die ähnliche, wenn auch konkretere Diagnose der geistigen Entstehensbedingungen des »christlichen Bewußtseins« bei *P. Yorck v. Wartenburg,* Bewußtseinsstellung und Geschichte. Ein Fragment aus dem philosophischen Nachlaß, hg. *I. Fetscher,* Tübingen 1956, 46f.

der Phase der »satisfaction«, wird von der einsamen Subjektivität Gott als »the companion« erkannt[124].

Whiteheads reife Kosmologie fügt noch, so sahen wir, eine ausdrückliche Betrachtung der vierten Phase als Thema der Religion hinzu[125]. Es ist dies die Betrachtung der transsubjektiven Phase des Prozesses, in der das wirkliche Ereignis in der zweiten Natur Gottes objektive Unsterblichkeit erlangt.

Diese Phase ist das eigentliche Thema der Naturwissenschaften, die von der Subjektivität des Prozesses abstrahieren[126]. Sie ist aber auch das Thema der Religion, die die Erhaltung der Subjektivität auch unter Abstraktion von ihrer Welt und von ihrem Selbstverhältnis in der Weise des Sich-Habens lehrt. Natürlich ist sie auch Thema der Philosophie, die die Grundlegung von Religion und exakten Wissenschaften in ein kosmologisches Schema zu integrieren sucht[127].

Der Gottesbegriff ist diejenige Grundlegung der Religion, die für die Kosmologie von Belang ist. Hier erfahren Whiteheads Konzentration auf die Religion und seine Religionskritik zugleich eine Zuspitzung: »Der Begriff Gottes ist gewiß ein wesentliches Element im religiösen Empfinden. Aber die Umkehrung trifft nicht zu; der Begriff des religiösen Empfindens bildet kein wesentliches Element in der Vorstellung des göttlichen Wirkens im Universum.«[128]

Die religiöse und die theologische Rezeption von Whiteheads kosmologischer Theorie sollten diese Abkoppelung des Gottesbegriffs von der Religiosität beachten.

6. *Whiteheads Verwechslung von Gott und Himmel*

Die Religionskritik in Whiteheads Werk sollte nicht mit Elementen einer christlichen Religionskritik verwechselt werden. Nicht »the Galilean origin of Christianity«, nicht die Offenbarung der Liebe Gottes in Jesus Christus, sondern der Ideenhimmel Platons und eine Verbindung von Himmel und Erde ist für Whitehead die letzte zu erfassende, zu explizierende und darzustellende Wahrheit.

Daß Whitehead öfter Gott, Himmel und Himmelreich identifiziert, ist eine zwar bislang wenig beachtete, aber für sich genommen noch nicht viel besagende Feststellung. Erst das Ausmaß, in dem er dies mit systematischer Notwendigkeit tut, ferner die von ihm unbeachtete Konsequenz und Diffe-

124 Vgl. RM, 16; auch 19.
125 Vgl. die Abschn. 3 u. 4 dieses Teils.
126 Vgl. Teil B, Abschn. 6 dieses Kap.
127 Vgl. PR, 23f. (PRc, 15f., PRd, 53ff.). Vgl. dazu RM, 76f.; auch MT, 102ff., 172 u. 174, bes. aber 103f. und die Orientierung an *Alexander*, Space, Time, and Deity, Bd. 2, aaO., bes. 341ff. Zur (abstrakten) Unterscheidung von Philosophie und ›Science‹ s. Mathematics and the Good. In: ESP, die Abschnitte XII u. XIII (ESPd, 88ff.).
128 PR, 315f. (PRc, 207, PRd, 384); den ersten Satz habe ich übersetzt, er *fehlt* in PRd.

renziertheit dieser Gleichsetzung nötigen dazu, von einer *Verwechslung* von Gott und Himmel zu sprechen. Erst die dieser Verwechslung eigene *Prägnanz*, die über gängige religiöse und religionskritische Verwechslungen[129] hinausführt und solche zum Teil unreflektierten Konfusionen in ein neues Licht rücken kann, macht die kritischen Rückfragen an Whitehead aufschlußreich und fruchtbar.

Eine Strecke weit kann zunächst der Versuch gemacht werden, Whiteheads Aussagen auch als theologisch haltbar zu erweisen. Er ist nämlich der Überzeugung, daß in Christi Verkündigung die Assoziation von Gott und Himmelreich erfolgt sei, »coupled with the explanation that ›The Kingdom of Heaven is within you‹«[130]. Gegen diese Feststellung kann theologisch bemerkt werden, daß sie nicht gerade von wünschenswerter Klarheit sei; aber sie wäre durch Präzisierung und Interpretation durchaus zu retten. Nun zeigt jedoch der Text, daß er eine *theologische* Präzisierung schwerlich anstrebt. Er fügt hinzu, daß zwar in Christi Verkündigung der Gottesbegriff »under the metaphor of a Father« auftrete, daß aber die Johannesbriefe und das Evangelium des Johannes auf – nach Whiteheads Überzeugung – hilfreiche Weise sich der »Modifikation« der personalen Einheit Gottes näherten[131].

Jedoch auch hier noch könnte mit großer Gelassenheit vermutet werden, daß Whitehead die Lehre vom *dreieinigen Gott* im Auge habe und daß er das Himmelreich in der in *Jesus Christus* offenbarten Liebe Gottes erkenne. Für letzteres allerdings spricht sehr wenig. Immerhin ist ihm darin recht zu geben, daß »in expressing our conception of God, words such as ›personal‹ and ›impersonal‹, ›entity‹, ›individuality‹, ›actual‹, require the closest careful watching . . .«[132].

Die Bemühungen, Whiteheads Rede von Gott als theologisch akzeptabel aufzuweisen, scheitern aber schließlich an seiner Identifikation Gottes zuerst mit einem Konstrukt, dann ausdrücklicher noch mit einem Geschöpf. Aufgrund dieser (sogleich darzustellenden) Identifikation wird deutlich, daß Whitehead mit der Rede vom Himmelreich zugleich auch den von der Erde unterschiedenen *Himmel* erfaßt wissen will. Es geht also nicht darum, Jesus Christus und das kommende Reich zu »assoziieren« (s.o.), es geht auch nicht darum, die Begegnung von Himmel und Erde, das Vergehen und die Neuschöpfung von Himmel und Erde darzustellen. Es findet vielmehr eine Ineinssetzung von Gott und dem von Gott *geschaffenen Himmel* statt.

Natürlich denkt Whitehead dabei nicht nur an das Firmament, an einen

129 Vgl. Kap. I, Abschn. 7. Hinsichtlich einer bewußten Identifikation von Gott und Himmel lehrreich: *K. Stock*, Annihilatio mundi. Johann Gerhards Eschatologie der Welt, FGLP 10, 42, München 1971, 113–115.

130 RM, 70.

131 Vgl. RM, 70f.: »Indeed, for most Christian Churches, the simple Semitic doctrine is now a heresy, both by reason of the modification of personal unity and also by the insistence on immanence.«

132 RM, 75f.

»bestirnten Himmel über mir« des Nachts und eine »liebliche, himmlische Bläue« am Tage. Wir können die gewiß verbreitete »Unfähigkeit zu verstehen, was diese Transzendenzwahrnehmung ›Himmel‹ ist, den wir erst zu einer ›primitiven‹ Anschauung degradieren«[133], nicht auch Whitehead unterstellen. Er denkt den Himmel nicht nur räumlich, sondern auch zeitlich, so daß er unter anderem auch das erfaßt, was wir heute – ohne Befremden zu erregen – als »die Zukunft« thematisieren oder eher chiffrieren[134]. Er denkt an den Bereich, der der »wirklichen Welt« – der Welt der Erfahrung, des Denkens und der physischen Aktivität, wie er präzisiert[135] – vorausgeht, ihr folgt und sie übersteigt[136]. Dabei wird deutlich, daß er statt des Himmelreichs den Himmel meint, der seinerseits von der »natürlichen Welt« überstiegen, überboten wird. Statt des Verhältnisses von dieser Welt, die Himmel und Erde umfaßt, und dem von dieser Welt nicht zu übersteigenden Himmelreich hat er vielmehr *vornehmlich das Wechselverhältnis der einander ergänzenden und vervollständigenden Größen Himmel und Erde* vor Augen, wenn er schreibt: ». . . just as the kingdom of heaven transcends the natural world, so does this world transcend the kingdom of heaven«[137].

Aber wie kann er dann, so ist zu fragen, der Meinung sein, den Ausdruck »Himmelreich« sinnvoll zu verwenden, und wie kann er – ohne bewußt Verwirrung anzurichten – dieses Himmelreich als Gott auffassen?

Wieder geschieht es offenbar in Anlehnung an Platon, der, wie wir sahen, nach Whiteheads Überzeugung das Christusgeschehen gedanklich antizipiert sowie natürliche Vorstellungen mit der Begriffssprache in hoher Vollendung verbindet. Eine »ideal world of conceptual harmonization« vereint Whiteheads Himmelreich und seinen Gott:

»This ideal world of conceptual harmonization is merely a description of God himself. Thus the nature of God is the complete conceptual realization of the realm of ideal forms. The kingdom of heaven is God.«[138] Wäre dies das letzte Wort Whiteheads über Gott und Himmel, so könnten wir nur von einer *Neigung* bei ihm sprechen, Gott und Himmel zu verwechseln. Letztlich wäre aber die Mischung von idealer Welt der Formen (das Reich der zeitlosen Objekte), »Himmelreich« und »Gott« als ein Konstrukt anzusehen oder, den Willen zu drastischerer Kritik vorausgesetzt, als ein Gespenst. Doch damit ist noch nicht die Verbesserung erfaßt, die Whiteheads Hauptwerk hinsichtlich der Theorie von Gott und Himmel bietet.

Wie wir sahen, unterscheidet »Prozeß und Realität« zwei Naturen Gottes[139]. Die erste wird als begriffliches Empfinden der zeitlosen Objekte vor-

133 Diese Feststellung trifft mit Recht *Gese*, Die Frage des Weltbildes, aaO., 211f.
134 S. dazu Kap. IV, Abschn. 3.
135 Vgl. RM, 86.
136 Vgl. RM, 86.
137 RM, 85.
138 RM, 148.
139 Abschn. 2 u. 3 dieses Teils. Irreführend die Unterscheidung der zwei Naturen bei *I. M. Bochenski*, Europäische Philosophie der Gegenwart, 2. Aufl., Bern 1951, 241.

gestellt, und »die zeitlosen Gegenstände, wie sie in Gottes Urnatur angelegt sind, begründen die platonische Welt der Ideen«[140]. Die zweite Natur ist aufzufassen als »Gott in seiner Funktion als das Himmelreich«[141].

Man könnte nun feststellen, daß Whitehead doch unterscheidet (oder sogar wieder trennen muß), was er zunächst zu verbinden suchte, daß seine zwei Naturen den Fehlschlag einer Vereinigung von christlichen und platonischen Impulsen darstellen usf. Aber solche Feststellungen bleiben äußerliche Kommentare. Tatsächlich versucht Whitehead nun erst einmal, *Gott als Geschöpf*, als »wirkliches Einzelwesen« zu denken, wie er an zahlreichen Stellen betont[142]. Er ist zweipolig, wie jedes wirkliche Ereignis in der Welt[143]. Allerdings soll er zeitlos gedacht werden[144], der Ausdruck »wirkliches Ereignis« soll nicht auf Gott bezogen werden[145], obwohl »wirkliches Einzelwesen« und »wirkliches Ereignis« sonst streng synonym verwendet werden. Diese Inkonsistenz[146] in der Begrifflichkeit ist aber unbefriedigend und nicht einzusehen, da sich Whitehead sonst sehr darum bemüht zu zeigen, daß Gott *nicht* als Ausnahme von allen metaphysischen Prinzipien behandelt werden soll[147]:

»Der Gottesbegriff . . . ist der eines wirklichen Einzelwesens, das der wirklichen Welt immanent ist, aber jede endliche kosmische Epoche tran-

140 PR, 73 (PRc, 46, PRd, 103).

141 PR, 531 (PRc, 350, PRd, 625). Zur Übersetzung vgl. Anm. 87 dieses Teils. *P. N. Hamilton* hat vorgeschlagen, »heaven« bei Whitehead als »›mind‹ of God« aufzufassen: The Living God and the Modern World: A Christian Theology Based on the Thought of A. N. Whitehead, Boston 1967, 124 u. 128.

142 Vgl. z.B. PR, 28, 116, 248, 339, 374 (PRc, 18, 75, 164, 222, 244f., PRd, 58, 152, 306, 406f., 447). Hierbei macht Reserven geltend: *R. C. Neville*, Whitehead on the One and the Many. Southern Journal of Philosophy 7, 1969, 393; s. auch *Ch. Hartshorne*, Whitehead's Conception of God. Actas Segundo Congreso Extraordinario Interamericano de Filosofia, San José 1961, 164f.

143 Vgl. PR, 54 (PRc, 36, PRd, 88).

144 Vgl. PR, 102 (PRc, 65, PRd, 137).

145 Vgl. PR, 135 (PRc, 88, PRd, 175). *Whitehead* begeht damit die Inkonsequenz, die er *Leibniz* vorgeworfen hatte; s. dazu *A. H. Johnson*, Whitehead's Theory of Reality, New York 1962, 131; zum Vergleich von *Whitehead* und *Leibniz* hinsichtlich des Gottesgedankens s. ferner *dies.*, Leibniz and Whitehead. PPR 19, 1959, bes. 294ff.

146 Vgl. auch noch einmal die Rede von drei Naturen Gottes, PR, 134f. (PRc, 87f., PRd, 174). *Pols*, Whitehead's Metaphysics, aaO., hat auf diese unbefriedigende Regelung beiläufig, aber beharrlich aufmerksam gemacht, bes. 171ff.; auf detailliertere, aus dieser Unstimmigkeit folgende Probleme weist *Bendall*, The Naturalization of Whitehead's God, aaO., 652ff., hin; ich habe von seiner Kritik gelernt, nehme aber *Whiteheads* Lehre von der zweiten Natur Gottes ernster (vgl. 656) und wende mich gegen die bei *Whitehead* inadäquat vollzogene Aufnahme spezifisch theologischer Ausdrücke (z.B. ›Himmelreich‹). Zur ›superject nature of God‹ s. auch die gute kritische Darstellung von *L. J. Eslick*, God in the Metaphysics of Whitehead. In: New Themes in Christian Philosophy, hg. *R. M. McInerny*, Notre Dame 1968, bes. 79ff.

147 Vgl. PR, 521 (PRc, 343, PRd, 613); ferner PR, 168 (PRc, 110, PRd, 213). – *D. J. Hogan*, Whitehead's God. The Analogy of Actual Entity. NSchol 46, 1972, hat versucht zu zeigen, daß so zahlreiche »significant differences between Whitehead's Deity and other actual entities« bestehen, daß Gottes Einzigartigkeit gewahrt bleibe, vgl. 412 u. 425f. Es bleibt dann jedoch unverständlich, daß *Hogan* aufgrund seiner Folgerungen Gott überhaupt noch als »actual entity« aufzufassen vermag.

szendiert – ein Seiendes also, das zugleich wirklich, zeitlos, immanent und transzendent ist. Gottes Transzendenz ist kein Privileg. Jedes wirkliche Einzelwesen, auch Gott, transzendiert sein Universum vermöge seiner Neuheit.«[148]

Aber auch im Blick auf die zeitlosen Objekte betont Whitehead die Gleichheit von Gott und wirklichen Ereignissen, indem er festhält, daß ein zeitloses Objekt von allen bestimmten wirklichen Ereignissen bzw. Einzelwesen, »sogar von Gott«[149] abstrahiere.

Diese Unstimmigkeit, die Whiteheads kosmologisches Schema in den Grundlagen, ja im Zentrum gefährdet, läßt sich auf zweierlei Weise beheben, ohne eine *neue* Kosmologie zu entwickeln. Einmal kann Gott dem Reich der zeitlosen Objekte als Ordnungsprinzip zugesprochen werden, als Ordnungsprinzip, das, wie Whitehead es will, selbst *zeitlos, dann aber doch kein wirkliches Ereignis* ist.

Wir hätten damit eine ehrliche Zwei-Welten-Theorie mit einem Gottesbegriff, der gewiß von höchster unmittelbarer Relevanz im Jenseits wäre. In den Ordnungszuständen dieser Welt wäre dieser Gott zwar nicht erkennbar, aber doch vielleicht zu vermeinen. Es wäre freilich zu prüfen, ob man für diesen elementaren Ordnungsfaktor nicht besser den Ausdruck »das Gesetz« verwenden sollte. Oder es wäre zu erwägen, ob man nicht das, was Whitehead ›Gott‹ nennt, als den Faktor identifizieren sollte, aufgrund dessen sich eine Wohlordnung von einer Ordnung unterscheidet. Die Kehrseite dieser zu einer Zwei-Welten-Theorie führenden Lösung wäre, daß Whitehead dann die Überwindung der Differenz zwischen den beiden Welten nur so gut oder so schlecht plausibel machen könnte, wie es die ›bifurcation‹ tut, die Aufgabelungstheorie, die kritisiert und überwunden zu haben seine kosmologische Theorie sich gerade pries. Für einen anspruchsvolleren Kenner neuzeitlicher Theorien würde Whiteheads Kosmologie damit an mindestens einem entscheidenden Punkt uninteressant: an ihrem Ansatz.

Dieser Weg kann vermieden werden, wenn Whiteheads Gott begrifflich konsequent als wirkliches Ereignis gedacht würde. Er könnte näher als Geschöpf bestimmt werden, das den Reichtum des Reichs der Möglichkeiten in größter Extension birgt. Dieses wirkliche Ereignis wäre korrekt als *Himmel* zu bestimmen, und zwar aus folgenden Gründen:

– Es muß sich um ein wirkliches Ereignis, d.h. ein Geschöpf, in einer wirklichen Welt handeln – das aber ist *Gott* (bei Whitehead remoto Christo gedacht!) *nicht*.

– Es muß sich um ein die wirkliche Welt bewahrendes und erhaltendes, dennoch auch von ihr zu unterscheidendes, umfassendes wirkliches Ereignis handeln – das aber ist das *Himmelreich* (bei Whitehead ebenfalls remoto Christo gedacht!) *nicht*, denn es bedeutet das Vergehen und die Neuschöpfung und Verwandlung der wirklichen Welt.

148 PR, 143 (PRc, 93f., PRd, 184f.). Vgl. PR, 339 (PRc, 222, PRd, 406f.).
149 PR, 392 (PRc, 256, PRd, 468); vgl. ebd.

– Es muß sich nicht nur um ein Geschöpf und um ein zugleich von der wirklichen Welt zu unterscheidendes wirkliches Ereignis handeln, sondern zugleich um eine mit Gott und dem Himmelreich verwechselbare Größe, die zudem noch in einen Assoziationszusammenhang mit Platons Welt der Ideen gebracht werden kann: das ist der *Himmel.*

Der Himmel – wenn wir ihn nicht nur räumlich auffassen – erfüllt auch die Bedingungen von Whiteheads kosmologischem Schema, die Gott und das Himmelreich nicht erfüllen:

Er wäre durchaus als der Bereich der Schöpfung aufzufassen, in dem alle realisierten und realisierbaren und zu realisierenden Möglichkeiten der wirklichen Welt aufbewahrt sind. Er wäre von der wirklichen Welt nur relativ zu unterscheiden. Himmel und ›wirkliche Welt‹ wären grundsätzlich Bestimmungen verwandt wie ›dort‹ und ›hier‹, ›dann‹ oder ›bald‹ und ›jetzt‹, die verfeinert und präzisiert werden können, die aber ihre Relativität nie verlieren. (Im Kapitel IV werden wir dies ausführlicher dartun.)

Als Kehrseite dieser Lösung könnte angesehen werden, daß Whiteheads Kosmologie konsequent eine *Theorie der Endlichkeit* bliebe. Sie müßte darauf verzichten, das Wechselverhältnis von Himmel und wirklicher Welt als »Himmelreich« aufzufassen, oder sie würde die Ausdrücke Universum und Himmelreich promiscue verwenden. Darin würden ihr aber weder Naturwissenschaftler noch Theologen folgen wollen.

Fassen wir Whiteheads Gott konsequent als wirkliches Ereignis auf, so empfiehlt es sich auch deshalb, dieses Geschöpf nur Himmel und nicht Himmelreich zu nennen, weil sonst seine Unterscheidung von der wirklichen Welt nicht mehr aufrechtzuerhalten wäre. Wir hätten die Verbindung von Himmel und Erde, die ja schon das Wirkliches-Ereignis-Sein beider darstellt, noch einmal in religiöser Sprache ausgesagt, dafür aber die relative Unterschiedenheit von Himmel und wirklicher Welt aus den Augen verloren.

Wir haben nun eine Theorie, in der zwar nicht vom ewigen Gott die Rede ist – was bei Whitehead nur auf inkonsistente Weise geschehen konnte –, wohl aber vom zeitlichen Himmel, der die Funktionen, die Whitehead Gott zugedacht hatte, weitgehend erfüllt und zudem noch die Gedanken mit vielen Vorstellungen versöhnt.

Man kann vielleicht auch sagen, daß damit Whiteheads Versuch aufgegeben sei, Platons Antizipation des Christentums darzutun. Doch dabei ist zu bedenken, daß bereits die Unterscheidung der zwei Naturen Gottes im Hauptwerk als ein Übergang von der versuchten Synthese zur Koexistenz von Platonischer Philosophie und Christentum aufzufassen war. Wird der Gott Whiteheads aufgrund seiner Geschöpflichkeit und doch relativen Unterschiedenheit von der wirklichen Welt durch den endlichen Himmel ersetzt, so ist das Wechselverhältnis von Himmel und wirklicher Welt, das des Universums, das der universale Prozeß darstellt, allerdings um ein Moment ärmer, das Whitehead denn doch wichtig ist.

Seine Kosmologie endet mit einer eindrücklichen Beschreibung des universalen Prozesses, in dessen vierter und letzter Phase ein Wechselspiel zwischen »Himmel und Welt« einsetzt. Die vollendeten Ereignisse dieser Welt werden, nachdem sie hier keine subjektiven Möglichkeiten mehr haben, keine Zukunft mehr besitzen, eben vollendet sind, zu einer Realität im Himmel transformiert. Sie erlangen objektive Unsterblichkeit, wie wir sahen[150]. Diese Realität des Himmels »geht wieder über in die Welt«[151] und tritt wieder in den Prozeß der wirklichen Welt ein.

Whitehead hat damit den Vorgang der Neuschöpfung aus der Kraft der Möglichkeiten im Gewesenen[152] veranschaulicht. Die Kraft dieser Neuschöpfung, die er *Kreativität* nennt[153], hat er jedoch so nachlässig bestimmt, daß nur von einem Wechselverhältnis zwischen Himmel und Welt gesprochen werden kann. »Aufgrund dieser Wechselbeziehung geht die Liebe der Welt in die Liebe des Himmels über und flutet wieder zurück in die Welt.«[154]

Die Rede von der *Liebe* zwischen Himmel und wirklicher Welt am Ende von Whiteheads Kosmologie verliert ohne die Rede von Gott ihre Überzeugungskraft. Sie verliert aber auch ihre Überzeugungskraft schon in und aufgrund ihrer formalen Darstellung, der Darstellung eines Verhältnisses, das als *Bleiben im Wechsel*[155] zu bezeichnen ist. Der reife Hegel hat diese im bloßen Wechselverhältnis sich ereignende und als Wechselverhältnis aufzufassende Liebe als ein bloßes *Spiel der Liebe* oder ein »Spiel des Unterscheidens, mit dem es kein Ernst ist«, bezeichnet[156]: »Es ist dies Unter-

150 Vgl. Abschn. 4, aber auch 3 dieses Teils.

151 PR, 532 (PRc, 351, PRd, 626). Es kann nicht die Rede davon sein, Gott sei »ever enlarging His heaven by the reception of the new values which these actual entities achieve«, so *S. E. Hooper*, Whitehead's Philosophy: The World as »Process«. Philosophy 23, 1948, 157. *Whiteheads* Grundintention beschreibt richtig *D. B. Kuspit*, Whitehead on Divinity. APh 11, 1961, z.B. 137. Zu dem von *Whitehead* konzipierten Wechselverhältnis s. *R. C. Neville*, The Impossibility of Whitehead's God in Christian Theology. PACPA 44, 1970, 139; allerdings lassen sich *Nevilles* Einwände entkräften, wenn Gott und Himmel *nicht* identifiziert werden.

152 S. dazu *J. Moltmann*, Theologie der Hoffnung. Untersuchungen zur Begründung und zu den Konsequenzen einer christlichen Eschatologie, BEvTh 38, München 1968, 247f.

153 Vgl. PR, 46f., 344, 374, 528 (PRc, 31, 225, 244f., 348, PRd, 79f., 411f., 447, 621).

154 PR, 532 (PRc, 351, PRd, 626). *Herdt*, Immanenz und Geschichte, aaO., 18, hat deshalb enttäuscht vermerkt, »Kreativität gerät in einer mit den Begriffen von Process and Reality operierenden Interpretation zum Gemeinplatz, der das Bedeutungsfeld dieses Wortes an seinen Grenzen verwischt.« – Gründlicher noch als diese Dissertation *W. J. Garland*, The Ultimacy of Creativity. Southern Journal of Philosophy 7, 1969, allerdings auch ohne befriedigendes Ergebnis, 375f.; vgl. auch *Parmentier*, La philosophie de Whitehead et le problème de Dieu, aaO., 278ff.; vor allem *Johnson*, Whitehead's Theory of Reality, aaO., 220 u. 222. S. ferner *E. G. Braham*, The Place of God in A. N. Whitehead's Philosophy. LQHR 164, 1939, 66f. Die Verwirrungen hinsichtlich des Begriffs der Kreativität dokumentiert z.B. *W. E. Stokes*, Recent Interpretations of Whitehead's Creativity. MSM 39, 1962, 316ff.

155 Vgl. auch PR, 533 (PRc, 351, PR, 626f.). *Ely*, The Religious Availability of Whitehead's God, aaO., 48ff., hat mit Recht über die religiöse Armut und Trostlosigkeit dieser Aussicht geklagt.

156 *G. W. F. Hegel*, Vorlesungen über die Philosophie der Religion, Bd. II, 2. Halbbd., PhB 63, Hamburg 1966, 75, vgl. 61. S. aber auch den milderen Vergleich beider Denker bei *D. D. Williams*, Philosophy and Faith: A Study in Hegel and Whitehead. In: Our Common History

scheiden nur eine Bewegung, ein Spiel der Liebe mit sich selbst, wo es nicht zur Ernsthaftigkeit des Andersseins, der Trennung und Entzweiung kommt.«[157] In der Tat mündet Whiteheads Kosmologie in eine Vision unendlicher kosmischer Heiterkeit und Harmonie[158].

as Christians. Essays in Honor of A. C. Outler, hg. *J. Deschner* u.a., New York 1975, bes. 171, ferner jedoch 169, 169f.; auch die wohlwollende Kritik an *Whitehead, ders.*, Deity, Monarchy, and Metaphysics, aaO., 370f. Schließlich *H. K. Wells*, Process and Unreality. A Criticism of Method in Whitehead's Philosophy, London 1950, 114f. u. 183ff.; dazu wiederum die Kritik von *W. Mays* in seiner Rezension über dieses Buch, Mind 61, 1952, 431f.; und *A. H. Johnson*, Recent Discussions of Alfred North Whitehead. RMet 5, 1951–1952, 301f.
Zum bei *Whitehead* offenen Problem des Denkens in Dichotomien, das einerseits die Schüler *Whiteheads* von *Hegels* Theorie entfernt hielt und andererseits einen Denker wie *Hartshorne* in Kontakt mit *Peirce* bleiben ließ, s. *Ch. Hartshorne*, Creative Synthesis and Philosophic Method, La Salle 1970, 99f.

157 *Hegel*, Vorlesungen über die Philosophie der Religion, Bd. II, 2. Halbbd., aaO., 93.

158 S. auch AI, 296 (AId, 511f.); ferner *E. T. Buehrer*, Mysticism and A. N. Whitehead. In: Mysticism and the Modern Mind, hg. *A. P. Stiernotte*, New York 1959, 69f.; *Ch. Hartshorne*, Mysticism and Rationalistic Metaphysics. Monist 59, 1976, bes. 469; und *A. E. Murphy*, Whitehead's Objective Immortality. In: Reason and the Common Good. Selected Essays of Arthur E. Murphy, hg. *W. H. Hay*, *M. G. Singer* u. *A. E. Murphy*, Englewood Cliffs 1963, 171f.; *D. L. Hall*, The Civilization of Experience. A Whiteheadian Theory of Culture, New York 1973, bes. 183ff., der richtig gesehen hat, daß die Weiterführung von *Whiteheads* Gedanken (s. auch *W. E. Stokes*, A Whiteheadean Approach To the Problem of God. In: Traces of God in a Secular Culture, hg. *G. F. McLean*, Staten Island 1973, 77–81) an dieser Stelle das Verhältnis von Religiosität und Kunst erhellen müßte.

Kapitel III

Realität Gottes und Relativität der Welt. Die amerikanische Prozeßtheologie

Vorbemerkungen zu den drei Richtungen der Prozeßtheologie

Wie im Kapitel I angekündigt, sollen nun die drei Richtungen dargestellt werden, in denen das Prozeßdenken in der Theologie der Vereinigten Staaten gegenwärtig lebendig und wirksam ist.

Der Informations- und Bildungsvorsprung, den die amerikanischen Theologen durch die Aneignung der kosmologischen Theorie Whiteheads gegenüber einem von »kontinentalen« Theorien geprägten Denken gewiß besitzen, ist aufgrund der Ausführungen des vorangehenden Kapitels so weit reduziert, daß wir mit den wichtigsten gegenwärtigen Vertretern der drei Richtungen der sogenannten Prozeßtheologie – über die bloße Darstellung hinausgehend – in einen Dialog eintreten können. Nur reduziert, nicht aber eingeholt ist dieser Vorsprung insofern, als Whiteheads Theorie seit den zwanziger Jahren von manchen Denkern eine eigenständige, seine Philosophie modifizierende, mit anderen Traditionen verbindende, vor allem aber sie zu vereinfachen suchende Aufnahme erfahren hat. Obwohl diese mehr oder minder ausgeprägten Varianten des Prozeßdenkens die Entwicklung der Prozeßtheologie nicht unbeeinflußt gelassen und zur Ausbildung der drei zu unterscheidenden Richtungen beigetragen haben, bleiben alle Nachfolger Whiteheads innerhalb des ›Kraftfeldes‹ seiner Kosmologie. Auch hier gilt, wie stets, daß zwar nicht alle Fortentwicklungen bedeutender Theorien diese aufzuschlüsseln vermögen, daß aber die Kenntnis von sehr komplexen und wirksamen philosophischen Entwürfen auch in die Lage versetzt, die Entwicklungen in ihrem Einflußbereich zu durchschauen.

Wenn wir schlagwortartige Bezeichnungen für die drei grundlegenden Ausprägungen der Prozeßtheologie suchen wollten, so würde es sich nahelegen, die erste Richtung »theistische Prozeßtheologie« zu nennen, weil sie sich vor allem und programmatisch um die Artikulation eines »neoklassischen Theismus« bemüht, die zweite Richtung könnten wir als »empirische Prozeßtheologie«, die dritte als »religiöse Prozeßtheologie« vorstellen.

Um dem Unbehagen, das schon der Ausdruck »Prozeßtheologie« bereiten mag[1], und den Mißverständnissen, zu denen solche schlagwortartigen Bezeichnungen führen, zu entgehen, soll jedoch von diesen und ähnlichen Be-

1 S. dazu die Abschn. 4 u. 5 des Kap. I.

nennungen (mögen sie auch sonst von den ›Schulen‹ selbst provoziert werden) im folgenden nicht Gebrauch gemacht werden.

Da wir in diesem Kapitel an einer lebendigen Diskussion und nicht an einer – vielleicht vorzeitigen, gewiß aber frühzeitigen – möglichen Historisierung der Prozeßtheologie interessiert sind, wollen wir uns an systematisch-theologischen Fragestellungen und an den mit ihnen verbundenen Namen orientieren, d.h. an den *gegenwärtig* jeweils führenden Vertretern der drei Richtungen. Es sind dies Schubert M. Ogden, Bernard M. Loomer und John B. Cobb. (Auf die anderen bedeutenden Vertreter der Prozeßtheologie wird konsequent nur in den Anmerkungen Bezug genommen.)

Die erste, von *Schubert M. Ogden* vertretene Richtung ist nicht nur durch Whiteheads Denken, sondern ebenfalls maßgeblich durch die Whitehead-Interpretation von *Charles Hartshorne* beeinflußt worden, der von 1928–1955 an der Chicagoer Universität lehrte und großen Einfluß auf die dortige Divinity School ausübte[2]. Die zweite Richtung, die sogenannte »Empirical Whitehead School«, als deren gegenwärtiger Hauptvertreter *Bernard M. Loomer* anzusehen ist, ist ebenfalls nicht nur systematisch auf Gedanken Whiteheads, sondern auch historisch auf die Divinity School der Chicagoer Universität zurückzuführen. *Henry Nelson Wieman* ist hier als zwischen Whiteheads Denken und der Theologie vermittelnder Vertreter vornehmlich zu nennen[3]. Die dritte Richtung, die einerseits in *direkter enger Rückbindung an die Texte Whiteheads* zu arbeiten bestrebt ist, andererseits die diagnostischen und therapeutischen Möglichkeiten des Prozeßdenkens in Kultur und Kirche der Gegenwart augenfällig auszuweisen sucht, wird führend von *John B. Cobb* vertreten[4].

2 Zu verweisen ist hier auf die biographischen Darstellungen von *A. Gragg*, Charles Hartshorne, Waco/Texas 1973; eine Bibliographie bietet Process and Divinity. FS Hartshorne, 579ff., die vervollständigt ist in ProcSt 3, 1973, 179–227 (Secondary Bibliography), 304–307 (Dissertations and Theses on Hartshorne); ProcSt 6, 1976, 73–93 (Primary Bibliography). Auf die Beeinflussung der Prozeßtheologie durch *Hartshorne*, dessen Whitehead-Interpretationen im vorangehenden Kapitel wiederholt konsultiert wurden, machen vor allem die Anmerkungen von Teil A dieses Kap. aufmerksam.

3 Eine Bibliographie der Schriften von und über *Wieman* bietet der Band: The Empirical Theology of Henry Nelson Wieman, hg. *R. W. Bretall*, New York 1963. S. auch den Bericht über *Wiemans* Wirksamkeit in Chicago von *Meland*, The Realities of Faith, aaO., 109ff.; und *H. N. Wieman*, Intellectual Autobiography of Henry Nelson Wieman. In: The Empirical Theology of Henry Nelson Wieman, aaO.

Hingewiesen werden soll an dieser Stelle auch auf *B. E. Meland*, dessen Bibliographie in ProcSt 5, 1975, 285–302, abgedruckt ist; sowie auf dessen Aufsatz: From Darwin to Whitehead. A Study in the Shift in Ethos and Perspective Underlying Religious Thought. JR 40, 1960, 229ff. Auf *Wiemans* Wirksamkeit wird vor allem in den Anmerkungen von Teil B dieses Kap. Bezug genommen werden.

4 *Cobb* hat dazu beigetragen, daß sich das verbindende und organisatorische Zentrum der Prozeßtheologie von Chicago nach Claremont/Kalifornien verlagerte. Eine Bibliographie seiner Schriften bis 1977 bietet der Band: John Cobb's Theology in Process, hg. *D. R. Griffin* u. *Th. J. Altizer*, Philadelphia 1977, 193–201.

Vgl. zur hier gegebenen kurzen Übersicht auch *D. Ritschl*, Die Wissenschaftsproblematik in der amerikanischen Diskussion – ein Überblick. In: Theologie als Wissenschaft, hg. *G. Sauter*,

In den drei folgenden Teilen sollen aber nicht nur die Werke, die zentralen Themen, die leitenden Motive und das Denken dieser Theologen vorgestellt und erörtert werden. Es ist auch aufzuzeigen, wo sich diese Theologen hinsichtlich grundlegender Überzeugungen, Methoden und Fragestellungen von der Theorie Whiteheads trennen bzw. gar nicht erst mit ihr in Kontakt treten. Vor allem soll jeweils diejenige systematisch-theologische Problemstellung hervorgehoben werden, die, *obwohl* ihr eine dominierende Stellung zugesprochen wurde, ungelöst geblieben ist. Die Reihenfolge der Darstellung der drei Richtungen ist so gewählt, daß die am wenigsten von Whitehead und am stärksten vom »kontinentalen« Denken geprägte Richtung vorangestellt wird. Die zweite Richtung behandelt die offene systematisch-theologische Frage der ersten mit größerem Willen zur Präzisierung. Die dritte Richtung kann als eine plastischere und in mehrfacher Hinsicht konsequentere Fassung der Vorhaben der zweiten Richtung angesehen werden.

Die einzelnen Teile sind so aufgebaut, daß zunächst die jeweilige Position in ihrer Entwicklung dargestellt wird. Im Anschluß daran werden Fragen formuliert, die einerseits auf Unvereinbarkeiten mit dem Denken Whiteheads, andererseits auf ein offenes theologisches Problem aufmerksam machen. Die Überlegungen dazu leiten jeweils zur nächsten Position über, so daß das ganze Kapitel in einer systematischen Verfassung und als ein Dialogprozeß erscheint. Grundorientierung gibt dabei die Frage nach der Rede von Gott, bestimmter: nach der Universalität Gottes.

Gegenüber der dritten Richtung der Prozeßtheologie wird unsere Untersuchung in den Kapiteln IV und V ihr alternatives Programm darlegen: 1. die Bestimmung einer begrenzten Funktion der kosmologischen Theorie in theologischer Arbeit; 2. die Kontrastierung der – wichtigen – expansiven Theorie der Entspannung der Welt mit der Überwindung der »Angst der Welt« in Jesus Christus.

ThB 43, München 1971, 320f.; *Cobb* u. *Griffin*, Prozess-Theologie, aaO., Anhang B; *L. Gilkey*, Process Theology. VoxTh 43, 1973, bes. 9ff., 22ff.; *D. D. Williams*, Prozeß-Theologie: Eine neue Möglichkeit für die Kirche. EvTh 30, 1970, 571–582; *W. N. Pittenger*, Process Theology: A Whiteheadian Version. In: Religious Experience, 3–21; *D. Brown* u. *G. Reeves*, The Development of Process Theology. In: Process Philosophy, 21–64; *H. Reitz*, Was ist Prozeßtheologie?, aaO., 78–104; *dies.*, Wirklichkeit ist ein Prozeß. Neue Impulse einer amerikanischen Theologie. EK 7, 1974, 741–743.

Teil A

Gott: Das Selbst der Welt

1. *Die Frage nach der Realität Gottes angesichts der modernen Leugnung, daß die »Welt irgendwie über sich hinaus weist«*

Mit dem Vortrag »Zwischen den Zeiten« wurde Friedrich Gogarten für die dialektische Theologie im allgemeinen und für Karl Barth im besonderen zu einem »Dreadnought für uns und gegen unsere Widersacher«[5]. Ähnliches darf für die Prozeßtheologie im Blick auf die Vorträge Schubert M. Ogdens gesagt werden, die er unter dem Titel »Die Realität Gottes« veröffentlicht hat[6].

Unter dem Titel »Die Realität Gottes« untersucht bzw. beschreibt Ogden Schwierigkeiten der Theologie, sich auf die Bewußtseinsstellungen des modernen Menschen einzustellen[7], und empfiehlt die Aneignung der Theorie und des Denkens Whiteheads und Hartshornes, um diesem Übelstand wirksam zu begegnen.

Ich will zunächst in zwei Abschnitten die aufschlußreichen Diagnosen der wichtigsten theologischen und erkenntnistheoretischen Probleme, die Ogden wiederholt vorgetragen hat, darstellen, sodann seine philosophischen und theologischen Ausführungen, die zur Lösung jener Probleme beitragen sollen.

Whitehead fragt am Anfang seiner philosophischen Entwicklung nach der Realität der Welt[8] und ihrer adäquaten Darstellung. Ogden fragt nach der Realität Gottes und ihrer adäquaten Darstellung. Whitehead gerät, wie wir sahen, in Schwierigkeiten, auch nur die *Fragestellung* zu präzisieren. Das wird man ebenfalls im Blick auf die Exposition der Frage nach der Realität Gottes bei Ogden feststellen müssen.

Zwar will er sich mit aller Konzentration dieser Frage zuwenden: ». . . die Realität Gottes (ist) das zentrale theologische Problem geworden«[9]. Aber welches Problem er damit eigentlich und exakt vor Augen hat, wird nicht sofort deutlich. Viele in engeren oder weiteren Zusammenhängen stehende Fragestellungen und theologische Probleme könnte er damit benannt haben. Allen Erwägungen, die die Vagheit der Fragestellung auf

5 Zitat nach *J. Moltmann* (Hg.), Anfänge der dialektischen Theologie, Teil II, ThB 17, 2. Aufl., München 1967, 94.

6 *Sch. M. Ogden*, Die Realität Gottes (übers. *K. Gregor Smith)*, Zürich 1970 (zit.: Realität); Titel der amerikanischen Ausgabe: The Reality of God and Other Essays, New York 1977. Im folgenden beziehe ich mich auf die deutsche Übersetzung, gebe aber zusätzlich (in Klammern) die entsprechenden Seitenzahlen der amerikanischen Ausgabe an.

7 Zum Problem neuerlich wieder *C. F. v. Weizsäcker*, Gottesfrage und Naturwissenschaften. In: Heute von Gott reden, hg. *M. Hengel* u. *R. Reinhardt*, München 1977, 162ff.

8 S. Kap. II, Teil A.

9 Realität, 11 (1).

eine vielschichtige Problemlage zurückführen wollen, tritt Ogden allerdings mit der Betonung entgegen, daß das »Gottesproblem« (»the problem of God«)[10] das *einzige* Problem sei[11] und daß wir es »in seiner jetzigen Form verstehen«[12] müßten.

Der erste Ansatz zu einer klareren Bestimmung dessen, was mit »Gottesproblem« gemeint sein könnte, zeigt allerdings eher ein »*Weltproblem*«: Viele Menschen »*leugnen . . . eindeutig, daß diese Welt irgendwie über sich hinaus weist*«[13]; sie leugnen heute »jegliche transzendente Wirklichkeit, worin die säkulare Ordnung ihren endgültigen Grund und ihr Ziel hat«[14].

Die Leugnung, daß diese Welt über sich hinausweist, rückt also nicht zunächst, wie man ganz unbefangen denken könnte, Probleme wie die der Bedeutung von Vergangenheit und Zukunft, der Relativität der wirklichen Welt, der Endlichkeit des menschlichen Lebens usf. ins Blickfeld. Es wird auch nicht festgehalten, daß diese Welt, theologisch verstanden als Himmel und Erde, in der Tat *von sich aus* nicht über sich hinausweist. Jene Leugnung rückt nach Ogdens Überzeugung vielmehr das »Gottesproblem in den Mittelpunkt protestantischer Theologie . . . Eine solche Leugnung ist ihrer Natur nach die Verneinung der Realität Gottes«[15].

Weil der moderne, der heutige Mensch leugnet, daß diese Welt über sich hinausweist, leugnet er eine transzendente Wirklichkeit, und damit »bejaht« er nicht mehr die Realität Gottes[16] – er leugnet sie[17].

Ogden will nun zeigen, daß das folgenreiche Problem der Leugnung einer transzendenten Wirklichkeit und der damit verbundenen Leugnung der Wirklichkeit Gottes zum Teil auf den »traditionellen Theismus« zurückgeführt werden kann. Er bemerkt ferner wiederholt, daß eine Ablösung dieses traditionellen Theismus durch einen »neoklassischen Theismus«, der im Anschluß an Whiteheads Philosophie entwickelt worden ist, einen Teil der Probleme beseitigen würde, daß der neue Theismus »die protestantische Theologie näher an eine Lösung des Problems von Gottes Wirklichkeit heranführen kann«[18].

Die konventionellen Theisten oder, wie Ogden diese Position ebenfalls nennt, die Supranaturalisten provozieren einerseits eine Leugnung Gottes, da sie *Gottes Gleichgültigkeit gegenüber der Welt* betonen: »Als *actus purus* und damit statisch vollständige Vollkommenheit, die keiner weiteren Selbst-Verwirklichung irgendwie fähig ist, kann Gott von dem, was wir

10 Realität, 11 u. 17 (1 u. 6).
11 Vgl. Realität, 11 (1).
12 Realität, 13 (2).
13 Realität, 24, Hervorhebg. Vf. (12).
14 Realität, 27 (15).
15 Realität, 24 (12).
16 Vgl. Realität, 25 (13).
17 Vgl. Realität, 29 (16).
18 Realität, 33 (20).

tun, weder bereichert noch verringert werden, und unser Handeln muß ihm, wie auch unser Leiden, im strengsten Sinne gänzlich gleichgültig sein.«[19]

Andererseits sprechen die von Ogden kritisierten Traditionen von der in Schöpfung und Erhaltung, vor allem aber in Jesus Christus liegenden liebenden Zuwendung Gottes zur Welt, so daß sie »zugleich verneinen und bejahen, daß Gottes Beziehung zu der Welt wirklich ist und daß er dem Leben der Welt relevant ist, wie sie dem seinen«[20].

Zu beachten ist nun, daß Ogden nicht direkt[21] unter Konzentration auf Jesus Christus als der einen Offenbarung Gottes den widerspruchsvollen Konstrukten der Theisten, Supranaturalisten und der metaphysischen Tradition[22] entgegentreten will[23].

Wichtig ist ihm nämlich, die Berufung auf das eine, »an dem wir fast alle heute teilhaben, . . . eben unsere Erfahrung als moderne, säkulare Menschen: Unsere Bejahung des Lebens hier und jetzt in der Welt in allen seinen Aspekten und seiner echten Autonomie und Bedeutsamkeit«[24] als Ausgangslage der Infragestellung des klassischen Theismus festzuhalten[25]. Nun reicht diese bloße Bejahung noch nicht aus, auch nur eine theologische *Problem*stellung zu formulieren. Warum soll es nicht mit einer zufriedenen

19 Realität, 30 (17f.). Vgl. ebd., 66–71 (48–52).

20 Realität, 31 (18). S. dazu auch *Ch. Hartshorne*, Man's Vision of God and the Logic of Theism, Chicago u. New York 1941, bes. 114ff., 295ff.

21 Die damit aufgeworfenen Problemstellungen werden in Teil B und Teil C dieser Diskussion mit der Prozeßtheologie allerdings noch deutlicher als bei *Ogden* hervortreten.

22 Vgl. Realität, 32 (19).

23 Im Blick auf *Karl Barth* und *Reinhold Niebuhr* bemerkt er vielmehr: ». . . die ausgesprochene Tendenz, sich entweder auf die Christologie oder die Anthropologie zu konzentrieren, entfernte das Gottesproblem vom Mittelpunkt des theologischen Denkens«, Realität 12 (2). Vgl. ebd., 11, 15 und die wenig überzeugende Auseinandersetzung 23 (1, 5 u. 11f.): Nach Hinweis auf *R. Niebuhrs* ebenso einflußreiche wie »profunde anthropologische und ethische Überlegungen« führt er als Argument gegen ihn ein: »Aber wer leugnet, daß viele, die sich diese Gedanken angeeignet haben, weit davon entfernt sind, Niebuhrs eigene kräftige Version des historischen christlichen Glaubens zu teilen?« Und nachdem er sich von *Niebuhr* mit diesem (beliebig verwendbaren) Einwand distanziert hat, fügt er in der sich anschließenden Anmerkung hinzu: »Man muß gerechterweise hinzufügen, daß, wenn Niebuhrs anthropologische Konzentration gewisse Gefahren in sich birgt, dasselbe auf Karl Barths ›christologische Konzentration‹ zutrifft.« – Im Blick auf *D. Bonhoeffer* stellt er fest, daß dessen »konstruktive Aussage über Gott begrifflich so ungenügend entwickelt ist, daß sie keine klare Alternative zu dem traditionellen Theismus aufweist, den sie zu ersetzen sucht«, Realität, 73 (54), vgl. 72 (53f.). *Bonhoeffers* frühe Schriften, vor allem Akt und Sein, aaO., die hinsichtlich ihres ingeniösen und sensiblen Umgangs mit philosophischen Begriffen von der Theologie dieses Jahrhunderts sehr selten eingeholt worden sind, läßt er allerdings außer Betracht. – *Ogden* will also in einer das von ihm formulierte »Gottesproblem« erhaltenden Weise und zugleich unter Ausbildung oder Verwendung einer bei *Barth, Niebuhr* und *Bonhoeffer* nicht zu findenden Begrifflichkeit in die Auseinandersetzung mit dem dargestellten »Theismus« eintreten.

24 Realität, 33 (20). Diese in *Ogdens* frühen Schriften häufig und nur schwach variiert auftretende Wendung erinnert an *Bultmann* und stärker noch an *Gogarten*. S. jedoch auch *W. A. Christian*, God and the World. JR 28, 1948, bes. 259–262.

25 Vgl. Realität, 39 (25).

Bejahung eines selbstgenügsamen Lebens in einer autosuffizienten Welt sein Bewenden haben?

Auf diese Frage findet Ogden eine Antwort – gerade aufgrund der noch offenen Bestimmtheit der »Wirklichkeit« Gottes und der Welt.

2. *Das Problem, die verschiedenen Zugangsweisen zu Gott und die verschiedenen Zugangsweisen zur »Wirklichkeit« definitiv zu ordnen*

In der Untersuchung der Entwicklung von Whiteheads Kosmologie[26] haben wir die Erfahrung gemacht: Können wir nicht angeben, was wir unter »wirklicher Welt« verstehen, so können wir auch nur relative und willkürliche Ordnungen der Zugangsweisen zur Welt vornehmen. Wechselnde Perspektiven, vorübergehende Erfolge und Mißerfolge, kurzlebige oder langfristig gültige Konventionen diktieren dann offenbar, was eine adäquate, eine adäquatere oder eine weniger adäquate Darstellung der Welt sei.

In eine ähnliche Situation gerät Ogden. Die Unbestimmtheit der Wirklichkeit Gottes gibt zunächst Raum für die These: »Wenn Gott nicht für jeden Menschen in irgendeiner Weise wirklich ist, so ist er es für keinen.«[27] Diese These wird folgendermaßen unterbaut:

Der Glaube an Gott hat einen *Grad*. Das heißt, es gibt positive und negative Bezugnahmen auf Gott und Mischformen von Leugnung und Bejahung. »Man kann Gottes Wirklichkeit mit dem Geiste wie auch mit den Lippen bejahen und dabei doch seine Wirklichkeit leugnen, indem man in seiner aktuellen Existenz ohne Gott lebt.«[28] Mit Recht macht Ogden im Anschluß an Richard Niebuhr[29] auf die zu wenig beachtete Tatsache aufmerksam, daß die *Verneinung* Gottes nicht die *Vernichtung* der Beziehung zu Gott darstellt. Er weist auch darauf hin, daß es klarere[30] und dumpfere Weisen der Bejahung und Leugnung Gottes gibt[31]. Das Folgeproblem dieser In-

26 Vgl. Kap. II, Teil A.

27 Realität, 36, vgl. 34f., 59 (22, vgl. 21f., 42). S. auch die Kritik von *R. C. Neville*, Neoclassical Metaphysics and Christianity: A Critical Study of Ogden's ›Reality of God‹. IPQ 9, 1969, bes. 609f.

28 Realität, 36 (23).

29 *H. R. Niebuhr*, Radikaler Monotheismus, Gütersloh 1965, 40; zum weiteren vgl. auch ebd., 104f.; und *ders.*, The Responsible Self. An Essay in Christian Moral Philosophy, New York 1963, z.B. 144.

30 Vgl. Realität, 38 (24): ». . . auf der Ebene völliger Selbst-Bewußtheit . . .«

31 Vgl. auch die Abstufungen hinsichtlich der Darstellung des Glaubens, Realität, 105ff. (81ff.). S. dazu *Ogden*, Der Begriff der Theologie bei Ott und Bultmann. In: Der spätere Heidegger und die Theologie, hg. *J. M. Robinson* u. *J. B. Cobb*, NLT 1, Zürich u. Stuttgart 1964, bes. 194 u. 199; ferner die Ausführungen des Beitrags: Das seltsame Zeugnis des Unglaubens. In: Realität, bes. 156–158 (124–126), und die Zielbestimmung der Theologie, ebd., 177 (142). Die Grundstruktur des dargelegten Problems ließe sich bereits in *Ogdens* Rezeption der Gedanken *Bultmanns* aufweisen. Er kann die Einheiten und Differenzen von Mythos, empirischer Wissenschaft und Theologie, vgl. Realität, 205, 207ff. (166, 168), in einer Stufenordnung oder einer Anordnung einander überschneidender Bereiche koordinieren, wobei allerdings die

tegration aller Bezugnahmen auf Gott in ein Differenzen relativierendes, vielschichtiges und komplexes Verhältnis besteht allerdings darin, daß »der Unterschied zwischen Glauben und Unglauben in irgendeinem Sinne erkannt werden« muß[32].

Ogden wendet sich aber nicht gleich der Frage einer Bestimmung der Wirklichkeit Gottes zu, von der die Lösung dieses Problems abhängig ist; er verschärft es vielmehr, indem er auch Gott gegenüber *gleichgültig* erscheinende Verhaltensweisen in eine Verbindung mit dem Bereich leugnender und bejahender Bezugnahmen bringt. Damit erst erhält die These, daß Gott, wenn er nicht »für jeden Menschen in irgendeiner Weise wirklich ist«, es für keinen sei, ein umfassendes Fundament. Ferner befreit sich Ogden, wie wir sehen werden, weitgehend von den Befangenheiten, die die Privilegierung einer Wissenschaft oder der übertriebene Respekt gegenüber der Leistungskraft einer bestimmten Wissenschaft bzw. »anderer Wissenschaften« überhaupt mit sich bringt[33].

Unter Berufung auf Gedanken des Philosophen Stephen Toulmin – Ogden hätte aber für seinen Zweck ebensogut Texte der frühen Philosophie Whiteheads heranziehen können[34] – stellt er fest, daß z.B. die Naturwissenschaften oder die Moral *begrenzte* Operations- und Kompetenzbereiche haben. An diesen Grenzen, so geben Toulmin und Ogden wie auch andere religiöse Denker der Tradition zu bedenken, entstehen »Grenzfragen«[35]. An diesen schwer bestimmbaren Grenzen wird nun gerade der Kompetenzbereich der Religion und auch der Theologie angesiedelt. »Der Zweck der Religion . . . und damit auch der Sprache und Reflexion, die man ›religiös‹ oder ›theologisch‹ nennen kann, besteht darin, Fragen zu beantworten, die natürlicherweise an den Grenzen der Tätigkeiten des Menschen als moralisch Handelndem und wissenschaftlich Informiertem entstehen.«[36] Die Religion soll dazu beitragen (eine solche Folgerung hatten wir bereits bei Whiteheads erstem Gottesgedanken – allerdings bei dem am schwächsten

Frage nach den Kriterien irgendeines Gefälles oder einer Wertung offenbleibt. Zur damit gegebenen günstigen Gesprächssituation s. den Abschluß des folgenden Abschnitts, aber auch die gelassene Auseinandersetzung mit *A. Flew* über dessen Buch: The Presumption of Atheism and Other Philosophical Essays on God, Freedom and Immortality. Religious Studies Review 3, 1977, 143f.

32 Realität, 39 (25). Vgl. ebd., 38 (24), den nicht überzeugenden Einwand gegen *Ch. Hartshorne; Hartshorne* hat die Konsequenzen dieser Relativierung durchschaut, reinen Unglauben und reinen Glauben als für Menschen unwahrscheinliche Extreme aufgefaßt (The Logic of Perfection, La Salle 1973, 7) und den Unglauben als Erhaltung und Erzeugung (nicht nur »intellektualistisch« zu verstehen) von Inkohärenz der Grundlagen und Ideale des Lebens bestimmt (vgl. ebd., z.B. 112). Auch *Ogdens* Kritik am Atheismus bleibt hinsichtlich ihres entscheidenden Punktes dunkel, vgl. Realität, 62f. (45f.).

33 Vgl. Realität, 204 (165); auch *L. Ch. Birch*, What Does God Do in the World? USQR 30, 1975, 75ff.

34 Vgl. Kap. II, Teil A.

35 Vgl. Realität, 44f. (30f.).

36 Realität, 45 (30).

ausgebildeten – vorgefunden[37]), daß wir uns mit diesen Grenzen »abfinden«, bzw. sie soll uns »›wieder Gewißheit‹« schaffen, »Vertrauen zurück()geben«[38].

Diese Wiederherstellung grundlegenden Vertrauens und ursprünglicher Gewißheit leisten alle »›Religionen‹ oder ›Glauben‹ der Menschheit einschließlich der ›christlichen Religion‹«[39]. Durch diese Wiederherstellung eines »tieferen Glaubens . . ., der ihnen vorangeht«, durch die Wiederherstellung eines »ursprüngliche(n) Vertrauen(s) zu dem Sinn und Wert des Lebens«[40] ist die Religion für die anderen komplexen mentalen Verhaltensweisen (z.B. Naturwissenschaft und Moralität) von direkter Relevanz[41]. Wir müssen also von einem Bereich menschlicher Verhaltensweisen zur Wirklichkeit sprechen, der Grenzzonen und Regionen der Gefährdung eines grundlegenden Vertrauens und einer ursprünglichen Gewißheit aufweist. Diese Zonen und Regionen stellen den Bereich der Religionen dar, die durch eine mehr oder weniger positive oder negative Bezugnahme auf Gott »ein Ur-Vertrauen zu der letzten Bedeutsamkeit des Lebens«[42] wiederherstellen.

Nun folgt aus dieser apologetisch sehr attraktiven und umfassenden Position allerdings, daß man die *Wirklichkeit Gottes* an Grenzen und riskanten Übergängen anderer – z.B. naturwissenschaftlicher – Operationsbereiche aufweisen können müßte. Die Wirklichkeit Gottes sind die als bedrückend empfundenen Horizonte und Krisenherde der einem jeden auf vielfache Weise zugänglichen Wirklichkeit oder Wirklichkeiten (hier bleiben Unentschiedenheiten, denn noch ist ja auch die ›weltliche‹ Wirklichkeit nicht befriedigend bestimmt).

Die Konsequenz, Gottes Wirklichkeit eindeutig so zu bestimmen, scheint Ogden dann aber doch vermeiden zu wollen. Zwar kann er auch davon sprechen, daß »die Religion als ein Kulturausdruck neben anderen nicht das einzige Mittel ist, wodurch diese Frage gestellt und beantwortet wird«[43]. Aber eine zumindest relative Überlegenheit der Religion in diesem Bereich möchte er doch festhalten[44]:

». . . zu fragen, ob das Wort ›Gott‹ . . . sich auf etwas objektiv Wirkli-

37 Vgl. Kap. II, Teil C, Abschn. 2.

38 Realität, 46, vgl. 46 (32, vgl. 31f.).

39 Realität, 49 (33).

40 Realität, 49 (34); vgl. 143 (114). Auf die Vagheit dieses Programms macht aufmerksam *D. Brown*, God's Reality and Life's Meaning: A Critique of Schubert Ogden. Encounter 28, 1967, bes. 261f.

41 Vgl. Realität, 49, 49ff. (34, 34ff.). Es ist erstaunlich, daß *F. Buri*, Existential-Ontologie und neue Metaphysik als christliche natürliche Theologie. In: Gott in Amerika. Amerikanische Theologie seit 1960, Bern 1970, 115, trotz seiner sehr breiten Darstellung der Toulmin-Rezeption *Ogdens* (110–115) zu dem Schluß kommt, *Ogden* zentriere seine Gedanken auf die Moralität.

42 Realität, 59 (42f.).

43 Realität, 145 (116).

44 Vgl. Realität, 145 (116).

ches bezieht, ist, so glaube ich, keine vernünftige Frage. Wenn wir die religiöse Denkweise einmal angenommen haben, ist es sinnlos, diese Frage zu stellen; und wenn diese Denkweise nicht angenommen wird, dann besteht keine Hoffnung, sie zu beantworten.«[45]

Es soll offenbar nicht unter allen Umständen ein *reversibles* Verhältnis zwischen religiösen und anderen Verhaltensweisen und nicht unter allen Umständen eine *bruchlose Kontinuität* zwischen der Wirklichkeit der Religionen und der Wirklichkeit der anderen geistigen Verhaltensweisen bestehen[46].

Einerseits gilt: »Wenn wir überhaupt nur als Selbst existieren, weil wir an den letzten Wert unserer Existenz glauben, je konsequenter und nachdrücklicher wir dann diesen Wert bejahen . . ., um so klarer erweisen wir unseren Glauben an das, worauf sich das Wort ›Gott‹ bezieht.«[47]

Daraus folgt überzeugend: »Erstens muß Gott als eine Wirklichkeit begriffen werden, die auf unser Leben in der Welt wahrhaft bezogen ist, und der darum in ihrem aktuellen Sein wir und unsere verschiedenartigen Handlungen alle von Wichtigkeit sind . . . Der Grund der Bedeutsamkeit unseres Lebens muß daher notwendig eine höchst relative Wirklichkeit sein. Gott muß zu allen unseren Handlungen in wirklicher innerer Beziehung stehen und so in seinem eigenen aktuellen Sein ihre Wirkung erleiden.«[48]

Für eine – allerdings von den vorangehenden Überlegungen her nicht nachvollziehbare – *Unterscheidung* einer Wirklichkeit Gottes und einer Wirklichkeit der Welt spricht andererseits die zweite Forderung, die man die »theistische Reserve gegenüber der Relativierung der Wirklichkeit Gottes« nennen kann:

»Zweitens aber können wir Gott nur als eine Wirklichkeit denken, deren Bezogenheit auf unser Leben selbst zu nichts relativ ist, und der daher weder unser eigenes Sein und Handeln noch irgendwelche anderen jemals in ihrer Existenz etwas ausmachen können.«[49]

Die Begründung für die Rede von dieser zweiten Wirklichkeit lautet kurz und bündig, daß auch der »säkulare Glaube« sich nur mit der Relativität des »*aktuellen Sein(s)*« seines Grundes, nicht aber mit der Relativität der *Exi-*

45 Realität, 55 (39).

46 Vgl. die Spannungen, Realität, 98, 101, 107, 109 (76, 78, 83, 85), und den Versuch, eine Einheit von Einheit und Differenz zu artikulieren: »Das Äußerste, das wir sagen können, ist folgendes: die Sprache des Zeugnisses ist allerdings nicht wörtlich dieselbe wie die der Wissenschaft; doch ist sie in wichtiger Hinsicht so sehr *wie* die Sprache der Wissenschaft, daß wir sie ernstlich mißverstehen würden, wollten wir ihr jeden Sinn absprechen, der sie zu einer Äußerung berechtigt.« Ebd., 112 (87f.); und 124 (98). Vgl. auch das sich wiederholende Problem hinsichtlich des Versuchs, etwas über die »Bedeutung von ›Wahrheit‹« auszusagen, ebd., 140f. (111f.); vor allem aber den folgenden Abschnitt.

47 Realität, 61 (44).

48 Realität, 64 u. 65 (47). Zum Problem, die beiden Gedanken zu vermitteln, s. *J. van der Veken*, Toward a Dipolar View on the Whole of Reality. LouvSt 7, 1978, bes. 106ff.

49 Realität, 65 (47).

stenz seines Grundes abfinden könne. Letztere müsse vielmehr »als im strengsten Sinne nichtrelativ oder absolut begriffen werden«[50].

Es fragt sich nun, was mit dieser Unterscheidung näher gemeint ist, wie das aktuelle Sein und die Existenz[51] des Glaubensgrundes sich zueinander verhalten; vor allem aber ist offen, wie sich nun doch ein fester und absoluter Grund in die Relativität der Zugangsweisen zur Wirklichkeit und zu Gott einfügen soll. Was spricht plötzlich für diese »theistische Reserve«, die Ogden in seiner folgenden theologischen Entwicklung beständig verstärkt hat? Er ist der Überzeugung, daß das *Prozeßdenken* in der Lage ist, die Absolutheit und die Relativität Gottes, die »Existenz« und das »aktuelle Sein«, in einen konsistenten Zusammenhang zu bringen. Damit ist wohl auch von diesem Denken eine Antwort auf unsere Fragen zu erwarten.

3. *Der »neoklassische Theismus« und die Modifikation der Theorie Whiteheads*

Ogden behauptet nicht, daß die Forderung nach einer Befreiung der Theologie von einem Theismus, der Gott als das »metaphysisch Absolute«, als das »Absolute der klassischen Philosophie« begreife[52], nur in dieser Generation und nur von ihm erhoben worden sei; er hält aber fest, daß die »Forderung nach einem *neuen christlichen Theismus*«[53] noch nicht, auf jeden Fall nicht in *begrifflich hinreichend entwickelter Weise* eingelöst worden sei[54].

Es geht Ogden darum, den klassischen Theismus »im Prinzip« zu überwinden[55], und das heißt für ihn, diesen mit Hilfe eines neuen begrifflichen Potentials zu ersetzen. Die neue Begrifflichkeit sollte von einer *Philosophie*

50 Realität, 65 (48).

51 S. dazu auch die Bedenken von *Jüngel*, Gottes Sein ist im Werden, aaO., 113f., Anm. 148.

52 Vgl. z.B. Realität, 68f. (50f.). Vgl. die klärenden Ausführungen zum »klassischen Gottesbegriff«: *C. E. Gunton*, Becoming and Being. The Doctrine of God in Charles Hartshorne and Karl Barth, Oxford 1978, bes. 2ff.

53 Realität, 71, Hervorhebg. Vf. (52).

54 Vgl. noch einmal die Kritik an *Bonhoeffer*. Ungeachtet der Einschränkung *Ogdens*, er beanspruche nicht, »Tillichs und Bonhoeffers wichtigen Beiträgen zu einem neuen Theismus gerecht zu werden«, Realität, 74 (55), kann seine Kritik an *Tillich* auch im Ansatz nicht überzeugen, da er unterstellt, *Tillich* habe angenommen, »daß der Grundbegriff, mit dem Gott begriffen werden muß, der des absoluten, unveränderlichen ›Sein‹ ist«, ebd. 73 (55). Vgl. auch *Ogdens* Aufsatz: Beyond Supernaturalism. RelLife 33, 1963, 13f. Doch *Tillichs* Relationierungen und Identifizierungen von ›Sein‹ und ›Selbst‹ sind damit noch nicht getroffen. (Vgl. zu *Tillichs* Verwendung des Ausdrucks ›Selbst‹: Vf., Der Vorgang Autonomie, aaO., 157ff.; aber auch das explizit machende ›als‹ in *Tillichs* Systematischer Theologie, Bd. I, Stuttgart 1956, z.B. 273ff., das eine Bereichsüberschneidung, nicht aber Deckungsgleichheit der Ausdrücke erzeugt.) Wie auch *Ogden* in seiner folgenden Entwicklung steht *Tillich* in einer Tradition, die sich letztlich an Begriffspaaren wie Ich und Welt, Selbst und Sein, Substanz und Subjekt und deren Verbindungen und Fusionierungen orientiert, einer Tradition, die in *Hegels* Denken ihren Höhepunkt erreicht haben dürfte.

55 Vgl. Realität, 74 (55).

bereitgestellt werden (theoretisch wäre auch an andere Wissenschaften und Disziplinen zu denken, was Ogden aber nicht erwägt), und diese sollte mit der protestantischen Theologie ›verträglich‹ sein. Nun ist eine solche Philosophie bereits vorhanden: ». . . wenn irgendeine moderne Philosophie historisch als ›säkularisierte‹ protestantische Philosophie angesehen werden kann, dann wird es mit großer Wahrscheinlichkeit weniger die Philosophie Heideggers noch die Existenzphilosophie überhaupt sein, sondern die Prozeß-Philosophie in ihren reifsten und völlig entwickelten Formen«[56].

Die reifsten Formen der Prozeß-Philosophie aber bietet »das Werk von Alfred North Whitehead und, auf dem gewöhnlich als ›natürliche Theologie‹ bezeichneten Gebiete, von Charles Hartshorne«[57].

Von diesem Werk übernimmt Ogden einen Grundgedanken auf so eigenständige Weise, daß er mit einem Schritt nicht nur den Kontakt zum Prozeßdenken herstellt, sondern auch die klassischen Subjektivitätstheorien in sein Gesichtsfeld rückt und ferner eine Korrelationstheorie etabliert.

Er knüpft an Whiteheads Begriff der Subjektivität an und betont, daß dieses Prinzip *nicht* »als eine besondere Art von Substanz aufgefaßt« werden dürfe[58]. Dies ist ein in der Tat fortschrittlicher – allerdings auch näher zu bestimmender – Grundgedanke Whiteheads[59]. Ogdens positive Bestimmung ähnelt aber weniger einem Theorieelement Whiteheads als einer Aufstellung Fichtes oder Tillichs: Es sei erforderlich, »daß wir als Erfahrungsbasis aller unserer grundlegendsten Begriffe das Urphänomen unserer eigenen Existenz als erfahrendes Subjekt oder Selbst nehmen«[60].

Ferner faßt Ogden – und damit spätestens kommt der korrelationstheoretische Zug in sein Denken hinein – das Urphänomen nicht nur als *erfahrendes,* tätiges Subjekt oder Selbst auf, sondern auch als *erfahrenen* »Urgrund unserer Welt wahrgenommener Objekte«[61].

Es ist schwer, darin *nicht* im Sinne Whiteheads wieder eine Substantialisierung von Subjektivität zu erblicken. Ogden scheint dieser Gefahr zunächst dadurch zu entgehen, daß er das erfahrene Selbst als »im Prinzip in Gemeinschaft und in der Zeit«, in »›Entwicklung‹ oder ›schöpferische(m) Werden‹«[62] begriffen sieht.

Das *neue Prinzip* ist also ein erfahrener Urgrund unserer Welt wahrgenommener Objekte, der zugleich erfahrendes Subjekt ist, der in einem zeit-

56 Realität, 122f. (96). Eine Darstellung dieser ›Formen‹ gibt *Ogden* nicht, nicht einmal hinsichtlich des Gottesbegriffs.

57 Realität, 75 (56). Vgl. ebenfalls 120, 122 (94, 96).

58 Realität, 76 (57).

59 Vgl. Kap. II, Teil B, Abschn. 3ff.

60 Realität, 76 (57). Man kann davon sprechen, daß *Ogden* mit dieser Ausdeutung eine Tendenz von *Ch. Hartshornes* Whitehead-Interpretation verstärkt, den Gottesgedanken im Blick auf das Selbst zu erhellen, s. *Hartshorne,* Reality as Social Process. Studies in Metaphysics and Religion, New York 1971, 209 u. 204ff.; s. aber auch die Differenzierung: *ders.,* A Natural Theology for Our Time, La Salle 1973, bes. 36f., 38ff.

61 Realität, 76 (57).

62 Realität, 78 (58).

lichen, gemeinschaftsbezogenen Prozeß der Entwicklung und des kreativen Werdens begriffen und nicht als Substanz aufgefaßt sein soll.

Mit Hilfe dieses Prinzips kann nicht nur die menschliche Individualität dargestellt werden[63], sondern – und das ist nach Ogdens Meinung das viele Schwierigkeiten beseitigende Neue[64] – auch Gott kann mit dieser Orientierung begriffen werden »als genau das einzigartige oder in jeder Weise vollkommene Beispiel schöpferischen Werdens, und damit als die eine, eminent in Gemeinschaft und Zeitlichkeit stehende Wirklichkeit«[65].

Gott kann nun »nicht länger als gänzlich unveränderlich« gedacht werden, sondern er ist »als in unaufhörlicher Selbst-Schöpfung begriffen«, als »ein lebender und sogar ein werdender Gott«[66] zu verstehen.

Die Schwierigkeiten werden akut bei Ogdens Behauptung, daß der werdende Gott »auf das Universum anderer Wesen bezogen ist wie etwa das menschliche Selbst auf seine Leiblichkeit« *einerseits* – daß aber »ebenso gewiß . . . Gott selbst in dieser Hinsicht die wahrhaft eminente oder vollkommene Wirklichkeit ist; daß er von andern übertroffen werden kann, ist eine prinzipielle, nicht nur eine faktische Unmöglichkeit«[67] *andererseits.*

Die zweite Behauptung Ogdens, die wieder seine ›theistische Reserve‹ zur Geltung bringt[68], erscheint aufgrund seiner Voraussetzungen als nicht plausibel. Zumindest müßte Gott *auch* als absolute *Substanz* gedacht werden; und in der Tat faßt Ogden Gott *auch* als »das ganze Universum nichtgöttlicher Wesen«[69] auf. Gott verhält sich zum Universum wie ein menschliches Selbst zu seinem Leib[70], er verhält sich zur Welt und damit zu sich selbst, zu sich selbst und damit zur Welt, und dies in einem beständigen Werden, in einer fortlaufenden schöpferischen Entwicklung. Dies ist der

63 Vgl. Realität, 77 (58).
64 Vgl. Realität, 78 (58f.).
65 Realität, 79 (59). *Ogden* ist überzeugt, daß erst der neoklassische Theismus die Einsicht vertreten habe, »daß Gott in strenger Analogie mit dem menschlichen Selbst oder der Person begriffen werden muß«, Realität, 216 (175); vgl. dort auch den Versuch, Mißverständnisse abzuwehren. Es läßt sich leicht zeigen, daß diese These historisch nicht gut haltbar ist. In einem scharfsinnigen Beitrag hat *D. R. Griffin* deutlich gemacht, daß mit diesem Gedanken die Ressourcen des Prozeßdenkens schwerlich ausgeschöpft sind: Schubert Ogden's Christology and the Possibilities of Process Philosophy. In: Process Philosophy, bes. 350. S. auch *Ch. Hartshorne,* The Divine Relativity. A Social Conception of God, New Haven 1974, bes. 70ff., 142ff., dazu als Erläuterung hilfreich, *ders.,* The Divine Relativity and Absoluteness: A Reply. RMet 4, 1950, bes. 34ff.; dazu wiederum die Darstellung von *L. S. Ford,* Process Philosophy and Our Knowledge of God. In: Traces of God in a Secular Culture, hg. *G. F. McLean,* Staten Island 1973, 86–88; und die Kritik von *J. W. Blyth,* On Mr. Hartshorne's Understanding of Whitehead's Philosophy. PhRev 46, 1937, bes. 523 u. 527f.
66 Realität, 79 (59).
67 Realität, 79 (59).
68 Vgl. Abschn. 2 dieses Teils.
69 Realität, 80 (60). Vgl. hierzu die gegen *Whitehead* gerichtete Kritik von *W. J. Hill,* Does the World Make a Difference to God?, Thom. 38, 1974, bes. 147ff.
70 Vgl. Realität, 77, 79 (58, 59).

neue Theismus, die Synthese von Gottes Selbstbeziehung und Fremdbeziehung[71].

Dennoch handelt es sich nicht einfach um ein symmetrisches Wechselverhältnis von Gott und Welt, da Gott sich auf eine *Mannigfaltigkeit von Welten* bezieht – obwohl man »nicht sinnvoll behaupten kann, daß Gott jemals ohne *irgendeine* wirkliche Welt von Geschöpfen war«[72]. Damit hat Ogden ein Wechselverhältnis zwischen Gott und Welt *überhaupt* konzipiert[73], das jedoch eine relative Unabhängigkeit Gottes von der jeweiligen wirklichen Welt einschließt.

Mit Hilfe der ausführlichen Interpretation einer Anmerkung aus Heideggers »Sein und Zeit« hat er sich darum bemüht, diese Relation auch als ein Verhältnis von Gottes Ewigkeit und Gottes Zeitlichkeit darzustellen[74]. Die Unabtrennbarkeit Gottes von der Welt überhaupt erscheint ihm nun als der Grund des letzten Vertrauens. Ogden stellt diese Unabtrennbarkeit als gemeinsame *Zukunft* von Gott und Welt vor. Er ist der Meinung, daß es die Zukunft sei, »für die wir letztlich unser Leben leben«[75], und daß diese Zukunft »auch die nie endende Zukunft von Gottes eigenem schöpferischen Werden (sei), an dem teilzuhaben jedem von uns geschenkt ist. Seine Selbst-Schöpfung ist das Letzte und Höchste, das durch all unser geringeres Bemühen und seine Ergebnisse vorangetrieben oder verzögert wird«[76].

Damit ist wohl eine sehr starke – aber eben doch nur quantitative und relative Unterschiedenheit Gottes von der Welt bzw. Überlegenheit Gottes über die Welt gedacht[77]. Zudem stehen die Entfaltung dieses *Prinzips* und

71 Vgl. Realität, 81, 82 (61, 62).

72 Realität, 83 (63). Vgl. ebenfalls das Bemühen um Differenzierung ebd., 216f. (175); aber auch den folgenden Abschnitt.

73 S. ausdrücklich Realität, 219 (178).

74 Vgl. dazu zunächst Realität, 180 (145), und das Problem ebd., 199 (160f.), dann 188–192 (152–155). Dazu *P. P. Manchester,* Time in Whitehead and Heidegger. A Response. ProcSt 5, 1975, 106–113, und *D. R. Mason,* Time in Whitehead and Heidegger: Some Comparisons. ProcSt 5, 1975, 83–105. Es sei an dieser Stelle auf *Ogdens* – vor allem in seinen frühen Arbeiten erkennbares – Bemühen hingewiesen, die Impulse, die er von *Bultmann* und *Hartshorne* empfangen hat (und das heißt für ihn immer auch Impulse *Heideggers* und *Whiteheads*) gedanklich zu vermitteln; s. z.B. Realität, 212 (172). Vgl. ferner Zur Frage der »richtigen« Philosophie. ZThK 61, 1964, z.B. 109 u. 124. S. aber auch *Ogdens* Kritik an *Bultmann,* Realität, bes. 214 (173), der er selbst nur mit Hilfe seiner »theistischen Reserve« entgeht. Als *christologische* Fragestellung formuliert er dies noch in Christ Without Myth, New York 1961, z.B. 163f.; s. aber auch die Rede vom »Glaubenszeugnis Jesu Christi«, Realität, 231, 268 (188, 220); klärender ebd., 234, 244f., 248f. (191, 199f., 203f.). S. dazu *E. Jüngel,* Jesu Wort und Jesus als Wort Gottes. Ein hermeneutischer Beitrag zum christologischen Problem. In: Unterwegs zur Sache. Theologische Bemerkungen, BEvTh 61, München 1972, bes. 128f. u. 136ff.

75 Realität, 84 (64).

76 Realität, 85 (64).

77 Vgl. Realität, 86 u. 80 (65 u. 60). Daß *Ogden* das Problem, eine nur relative Unterscheidung von Gott und Mensch unter theologische und gedankliche Kontrolle zu bringen, gesehen hat, ja, unnachsichtig ins Auge fassen kann, hat er in einer Auseinandersetzung mit *J. B. Cobb,* Christology Reconsidered: John Cobb's »Christ in a Pluralistic Age«. ProcSt 6, 1976, bes. 117 u. 121f., dokumentiert.

die Antwort auf die Frage, »ob diese neue Anschauung auch dem in Jesus Christus endgültig repräsentierten Glauben an Gottes Wirklichkeit gerecht werden kann«[78], noch aus. Ogden selbst bemerkt aber, daß somit der Nukleus der zu entwickelnden Begrifflichkeit vorliege, »die in der gegenwärtigen Situation verständlich ist *und* den wesentlichen Ansprüchen des biblischen Zeugnisses entspricht«[79]; andererseits zeigt er in seiner folgenden Entwicklung größere Zurückhaltung gegenüber dem Prozeßdenken und verbindet dies mit einer Steigerung der christologischen Bestimmtheit seiner Rede[80].

Nachdem die Gründe für diesen Argumentationsspielraum dargelegt worden sind[81] und die Variation des Denkens in besonderen, für die verschiedenen Gewichtungen sicherlich mitverantwortlichen Dialog- und Auseinandersetzungssituationen außer Betracht bleiben soll[82], ist die entscheidende Darstellung des Verhältnisses von Gott als einem Selbst, das sich zur Welt verhält wie ein menschliches Selbst zu seiner Leiblichkeit, genauer zu betrachten.

4. *Das »Selbst der Welt« und die Relativierung »dieser Welt«*

Wie verhält sich eigentlich ein menschliches Selbst zu seiner Leiblichkeit? Ogden hat sich mit dieser Frage einem späten Text Whiteheads zugewandt und ihm die Antwort entnommen, die »primary mode of our experience discloses a vague totality comprised of but two relata – the self and another«[83]. Er hat interpretiert, daß Whitehead mit dem »anderen« wohl unseren eigenen Körper und dessen natürliche Umgebung meine[84], und festgestellt, daß wir, um uns selbst und die Mitkreaturen zu empfinden – wobei offenbleibt, ob und wie eigentlich Ogden damit auch den Leib erfaßt wissen will –, auch ein »infinite whole« empfinden müßten, in welches wir »as somehow one« eingeschlossen seien[85].

78 Realität, 86 (65).

79 Realität, 88 (67).

80 S. Theology and Philosophy: A New Phase of the Discussion. JR 44, 1964, 13 u. 15; Glaube und Wahrheit. In: Theologie im Umbruch. Der Beitrag Amerikas zur gegenwärtigen Theologie, hg. *D. Peerman*, München 1968, 132 u. 137.

81 Vgl. Abschn. 2. S. ferner den die früheren Gedanken wiederaufnehmenden Beitrag: How Does God Function in Human Life?, CaC 27, 1967, 108.

82 Z.B. die Auseinandersetzung mit *Cobb*, s. A »Christian« Natural Theology? In: Process Philosophy, bes. 114; und die ungewöhnlich offene und integrationsbereite Position in: Toward a New Theism. In: Process Philosophy, 187.

83 Present Prospects For Empirical Theology. In: The Future of Empirical Theology, hg. *B. E. Meland*, Chicago 1969, 83.

84 Vgl. ebd., 83.

85 Vgl. ebd., 85. *Ogden* hat nach dem Modell einer Korrelation, deren Relata zugleich als ein vages, einheitliches Ganzes aufgefaßt werden sollen, auch die Trinität zu denken gesucht und von einer göttlichen Einheit (Vater) von göttlicher Subjektivität (Heiliger Geist) und göttlicher Objektivität (Sohn) gesprochen, vgl.: On the Trinity. For W. Pauck on His 70th Birthday,

Offenbar aufgrund dieser – als ›empirisch‹ dargestellten[86] – Erfahrung eines vagen, umfassenden Ganzen hat sich in Ogdens Denken die Tendenz verstärkt, die *Unterschiedenheit* von Gott und Welt wieder zu unterstreichen. Er stellt nun fest, der klassische Theismus habe »richtig« gesehen, »daß Gott nicht nur *ein* Seiendes, sondern *das* Seiende und damit gewissermaßen das ›Sein-Selbst‹«[87] ist. Er reduziert die Betonung, wir befänden uns in einer dem Theismus feindlichen säkularen Welt, und vermerkt einen Eintritt in eine »echt nach-säkulare() Kultur«[88], schließlich hebt er die Notwendigkeit hervor, daß zwischen Gott und Welt ein unendlicher, ja sogar »ein unendlich *qualitativer* Unterschied«[89] bestehe.

Die damit offenkundig gefährdete Kontinuität zu seinem vorangehenden Denken stellt Ogden mit der Einschränkung wieder her, daß ein unendlicher Unterschied allerdings noch kein *»absolute(r)* Unterschied« sei[90]. Dies gibt ihm genug Raum, zwar nicht mehr von einem Wechselverhältnis, aber doch von einer *wechselseitigen Teilhabe* von Gott an der Welt und der Welt an Gott zu sprechen[91].

Ein Konzept, das diese wechselseitige Teilhabe vor der Gefahr bewahrt, wieder zu einem symmetrischen Wechselverhältnis zu erstarken, was bislang *begrifflich* nicht ausgeschlossen ist, und das zugleich die Wendung »Gott als Selbst der Welt« festzuhalten erlaubt, hat Ogden schließlich in dem Aufsatz »The Meaning of Christian Hope« vorgetragen:

Gott ist weder die Welt noch ein Teil der Welt, sondern »a distinct center of activity and reactivity, and so a genuine individual in his own right«[92]. Ferner ist Gott anzusehen als Anfang und Ende eines jeden Individuums und aller Individuen, weshalb er als *das* Individuum aufzufassen ist und als die Welt transzendierend. Zugleich aber ist er – als Grund und Ende – auch der Welt immanent[93]. Diese Überlegungen, die Ogden unter dem Ausdruck ›Christian theism‹ nun zusammenfaßt[94], sollen nach dem Bild des Selbst,

(Masch.). Einen Beitrag des Prozeßdenkens zur Trinitätslehre gibt *L. S. Ford,* Process Trinitarianism. JAAR 43, 1975, s. bes. 201–205 u. 208f. Dagegen eher Ratlosigkeit dokumentierend: *W. N. Pittenger,* Trinity and Process: Some Comments in Reply. TS 32, 1971, bes. 290f., 294ff.

86 Vgl. Present Prospects for Empirical Theology, aaO., 86.

87 Christliche Theologie und die neue Religiosität. In: Chancen der Religion, hg. *R. Volp,* Gütersloh 1975, 165.

88 Ebd., 166. Ausführlicher in: Sources of Religious Authority in Liberal Protestantism. JAAR 44, 1976, bes. 411–413. Diesen Perspektivenwechsel fassen die mir vertrauten Darstellungen und Kommentare zu *Ogdens* Theologie noch nicht ins Auge.

89 Christliche Theologie und die neue Religiosität, aaO., 169.

90 Ebd., 169.

91 S. ebd., 169f.; hinsichtlich der Neuprägung der Position vgl. auch die Vorbehalte 173f.

92 The Meaning of Christian Hope. In: Religious Experience, 196. *P. Weiss* hat aus dem reagierenden Verhalten Gottes auf »die Wirklichkeit« sogar trinitätstheologische Grundgedanken zu gewinnen versucht, vgl. Philosophy in Process. Bd. III: March-November, 1964, Carbondale 1968, 180.

93 Vgl. The Meaning of Christian Hope, aaO., 196.

94 Vgl. ebd.

das ja »something like a little indwelling god« seines »eigenen Körpers« sei[95], in einen Imaginationszusammenhang gebracht werden.

Gott ist das universale Selbst, das – im Gegensatz zu allen übrigen Kreaturen – weder entsteht noch vergeht[96], das gleichwohl das Universum, das seine Umgebung ist, in seiner Liebe internalisiert[97]. Wohl findet in Gottes Umgebung, in seiner allumfassenden Liebe ein beständiges Geborenwerden und Sterben, Entstehen und Vergehen statt, aber – und nun illustriert Ogden einen Aspekt von Whiteheads objektiver Unsterblichkeit[98] – Gottes »memory is infallible«[99].

Nichts vergeht für Gottes Gedächtnis; Vergänglichkeit existiert für es nicht[100]; es gibt zwar, wie ja auch Whitehead lehrte, keine subjektive – aber doch eine objektive Unsterblichkeit[101]. Warum jedoch verdient, fragt Ogden mit Recht, diese bildhafte Vorstellung eines wider den Augenschein alles umfassenden, alles erhaltenden Ganzen, bzw. die Lehre von ihm, den Namen *christlicher* Theismus[102]?

Die Antwort lautet, daß diese allintegrierende Aktivität als die grenzenlose *Liebe* aufzufassen sei, durch die alles Leben zu einem immerwährenden Leben zusammengefaßt werde[103]. Diese Liebe sei Grund und Gegenstand der christlichen Hoffnung, denn nicht »merely the world«, sondern die Liebe sei »ultimately real«[104].

Es ist schwer, in dieser universalen erinnernden Erhaltung aller vergangenen wirklichen Ereignisse und wirklichen Welten[105] nicht eine vereinfachte Fassung von Whiteheads »consequent nature of God« zu sehen, sondern die Liebe Gottes, »decisively re-presented in Jesus Christ«[106].

95 Vgl. ebd.; aber auch die differenzierte Darstellung von »Process in God and Creatures« bei *Ch. Hartshorne*, Process and the Nature of God. In: Traces of God in a Secular Culture, aaO., 129ff. Und *ders.*, The Dipolar Conception of Deity. RMet 21, 1967, 287: »It is said that I, like Whitehead, seek to make a mere principle also a personal, voluntary, or theistic God. I think Whitehead in the end does not do this; but no matter, certainly I do not. I have explained, in hundreds of pages, in what sense the abstract or eternal aspect of God is only an element in the divine actuality.«

96 Vgl. The Meaning of Christian Hope, aaO., 198.

97 Vgl. ebd., 197.

98 Vgl. Kap. II, Teil C, Abschn. 4.

99 The Meaning of Christian Hope, aaO., 199.

100 Vgl. ebd., 199.

101 Vgl. ebd., 206.

102 Vgl. ebd., 199. S. zur Verschärfung und theologischen Präzisierung dieser Frage *J. Baur*, Wie nimmt der Glaube die Welt wahr? Einsichten und Folgen des christlichen Weltverständnisses. EvTh 30, 1970, bes. 591ff.

103 Vgl. The Meaning of Christian Hope, aaO., 204. S. dagegen die Rede von Gottes definitivem Urteil – im Anschluß an *Whitehead* – bei *D. D. Williams*, God and Time. SEAJT 2, 1961, 18f.

104 The Meaning of Christian Hope, aaO., 204.

105 Unsicherheit läßt *Ogden* hinsichtlich der Frage erkennen, ob auch die Zukunft von Gottes Liebe erfaßt sei, vgl. ebd., 197. S. als eine Alternative, ohne dabei *Ogdens* Anliegen zu schmälern, *G. Gloege*, Schöpfungsglaube und Weltbild. In: Vom Herrengeheimnis der Wahrheit. FS Heinrich Vogel, hg. *K. Scharf*, Berlin u. Stuttgart 1962, bes. 166.

106 Diese Entleerung ist in dem Aufsatz: The Point of Christology. JR 55, 1975, gedanklich

Es ist nicht einmal einzusehen, warum ein allintegrierendes Aktivitätszentrum mit dem Ausdruck ›Selbst‹ bezeichnet werden soll. Beriefe man sich auch auf eine Textstelle wie Apg 17,28, so ist doch die universale Erinnerung – auch wenn man sie als ein schöpferisches Erhalten auffassen könnte – noch nicht als ›Liebe‹ zu verstehen. Vor allem aber: Wie könnte diese alles inkludierende Aktivität vergängliches Fleisch werden; wie könnte sie auf *dieser* Welt Sünden vergeben, Kranke heilen und sich der Überwindung der Angst der Welt zuwenden? Wenn sich aber der erinnernde Gott wirklich auf diese Welt einließe, was kann uns davor bewahren, ihn in einer undurchschaubaren, permanenten Veränderung und Wandlung zu wähnen, gesteuert von den erinnernden Reaktionen auf die entstehende und vergehende Welt? Ogden sucht dieser Frage vorzubeugen, indem er *diese Welt* stark relativiert.

Sein Gott erscheint schließlich als gegenüber dieser Welt – relativ gleichgültig. Auch sie – auch dieser Teil »seines Leibes« – wird, wie alles andere, erinnernd erfaßt und erhalten. Das soll die Liebe Gottes und der Grund der Hoffnung sein. Mit dem ihm eigenen Gespür sieht Ogden wohl die Gefahr einer Entleerung der Theologie und einer »false other-worldliness«[107]. Doch auf diese Gefahr geht er nicht mit einer erneuten Umgewichtung oder Korrektur seiner Grundlagen ein[108]. Angesichts der Gefahr einer Entleerung der Theologie in einer Konzeption, die die Suche nach Orientierung an natürlicher Erfahrung, säkularem Selbstverständnis und philosophischer Begrifflichkeit nicht zugunsten theologischer Arbeit, sondern aufgrund eines theistischen Dekrets aufgibt, warnt Ogden nur vor einer anderen Gefahr, die ihm größer zu sein scheint:

konsequent vorbereitet. *Ogden* hält dort fest, daß nicht die detaillierten Bekenntnisaussagen entscheidend seien, sondern die Tatsache, daß sie über *Jesus* gemacht werden (394). Er spitzt weiter zu, daß es darauf ankomme, *an* Jesus zu glauben, an das Wort, das er selbst zugleich spricht und ist . . . (»in the word that he himself both speaks and is«, 395). Diese Aussagen sind jedoch auf der Grundlage gemacht: »The word implicitly addressed to us and to all men in every moment of our existence, regardless of whether it is explicitly heard by us, is the primal word that our lives are accepted unconditionally into God's life« (392f.). Von diesem gegen sein Ausgesprochen- oder Gehörtwerden gleichgültigen Wort gilt: »It is the same word, then, that is explicitly addressed to us in Jesus the Christ . . .« (393). S. ferner: On Revelation. In: Our Common History as Christians. Essays in Honor of A. C. Outler, hg. *J. Deschner* u.a., New York 1975, bes. 284f.; aber auch, unter Berufung auf *Bultmann*, 287; dabei ist, im Hinblick auf die im folgenden darzustellende Entwicklung von *Ogdens* Gedanken, hervorzuheben, daß *Bultmann* nicht einfach das »Was« zugunsten der Betonung des »Daß« ignoriert, sondern mit dem »Daß« das »Jetzt« verbindet. Vgl. auch *Bultmanns* Warnung, die hier seines Erachtens implizierte Christologie mit einer »Spekulation über ein Himmelswesen« zu verwechseln, Glauben und Verstehen. Gesammelte Aufsätze, Bd. I, 6. Aufl., Tübingen 1966, 204.

107 The Meaning of Christian Hope, aaO., 211.

108 Zu denken wäre vor allem an die Wiederaufnahme der Anfang der siebziger Jahre für *Ogden* wichtigen Verwendung der Rede vom Eingriff des christlichen Zeugnisses in einen Wirklichkeitsbereich, in der er die stärksten seiner frühen Anliegen mit christologischen und ekklesiologischen Überlegungen zu verbinden begann. What is Theology?, JR 52, 1972, bes. 30ff.; Falsification and Belief. RelSt 10, 1974, bes. 41–43; vgl. dann aber den Abstraktionsprozeß, The Authority of Scripture for Theology. Interp. 30, 1976, 258ff., bes. 260.

»The greater danger, rather, is that in its concern with developing such things as political theologies and theologies of hope and liberation, theology today will repeat the mistake of the social gospel and reduce Christian hope in God's love to little more than a secular hope for man's this-worldly fulfillment. Theology seems apt to forget, in other words, that although Christian hope does indeed have to do with this world, and thus is open to all that secularity itself can hope for, it nevertheless is not in this world but in the boundless love embracing it that such hope has its sole ultimate ground and object.«[109]

5. *Unvereinbarkeiten mit Whiteheads Theorie: Die Rückkehr zu konventionellen Theorien der Subjektivität und der Korrelation*

Es gehört zu den Standardthesen nicht nur Ogdens, sondern der Prozeßtheologie überhaupt, daß 1. die Theologie mit einer konsistenten Begrifflichkeit ausgestattet werden müsse, wenn sie ihrer Aufgabe gerecht werden wolle; daß 2. diese Begrifflichkeit von der Philosophie bereitgestellt werden solle; daß 3. die Philosophie Whiteheads und ihre Fortentwicklung zumindest gegenwärtig das adäquateste Begriffspotential zur Verfügung stelle.

Über den ersten Punkt kann man sich sehr schnell verständigen, wenn, wie es in der Regel geschieht, unbestimmt bleibt, ob damit nur ein Arsenal von abstrakten Ausdrücken gemeint ist oder sogar nur ein jeweils im wissenschaftlich-kulturellen Diskurs besonders attraktives Vokabular; ob darüber hinaus ein Ensemble von Verknüpfungsregeln und Abstraktionshilfen ins Auge gefaßt wird; oder ob damit besonders leistungsstarke gedankliche Figuren oder sogar Modelle der Welt gemeint sind. Die am weitesten reichende Möglichkeit müßte als eine Theoriesprache angesehen werden, die durchgebildet, diagnostisch kompetent, hinsichtlich des jeweiligen Trendvokabulars anpassungs- und absorptionsfähig wäre und in zahlreichen Lebensbereichen aufgrund einer immanenten Methodik kompatible Einsichten generieren und artikulieren würde.

Läßt man unbestimmt, was mit einer »Begrifflichkeit« gemeint ist, so kann man, unter Hinweis auf die schwächsten Varianten, leicht Zustimmung zu der ersten Forderung erhalten. Es kann, wie Ogden es auch tut, schließlich betont werden, die Begrifflichkeit habe nur eine *dienende* Funktion in der Theologie. Die Bedingungen ihrer Einführung, Verwendung und Suspendierung würden unter Kontrolle der natürlichen Sprache stehen und könnten durchaus als eine Funktion theologischer Exegese ausweisbar bleiben.

Erheblich schwieriger ist es, sich über den zweiten Punkt zu verständigen, auch wenn er unbestimmt läßt, welche Philosophie gemeint sei. Selbst die Theologen, die keine oder wenig Bedenken hinsichtlich der Aufnahme fremder Theorieelemente und Theoriesprachen in die Theologie haben, müssen sich doch fragen, warum sich die Theologie ausgerechnet auf die Philosophie festlegen lassen solle. Warum sollte nicht die Begrifflichkeit

109 The Meaning of Christian Hope, aaO., 211.

von der – neuerdings leistungsfähigeren (was Bonhoeffer voraussah[110]) – Soziologie bereitgestellt werden? Warum wäre nicht, in einer vielleicht fernen Zukunft, eine sehr reiche juristische oder eine sehr disziplinierte poetische Sprache denkbar, die zur Belebung und Ordnung theologischer Rede in Betracht gezogen werden könnte – wenn denn die Theologie auf außertheologische Gedanken und Theorieelemente angewiesen ist?

Am schwierigsten ist es, sich über den dritten Punkt zu verständigen, denn hier muß wirklich *unter Beweis gestellt* werden, daß die hochentwickelte Theoriesprache Whiteheads und ihre Fortentwicklung die theologische Arbeit erleichtern; daß sie die Mühe ihrer Aneignung belohnen, die Mühen der Aneignung anderer Theorien erübrigen oder reduzieren. Es muß gezeigt werden, daß sie nicht Barrieren aufbauen, sondern Brücken schlagen zwischen der – cum grano salis – ›Sprache der Schrift‹ und der ›Sprache der Zeit‹.

Diese schwierigen Fragen hat Ogden heraufbeschworen mit seinen zahlreichen *Ankündigungen,* die Philosophie Whiteheads und Hartshornes stelle neue, zumindest alternative und auf jeden Fall fruchtbarere Denk- und Darstellungsformen zur Verfügung, die die Theologie unter den Bedingungen der Gegenwart nicht ignorieren könne. Man muß im Blick auf Ogdens Werk feststellen, daß er in dem hier betrachteten Zeitraum diese Fragen unnötigerweise aufgeworfen und wenig zu einer Auseinandersetzung mit ihnen – geschweige denn zu einer Antwort auf sie – beigetragen hat.

Die Arbeit mit der Vorstellung von Gott und Welt nach dem Bild eines menschlichen Selbst und seines Leibes bedarf nicht der Einführung einer komplexen Philosophie – auch dann nicht, wenn der Leib Gottes als erinnerte Totalität gedacht, diese Erinnerung als »Liebe« bezeichnet und diese »Liebe« christologisch erfaßt werden soll. Wohl treten, wie wir sahen, viele theologische Schwierigkeiten in dieser Konzeption auf[111]; diese sind aber nicht bedingt durch die Berücksichtigung bzw. die Einführung komplizierter Diagnosen der Gegenwart oder anspruchsvoller Modelle und Methoden. Die theologischen Schwierigkeiten, in die Ogdens Denken gerät, sind mithin auch nicht direkt der Theorie Whiteheads anzulasten[112].

Es reichen vielmehr schon einfache, formale Darstellungen der Subjektivität aus, um Ogdens Grundgedanken (im hier betrachteten Entwicklungszeitraum) in einer außertheologischen »Begrifflichkeit« aufzufassen und

110 Vgl. z.B. *Bonhoeffer,* Akt und Sein, aaO., 101f. Zur Tradition, in der innerhalb der Prozeßtheologie die Forderung nach einem »philosophical framework« steht, s. z.B. *H. N. Wieman,* The Wrestle of Religion with Truth, New York 1928, 234ff.; *B. E. Meland,* Interpreting the Christian Faith Within a Philosophical Framework. JR 33, 1953, 87ff.

111 Abschn. 4 dieses Teils.

112 Sie sind allenfalls auf die Transformation des Prozeßdenkens durch *Hartshorne* zurückzuführen, worüber in dieser Untersuchung aber nicht diskutiert werden soll. S. jedoch andererseits *Hartshornes* Gedanken zum Leiden Gottes und zum Kreuz, Process Philosophy as a Resource for Christian Thought. In: Philosophical Resources for Christian Thought, hg. *P. LeFevre,* Nashville 1968, 65.

auszubilden. Gott wird als Aktions- und Rezeptionszentrum einer Umgebung gedacht, von der er sich unterscheidet und auf die er sich zugleich bezieht. Sein seine Umgebung – die Welt – erhaltendes Verhalten, das Ogden als universale Erinnerung darstellt und Liebe nennt, wird *einerseits* als »re-präsentiert« in Jesus Christus aufgefaßt. (In dieser Hinsicht kann gesagt werden, Gott verhalte sich zu sich selbst.) *Andererseits* ist es im Blick auf die Welt – mit der späteren Einschränkung, es handle sich nicht primär um »diese Welt« – auszusagen. (In dieser Hinsicht *kann* Ogden davon sprechen, daß Gott sich auf anderes, von ihm Unterschiedenes beziehe.) Durch die alle Näherbestimmung offenlassende Relativierung, es handle sich nicht primär um *diese* Welt, kann er schließlich Unterscheidung *und* eine unbestimmte Einheit von Gottes Verhalten, Gottes Re-präsentation und Welt aussagen.

Nichts spricht dagegen, diese Gedanken *nicht* im Rahmen der uns vertrauten Modelle der Korrelation von Einheit und Differenz Unterschiedener und Vermittlung von Einheit und Differenz zu denken. Zudem spricht nur noch die Rede von der »objektiven Unsterblichkeit« für eine Verbindung von Ogdens Denken mit der kosmologischen Theorie Whiteheads. Da Ogden aber nicht das Problem des *Übergehens* von *wirklichen* Ereignissen in ihr transsubjektives Stadium ins Auge faßt, muß er auch hier nicht auf Whiteheads Theorie zurückgreifen. Da er schließlich auch nicht die Rückwirkung des transsubjektiven Bereichs auf die wirklichen Ereignisse erhellt, wüßte ich nicht, wie Ogden gegen den Vorwurf verteidigt werden könnte, er habe das Problem der Realität Gottes durch eine Darstellung eines unwirklichen Gottes verdrängt.

6. *Offenes theologisches Problem: Die Orientierung inmitten der vielen Einstellungen der Theologie zur Realität*

Ogden hat die Frage nach der Realität Gottes angesichts der Leugnung gestellt, daß die »Welt irgendwie über sich hinaus weist«[113]. Man kann sagen, daß sein Denken dieser Leugnung entgegenwirkt, genauer: ihr entgegentritt. Es mündet in die Darstellung einer »transzendenten Wirklichkeit«, die die über die gegenwärtige Welt hinausgegangene Welt erinnernd bewahrt. In diesem Verhalten des Transzendenten zur transzendent gewordenen Welt kann Ogden die Realität Gottes auf jede Realität bezogen denken, ohne den unmittelbaren Konflikt mit dem gesunden Menschenverstand zu riskieren. Unbestimmt bleibt nämlich, in welcher Weise jenes Verhältnis Gottes zur Welt in *diese* Welt zurückweist. Erst wenn diese Frage nicht offengelassen wird, treten alle die Probleme wieder auf, deren Lösung Ogden mit der Frage nach der Realität Gottes und mit der Aufnahme des Prozeßdenkens ins Auge faßte.

Die christliche Theologie kann diese Frage nicht unbeantwortet lassen, weil Gott in Jesus Christus sich auch *dieser* Welt nicht nur liebend erinnert,

113 Vgl. Abschn. 1 dieses Teils.

sondern darüber hinaus liebend *erbarmt* hat. Gottes erinnerndes Handeln ist wirksam auch in dieser Welt, und aufgrund der *Treue* Gottes muß jede theologische Rede, selbst wenn sie sich auf Gottes Verhalten zur vergehenden oder sogar zur vergangenen Welt konzentriert, die Wirklichkeit Gottes auch in dieser Welt aussagen können. Wo dies nicht gelingt, kann kein Zweifel daran bestehen, daß zumindest eine zu vage, eine unklare Vorstellung von »Realität« leitend gewesen ist. Dies ist bei Ogden in der Tat der Fall.

Er konzentriert sich auf die Forderung nach einer reflexiven Kontrolle (mit Hilfe der Begrifflichkeit der Philosophen) und einer bequem zugänglichen Vorstellbarkeit (angesichts der schnell – in der »heutigen Situation« – einzuholenden Zustimmung des »modernen Menschen«).

Seine Darstellung des jenseitigen Gottes entbehrt denn auch selbst nicht einer Kontrolle durch Reflexion (wenn sie auch nicht das Aufgebot von Whiteheads Theorie erfordert); sie unterliegt auch einer Erhellung durch Imagination, indem Gott als Kontrollzentrum (Selbst) einer Umgebung vorgestellt wird. Aber eine gewisse Erfüllung der Forderung nach begrifflich gesteuerter und Imagination ermöglichender Rede von Gott, die Ogden mit dem Hinweis auf »das Problem der Realität Gottes« einklagte, reicht offenbar nicht aus, das Problem zu lösen. Die Abstraktion von theologischer Bestimmtheit, die Ogden vornimmt, kann vielleicht anderen Denkweisen den *Zugang* zur Rede von der »Realität Gottes« vereinfachen, aber damit doch nicht das *Verweilen* bei ihr etwa in der wachsenden Überzeugung ermöglichen, hier erfolge eine Antwort auf die »Grenzfrage«, die der moderne Mensch stelle.

Ogden hat angedeutet, daß er mit dem reflexiv Kontrollierten und relativ leicht Vorstellbaren auch das Objektive, Zeitgemäße, das Grundlegende, Verläßliche und das gegenwärtig Gewünschte und Erforderliche gemeint habe. Vor diesen Vermischungen verschiedener Stellungen des Gedankens zur Realität hätte ihn schon Whiteheads Theorie warnen können. Das empirisch Ausweisbare ist keineswegs notwendig rational und objektiv und schon gar nicht immer zeitgemäß. Das Rationale, ja sogar das rational *und* objektiv zu Nennende verdient ebensowenig immer die Bezeichnung »empirisch ausweisbar« – man denke nur an die mathematischen Operationen, für die wir noch keinen Applikationsbereich sehen. Und daß das Zeitgemäße oft nur brüchige empirische Grundlagen aufweist und eine kurzlebige Plausibilität hat, dokumentiert Ogdens eigener Übergang von der Begrüßung zur Verabschiedung der »säkularen Kultur«[114].

Doch mit dieser Einsicht ist noch nicht positiv dargetan, daß die *Bestimmung der Realität Gottes in Jesus Christus* eine Orientierung inmitten der vielen Einstellungen – auch der Theologie – zur Realität gibt. Dieses offene Problem hat die zweite der vorzustellenden Richtungen der Prozeßtheologie eingehender erörtert.

114 Vgl. bes. die Abschn. 1 u. 3f. dieses Teils.

Teil B

Gott: Grundfaktor in aller Erfahrung

1. *Die Frage nach der Personalität Gottes angesichts der Feststellung, er sei eine konstante Struktur*

Bernard M. Loomer, der Senior der »Empirical Whitehead School«, hat nur wenige, jedoch durchweg gewichtige Beiträge publiziert[1]. Er hat Whiteheads kosmologische Theorie gründlich und tiefgreifend rezipiert[2]. Die von ihm vorgenommenen Modifikationen dieser kosmologischen Theorie sind in der Regel nicht einschneidend, und dort, wo sie erheblich sind, sind sie klar motiviert. Sie stellen keine trivialisierenden Vereinfachungen dar und sind doch leicht gedanklich unter Kontrolle zu bringen[3].

Wie Ogden betont auch er, daß es die Theologie mit der »Realität« und der »Realität Gottes« zu tun habe, erblickt aber hierin nicht primär eine apologetische Aufgabe angesichts einer Leugnung des »modernen Menschen«, daß die »Welt über sich hinaus weist«. Er ist zunächst der Überzeugung, daß die Welt *nicht* über sich hinausweist und daß wir Gott *in* der Welt entdecken müssen – was seine Transzendenz und Verborgenheit nicht ausschließe[4]. Er mystifiziert »die Realität« nicht, sondern bemüht sich, ein Geflecht, in dem die Theologie ihre Einstellungen zur Realität koordinieren und überprüfen kann, so klar wie möglich zu bestimmen[5]. Schließlich versucht er auch noch, sein Denken nicht in abstrakter Entgegensetzung, sondern im Dialog mit der »neo-orthodoxy« bzw. dem, was er darunter versteht[6], zu artikulieren. Mag man auch seine Theorie weniger mitreißend und vielversprechend finden als – zumindest die frühen – Ausführungen Ogdens, so ist doch offensichtlich, daß er etliche der Probleme vermeidet oder löst, die bei Ogden einfach offenbleiben.

Zwar beschwört auch Loomer das von der Theologie zu berücksichtigende

1 S. dazu *B. E. Meland* in seiner Einleitung zu dem von ihm herausgegebenen Band The Future of Empirical Theology, aaO., 42ff.; *Cobb* u. *Griffin*, Prozess-Theologie, aaO., 180.

2 Vgl. Whitehead's Method of Empirical Analysis. In: Process Theology, bes. 70–79.

3 Vgl. ebd., bes. 79–82. Die Modifikationen sind zum Teil auf die Einsichten in Schwierigkeiten von *Whiteheads* Gotteslehre (vgl. dazu Kap. II, Teil C, Abschn. 6) zurückzuführen. Allerdings nimmt *Loomer* keinen Anstoß an der These einer Wechselwirkung von Gott und Welt. Vgl. seine Aufsätze: Ely on Whitehead's God. In: Process Philosophy, 267; Christian Faith and Process Philosophy. In: Process Philosophy, 87 (zit.: Christian Faith).

4 Vgl. Neo-Naturalism and Neo-Orthodoxy. JR 28, 1948, 83 (zit.: Neo-Naturalism).

5 In diesen seinen Bemühungen vor allem ist er dem Denken *Ogdens* überlegen.

6 Neo-Naturalism, 79f., nennt als Repräsentanten der »neo-orthodoxy« *H. Richard Niebuhr* und *Emil Brunner!* Vgl. aber die Einschränkung, ebd., 80. S. ferner Christian Faith, 70. Zum Dialog der »Empirical Theology« mit *Karl Barth* s. *H. N. Wieman*, Intellectual Foundation of Faith, London 1961, 107ff., bes. die Zusammenfassung 132f.

Dreigestirn von Orientierung am *Erfolg*[7], an der *Empirie* und *Rationalität*[8] ohne aufwendige Reflexionen auf die Vagheit dieser Forderungen, auf mögliche Unvereinbarkeiten und Konflikte zwischen den als maßgebend vorgestellten Kriterien, ohne Reflexionen, wie sie sich im Anschluß an Whiteheads Theorie nahelegen. Thesen Loomers wie die, daß nach einer »empirical doctrine« alles Wissen von Erfahrung abgeleitet sei und geprüft werde[9], hätte Whitehead als oberflächliche Verwendung des Ausdrucks ›Erfahrung‹ und als in methodischer Hinsicht leichtsinnige Versprechungen aufgefaßt[10]. Aber Loomer beschreibt denn doch wirklich detailliert ein Vorgehen, das sich seines Erachtens primär den genannten Kriterien unterwirft und zugleich den Namen »Theologie« verdient.

Nach seiner Überzeugung arbeitet jede Theologie mit einem »worldview« und damit – ausdrücklich oder implizit – mit einer philosophischen Orientierung[11]. Der »Neonaturalismus«, der eine »rational-empirische Methodologie« zugrunde lege[12] und ferner auf viele Prinzipien und Kategorien der Prozeß-Philosophie[13] zurückgreife[14], erscheint Loomer als ein besonders geeigneter Rahmen (framework) dafür, die Bedeutsamkeit und allgemeine Zugänglichkeit des *christlichen Glaubens* darzutun. Eine wichtige Begründung für diese Ansicht sieht Loomer darin, daß sich »sogar die Christologie der Neoorthodoxie«[15] mit dem »Neonaturalismus« vereinbaren lasse.

Man muß fragen, was in ihm dieses Bedürfnis hervorruft, die Vereinbarkeit des Neonaturalismus mit der christologischen Grundlage einer theologischen Richtung aufzuweisen, die er ausdrücklich als ihm fernstehend bezeichnet[16]. Es ist dies nicht, wie man vermuten könnte, das Bewußtsein einer seinem Denken möglicherweise mangelnden *historischen* Orientierung, was zunächst der Ausdruck »Naturalismus« suggerieren mag. Im Gegenteil: Der Neonaturalismus mit seiner rational-empirischen Methodologie verbindet Perspektiven auf Geschichte und Gegenwart: »In religious inquiry one must start with a living faith, an ongoing community, a formative heritage. For us in the West this means the Christian tradition, even though the term ›Christian‹ covers a multitude of interpretations.«[17] Das Bedürfnis, die neonaturalistisch begründete Theologie durch Hinweise auf ihre

7 Unter Hinweis auf den »contemporary man«, vgl. Neo-Naturalism, 79.

8 Vgl. ebd., 80; s. ferner Christian Faith, 70.

9 Vgl. Neo-Naturalism, 84.

10 Vgl. Kap. II, Teil A, bes. Abschn. 6.

11 Vgl. Neo-Naturalism, 79 u. 81; ferner die ausführlichere Argumentation in Christian Faith, 72f.

12 Vgl. Neo-Naturalism, 80.

13 D.h. vor allem auf die Theorie *Whiteheads*, aber auch auf die umgewichtende Aneignung dieser Theorie durch *Henry Nelson Wieman*.

14 Vgl. Neo-Naturalism, 80; Christian Faith, 70.

15 Neo-Naturalism, 79f.

16 Vgl. ebd., 79 u.ö.

17 Neo-Naturalism, 81.

Verträglichkeit mit der neoorthodoxen Christologie zu verteidigen, resultiert vielmehr aus einem Unbehagen an der eigenen – zunächst sehr nachdrücklich und eindrücklich vertretenen – These, Gott sei eine konstante Struktur in aller Erfahrung[18].

Gott ist eine Struktur in den Ereignissen, die die Welt konstituieren, die die Welt ausmachen. »Alles, was existiert, ist entweder ein Ereignis (event), ein Aspekt eines Ereignisses oder eine Relation zwischen oder innerhalb von Ereignissen«, wobei die Ausdrücke »Struktur« und »Relation« synonym verwendet werden[19]. Außerhalb der Ereignisse, die die Welt ausmachen, gibt es keine Erfahrung. Aber es gibt auch – und damit weicht Loomer zumindest von Whiteheads Denk*stil* ab – keine Formen unabhängig von Ereignissen. Es gibt nach Loomers Überzeugung keine Ordnung, die erst noch realisiert werden müßte. Mit diesem Gedanken, der vor einer Zwei-Welten-Theorie bewahren soll, entfernt sich der »empirisch« orientierte Neonaturalismus – auf eine, wie wir sehen werden, folgenreiche Weise – von Whiteheads Denken: »The Word never ›became‹ flesh because order or structure is always characteristic of flesh; and apart from flesh, order has no existence. This principle . . . means that the world of our experience is self-explanatory.«[20]

Gott soll nun nicht nur – wie in der reifen Kosmologie Whiteheads – keine Ausnahme hinsichtlich der philosophischen Kategorien erforderlich machen, er soll auch »within the natural order« aufzufinden sein[21]. »Wie alles andere, was existiert, ist Gott ein materielles Seiendes, ein Prozeß mit einer dauernden Struktur, die seinen Charakter von dem anderer Prozesse unterscheidet.«[22] Gott ist beobachtbar (observable); die Rede von Transzendenz und Offenbarung kann nur aufgrund *beobachtbarer* Sachverhalte, die die Bezeichnung »Transzendenz« und »Offenbarung« verdienen, erfolgen[23].

Loomer hat gesehen, daß diese theologischen Ansätze zumindest auf Verstehensschwierigkeiten stoßen dürften. »Für die meisten Menschen klingt diese Art von Diskussion wie Blasphemie oder zumindest wie die krasseste Art von Verkürzung. Sie ist bezeichnet worden als . . . eine Theo-

18 S. dazu: Whitehead's Method of Empirical Analysis, aaO., 79 u. 81; und vor allem: Ely on Whitehead's God, aaO., 266f.

19 Neo-Naturalism, 81; übers. Vf.

20 Neo-Naturalism, 82; vgl. auch Christian Faith, 82f. u. 88.

21 Neo-Naturalism, 82. *Whiteheads* Impulse kann an dieser Stelle gut die zusammenfassende Darstellung von *R. M. Palter*, Science and Its History in the Philosophy of Whitehead. In: Process and Divinity. FS Hartshorne, 68ff., vergegenwärtigen.

22 Neo-Naturalism, 82; übers. Vf.

23 Vgl. auch Christian Faith, 83f. Dazu *H. N. Wieman*, Religious Experience and Scientific Method, Westport 1970, 21ff.; *ders.*, The Structure of the Divine Creativity: An Exchange of Views, II. IliffRev 19, 1962, 37ff., bes. die Hinweise zur Differenz zu *Whitehead*, 39f.; zu *Wieman* s. *W. C. Peden*, Wieman's Non-Theistic Process-God. JRT 27, 1970, bes. 33ff.; und *E. A. Towne*, Henry Nelson Wieman: Theologian of Hope. IliffRev 27, 1970, bes. 17ff.; vor allem *R. C. Miller*, The American Spirit in Theology, Philadelphia 1974, 79ff.; und die Kritik bei *Ch. Hartshorne* u. *W. L. Reese*, Philosophers Speak of God, Chicago 1953, 404ff., bes. 407.

logie ohne Haupt.«[24] Diesem Einwand aber soll die neonaturalistisch geprägte Theologie nicht ausgesetzt bleiben. Zunächst betont Loomer, womit allerdings noch kein »Haupt« seiner Theologie aufgewiesen ist, daß seine Grundlagen einen »›verborgenen‹ Gott« nicht ausschlössen. Diese Verborgenheit Gottes sei auf die Blindheit für die fundamentale Abhängigkeiten verursachende Sünde des Menschen[25] und auf Gottes unausschöpflichen Reichtum an kreativer Macht und Güte, der von Menschen nur unzureichend erfaßt werden könne, zurückzuführen[26]. Vor allem – und dies dürfte als das im Rahmen dieser empirischen Theorie überzeugendste Argument angesehen werden – erfasse das menschliche Bewußtsein offenbar nicht leicht »jene Elemente unserer Erfahrung, die immer gegenwärtig sind«[27]. Aus diesem Grunde bereite schon die Untersuchung und Beschreibung dessen, was wir mit ›Zeit‹ meinen, große Schwierigkeiten, und auf einer »tieferen Ebene« sei es noch schwieriger, den *konstant präsenten Gott* zu erfassen.

Damit ist allerdings nicht nur kein »Haupt« aufgewiesen; Gott ist vielmehr als eine der Zeit vergleichbare oder sogar verwandte konstante Struktur in allen Ereignissen (eine Struktur, die zugleich selbst als ein Ereignis aufzufassen ist) noch stärker und enger mit der Welt verbunden, als es die bloße Rede von einem »materiellen Seienden« zwingend erscheinen ließ. Es ist durchaus noch nicht verständlich, warum der Neonaturalismus für diesen dunklen, aber doch beständig präsenten Faktor überhaupt den Ausdruck ›Gott‹ verwendet. Es gilt bislang im Blick auf die Rede von Gott, was Loomer den Neoorthodoxen hinsichtlich ihrer Rede von Jesus Christus vorgeworfen hat: »But when we ask what is meant by ›Jesus Christ‹, we get very vague answers.«[28]

2. *Die theologische Darstellung von Gottes Wirksamkeit und das Problem, Gottes Gegenwart hier und heute auszusagen*

Loomer hat vor einer Dissoziation des Glaubens von »any consciously conceived rational structure« gewarnt[29]. Zugleich hat er beharrlich – allerdings ohne große Sympathien für die »neo-orthodoxy« erkennen zu lassen – einen möglichen Einwand der »dialektischen« oder »kontinentalen« Theologie[30] dagegen dargestellt. Dieser Einwand lautet, daß ein (wie hochwertig auch immer erscheinendes, wie vollendet auch immer komponiertes) Sy-

24 Neo-Naturalism, 83; übers. Vf.

25 Zur Rede vom sündigen Menschen im Kontrast zu *Whiteheads* Theorie s. schon: Ely on Whitehead's God, aaO., 284.

26 Vgl. Neo-Naturalism, 83.

27 Neo-Naturalism, 83; übers. Vf.

28 Neo-Naturalism, 90.

29 Christian Faith, 70.

30 Vgl. Christian Faith, 70.

stem metaphysischer Kategorien dem Glauben nicht Gerechtigkeit widerfahren lassen könne[31]. Als Summe seiner Antizipation oder Rekonstruktion dieser Kritik hat Loomer festgehalten: »The adequacy of process philosophy as a standpoint for interpreting the Christian faith will be determined, at least in part, by the willingness of process thought to accept the revelation of God in Jesus Christ as the central clue for its metaphysical outlook.«[32] Dieser fingierten Position, dieser fingierten Anforderung, diesem fingierten Einwand will er die Position des Prozeßdenkens und des Neonaturalismus gegenüberstellen.

Zur Rechtfertigung und Begründung der Gegenüberstellung im Gegenzug gegen den selbst formulierten Einwand wird auf die Wichtigkeit der Erhellung und Kontrolle des *Weltverständnisses* des christlichen Glaubens verwiesen[33], auf die Unabdingbarkeit dieser Kontrolle auch zur Eindämmung und Vermeidung von Idolatrien. Aber trotz der Unterstreichung des hohen Wertes des Prozeßdenkens zur Rekonstruktion des Weltverständnisses in der Theologie betont Loomer selbst immer wieder die Notwendigkeit, auch in einer prozeßtheologisch artikulierten Theologie die Bindung Gottes an die Offenbarung in Jesus Christus auszusagen[34].

Im Gespräch, in der Auseinandersetzung mit der »Neoorthodoxie« hat er beständig deren Hinweis auf die »Selbstoffenbarung Gottes in Jesus Christus«[35] erwähnt, paraphrasiert, hervorgehoben. Und doch geschieht dies nicht direkt, um einzustimmen, um diese Betonung zu verstärken. Zugleich – und das ist das Merkwürdige – schränkt Loomer diese Betonung auch nicht ein, er schwächt sie auch nicht ab. Da er sie aufrechterhält, weckt er zunächst die Vermutung, er suche mit den Neoorthodoxen von der Offenbarung Gottes in Jesus Christus zu sprechen und suche so nach dem *Haupt* auch der neonaturalistischen Theologie.

Dieser Vermutung tritt er dadurch entgegen, daß er sich kritisch und eindeutig gegen die *Darstellungsformen* wendet, in denen die Neoorthodoxie ihre Rede von der Offenbarung Gottes in Jesus Christus artikuliert. Er macht deutlich, daß es ihm um die *Suche* nach der Artikulation des Glaubens geht, daß es *beiden* theologischen Richtungen um diese Suche gehen müsse: Es sei wichtig und vordringlich, zu erkennen, daß die Gegenwart Gottes in Jesus Christus nicht etwas sei, auf das man einfach deuten könnte oder auf das man nur zu warten hätte.

Vor allem kritisiert er den Hang der Neoorthodoxen, sich allzusehr auf das sogenannte personalistische Denken zu verlassen. Er kritisiert indirekt die Darstellungsstrategie, die z.B. erst einmal die »Subjekt-Objekt-Antithese« einführt und alles menschliche Elend im Schatten dieser Dualisierung darzustellen sucht, um dann die personalistische »Ich-Du-Korrela-

31 Vgl. Christian Faith, 71ff.
32 Christian Faith, 72.
33 Christian Faith, z.B. 72f.
34 Vgl. z.B. Christian Faith, 87, auch 72, 73, 81, 82, 83, 88, 90 u.ö.
35 Neo-Naturalism, 86, 87, 88, 89.

tion« einzuführen mit der (meist wenig plausibel gemachten) Behauptung, daß hier ein anderes »Gegenüber« statthabe – sofern dieses Gegenüber nicht »verdinglicht« werde; womit die Imagination dessen, was eigentlich bei der Einführung der Ich-Du-Korrelation darzustellen die Aufgabe gewesen wäre, wieder dem Leser oder Hörer überlassen wird. Die – aufgrund ihrer Mischung von trivialen und nebulösen Momenten attraktive – Berufung auf eine abstrakte Ich-Du-Korrelation wird von Loomer vor allem hinsichtlich ihrer gedankenlosen oder nur schwach reflektierten religiösen Verwendung in der Theologie in Frage gestellt.

Loomer hält mit Recht fest: Fassen wir Gott nur als reines gegenübertretendes Du auf und können wir über dieses Du nur sagen, daß es a) nicht-gegenständlich sei (eben »ganz anders« als das in der Subjekt-Objekt-Korrelation dem Subjekt Begegnende); und (positiv), daß es b) an uns wirke, so ist in der Tat nicht einzusehen, was dagegen sprechen könnte, dieses »Wirken-Gottes-an-uns« prozessual, eben mit Hilfe des Neonaturalismus und im Rahmen des Prozeßdenkens darzustellen[36].

Die entscheidende Kritik läßt sich wie folgt rekonstruieren: Das nicht-gegenständliche Gegenüber *ist »Akt der Selbstoffenbarung«*[37] im seiner »gewahrwerdenden« Anderen. Wird aber das Nicht-Gegenständliche nun doch als ein quasi gegenständliches *transzendentes* Gegenüber aufgefaßt, so geraten nach Loomers Überzeugung die Neoorthodoxen in Konflikt mit ihrer grundlegenden Aussage, daß Gott sich in *Jesus Christus* offenbart hat[38]. Anstelle der von ihnen mit Recht geforderten theologischen Rede lassen sie einen verschleierten, schlechten Neukantianismus erkennen[39].

Gemeinsames und verbindendes Problem der das konkrete Gegenüber betonenden Neoorthodoxen und der den konkreten Prozeß des nicht-gegenständlichen Gegenübers betonenden Neonaturalisten ist die Antwort auf die Frage: ». . . was erfahren wir, wenn wir Christus jetzt erfahren? Was erfahren wir . . ., wenn wir Gemeinschaft haben mit dem gegenwärtigen (contemporaneous), lebendigen Gott?«[40] Hier können wir uns nicht mit der bloßen Feststellung begnügen, erfahren werde der »Geist der Liebe« oder erfahren werde Gott »als der Heilige Geist«[41]. Wir müssen vielmehr von Gottes *Kraft* sprechen, die – und zwar *in dieser Welt* – die Brücke zwischen Gott in Jesus Christus und »God as contemporaneously encountered« herstellt[42]. Es sollte immer erstaunlich bleiben, daß die damit angelegte und implizierte Aufforderung, die Theologie müsse die »Materialität des Heili-

36 Vgl. dazu Neo-Naturalism, 85f.

37 Vgl. Neo-Naturalism, 86.

38 Vgl. Neo-Naturalism, 87.

39 Vgl. Neo-Naturalism, 91; ferner Christian Faith, 73.

40 Neo-Naturalism, 90; übers. Vf.

41 Vgl. Neo-Naturalism, 90, 91. S. auch *D. D. Williams,* The Spirit and the Forms of Love, Digswell Place 1968, 79ff.

42 Neo-Naturalism, 91. Dazu hilfreich *B. Lee,* The Lord's Supper. In: Religious Experience, bes. 288ff.; und *ders.,* Towards a Process Theology of the Eucharist. Worship 48, 1974, 194–205.

gen Geistes« aufweisen, nicht zu stärkerer Wirksamkeit und Geltung gelangt ist. Man kann nur vermuten, daß Loomers Überzeugung, die Materialität des Heiligen Geistes sei schon mit einem »process of dynamic events«[43] – zumindest grundlegend – erfaßt, seine zwar nicht laute, aber doch eindrückliche und gewichtige Aufforderung wieder verklingen ließ.

3. *Die Verschärfung des genannten Problems angesichts der Diskontinuität der menschlichen Existenz und die Modifikation der Theorie Whiteheads*

Mit der Verstärkung seiner Argumente für Prozeßdenken und Neonaturalismus als Rahmen und Bedingung adäquater Darstellung theologischen Denkens hat Loomer zugleich seine – fingierten – Gegeneinwände verschärft. In dem Aufsatz »Christian Faith and Process Philosophy« von 1949, dem viele Jahre publizistischen Schweigens folgen, hat er fast alle formaltheologischen Einwände von Gewicht, die gegen das Prozeßdenken in Umlauf geraten sind, antizipiert und zusammengestellt.

Unter dem Gewicht dieser Einwände hat er sich von Whiteheads Theorie noch weiter entfernt, als dies mit seiner These von der wesentlichen Einheit einer durchgängig beobachtungsfähigen Welt geschah. Folgende Einwände gegen das Prozeßdenken und Loomers Antworten auf sie sind hervorzuheben:

Relativ leicht wehrt er noch die – seines Erachtens berechtigte – Befürchtung ab, der Philosoph sowie der philosophierende Theologe könnten dazu neigen, ein System als Konstante und den Glauben als Variable anzusehen[44]. Er warnt aber auch vor einem chronischen Mißtrauen gegenüber allen Systemen, das selbst Züge eines Systems annehme und in seiner Ängstlichkeit götzendienerisch sei[45].

Schwieriger gestaltet sich dagegen für ihn schon die Abwehr des möglichen Einwands, die Anhänger des Prozeßdenkens seien auf den Prozeß von Natur und Geschichte fixiert; sie hätten kein Auge für den diesen Geschehniskomplexen gegenüber souveränen Gott[46]. Dagegen betont er, daß Gott der Schöpfer auch der physikalischen und biologischen Welt sei[47]; er hebt die Zeitlichkeit Gottes hervor[48], die Relativität aller Perfektion und die

43 Neo-Naturalism, 91. Auf die Möglichkeit einer Vermittlung traditioneller pneumatologischer Aussagen mit Intentionen des Prozeßdenkens macht vorsichtig aufmerksam *H. F. Woodhouse*, Pneumatology and Process Theology. SJTh 25, 1972, 385ff., 388ff. Daß *Loomer* selbst später seine Gedanken nicht in Richtung auf eine Pneumatologie, sondern eher auf eine fundamentaltheologische Theorie hin weiterentwickelt hat, dokumentiert am besten der Beitrag: Two Conceptions of Power. ProcSt 6, 1976, 5ff. (zit.: Conceptions of Power).

44 Vgl. Christian Faith, 71 u. 74.

45 Vgl. Christian Faith, 73f.

46 Vgl. Christian Faith, 91, auch 82.

47 Vgl. Christian Faith, 94.

48 S. Christian Faith, 83.

Überbietbarkeit auch des »perfekten Willens« Gottes[49]. Zugleich räumt er aber ein, daß die Betonung der Souveränität Gottes mit Recht die Unmanipulierbarkeit und Unlenkbarkeit Gottes festhalte: »Gott ist so transzendent, wie der Mensch ertragen kann. Er ist so immanent, wie der Mensch erblikken kann, ohne zu erblinden.«[50]

Noch weniger überzeugend und direkt ist schließlich sein Gegenzug gegen den möglichen Einwand, daß, wenn ein Prozeß die Grundgestalt des Systems ausmache, dieses System eine für die Theologie ungeeignete Sprache entwickeln müßte; vor allem könnten wir zu einem Prozeß nicht beten, sondern nur zu einer »Person oder einer bewußten Persönlichkeit«[51]. Loomer betont, die »Notwendigkeit eines Systems« sei begründet in dem »intellektuellen und religiösen Verlangen nach Integrität, nach Einheit, nach einem ungeteilten Selbst. Wir können nicht unseren unumschränkten Herrn anbeten, wenn wir ein geteiltes und aufgefächertes Selbst sind.«[52] Die prozeßphilosophische Verfassung des Systems verteidigt er mit den Hinweisen, daß seine Rede vom Prozeß wohl noch vage bleibe, daß dies aber nur ein (lösbares) Problem ausstehender, empirisch orientierter Erläuterungen sei[53]; im übrigen beruft er sich einfach auf die nicht mehr explikativ zu überbietende Faktizität des Prozesses[54].

Sucht man eine Antwort auf die Frage, warum Loomer mit so großem Aufwand Prozeßdenken und christlichen Glauben zunächst in Disputkonstellationen bringt und dann die Auseinandersetzungen jeweils in ein Patt führt, so muß der Punkt ins Auge gefaßt werden, der nach Loomers Ansicht offenbar überzeugender durch den christlichen Glauben zur Sprache und zur Geltung gebracht wird als vom Prozeßdenken: das ist das *Sünder-Sein* des Menschen[55], die damit gegebene *Diskontinuität der menschlichen Existenz*, die *Gebrochenheit des Selbst*[56], die mit der Sünde auftretende *Angst*[57].

Die Nötigung zur Rede von der Sünde des Menschen veranlaßt Loomer schließlich zu einem für Whitehead und die konsequenten Vertreter des Prozeßdenkens intellektuellen Vergehen: zu der Einführung von »bifurcations«, von Aufgabelungen[58]. Er betont die fundamentale, ja radikale Verschiedenheit von Mensch und Natur[59]; er betont ferner – abweichend von

49 Vgl. Christian Faith, 85.

50 Christian Faith, 86; übers. Vf.

51 Vgl. Christian Faith, 72. Dazu *D. A. Fleming*, God's Gift and Man's Response: Toward a Whiteheadian Perspective. In: Religious Experience, bes. 224f.

52 Christian Faith, 74; übers. Vf.

53 Vgl. Christian Faith, 90.

54 S. Christian Faith, 93.

55 Vgl. Christian Faith, 76, 86f.

56 Vgl. Christian Faith, 89.

57 Vgl. Christian Faith, 90.

58 Vgl. Kap. II, Teil A.

59 Vgl. die zahlreichen Kontrastierungen, Christian Faith, 76f., aber auch die »interpretierende« Verteidigung der Theorie *Whiteheads*, 77, ferner 75.

seiner früheren These von der Einheit und Unausweichlichkeit der materialen Welt – die Kraft des Menschen, vom konkreten historischen und natürlichen Prozeß, in dem er sich befindet, zu abstrahieren[60].

Angesichts der durch die Sünde bewirkten Diskontinuität der menschlichen Existenz und der Gebrochenheit des Selbst sollen christlicher Glaube *und* Prozeßdenken wechselseitig mildernd und tröstend zur Wirkung gebracht werden. Es gibt keine vollständige Gebrochenheit, und es bedarf deshalb auch keiner absoluten Wiedergeburt[61], so kann das Prozeßdenken ermäßigend argumentieren. Die Offenbarung Gottes in Jesus Christus war zwar nicht der Sieg über das Böse, wohl aber war sie in der Lage, uns dieses Sieges zu versichern[62]. Und auch hier soll das Prozeßdenken hinzufügen, daß damit nicht die Vernichtung des Bösen, sondern nur die bleibende Überlegenheit des Guten und des Gottes gemeint sei: »in terms of process thought, there is no end«[63].

Aber dann ist da doch ein Ende, eine Diskontinuität, ein Bruch in Loomers philosophischer Theologie, dessen Unüberwindbarkeit und Definitivität das Prozeßdenken bewachen und kontrollieren soll: das ist der physische Tod. Wird mit ›Auferstehung‹ nicht allein der Sieg der Kraft Gottes gemeint, obwohl das Böse und der Tod zu triumphieren scheinen, sondern wird tatsächlich die Auferstehung des Vergänglichen, des »Fleisches« bezeugt, dann gilt: »Philosophie (zumindest Prozeß-Philosophie) hat dem Glauben nichts zu sagen. Tatsächlich besteht in diesem Fall keine ›Spannung‹ zwischen Glauben und Vernunft; es herrscht einfach völlige Abwesenheit jeder Beziehung.«[64]

Nur die Gegenwart sei »heiliger Boden«[65]; über unsere Gegenwart, über unseren physischen Tod hinaus reiche nur der »Schrei der Seele«[66] – so hat Loomer, bewegend gewiß, formuliert. Gleichwohl kann sich sein Dogmatismus der Endlichkeit gegen den christlichen Glauben nicht einmal uneingeschränkt auf das Prozeßdenken berufen. Auf Whitehead jedenfalls kann sich die Versicherung nicht berufen: daß Gottes Gegenwart angesichts des physischen Todes nicht mehr ausgesagt werden dürfe, wenn der Kontakt mit dem Prozeßdenken nicht abgebrochen werden soll. An falscher Stelle hat Loomer einen Gegensatz konstruiert und einen möglichen Bruch beschworen[67].

60 Vgl. Christian Faith, 79f.
61 S. Christian Faith, 89.
62 Vgl. Christian Faith, 96.
63 Christian Faith, 97; vgl. ebd.
64 Christian Faith, 95; übers. Vf.
65 Vgl. Christian Faith, 98.
66 Vgl. Christian Faith, 97.
67 Es wäre eine ebenso reizvolle wie wichtige Aufgabe, die Wirksamkeit anderer philosophischer Strömungen in der »Empirical Theology« der Chicagoer Schule zu untersuchen. In diesem Zusammenhang wäre dann auch das Denken *Wiemans* und *Melands* detailliert darzustellen. Die Konfundierung von »empirischer Erfahrung« und »Meinigkeit der Erfahrung«, die *Loomer* erkennen läßt, schließt Einflüsse des sonst von ihm so scharf kritisierten Neukantia-

Daß er sich hier zugunsten eines dunklen Empirismus zugleich von der christlichen Botschaft und Whiteheads reifer Kosmologie entfernt, muß Loomer gesehen haben. Wie so oft, hat er auch hier Einwände gegen seine Ausführungen fingiert. Er hat einmal in einem freien Hinweis offenbar auf Apg 3,21 auf die christliche Lehre von der Wiederbringung aller Dinge angespielt. Er hat ferner in einem ebenfalls vagen Hinweis Whiteheads Doktrin von der objektiven Unsterblichkeit erwähnt[68]. Beide Einwände gegen seine Beschränkung von Gottes Gegenwart auf das (relative) »Hier und Heute« hat er mit derselben Bemerkung gewürdigt: »Vielleicht.« (»Possibly so.«)[69]

4. *Gotteserfahrung, Übergangserfahrung und Zerrissenheitserfahrung*

Loomers Denken hat über zwei Jahrzehnte hinweg eine erstaunliche Kontinuität gewahrt. Selbst die beiden Veränderungen, die mir die einschneidendsten und folgenreichsten zu sein scheinen, hat er eher fragend und zögernd eingeführt. Es handelt sich einmal um die Einschränkung, daß »alle naturalistischen und empirischen Analysen des Selbst zu flach und eindimensional« seien, da sie den Menschen nicht in seiner »Selbsttranszendierung, seiner Freiheit« oder als geistiges Wesen verständen[70]. Zugleich hat er den Übergang zur Selbsttranszendierung, zur Freiheit als »Kreuz der Niederlage, der Verzweiflung und der Bedeutungslosigkeit« bezeichnet[71]. »Das Symbol für den Preis der Freiheit ist das Kreuz.«[72]

Nicht in seine christologischen Überlegungen[73], die die These von der strengen Kopräsenz von Christus und Gemeinde in einer an Hegel – entfernt auch an Bonhoeffer – erinnernden Weise formulieren, sondern in seine Anthropologie hat Loomer die Rede von »dem Kreuz« eingezeichnet. Er sagt nicht, daß *Christus* das Kreuz bis zur Gottverlassenheit auf sich genommen hat[74], so daß wir nur noch *unser* Kreuz auf uns zu nehmen haben *in* der befreienden Gewißheit, an der Gottverlassenheit nicht mehr leiden zu müssen. Die Transformation des Selbst steht bei ihm noch unter der Schwere des Gesetzes, unter der düsteren und drohenden Forderung: »nur

nismus gerade nicht aus. Vgl. auch: Empirical Theology Within Process Thought. In: The Future of Empirical Theology, aaO., 153 (zit.: Empirical Theology).

68 Vgl. Christian Faith, 96, 97; auch die ähnliche, jedoch zu einem anderen Befund gelangende Fragestellung bei *L. Ch. Birch*, Purpose in the Universe: A Search for Wholeness. Zygon 6, 1971, bes. 24f.

69 Christian Faith, 96, 97. S. dazu *H. N. Wieman*, The Source of Human Good, Carbondale 1967, 279ff. u. 286ff.

70 Vgl. Empirical Theology, 169; übers. Vf.

71 Empirical Theology, 173; übers. Vf.

72 Dimensions of Freedom. In: Religious Experience, 339; übers. Vf. (dieser Aufsatz wird im folgenden zit.: Dimensions).

73 Vgl. Empirical Theology, 161–164.

74 S. *Moltmann*, z.B. Zukunft der Schöpfung, aaO., 68ff.; u. Kap. V dieses Buches.

wenn wir . . .«[75]: Loomer spricht vom »Leben in Sack und Asche« als Voraussetzung der Neugeburt[76]. Nun wird es schwerlich gelingen, in diesem Übergang die frohe und befreiende Gotteserfahrung des Evangeliums aufzuweisen.

Es mag an der differenzierteren Sicht des Selbst liegen, daß Loomer das Moment der *Angst* und das *Problem* ihrer Überwindung[77] in der Übergangserfahrung so entschieden und in einer Weise betont[78], die in der Perspektive des christlichen Glaubens als Überbetonung erscheinen muß. Diese differenziertere Sicht läßt sich als »soziale Konzeption des Selbst« beschreiben[79], die aber mit dem, was das korrelationstheoretische Denken ›Bezogenheit des Ich auf seine(n) Mitmenschen‹ oder ähnlich nennt, soviel gemeinsam hat wie die Photographie mit einer wenig gelungenen Karikatur.

»Die Theorie der sozialen Natur des Selbst bedeutet mehr als die Vorstellung, daß das Individuum durch seine Teilnahme am Leben anderer Erfüllung findet (Tillich). Es bedeutet, daß das Selbst von anderen konstituiert wird, daß das Selbst ein aus seinen Beziehungen Hervorgehendes ist . . .«[80]

Diese Theorie des Selbst fanden wir bei Whitehead konzipiert, wenn auch noch nicht ausdrücklich auf die Anthropologie übertragen[81]. Diese nachneuzeitliche Perspektive auf das Selbst, die die Sensibilität für die Relativität und Endlichkeit[82] in einem für das moderne Bewußtsein vielleicht zunächst bedrückenden oder sogar nicht akzeptablen Ausmaß weckt, nötigt den Menschen, mit einem Ausdruck Hegels formuliert, »in der Zerrissenheit sich selbst zu finden«[83]. Dabei ist aber die Zerrissenheit nicht als die berühmten »zwei Seelen«, das »Einerseits-Andererseits« und das »Sowohl-als-Auch« des platten gesunden Menschenverstandes aufzufassen, sondern als Serien *fragmentarischer* Erfahrungen, in denen wir leben, in denen wir mit anderen und inmitten von anderen leben und – die Wendung ist angebracht – in denen wir von, durch und mit anderen gelebt werden[84].

75 Vgl. Empirical Theology, 172; übers. Vf.

76 Vgl. Empirical Theology, 173; übers. Vf.

77 Vgl. *Moltmann*, Gotteserfahrungen, aaO., 27ff.; und Kap. V dieses Buches.

78 Die Untersuchungen der Verlaufsformen von Übergangserfahrungen sind, obwohl jede große Philosophie als ein Deutungsschema aufgefaßt werden könnte, noch immer zu sehr an grob erfaßten, komplexen Prozeßmomenten eines individuellen Lebens orientiert. Exemplarisch: *A. v. Gennep*, Les rites de passage, New York u. Wakefield 1969, bes. 271ff.

79 Vgl. Empirical Theology, 169; und Conceptions of Power, 14, 19ff.

80 Empirical Theology, 156; übers. Vf. Vgl. dazu auch die Gedanken von *B. J. F. Lonergan*, Philosophy of God, and Theology, Philadelphia 1973, 58f.

81 Vgl. Kap. II, Teil B, Abschn. 3ff.

82 Vgl. Empirical Theology, 152f., 151, 154ff.

83 S. schon in den Jenenser Aphorismen, *Hoffmeister*, Dokumente zu Hegels Entwicklung, aaO., 370 (Nr. 64).

84 »We are communal individuals. This means not only that we exist in society. The society exists in us.« (Dimensions, 335) S. auch die Aphorismen *Loomers:* S-I-Z-E is the Measure. In: Religious Experience, 73f. Diesen Gedanken entwickelt weiter: Theology in the American grain. The Unitarian Universalist Christian 30, 1975–1976, 32, 33f., wobei bei *Loomer* die Tendenz und der Versuch erkennbar werden, den ursprünglich geforderten Aufweis der »Ma-

Für die Theologie der Gegenwart ist diese Denkweise zwar verschüttet; sie ist aber der Theologie nicht grundsätzlich fremd und neu. Dennoch stehen der Wiederbelebung und Neufassung der »sozialen Konzeption des Selbst« viele Schwierigkeiten entgegen. Eine außertheologische Anthropologie mag versuchen, diese Schwierigkeiten gleichsam theoretisch zu institutionalisieren – mit einer Lehre etwa von der chronischen Gefährdung des Selbst und seinem beständigen Scheitern im Übergangsgeschehen, das es ist. Doch theologisch akzeptabel ist solch ein Arrangement mit der Krise nicht. Loomer selbst hat das Problem so formuliert: »Ist erst einmal die Vorstellung von dauernden substantiellen Individuen aufgegeben, wer soll dann teilhaben an einem eschatologischen Reich und sich daran erfreuen?«[85]

5. *Unvereinbarkeiten mit Whiteheads Theorie: »Aufgabelungs-Theorie« und eine ziellose Transzendierung des Selbst statt der Ausbildung einer Theorie der Freiheit*

»Der Preis der Freiheit ist Einsamkeit«[86]. Eine unüberwindbare Einsamkeit hat Loomer schließlich im Blick auf das menschliche Individuum diagnostiziert. Diese Einsamkeit ist aber nicht nur ein als Folgekosten der Freiheit zu entrichtender Preis; die Einsamkeit ist auch das wesentliche Agens und der Exekutionsbereich der Freiheit. Durch Selbsttranszendierung versucht der Mensch, dieser Einsamkeit zu entgehen, ja, ihr zu entfliehen. Aber die Selbsttranszendierung führt nur ins Offene und Unbestimmte – und steigert damit die Einsamkeit, die sie überwinden wollte[87].

In Whiteheads reifer Theorie findet sich eine solche Darstellung des Menschen als tragische Figur nicht. In seiner Theorieperspektive würde eine solche Darstellung die »Aufgabelung der Natur« verschärfen; sie würde ferner verdunkeln, daß jeder Mensch – wie jedes Ereignis bzw. wie alle komplexen Serien von Ereignissen – ein Maß und ein ›subjective aim‹ hat. Demgegenüber zeichnet Loomer, wie in modernen Theorien gang und gäbe, ein sehr abstraktes Bild von »dem Menschen«; genauer gesagt, er bietet eine kaum

terialität des Heiligen Geistes« (vgl. Abschn. 2 dieses Teils und Anm. 43) durch einen Übergang auf das Feld der Politik zu erbringen. Die Transformation von Religion in Politik, die Versöhnung von Individuum und *seiner* Welt im Staat hat ebenfalls bereits *Hegel* empfohlen. Diese Konzeption Hegels ist aber – nicht nur im Prozeßdenken – noch zu wenig genau beachtet worden, als daß sie hinsichtlich ihrer Mängel und Gefahren hätte lehrreich sein können; vgl. *T. Rendtorff*, Theorie des Christentums. Historisch-theologische Studien zu seiner neuzeitlichen Verfassung, Gütersloh 1972, 104–108.

85 Empirical Theology, 157; übers. Vf. Vgl. auch Dimensions, 336f.

86 Dimensions, 327; übers. Vf.

87 Vgl. Dimensions, 328f.; ähnlich diesem Verhältnis von Freiheit und Einsamkeit s. Conceptions of Power, 31f., das Verhältnis der Exekution von »relational power« und Leidensfähigkeit.

reduzierbare und kaum variationsfähige Abstraktion in der Rede vom Menschen.

Der sich »rational-empirisch« nennende »Neonaturalismus« hatte zunächst versucht, Whiteheads Theorie von der Einheit des Universums und der Solidarität aller Kreatur noch konsequenter monistisch zu fassen. Die Lehre von den zeitlosen Objekten trat zugunsten des Versuchs zurück, die Welt als *einen* Komplex von beobachtbaren Ereignissen zu betrachten, deren gemeinsame interne Verfassung durch eine Erhellung der konstanten Momente des alles charakterisierenden Prozesses aufzuklären sei. Man kann nicht sagen, daß dieser Versuch gelungen oder auch nur konsequent beibehalten worden ist. Vielmehr hat Loomer mit begrifflich unklaren Differenzierungen von »Mensch und Natur«, »Selbstbewußtsein und Bewußtsein«, »Prozeß und Abstraktion vom Prozeß«, »Bestimmtheit durch den Prozeß und Freiheit« usw. Serien von Dualen eingeführt, die als mit Whiteheads Denken nur auf der Ebene locker geknüpfter und illustrierender Darstellungen verträglich erscheinen.

Ohne Zweifel dürfte seine Rede von »Freiheit als Selbsttranszendierung oder Bewegung zu ›anderem‹«[88], als »eine Bewegung zum Mehr, zum Jenseitigen«[89], »eine Bewegung zu unbestimmtem Mehr«[90] zwar dem – wie Loomer treffend formuliert hat – »*Meliorismus*«[91] des modernen Fortschrittsdenkens verwandt, geläufig und sympathisch sein. Doch dieser Trieb zur Steigerung ins Vage und Unbestimmte hat mit Whiteheads Theorie der subjektiven Vollendung in der Erreichung des subjektiven Ziels, des Untergehens in anderen Ereignissen und der objektiven Unsterblichkeit des transsubjektiven Ereignisses wenig gemeinsam. Loomer unterscheidet nicht mehr, wie Whiteheads differenzierte Theorie es zu tun nahelegt, die verschiedenen Momente und Ausprägungen der Selbsttranszendierung: die Selbsttranszendierung innerhalb einer Serie von Ereignissen, die als ›Lebendigkeit‹ bestimmt werden könnte; die fixierte Abstraktion vom subjektiven Moment eines Ereignisses bzw. von Ereignisserien, die das naturwissenschaftliche Denken charakterisiert[92], die aber auch – in abgestufter Weise – in Formen von Diszipliniertheit und Askese sowie in ›skeptischen‹ oder nur ›nüchternen‹ Weltperspektiven aufgewiesen werden könnte; die Abstraktionen schließlich, die die Subjektivität von Ereignissen auch in der Lösung von ihrer natürlichen Umgebung, ihrem Werde- und Entwicklungsbereich festhalten und bewahren kann, die Abstraktionen, die nach Whiteheads Überzeugung vor allem die hochkultivierten Religionen charakterisieren: die Freiheit als objektive Unsterblichkeit.

Aufgrund der Betonung des vagen Strebens der von Todesfurcht und Expansionsdrang getriebenen modernen Subjektivität hat Loomer die Chan-

88 Dimensions, 328; übers. Vf.
89 Dimensions, 330; übers. Vf.
90 Dimensions, 331; übers. Vf.
91 Empirical Theology, 154.
92 Vgl. Kap. II, Teil B, Abschn. 6.

cen ungenutzt gelassen, die Whiteheads Theorie in den Perspektiven der ›Empirical Theology‹ bietet: die Entwicklung der weithin unausgearbeiteten, jedoch schon in den Grundzügen reich und von hoher Konsistenz erscheinenden Ansätze zur Differenzierung und Entfaltung der Rede von Freiheit.

6. *Offenes theologisches Problem: Die Begründung des Vertrauens auf Heilung und Frieden inmitten der Zerrissenheit*

Der Erfassung der Formen des Überschreitens, der Idee des Transzendierens der Subjektivität und dem Phänomen der Übergangserfahrung mit ihren in ihrem Zusammenwirken schwer zu verstehenden Momenten und Elementen sollte durchaus beträchtlicher Raum auch in theologischer Arbeit zukommen, und das nicht nur deshalb, weil das Leben der Gemeinde und die religiöse Praxis von solchen Erscheinungen und Erfahrungen stark geprägt sind[93]. Allerdings fragt es sich, ob es die Aufgabe der Theologie ist, den vagen Gedanken eines dunklen Überschreitens (Transzendierens) in einen unbestimmten Bereich (Transzendenz) ihrer Arbeit zugrunde zu legen, ihn zu unterstreichen, zu kultivieren und nach Möglichkeit zu variieren. Es fragt sich ferner, ob sie die Vorstellung vom *privaten* und *reflexiven* Transzendieren so einseitig betonen sollte, auch wenn die persönliche Todesangst und die moderne Erfahrung des leeren Selbstbewußtseins diese Denkgewohnheiten unterstützen mögen.

Tatsächlich erfaßt und beschreibt ja der Glaube klarer und konkreter differenziertere und befreiendere, aber auch gefährdetere private und öffentliche Übergangserfahrungen, als uns Theorien suggerieren wie die, in der Loomer seine Überzeugung schließlich artikuliert. Es geht dabei nicht nur um einen bloßen Schritt eines als punktuell oder als Region vorstellbaren Individuums über immer neue, immer wieder verschobene Grenzen in einen als Jenseits und mithin als unerreichbar bezeichneten Bereich. Dies mag ein einleuchtendes Bild sein angesichts der Übergangserfahrung unter dem Gesetz der schwindenden Jahre und der schwindenden subjektiven Zukunft eines menschlichen Lebens. Loomer spricht in der Tat von der bedrückenden, verpflichtenden Freiheit unter dem Gesetz: »Freedom as commitment means that one is free only to the degree to which he is ›enslaved‹ to the true good.«[94] Damit eröffnen sich zwar gute Anknüpfungspunkte an die Wertideologie[95], aber keine klaren Aussichten auf die »herrliche Freiheit der Kinder Gottes«.

Loomer hat die Alternative formuliert: »Wir sollen nicht lieben, um frei

93 Vgl. Anm. 78 dieses Teils.

94 Dimensions, 337.

95 Zur theologischen Auseinandersetzung mit der Wertideologie s. *E. Jüngel,* Wertlose Wahrheit. Christliche Wahrheitserfahrung im Streit gegen die »Tyrannei der Werte«. In: Die Tyrannei der Werte, hg. *S. Schelz,* Hamburg 1979, 47ff., bes. 51f., 57–59, 69ff., 75.

zu sein. Wir sollen frei sein, völlig frei, um vollständiger zu lieben.«[96] Die diese Alternative überwindende Tatsache hat er nicht hervorgehoben, nämlich, daß wir frei sind und lieben können, weil wir *geliebt* werden.

Das Geliebtwerden des Menschen von Gott ist freilich nur unzureichend mit Hilfe des Schemas einer *Dialogsituation* mit Gott vorgestellt, gar noch in Verbindung mit der Steigerungsformel des Fortschritts: »In the evolution of man and his world, the dialogue between God and man continues and deepens.«[97] Viel hilfreicher wäre es gewesen, wenn Loomer hier sein (und Whiteheads) Bild der sozialen, tendenziell zerstreuten Subjektivität verwendet hätte[98], die durch den Anspruch der Verkündigung, die durch ihr Angerufen- und Erkanntwerden »konzentriert« worden ist, der die Zerrissenheit und Zerstreutheit genommen worden ist: die in Heilung und Sündenvergebung sich befreit weiß und das anbrechende Gottesreich erfährt, statt vor der Schwelle einer dunklen Transzendenz in Angst und Spannung zu verweilen. Diese Subjektivität kann durchaus *als selbstbewußtes Individuum* erfaßt werden; doch es muß nicht bei dieser Beschränkung bleiben, da Gottes Wort nicht nur Heilung bringen, sondern auch Frieden in der Gemeinschaft von Menschen schaffen kann[99].

Ein solcher – für den Glauben von Gott gestifteter – Übergang, der eine »neue Kreatur« schafft, die voller Freude sich als geliebt und damit befreit erkennen kann, ignoriert nicht die von Loomer fixierte Situation der Angst, des Gebanntseins, der Gefangenschaft, der Zerrissenheit und Zerstreuung. Ein solcher Übergang läßt vielmehr auf diese von ihm festgehaltene Situation zurückblicken und ihrem Wiederauftreten gelassen entgegensehen.

Der Glaube wird also dennoch, wie Loomer sagt, das Kreuz beständig vor sich haben. Aber er wird nicht sein Kreuz mit dem Kreuz Jesu Christi verwechseln, denn sein Kreuz ist nicht das Kreuz der Gottverlassenheit. »The symbol of the cost of freedom is the cross.«[100] Gemäß der befreienden Übergangserfahrung des Glaubens hat Gott diese Kosten selbst getragen.

96 Dimensions, 338; übers. Vf.

97 Dimensions, 338. Einsichtsvoller diese Situation der »Selbsttranszendierung« ins Auge fassend und beschreibend: *W. A. Beardslee*, Hope in Biblical Eschatology and in Process Theology. JAAR 38, 1970, 233ff.

98 Vgl. noch einmal Abschn. 4 dieses Teils und Kap. V, bes. Abschn. 4 u. 5. Auch *D. D. Williams*, The New Theological Situation. ThTo 24, 1968, 456ff.

99 Einen Ansatz dazu bietet die Darstellung der »relational power«, s. Conceptions of Power, 17ff., bes. 20ff.; leider bringt dieser Aufsatz die Darstellung der Gemeinschaft wieder in die engen Perspektiven des Personalismus: ein Gespräch zwischen zwei »Partnern« (vgl. 24), ein Ich-Du-Wechselverhältnis.

100 Dimensions, 339.

Teil C

Gott: Grund unseres Lebens in Gemeinde und universaler Gemeinschaft

1. *Die Frage nach der Universalität Gottes angesichts der Partikularität der gemeindlichen Existenz und der Relativität der Welt*

Schubert M. Ogden war ausgegangen von der Frage nach der Realität Gottes angesichts der Leugnung, daß die »Welt irgendwie über sich hinaus weist«. Er hatte schließlich den Gedanken einer »Realität« konzipiert, die jedoch nicht auf diese Welt rückbezogen werden konnte. Bernard M. Loomer hatte es demgegenüber der Theologie zur Aufgabe gemacht, den Bereich dieser Welt gar nicht erst zu verlassen und die Realität Gottes in der Erfahrung der Menschen »hier und heute« aufzufinden. Aufgrund der Einsicht in die Diskontinuität und Zerrissenheit der sündigen menschlichen Existenz hatte er sein Denken schließlich auf eine Grenzerfahrung fixiert, die beständig zur Überschreitung unseres Erfahrungsbereichs aufforderte. Dunkel blieben die heilvollen Folgen dieser Transzendierung. Während also Ogdens theologisches Denken über die Welt gleichsam hinausging, dabei aber diese Welt, unsere relative wirkliche Welt, aus dem Blick verlor, wies Loomers theologische Anthropologie nur in sehr vager und trostloser Weise über diese Welt, über den Bereich unserer Erfahrungen hinaus.

Das reife Denken John B. Cobbs, das nun zur Darstellung gebracht und diskutiert werden soll[1], hat die mit jenen theologischen Konzeptionen verbundenen vereinfachenden Vorstellungen und abstrakten Gedanken von »der Welt« und »dieser Welt« weithin unter Kontrolle gebracht. Stärker von Whiteheads Theorie geprägt und geschult als Ogden[2], zugleich weniger auf bloße Prinzipienfragen beschränkt und gelassener die Untersuchung von Vorbedingungen aufnehmend als Loomer[3], wendet Cobb sich Fragen der Vermittlung von konkreteren und abstrakteren, subjektiveren und objektiveren Perspektiven auf die Welt zu. Die Vermittlung von lebendigeren, jedoch begrenzteren und von reflektierteren, dafür aber integrationsfähigeren Ausprägungen des Universums in wirklichen Welten ist, allgemein ge-

1 Ich konzentriere mich auf die mit dem Buch A Christian Natural Theology, aaO. (zit.: Nat. Theology) beginnende Phase, die den primär zeitkritisch diagnostizierenden Arbeiten und einigen zwischen 1961 und 1964 publizierten Einzelstudien zu *Whitehead* folgt. Diese Phase bietet nicht nur eine umfassende Interpretation der Gedanken *Whiteheads*, sie geht auch vom Stadium der Versprechungen und Ankündigungen, *Whiteheads* Theorie sei theologisch belangvoll und theologisch fruchtbar zu machen, zur Demonstration dieser Fruchtbarkeit über. S. dazu, daß *Cobb* mit Nat. Theology dieses sonst in der Prozeßtheologie noch weitverbreitete Stadium erklärtermaßen verläßt, ebd., 11ff.; ferner: Natürliche Theologie und christliche Existenz. In: Theologie im Umbruch, aaO., 44 (zit.: Natürl. Theologie).

2 S. Teil A dieses Kap., bes. Abschn. 5.

3 S. Teil B dieses Kap., bes. die Abschn. 1 u. 5.

sprochen, zunächst sein wichtigstes gedankliches Anliegen. Um Cobbs Beiträge gebührend schätzen zu können, muß man Whiteheads Denken kennen, vor allem aber die Einsicht in die »Relativität der wirklichen Welt« einmal klar vollzogen und die Folgeprobleme dieser nachneuzeitlichen Erkenntnis ins Auge gefaßt haben[4]. Cobb ist einer der wenigen Denker im Raum der Theologie, die auf den Verlust naiver Totalitäts- und einfacher Ganzheitsvorstellungen, auf den damit aufkommenden Typ des Pluralismus und den Schwund des stabilen subjektiven Rechtsempfindens schon reagiert haben[5]. Zugleich verbindet er relativistische und konstante Perspektiven auf Welt[6]. Man kann zeigen, daß die Probleme der Verbindung und Vermittlung zwischen diesen Perspektiven geradezu die Entwicklung seines Denkens bestimmen. Dabei ist folgender Ansatz zu beachten:

Cobb geht einerseits von der wirklichen Welt der *Gemeinde* (community of faith) aus, in der die Theologie ihren Ort hat, in der sie ausgebildet und entwickelt wird, aus der sie hervorgeht und der sie verpflichtet ist[7]. Andererseits sinnt er der Theologie an, mit Hilfe der Philosophie, namentlich der Philosophie Whiteheads[8], eine umfassende Perspektive auf die Welt auszubilden und diese mit der relativ partikularen Sicht, die die Gemeinde von der Welt habe, zu vermitteln[9].

Das heißt aber keineswegs, die Theologie solle so lange die Veränderung der Gemeinde, in der sie lebendig ist, zu befördern suchen, bis diese so etwas wie eine »philosophische Weltsicht« entwickelt habe. Im Gegenteil. Es ist Aufgabe des Theologen, »direkt das seiner eigenen Gemeinde Spezifische und die Offenbarung der Wahrheit, durch die sie konstituiert ist, (zu) bezeugen«[10]. Cobb betont, daß gerade der Theologe, der sich dieser Aufgabe zuwende, im strengen Sinne christliche Theologie betreibe[11]. Die Versuche

4 Vgl. dazu: Die christliche Existenz. Eine vergleichende Studie der Existenzstrukturen in verschiedenen Religionen (übers. *H. Weißgerber*), München 1970, 24 (zit.: Christl. Existenz); Titel der amerikanischen Ausgabe: The Structure of Christian Existence, Philadelphia 1967. Im folgenden beziehe ich mich auf die deutsche Übersetzung, gebe aber zusätzlich (in Klammern) die entsprechenden Seitenzahlen der amerikanischen Ausgabe an (21).
Cobb weicht deutlich von der Strategie vieler Prozeßdenker ab, die ihre Theorie nicht nur gegen einen fingierten Cartesianismus einführen, sondern sie auch *nur* in diesem Gegenzug »explizieren«. Vgl. *R. A. Overmann*, Hat die Theologie die Natur vergessen?, Radius 3, 1973, 47f.

5 S. dazu die irritierten Rückfragen, die *D. R. Griffin*, Post-Modern Theology For a New Christian Existence. In: John Cobb's Theology in Process, hg. *D. R. Griffin* u. *T. J. J. Altizer*, Philadelphia 1977, 19f. u. 23, notiert hat.

6 S. dazu besonders plastisch und illustrierend *J. B. Cobb*, Liberal Christianity at the Crossroads, Philadelphia 1973, z.B. 13, 41; stärker ausformuliert: *ders.*, Christ in a Pluralistic Age, Philadelphia 1975, 48f., 58ff. (zit.: Christ). Zur Diskussion der dort vollzogenen christologischen Vermittlung s. besonders die Abschn. 4ff. dieses Kap.

7 Vgl. Nat. Theology, z.B. 254, 256f., 266f., 278ff. Vgl. ferner *Hanson*, Dynamic Transcendence, aaO., 14ff.

8 S. Nat. Theology, 268.

9 S. Nat. Theology, 267.

10 Nat. Theology, 277; übers. Vf. Vgl. ebd.

11 Ebd.

dagegen, auf einer ›philosophisch‹ zu nennenden Ebene etwa einen gemeinsamen Nenner aller Religionen zu suchen, beurteilt er negativ. Wenn wir uns – auch angesichts einer immer enger werdenden Welt, einer größere Verständigungsbereitschaft und Toleranzfähigkeit fordernden Kultur – von den besonderen Traditionen, Gemeinschaften und Gemeinden, in denen wir unser Leben führen, zu distanzieren suchen, werden wir eher Leere als Erfüllung finden. Die wirklich hochgradig partikularitätsfreien Faktoren und Formeln könnten sich als bedeutungsarm und schal erweisen. »(They) may prove to offer nothing by which man can find meaning in life.«[12]

Obwohl also gilt, daß die Theologie eine Funktion der Gemeinde ist und daß sie in unaufgebbarer und zu pflegender Bindung an eine besondere Gemeinde und deren partikulare Tradition und Umgebung steht, ist jedoch nicht von der anderen Verpflichtung der Theologie abzusehen: sie hat auch die Rechtfertigung ihrer Aussagen durch die »allgemeine Erfahrung der Menschheit« zu suchen[13]. Insofern der Theologe sich um diese Rechtfertigung bemüht, ist er *»engaged in Christian natural theology«*[14].

Die in den vorangehenden Teilen dieses Kapitels geäußerten Bedenken, der Philosophie werde im Bereich der Theologie eine zu dominierende Stellung unkritisch eingeräumt, treffen auf Cobb nicht zu[15]. Denn er ist, wie Whitehead selbst, bereit zur Relativierung seiner Rede von der »allgemeinen Erfahrung der Menschheit« und seines Vertrauens in die Kapazität der

12 Nat. Theology, 281.

13 S. Nat. Theology, 277.

14 Nat. Theology, 277, Hervorhebg. Vf. Auf das offene Problem der differenzierten Vermittlung der »natürlichen Theologie« und der »Theologie im strengen Sinne« weist *F. Herzog* hin, Understanding God. The Key Issue in Present-Day Protestant Thought, New York 1966, 32f.

S. in diesem Zusammenhang auch *W. A. Christian* zum Status des Gottesgedankens in *Whiteheads* Theorie, The Concept of God as a Derivative Notion. In: Process and Divinity. FS Hartshorne, 184ff. Es ist zu vermuten, daß *Cobb* diesem besonderen Zusatzproblem bei einer Verbindung von Theologie und »whiteheadischer« natürlicher Theologie mit seiner Überzeugung von der Unabgeschlossenheit der Entwicklung von *Whiteheads* Gottesgedanken begegnet ist, The Possibility of Theism Today. In: The Idea of God. Philosophical Perspectives, hg. *E. Madden, R. Handy* u. *M. Farber*, Springfield 1968, 120ff., bes. 121.

Vgl. dazu neben unserer Diskussion in Kap. II, Teil C, *D. W. Sherburne*, Whitehead Without God. In: Process Philosophy, 325ff.; andererseits das Plädoyer für die Konsistenz und Kohärenz des Gottesgedankens *Whiteheads* gegenüber *Cobbs* Vorbehalten, *M. Suchocki*, The Metaphysical Ground of the Whiteheadian God. ProcSt 5, 1975, 237ff. Als eine *Cobbs* Vorgehen unterstützende Argumentation kann dagegen *D. D. Williams*, How Does God Act? An Essay in Whitehead's Metaphysics. In: Process and Divinity. FS Hartshorne, bes. 178ff., angesehen werden.

15 Vgl. bes. Teil A dieses Kap., Abschn. 6. *I. G. Barbour*, Issues in Science and Religion, London 1966, 453f., Anm., hat gegen *Cobb* denn auch geltend gemacht, er vernachlässige die »theology of *nature*«, und einen an *Loomers* frühes Denken erinnernden, zugleich aber von *Teilhards de Chardin* Gedanken inspirierten Weg eingeschlagen, vgl. ebd., 400ff.; und: Teilhard's Process Metaphysics. In: Process Theology, bes. 336ff. S. dazu *L. A. Foley*, Cosmos and Ethos. NSchol 41, 1967, 154ff. Zum Problem, die Natur als Teilbereich der Kosmologie aufzufassen, s. bes. Teil A von Kap. II, aber auch *I. Leclerc*, The Necessity Today of the Philosophy of Nature. ProcSt 3, 1973, bes. 166.

Philosophie, diese Erfahrung zu artikulieren. Er will nicht den Eindruck erwecken, die Gemeinde allein habe eine begrenzte, die Philosophie aber verfüge über die schlechthin umfassende Sicht der Welt und verwalte eine wohlbestimmte, konstante »allgemeine Erfahrung der Menschheit«. Auch der Philosoph unterliegt den Grenzen der Perspektivität[16], allerdings kann er, nach Cobbs Überzeugung, die Abhängigkeit von einer »community of faith« als Bezugspunkt seiner Einsichten leugnen[17]. Dafür jedoch setze er sich höheren Anforderungen an die Reichweite seines Denkens, an die Kohärenz und Stringenz seiner Begrifflichkeit aus als der sich als Gemeindeglied verstehende Theologe. Der Philosoph kann nicht an Selbstverständlichkeiten, vertraute Gewohnheiten und unbefragte Sprachregelungen eines gemeindlichen Lebens anknüpfen, muß aber doch seine Einsichten gegen solche (für ihn variablen, für das Gemeindeglied allerdings schwerlich aufgebbaren) Selbstverständlichkeiten verteidigen können.

Dieser Anforderung sollte nach Cobbs Ansicht auch die Theologie zu genügen suchen: »Theology is not to be distinguished from philosophy by a lesser concern for rigor of thought!«[18] Diese Anforderung sollte nicht unterlaufen werden durch die Berufung darauf, daß das theologische Denken auch in seinen Vollzugsformen ausschließlich von seinem Gegenstand geprägt sei; zumal die »Theologie« als Lehre von Gott auch als ein Zweig der Philosophie existiere und außerdem im allgemeinen keineswegs nur Gotteslehre sei[19].

Nach diesen Ausführungen könnte man die »natürliche Theologie« zunächst als einen Bereich der Theologie überhaupt auffassen, in dem sie mit der Philosophie vor allem hinsichtlich der gedanklichen Vollzugsformen übereinkommt[20]. Dieser Bereich könnte die Theologie in die Lage versetzen, an so etwas wie ein über das der Gemeinde hinausreichendes (was nicht zwangsläufig eine positive Wertung darstellen muß) Wahrheitsbewußtsein zu appellieren; in ihm könnte auch die Aufgabe der Apologetik wahrgenommen werden. In Hinblick auf diese Aufgabe spricht Cobb von den »nihi-

16 Vgl. Nat. Theology, 267.

17 S. Nat. Theology, 254, z.T. freie Übersetzung Vf. Auf das offene Problem, die »community of faith« von Gemeinschaften, die durch gemeinsame religiöse Erfahrungen gebildet werden, zu unterscheiden, kann *J. M. Hallman*, Toward a Process Theology of the Church. In: Religious Experience, bes. 142f., aufmerksam machen.

18 Nat. Theology, 264. Dazu *D. Brown*, What Is a Christian Theology? In: Religious Experience, 49.

19 Vgl. Nat. Theology, 254, 255.

20 S. Nat. Theology, 266; dazu auch Christl. Existenz, 11 (8). Das versucht *J. G. Janzen*, The Old Testament in »Process« Perspective: Proposal for a Way Forward in Biblical Theology. In: Magnalia Dei: The Mighty Acts of God. Essays on the Bible and Archaeology in Memory of G. E. Wright, hg. *F. M. Cross* u.a., Garden City, New York 1976, 497ff., streng in seinem Vorschlag, biblische Theologie und Denkformen der Prozeß-Philosophie zu vermitteln, zu beachten. Noch stärker bindet die Verwendung philosophischer Terminologie und Methoden in einen kreativen Prozeß der Erfahrung von Gottes Handeln im Wechselverhältnis von Textauslegung und Selbstverständnis der Gemeinde ein: *Hanson*, Dynamic Transcendence, aaO., bes. Kap. 6.

listic tendencies of most modern thought«[21] und, was besonders nach seiner Kenntnis der Theorie Whiteheads schwer verständlich ist[22], von den »destructive forces of modern cosmology«[23]. Obwohl diese Beschreibung außertheologischer und außerkirchlicher kultureller und geistiger Strömungen ähnlich vage ist wie die Diagnosen, die die anderen Prozeßtheologen bieten, wird eine für Cobb charakteristische Distanznahme gegenüber unbefangener Orientierung an nichttheologischen Grundlagen deutlich.

Erst die Einsicht in die *Relativität auch der philosophischen Perspektiven*[24] auf die Welt öffnet den Blick für das Ausmaß der Aufgabe der natürlichen Theologie heute. Die Theologie kann die Frage nach der *Universalität Gottes* nicht mehr in – ob als entfremdend oder hilfreich empfundener – Anlehnung an eine Philosophie beantworten oder zurückweisen. »If we can pick and choose among philosophies according to our liking, what reason have we to suppose that the one we have chosen relates us to reality itself? Perhaps it only systematizes a dream that some of us share. The problem of relativism is fundamental to our spiritual situation and to our understanding of both theology and philosophy.«[25]

Da Theologie *und* Philosophie vom Problem der parochialen *und* mundanen Perspektiven auf die Welt betroffen sind, da auch die beste Philosophie allenfalls relativ abstraktere, relativ weiter reichende, allenfalls relativ dauerhafte, relativ konsistente Perspektiven auf die Welt im Vergleich mit der an das Leben der Gemeinde gebundenen, hier orientierten und verpflichteten Theologie bereitstellt, müssen wir »*lernen zu leben, zu denken und zu lieben im Kontext dieser letzten Unsicherheit und Ungewißheit*«[26].

Dieser Einsicht in die universale Relativität, mit der nach Cobbs Auffassung die von den Naturwissenschaften inspirierte Kosmologie zur Verunsicherung des christlichen Verstehens von Gott und Mensch erheblich beigetragen hat[27], muß die natürliche Theologie *mit* der Philosophie, aber auch

21 Nat. Theology, 15. Vgl. auch Natürl. Theologie, 43, wo *Cobb* die Neigung erkennen läßt, die gedankliche Leistungsfähigkeit und Überzeugungskraft des »Atheismus« zu überschätzen. Erst die reflektierte *Gleichgültigkeit* gegenüber dem Glauben erreicht, wie ich an anderer Stelle gezeigt habe, das von *Cobb* beschworene Niveau.

22 Vgl. Kap. II, Teil A.

23 Nat. Theology, 15; vgl. auch 270f.

Die mangelnde Fähigkeit, eine gelassene Auseinandersetzung mit den Kompetenzansprüchen der Naturwissenschaften zu führen, hat als ein Grundproblem des Prozeßdenkens *K. Scholder* erkannt, »Geleitwort« zu: Der Preis des Fortschritts, aaO., 11. Wie wir zeigen konnten, trägt die Beachtung der Entwicklung und Entwicklungslogik der Whiteheadschen Kosmologie dazu bei, diesem Mangel entgegenzuwirken. Eine entscheidende Wende der Situation dürfte allerdings erst mit einer Neufassung der theologischen Lehre vom Gesetz erfolgen. Zum Aspekt des Aufbaus von Ordnungszuständen durch religiöses Denken s. bislang z.B. *P. G. Kuntz*, God and the World Order: The Present Situation. Philosophy Forum 8, 1970, 44ff.

24 Vgl. Nat. Theology, 260f., 267f.

25 Nat. Theology, 271. Vgl. auch oben Anm. 5.

26 Nat. Theology, 275; Übersetzg. u. Hervorhebg. Vf. Vgl. auch Natürl. Theologie, 44.

27 Vgl. Nat. Theology, 270, 270f.

für die Philosophie standhalten[28]. Gerade indem sie das gemeinsame Schicksal von Theologie und Philosophie erkennt und sich nicht in die Sphäre scheinbarer Geborgenheit in der Welt der Gemeinde mit ihrer Neigung, Binnenperspektiven und Privatsprachen zu entwickeln, zurückzieht, fragt sie nach der Universalität Gottes. Sie fragt nach dem Gott, der das menschliche Leben bestimmt, hier, heute, innerhalb der Gemeinde, aber auch dort, dann, außerhalb der Gemeinde und außerhalb der relativ engen oder relativ weiten, der einfältigen oder elaborierten Perspektiven auf die Welt. »Das Leben erfordert eine Bestimmtheit, eine Entscheidung, einen Brennpunkt.«[29] Was der Christ nicht mehr von der Weltsicht der Philosophie erwarten, nicht mehr für sich und seine Kirche beanspruchen kann – diesen Brennpunkt –, »he may yet claim for Jesus Christ«[30].

Damit ist freilich nach der Universalität Gottes – angesichts der Partikularität der gemeindlichen Existenz und angesichts der Infragestellung der Leistungskraft der Philosophie hinsichtlich des Aufweises eines universalen Ordnungszusammenhangs – erst *gefragt.* Damit ist nicht das Vertrauen preisgegeben, daß es sehr weitreichende und wirksame, die Relativität der Perspektiven auf die Welt weithin kontrollierende Theorien geben könne. Cobbs Werk ist vielmehr ein Vorbild und Plädoyer dafür, dem Werk Whiteheads eine solche Theorie zu entnehmen. Die vor allem in der Moderne auftretenden konventionellen Abhängigkeitsverhältnisse der Theologie von Philosophien sind nicht einfach ausgeschlossen[31]. Sie sind aber in ein neues Verhältnis angesichts einer gemeinsamen Problemlage gebracht.

2. *Die »Struktur der christlichen Existenz« als erste Antwort auf das Problem, die relativen Weltperspektiven und die Bestimmtheit des christlichen Lebens zu vermitteln*

Warum sagt der Theologe, daß Jesus Christus als »Brennpunkt« des Lebens auftritt, der den relativen, den engeren und weiter reichenden Perspektiven auf die Welt Bestimmtheit verleihen kann? So mag die Rückfrage eines Philosophen an den die Wichtigkeit einer natürlichen Theologie betonenden Theologen fingiert werden. Cobbs erste ausführliche und umfassende Ant-

28 S. dazu auch die Verhältnisbestimmung von Religion und Philosophie bei *L. Gilkey,* Der Himmel und Erde gemacht hat. Die christliche Lehre von der Schöpfung und das Denken unserer Zeit, München 1971, 117ff. u. 122ff.
Es sei hier darauf aufmerksam gemacht, daß *Cobb* die nachneuzeitliche Relativierung zuweilen mit der transzendentalen zu verwechseln scheint. S. die geradezu an *Kleists* »Kant-Krise« erinnernden Bemerkungen, Nat. Theology, bes. 276. Zur »Grundlagenkrise« der modernen Philosophie s. auch *G. Siegwalt,* Les fondements du monde contemporain, un défi pour les sciences et la théologie. RHPhR, 1979, 28ff.

29 Nat. Theology, 283; übers. Vf.

30 Nat. Theology, 284. Vgl. Natürl. Theologie, 46f.

31 Vgl. den Hinweis auf *Karl Barth,* Nat. Theology, 262.

wort darauf läßt sich seinem Buch »Die christliche Existenz«[32] entnehmen. Er will hier die elementaren und unabänderlichen Charakteristika, die den Prozeß christlicher Existenz kennzeichnen, im Blick auf das Auftreten Jesu Christi darstellen. In Whiteheads Sprache ausgedrückt: Er will das Auftreten, den Konkretionsprozeß und den Übergangsprozeß der Serien wirklicher Ereignisse darstellen, die auch in der christlichen Existenz hier und heute fortwirken, die auch die heutige christliche Existenz durchdringen und übergreifen. *Was am Leben und Wirken Jesu Christi ist eine bleibende und wirkende Struktur auch der wirklichen Welt, in und aus der unser Leben erwächst?* Warum können wir von der Einmaligkeit und Endgültigkeit dieses Ereignisses sprechen[33], welche unersetzliche Verfassung, welche wesentlichen Merkmale und welche Struktur unserer Existenz geben dazu Anlaß[34]?

Obwohl Cobb, was hier nicht nachgezeichnet werden soll, etliche andere Strukturen menschlicher Existenz in einem universalen natürlich-historischen Entwicklungsprozeß diagnostiziert, will er die unterschiedene und klar bestimmte Struktur der christlichen Existenz sowie die Überzeugung von deren »Einzigartigkeit und Endgültigkeit«[35] nicht durch Wertung und Negationen anderer Existenzformen hervorheben. Bewußt unterscheidet er sein Vorhaben von vergleichenden Darstellungen der (z.B. hinsichtlich der Relativität und Absolutheit konkurrierenden) ›Religionen‹ und von Untersuchungen der wesentlichen und unwesentlichen Merkmale des Christentums[36]. Seiner Überzeugung nach sind die Bezugssysteme, in denen solche Darstellungen stattfanden, in denen sie sich orientierten und legitimierten, ebenso unzureichend wie die Konzentration nur auf die bewußte Existenz[37].

Unvermeidbar dagegen erscheinen ihm offenbar die mit der Rede von ›Struktur‹ verbundene Abstraktheit und die darin gleichfalls liegende Vagheit, die, wie Cobb richtig sieht, den Übergang von Binnen- zu Außenperspektiven nicht gut unter gedankliche Kontrolle bringen lassen. Eine Alternative zur Rede von ›Struktur‹ hätte Hegels noch immer unausgeschöpfte

32 Zum Verhältnis dieses Buches zu Nat. Theology s. Christl. Existenz, 10 (8). Vgl. dazu *B. E. Melands* Theorie christlicher Bestimmtheit der »Struktur der *Erfahrung*«, Faith and Culture, Carbondale 1972, bes. 98ff.; aber auch die Rede von »lived experience«, *ders.*, Can Empirical Theology Learn Something From Phenomenology? In: The Future of Empirical Theology, aaO., 295, 295ff.

33 Vgl. Christl. Existenz, 168ff. (137ff.).

34 Die wichtige und schwierige Verbindung von *Cobbs* Willen zur christologischen Orientierung *und* seinem Mißtrauen gegenüber Konzeptionen, die man »naiv universalistisch« nennen kann, ist selten klar gesehen worden. Vgl. z.B. *R. C. Neville,* Pluralism and Finality in Structures of Existence. In: John Cobb's Theology in Process, aaO., 73ff.; s. auch *Cobbs* Bemerkungen: Responses to Critiques, ebd., 162ff.

35 Christl. Existenz, 16 u.ö. (14).

36 Vgl. Christl. Existenz, 15ff. (13ff).

37 S. Christl. Existenz, bes. 68ff. (57ff.), und die in Kap. II, Teil B, Abschn. 3–5 vorgestellten Gedanken *Whiteheads.*

Rede vom »Geist«[38] geboten, dem »Ich, das Wir, und Wir, das Ich ist«[39]. Cobb aber faßt den Geist primär als entindividualisierend auf. »Wenn der Geist auf einen Menschen herabkam, so *verlor* dieser sein individuelles bewußtes Zentrum«[40]. Das *positive* Moment der Ausbildung einer neuen Individualität und der Antizipation neuer Gemeinschaft in dem und durch das Wirken des Geistes (zu denken ist z.B. an die von Cobb öfter erwähnte Geistbegabung der Propheten) wird nur schwach erhellt[41]. Die Ausführungen sind, darin dem in Abschnitt 3 und 4 des vorhergehenden Teils vorgestellten Denken Loomers ähnlich, zunächst so sehr auf den ›Punkt der Individualität‹ und die individuelle Selbsttranszendierung konzentriert, daß die Weiterungen dieser Selbsttranszendierung für die Neubestimmung der Umgebung, der »wirklichen Welt« des Selbst, nur angedeutet werden können. Wie auch in vergleichbaren ›kontinentalen‹ Theorien werden die selbst noch in Abkehr, Aufgabe und Verneinung liegenden *positiven* Beiträge und Folgen der Selbsttranszendierung für das Zurückgebliebene, Aufgegebene, Negierte nicht eingehend genug dargestellt. Der Leser faßt deshalb das Transzendieren zu sehr in Formen abstrakter Negationen und unbestimmter Steigerungen auf, nicht aber z.B. – milder, konkreter und hinsichtlich der Folgen fruchtbarer – als Veränderung, Erneuerung, Wandlung, Umkehr . . . Allerdings drängt Cobbs Konzeption der *christlichen* Existenz auf solche fruchtbaren, differenzierten und inhaltlichen Auffassungen der Selbsttranszendierung hin. Dies ist nun darzutun.

Entscheidend für die neue Bestimmtheit christlichen Lebens ist der in Jesu Auftreten aktualisierte Sinn für die unmittelbare Gegenwart Gottes[42]. Dieser Sinn kann gerade deshalb nicht allgemeine Verbreitung finden, wie Cobb, im besten Sinne dialektisch denkend, erkennt, weil Gott in Jesu Umgebung durchaus *gegenwärtig* war – hinsichtlich seiner Handlungen in der Vergangenheit und, erhofft, in der Zukunft. Dieser Gegenwart Gottes in der Weise des gleichzeitigen Fernseins (der erinnerte und erwartete Gott) begegnet in Jesus eine *lebendige* unmittelbare Gegenwärtigkeit Gottes. »Er kannte Gott als eine gegenwärtig tätige Wirklichkeit, die unvergleichlich größer war als die Welt des Geschaffenen. Er lebte und sprach aus der Unmittelbarkeit dieser Wirklichkeit.«[43]

Wir können diese Ausführungen Cobbs als eine erste, präzisierende Antwort auf zentrale Fragen von Ogden und Loomer auffassen und dabei

38 Eine gewisse Ausnahme stellt der junge *Bonhoeffer* dar, s. bes. Sanctorum Communio, aaO. Schwächere, jedoch m.E. der Rede von ›Strukturen‹ an Darstellungskraft überlegene Alternativen bieten die Ausdrücke Institution (s. dazu *G. Allan,* The Aims of Societies and the Aims of God. In: Process Philosophy, bes. 466ff.), Organisation und System.

39 *Hegel,* Phänomenologie des Geistes, aaO., 140; im Original Hervorhebg.

40 Christl. Existenz, 142 (117); Hervorhebg. Vf.

41 Vgl. z.B. Christl. Existenz, 142f. (117). Zufriedener offenbar mit *Cobbs* Rede von »Geist« ist *T. J. J. Altizer,* Method in Dipolar Theology and the Dipolar Meaning of God. In: Philosophy of Religion and Theology Section Papers of The American Academy of Religion, 1972, 20.

42 Vgl. Christl. Existenz, 135 (111).

43 Christl. Existenz, 136 (112); vgl. ebd. 139f. (115).

zugleich jene Fragen in einen engen Zusammenhang bringen. Ogden hatte nach der Realität Gottes gefragt, Loomer nach dem »Hier und Heute« von Gottes Gegenwart. Mit Cobb kann auf beide Fragen geantwortet werden: Gottes Realität und das Hier und Heute seiner Gegenwart ereignen sich in Leben und Erfahrung Jesu. Im Sinne Cobbs wären also die Fragen der anderen Prozeßtheologen dahingehend zu präzisieren: Wie, in welcher Weise können *wir* an Jesu Leben und Erfahren teilhaben? Damit konzentrieren wir uns nach seiner Überzeugung auf die christliche Existenz, deren ›Struktur‹, vor allem aber auf den Prozeß der Selbsttranszendierung. Ein neues Verhältnis des Menschen zur Welt, ein neues Erfahren und Verstehen von Liebe und eine neue Wirksamkeit des Geistes – dies sind die wesentlichen Ausrichtungen der Betrachtung.

Wie ist der Zusammenhang zwischen dem in Jesu Auftreten aktualisierten Sinn für die gegenwärtige Unmittelbarkeit Gottes und der Verfassung unserer Existenz aufzufassen und darzustellen? Warum ist die christliche Existenz im Prozeß der Selbsttranszendierung begriffen und als solche zu beschreiben?

Cobb sucht eine Antwort auf diese Fragen zu geben, indem er die theologisch-christologische Konzentration mit einer Orientierung an der Theorie Whiteheads verbindet. Abstrahiert man einmal von den offenen Problemen, die Whiteheads Kosmologie bei ihrer direkten Anwendung auf dem Felde der Anthropologie aufwirft, so kann man, wie wir sahen, von einer doppelten Beziehung Gottes auf alle wirklichen Ereignisse sprechen – auch auf die komplexen Serien von Ereignissen, die wir sind: Gott bestimmt mit unserer relativen wirklichen Welt unseren Entwicklungsspielraum und ist in dieser Weise beständig gegenwärtig[44]. Ferner *bleibt* Gott uns gegenwärtig, da die Ereignisse, die über die Phase ihrer subjektiven Erfüllung hinausgehen, die ihren Entwicklungsspielraum ausgeschöpft haben, in seine zweite Natur eingehen[45]. Doch wie lassen sich diese inspirierenden Denkanstöße mit christologischen[46] und pneumatologischen Aussagen verbinden; wie kann gezeigt werden, daß sie sich von christologischen oder pneumatologischen Grundlagen herleiten lassen?

Zunächst freilich rufen die Fragen nach »Ableitung« und »Grundlegung« die Überlegung hervor, ob sie nicht mit überholten Denkformen arbeiten und ob eine Beschreibung der »Struktur der christlichen Existenz« bereits eine *ausgearbeitete Verbindung* mit einer Christologie und einer Pneumatologie aufweisen muß. Reicht es nicht aus, Anschlußstellen aufzuzeigen an eine zukünftige Christologie und an eine zu entwickelnde Lehre vom Heiligen Geist, was Cobb denn auch, weitergehende Erwartungen abweisend, andeutet[47]? Doch selbst wenn man nun auf eine Diskussion darüber verzichtet, ob eine solche *Begrenzung* der Darstellung der »Struktur der christ-

44 Vgl. Kap. II, Teil C, Abschn. 1 u. 2.
45 Vgl. Kap. II, Teil C, Abschn. 3 u. 4.
46 S. aber Abschn. 4 dieses Teils.
47 Vgl. Christl. Existenz, 134 (110).

lichen Existenz« nicht nur strategisch, sondern auch theologisch zu rechtfertigen sei, so ist doch auf zweierlei hinzuweisen. Wir müssen bei diesem Stande der Entwicklung fragen: Wie läßt sich die an eine Christologie und Pneumatologie *anschlußfähige* Darstellung der christlichen Existenz von einer in eine Christologie und Pneumatologie *eingebetteten* Lehre von der christlichen Existenz unterscheiden? Würden wir hier das Bewußtsein einer defizitären Situation nicht wahren und kultivieren, so würden wir gleichgültig werden gegenüber der Differenz zwischen einer Darstellung der Struktur der christlichen Existenz und einer Darstellung der Struktur einer irgendwie religiösen Existenz. Ferner müssen wir fragen, wo und wie die Lehre von der christlichen Existenz an die Christologie und die Pneumatologie angeschlossen werden soll und ob die Anschlußstellen schon in diese Lehrstücke hineinweisen oder sich als aus ihnen herausgelöst präsentieren. Die Antwort auf diese Fragen unterstreicht deren Dringlichkeit:

Die noch nicht in eine Christologie und Pneumatologie eingefügte Darstellung der christlichen Existenz bleibt aus folgenden Gründen ein Programm und in der Phase der Ankündigung: Es ist bislang offen, ob die Selbsttranszendierung in der Orientierung an Whiteheads Prozeß, am Übergang des vollendeten wirklichen Ereignisses in seine transsubjektive Phase[48] nicht die relative Weltperspektive des jeweiligen Ereignisses und seine christologische Bestimmtheit durch die Aufhebung gerade dieser Bestimmtheit vermittelt. Warum sollte die Vermittlung der relativen Weltperspektiven und der Bestimmtheit christlichen Lebens anders gedacht, anders konfiguriert werden als in einer *Anpassung* des christlichen Lebens an den universalen Prozeß? Warum sollte eine durch Selbsttranszendierung gewonnene neue Selbstzentrierung nicht nur ein perfekteres, angepaßteres Weltverhältnis bedeuten?

Was spricht dafür, die »Struktur der christlichen Existenz« *nicht* als eine (vielleicht sogar höchst perfekte) *Einfügung* in den Prozeß der sich verschiebenden, stabilisierenden und erneut verändernden Perspektiven auf die Welt aufzufassen, als eine bloße Einfügung in den universalen Prozeß, den nach Whiteheads Überzeugung alle wirklichen Ereignisse darstellen?

Was spricht dagegen, die höchste Erkenntnis *auch* der christlichen Existenz als »Einsicht in die Notwendigkeit« und ihr letztes Ziel als »Anpassung an den Lauf der Dinge« aufzufassen? Auf diese Fragen hin ist festzuhalten, daß Cobb die Variabilität und das relative Vergehen der wirklichen Welt auch theologisch geortet und reflektiert hat: »Jesus lebte in einer Welt, die nicht von Dauer, aber in der Gott nahe war. In einer solchen Welt wurde die Frage nach dem Sollen nicht durch die Fähigkeiten des Menschen oder die vermutlichen Folgen für die Gesellschaft gelöst. Die Forderung wurde bestimmt vom Sein Gottes und von der Bedeutung des Seins Gottes für das menschliche Leben.«[49]

48 Vgl. Kap. II, Teil B, Abschn. 6 u. Teil C, Abschn. 4.
49 Christl. Existenz, 139f. (115).

Diese in Jesu Welt offenbar werdende Bestimmtheit des menschlichen Lebens durch Gott im Wandel und Vergehen kann als Offenheit für das Wirken Gottes im Heiligen Geist aufgefaßt werden[50]. Dabei betont Cobb – was wichtig und für das Verstehen hilfreich ist –, daß das »Verhältnis« zum Heiligen Geist nicht nur als »Ich-Du-Relation« imaginiert werden sollte, »denn jene (Beziehung) bedeutet Entgegensetzung, Begegnung, Rede und Antwort«[51].

Aber was besagt die Bestimmtheit durch Gott näher; wie lassen sich die gesuchten Anschlußstellen an die Christologie und Pneumatologie prägnanter beschreiben?

Cobb antwortet darauf, daß in der ursprünglichen Geisterfahrung die Gegenwart Gottes als »innerliche« Präsenz angesehen wurde, die ohne Verlust des Sinns für die verantwortliche Persönlichkeit eine radikale ›Selbsttranszendierung‹ bewirkte[52]. Die in ihrer Selbsttranszendierung verantwortlich erhaltene, innerlich bewegte Subjektivität stellt einen Ansatz zur positiven Bestimmung der christlichen Existenz und ihrer Verbindung mit der Lehre vom Heiligen Geist dar. Der vom Heiligen Geist ergriffene, gelenkte, über sich selbst hinausgeführte Mensch »mußte . . . seine Anstrengungen vom unmittelbaren Kampf um Selbstveränderung abwenden, um zu versuchen, offen zu sein für das Werk des göttlichen Geistes, der in ihm etwas vollbringen konnte, das er nicht in und für sich selbst tun konnte. Aber auch dann wußte er, daß sogar die Offenheit für Gott von Gottes zuvorkommendem Handeln abhing und daß diese Offenheit nur höchst bruchstückhaft sein konnte«[53].

In der geistlichen Existenz, so lautet der für eine Neuformulierung der Rechtfertigungslehre bedeutsame Befund weiter, identifiziere »Ich« mich nicht mehr selbstverständlich und fraglos mit meinem Willen noch mit meiner Rationalität noch mit einem fixierten Personzentrum: »Bei der geistlichen Existenz erscheint eine weitere Stufe der Transzendenz. Das Ich wird verantwortlich für die Wahl des Zentrums, von dem aus es sich selber ordnet, nicht nur mehr für die Wahl, die es von einem bestehenden Zentrum aus traf. Wenn es sich dafür entschied, sich mit dem Willen zu identifizieren, und die Bindung an sittliche Verpflichtungen, die dies zur Folge hatte, akzeptierte, konnte es dies zwar tun. Aber es mußte, ja es sollte dergleichen nicht tun. Es war nämlich nicht nur für diese Entscheidung verantwortlich, sondern für alle Entscheidungen, die es fortan als Wille traf.«[54]

Diese Erkenntnis der Relativität jedes bestimmten Selbstverständnisses wird, wie Cobb festhält, durch die christliche Existenz ermöglicht, die – und

50 Vgl. ebd., 141ff. (116, 118).

51 Christl. Existenz, 144 (118). Vgl. dazu: A New Christian Existence. In: Neues Testament und christliche Existenz, hg. *H. D. Betz* u. *L. Schottroff*, Tübingen 1973, 92–94.

52 Vgl. Christl. Existenz, 145 (119).

53 Christl. Existenz, 147 (121).

54 Christl. Existenz, 150 (123).

das ist der entscheidende Punkt – in der Liebe und durch die Liebe jedes Welt- und Selbstverständnis permanent relativiert.

Die Rede von der Möglichkeit beständiger Selbsttranszendierung und Selbstveränderung durch den Geist und in der Liebe *könnte* die Differenz der christlichen Existenz *vom* natürlichen Lauf der Dinge *in* eben diesem Verlauf bezeichnen.

Doch »jene vielgestaltige Wahrheit, die nur der findet, der sein Leben verliert«[55], muß vom Sich-Ereignen beständiger Selbstveränderung in Reaktion auf den Wandel der Umwelt deutlich unterschieden werden. Wie aber kann deutlich gemacht werden, daß und warum die Rede von der Selbsttranszendierung nicht nur auf eine Strategie des Überlebens durch Wandel und Anpassung zurückgeführt werden kann? Solange die Darstellung der Struktur der christlichen Existenz nicht in Christologie und Pneumatologie eingebunden ist, hängt die Überzeugungskraft der Rede von »Liebe«, »Heiligem Geist« und »*christlicher* Existenz« davon ab, ob diese Selbsttranszendierung auf eine theologisch qualifizierte Weise von der Selbsttranszendierung im Prozeß einer natürlichen Strategie des Weiterlebens und Überlebens unterschieden werden kann.

3. *Die Unüberbietbarkeit der durch Christus vermittelten Struktur der Existenz und die Perfektibilität von Individuum und Gemeinschaft*

Mit Hilfe von Whiteheads Theorie kann sehr gut eine »Existenz« dargestellt werden, die sich erhält, gerade indem sie die jeweiligen Perspektiven auf ihre relative wirkliche Welt aufgibt bzw. ihre zentralen Selbsterfahrungen und Selbstbestimmungen ergreifen und verändern läßt. Die Anpassungsoperationen an den Wandel der Welt und der damit verbundene Wechsel der Bilder vom ›Kern‹ des eigenen Selbst – der Bilder, die die Person konstituieren oder die Identität konfigurieren – sind im Selbsterhaltungsprozeß kovariant. Der gesamte Prozeß kann als beständiges, gleichsam fließendes Selbsttranszendieren des in Frage stehenden Ereignisses aufgefaßt werden. Nach Whitehead nun wäre die relative Expansion des Entwicklungsbereichs und die damit verbundene Wandlung des Selbst nicht ohne Gottes erste Natur (primordial nature) denkbar. Ebenso gäbe es keine Kontinuität im Wandel des Ereignisses, wenn nicht das Transzendierte in Gottes zweiter Natur (consequent nature) bewahrt wäre.

Ohne Frage kann diese Konzeption der Gegenwart Gottes in allen Ereignissen mit vielen religiösen Aussagen locker verbunden und in Assoziationszusammenhänge gebracht werden. Und warum könnte nicht durchaus mit dieser Konzeption der Geist gemeint sein, der das Sich-Freuen mit den Fröhlichen und das Weinen mit den Weinenden (Röm 12,15) ermöglicht? Aber ebenso könnte hier nach dem bisherigen Stand unserer Erörterung

55 Christl. Existenz, 167 (136).

eine auch ohne die christliche Rede von Gott konzipierbare und um der Klarheit willen besser tatsächlich auch ohne jede religiöse Ausgestaltung zu konzipierende[56] Theorie der optimalen Anpassung und des optimierbaren Ausgleichs zwischen Ereignissen und ihrer relativen Welt angelegt sein. Eine solche Theorie würde die »Selbsttranszendierung« als eine bis in das sogenannte Zentrum der Individualität hinein wirksame Anpassungsleistung verstehen lehren, die nicht nur Variationen des Verhältnisses von »Innerlichem« und »Äußerlichem« vornähme, sondern radikale Diskontinuitäten riskierte: Die Ereignisse müßten auch ›sich selbst‹ zur Disposition zu stellen bereit und in der Lage sein.

Die Frage an eine solche Theorie wäre, welchen Richtungssinn sie dem von ihr beschriebenen Prozeßverlauf zu geben vermag. Sie müßte angeben, warum sie nicht als eine Theorie der Dissoziation oder gar der Destruktion von Subjektivität aufzufassen ist. Würde eine solche Theorie die Rede von Gott verwenden, so müßte die Theologie darüber wachen, daß solche Rede nicht zur Verschleierung der Zerstreuung oder Auflösung von Subjektivität gebraucht wird. Theologische Religionskritik[57] müßte erhellen, ob solche Rede von Gott nur dazu dient, extreme Anpassungsleistungen zu verharmlosen, erträglich zu gestalten oder womöglich noch zu steigern.

Der Gefahr einer Theorie, die die »Selbsttranszendierung« von Dekompositionsprozessen nicht zu unterscheiden vermag, tritt Cobb aber in mehrfacher Hinsicht entgegen. Er betont, daß die Gegenwärtigkeit Gottes im Entwicklungsprozeß der individuellen und sozialen Ereigniskomplexe sich als die von Jesus erfahrene »lebendige Nähe Gottes« erweise und als solche identifiziert werden müsse[58]. Er hebt ferner deutlich hervor, daß Gottes zuvorkommende Liebe als Grundlage unserer Selbsttranszendierung anzusehen sei, und bestimmt auf diese Weise eine Richtung und ein Gefälle[59] in der Entwicklung der Struktur der christlichen Existenz: »Wir lieben nur, weil wir zuvor geliebt werden. So, und nur so, kann der geistliche Mensch wahrhaft und rein lieben.«[60]

Und er stellt schließlich dar, daß die lebendige Nähe Gottes eine geistliche Existenz wirkt[61]. Diese geistliche Existenz[62] wird in uns von einer Liebe

56 Vgl. Kap. II, Teil C, Abschn. 6.

57 Vgl. dazu bes. Kap. IV, Abschn. 5.

58 Vgl. Christl. Existenz, 169ff. (138ff.).

59 Darin unterscheidet er sich von *Loomer*. Vgl. die Abschn. 4 und 6 des vorangehenden Teils B.

60 Christl. Existenz, 166 (135).

61 Diesen Gedanken kann man theologisch sehr stark machen, indem man ihn trinitarisch und die »geistliche Existenz« pneumatologisch faßt. Vgl. dazu die theologisch noch gar nicht ausgeschöpfte Rede *Luthers* vom Heiligen Geist als der *tätig empfangenden, vernehmenden, einstimmenden* Natur Gottes. S. z.B. Kirchenpostille 1522, WA 10,I,1. 186, 188; Predigten über Johannes 16, WA 46, 59f.; Auslegung des ersten und zweiten Kapitels Johannis in Predigten 1537 und 1538, WA 46, 543ff.; Predigt über Johannes 1,1 am Tage der Geburt Christi 1541, WA 49, 238.

62 Vgl. Christl. Existenz, 143ff., 163ff. (118ff., 133ff.); s. aber auch die Darstellung der reiferen Konzeption im folgenden Abschnitt.

hervorgebracht, die uns andere lieben läßt, das heißt, die uns für andere *als* andere öffnet und darin auch noch die *Krankheit* heilt, die ein fixiertes Selbstverständnis darstellt: ». . . für den Christen ist Liebe die Möglichkeit, für den anderen als einen anderen offen zu sein und sich um ihn als einen anderen zu kümmern. Sie wurde ermöglicht durch das Geschenk unverdienter Liebe und deshalb kann sie nicht nach einem Objekt suchen, das ihren Ausdruck verdiente. Die Möglichkeit, daß sich diese Liebe ereignet, besteht in der Freiheit von der Krankheit der Selbstbeschäftigung des Ich mit sich.«[63]

Diese Befreiung von der »Selbstbeschäftigung mit sich« schließt trotz ihrer heilenden Kraft das Leiden nicht aus[64]. Aber das Leiden wird durch die Liebe überwunden und überschritten werden, und für den, der die Liebe im Leiden weiter erhält, gilt ». . . sein Leiden mag von tieferem Frieden und tieferer Freude begleitet sein«[65].

Zwar kann die in der Liebe erfolgende Befreiung von der »Selbstbeschäftigung mit sich« auch zu Dissoziationserfahrungen führen. Aber aufgrund der zuvorkommenden Liebe Gottes kann dies nicht ein Anlaß zur Furcht, sondern nur die Verheißung sein, gerade in der Zerrissenheit, die in und aus Liebe geschieht, sich selbst zu finden[66].

Doch damit sind Cobbs Bemühungen noch nicht erschöpft, die *Bestimmtheit* der Selbsttranszendierung der christlichen Existenz hervorzuheben und eine Verwechslung mit vagen Steigerungsprozessen und Übergangserfahrungen zu verhindern.

Er betont nicht nur die Orientierung der christlichen Existenz an der Erfahrung der Nähe Gottes in und durch Jesus; er betont auch die »Endgültigkeit Jesu Christi«[67] und die Unüberbietbarkeit dieser Struktur der Existenz[68].

Er hebt nicht nur das Gefälle der zuvorkommenden Liebe Gottes hervor, sondern hält auch fest, daß in Jesus Christus diese zuvorkommende und endgültige Liebe Gottes offenbart ist und daß diese christliche Liebe alle anderen Formen der Liebe transzendiert und selbst nicht überboten werden kann[69].

63 Christl. Existenz, 166f. (135f.).
64 S. Christl. Existenz, 167 (136).
65 Christl. Existenz, 167 (136).
66 Vgl. Christl. Existenz, 167 (136).
67 Vgl. Christl. Existenz, 169, 169ff. (138, 138ff.).
68 Ebd. und: A Whiteheadian Christology. In: Process Philosophy, 398.
69 Vgl. Christl. Existenz, 169 (138); z.T. fast wörtlich übernommen. S. auch A Whiteheadian Christology, aaO., 395f.; ferner *J. B. Cobb* u. *D. R. Griffin*, Prozess-Theologie. Eine einführende Darstellung (übers. *M. Mühlenberg*), Göttingen 1979, 94 (zit.: Einführung Prozess-Theologie); Titel der amerikanischen Ausgabe: Process Theology. An Introductory Exposition, Philadelphia 1976. Im folgenden beziehe ich mich auf die deutsche Übersetzung, gebe aber zusätzlich (in Klammern) die entsprechenden Seitenzahlen der amerikanischen Ausgabe an (95). S. weiterhin die wichtige Diskussion mit *R. C. Neville* in: John Cobb's Theology in Process, aaO., bes. 69ff., 161ff. u. 165ff.

In der Tat ist damit der Anschluß der Lehre von der christlichen Existenz an christologische und pneumatologische Aussagen festgelegt[70]. Allerdings dokumentiert Cobb sogleich, daß es ihm zunächst darum zu tun ist, die *Anschlußfähigkeit* dieser Lehre an eine Christologie und eine Pneumatologie sicherzustellen. Denn einerseits spricht er von der Liebe Gottes, von der die Kraft ausgeht, in der Zerrissenheit sich zu finden, von der die unausschöpfliche heilende und friedenstiftende Kraft in allen Dissoziationserfahrungen und die unerschütterliche Bestimmtheit des Lebens in allen Weltperspektiven ausgesagt werden kann[71]. Andererseits aber spricht er von einer *christlichen Liebe*[72] als einem menschlichen Verhalten, das doch im Bereich des Disponiblen, Verfügbaren, Manipulierbaren bleibt.

Ebenso zweideutig bleibt die Rede von der geistlichen Existenz. Einerseits ist sie an das endgültige und unüberbietbare Christusgeschehen gebunden; andererseits erscheint die Existenz im Geist doch von einem vieldeutigen »Ich« konstituiert, das ohne die Rede von Gott, von der Liebe und von Jesus Christus etwa in der Orientierung an der Subjektivität des Konkretionsprozesses hinreichend beschrieben werden kann. Die Existenz im Geist »bildet sich aus dem Entstehen eines ›Ich‹, das Vernunft, Leidenschaft und Willen ebenso wie sich selbst überwindet«[73].

Nun kann nach Whiteheads Theorie, wie wir sahen, das Auftreten der transsubjektiven Phase im Prozeß als *Untergehen* der Subjektivität und Aufgehen in anderen wirklichen Ereignissen aufgefaßt werden. Das Aufgehen *in anderen wirklichen Ereignissen* war aber als Objektiviertwerden, nicht als Erhaltenwerden der *Subjektivität* aufzufassen. In dieser Hinsicht wäre die von Cobb skizzierte »Existenz im Geist« ein Aufgehen der – hinsichtlich ihrer Subjektivität annihilierten – Individuen und Gemeinschaften in *anderen* Individuen und Gemeinschaften[74]. Letztere Perspektive der Selbstaufgabe – nicht nur der Selbsthingabe und Selbstverleugnung – ist vielleicht in günstige Dialogkonstellationen mit dem Denken des Buddhismus zu bringen[75]; ihre *christologische* Orientierung, ihr Bezug auf die

70 Vgl. dazu Abschn. 2 dieses Teils.

71 Vgl. etwa A Whiteheadian Christology, aaO., 397f.; aber auch Natural Causality and Divine Action. IdS 3, 1973, 209.

72 Vgl. Christl. Existenz, z.B. 170 (138). Auffallend ist, daß *Cobb* die in Christus offenbarte Liebe Gottes auch nicht an Kreuz und Auferstehung gebunden sieht. S. dazu *W. N. Pittenger*, The Doctrine of Christ in a Process Theology. ET 82, 1970, 9f.

73 Christl. Existenz, 179 (146). Vgl. dazu A New Christian Existence, aaO., 83–85.

74 Es wäre reizvoll zu prüfen, ob nicht alle Varianten des »Konsums« dieses Phänomen zum Ausdruck bringen. Was spricht für ein »Erhaltenbleiben« der in anderes aufgehenden Individuen? Was spricht dafür, dies – wie *Cobb* es tut – mit Dialogsituationen zu verbinden und nicht mit Phasen des (begrenzten oder unbegrenzten, bedeutungsvollen oder dumpfen) *Schweigens?* S. dazu auch *W. A. Christian*, Truth-claims in Religion. JR 42, 1962, 60ff.

75 Vgl. Christl. Existenz, 181ff. (148f.); und andere Publikationen, z.B.: A Whiteheadian Christology, aaO., 390; Buddhist Emptiness and the Christian God. JAAR 45, 1977, 22ff.; aber auch die Fragen nach dem »principle of rightness«, ebd., 17ff., und die Betonung der theologischen Wichtigkeit seiner Bestimmung und Bestimmtheit, 22; vgl. zu letzterem schon Spiritual Discernment in a Whiteheadian Perspective. In: Religious Experience, 362, 365. Einen

Lehre vom *Heiligen Geist* ist aber durchaus noch nicht klar absehbar[76].

Im Rahmen der Darstellung der Struktur der christlichen Existenz verstärkt Cobb die Aussagen über die christologische Bestimmtheit der Selbsttranszendierung nicht über das dargestellte Maß hinaus. Ehe wir uns den Aufschlüssen zuwenden, die seine reife Christologie in dieser Frage gewährt[77], soll die Problematik kurz dargestellt werden, die in der doppelten Orientierung (an der Nähe Gottes in Christus – an der Funktion Gottes für jeden Konkretionsprozeß nach Whitehead) und in der Kopräsenz zweier Perspektiven auf die christliche Existenz liegt. Wir reflektieren die Problematik, indem wir mit Cobb die »Existenz im Geist« unter Orientierung an der Subjektivität im Konkretionsprozeß betrachten.

Nach Whiteheads Theorie ist die Annihilation der Subjektivität und das Fortleben der objektiviert dissoziierten Subjektivität in anderen Ereignissen nicht das letzte Wort. Es bleibt noch die (paradigmatisch von den Naturwissenschaften durchgeführte) Untersuchung des *Bereichs* der Subjektivität – hier wäre treffend von Struktur zu sprechen –, als ob diese ohne ihre Zerstörung zerteilt, zertrennt werden könnte, wie wir in Kapitel IIB6 darstellten[78]. Es bleibt weiterhin die (nach Whitehead von den Religionen vertretene) Rede von der *Erhaltung* der Subjektivität auch in ihren Dissoziationszuständen, die Rede von ihrer objektiven Unsterblichkeit, wie wir in Kapitel IIC4 ausführten.

Cobb sucht offenbar beide Perspektiven in der Hypothese von der unausgeschöpften Steigerung der Möglichkeiten, das Selbst zu transzendieren, zu verbinden: »Wir haben die Möglichkeiten selbstüberwindenden Ichseins noch lange nicht ausgeschöpft; in unserer unendlich vielschichtigen Gesellschaft sind Kräfte am Werk, die dieses Ichsein erweitern und bereichern, aber auch solche, die es untergraben und ihm zu entfliehen suchen.«[79]

Diese These von der unbestimmten Perfektibilität des Selbst und von of-

Dialog mit dem Buddhismus mit Hilfe des Prozeßdenkens hat wiederholt auch *Ch. Hartshorne* anzubahnen sich bemüht, z.B. The Buddhist-Whiteheadian View of the Self and the Religious Traditions. Proceedings of the Ninth International Congress for the History of Religions, Tokio 1960, 298–302.

76 *Griffin*, Einführung Prozess-Theologie, 20ff. (22ff.), hat einen Assoziationszusammenhang zwischen diesem Übergang (transition) und der Inkarnation hergestellt. Doch man könnte nur hinsichtlich der Ereignisse, in die hinein die ›transition‹ erfolgt, von einer Verleiblichung sprechen.

77 Christ, bes. Teil I.

78 S. dazu auch Regional Inclusion and the Extensive Continuum. ProcSt 2, 1972, 281f., 288ff. Hier zeigen sich Unsicherheiten hinsichtlich der Unterscheidung beider Perspektiven auf den universalen Prozeß; es wird nicht hinreichend deutlich, daß nach *Whitehead* die Rede von den drei Zeitmodi unter Abstraktion von Subjektivität, vom Konkretionsprozeß, überhaupt sinnlos wird.

79 Christl. Existenz, 184 (150).
Offen bleibt die Frage, wie die Transzendierung des Selbst bei einem durch »eine zentrale Erfahrung« (vgl. *D. R. Griffin*, A Process Theology of Creation. Mid-Stream 8, 1973–1974, 59f.) gesteuerten Individuum gedacht werden soll. S. auch *R. C. Neville*, The Cosmology of Freedom, New Haven 1974, 40ff.

fenen Grenzen seiner Kapazität, Akkommodationsleistungen zu erbringen, läßt sich gewiß sowohl aufmunternd als auch vorsichtig dämpfend in Ideologien des Fortschritts einfügen. Mit Whiteheads Theorie von der Endlichkeit, Begrenztheit und Unteilbarkeit der Subjektivität wäre sie erst noch zu vermitteln[80]. Nicht ganz deutlich ist ferner, was diese Fassung des Konzepts der »Struktur der christlichen Existenz« grundsätzlich von der ziellosen Transzendierung des Selbst unterscheidet, die wir in Loomers empirischer Theorie vor Augen hatten[81]. Man könnte sagen: ihre optimistische Tönung, und hinzufügen: warum sollte nicht ein Optimismus, ein »Komme, was kommen mag«, ein wesentliches Merkmal gerade der christlichen Existenz sein?

Aber wir müssen doch schärfer hinsehen: Loomer ging von der unter dem Gesetz der Sünde zerrissenen Existenz aus und erwartete, ja klagte – im Blick auf eine Selbsttranszendierung – deren Heilung ein. Cobb spricht von einer einerseits riskanten, andererseits von der zuvorkommenden Liebe Gottes getragenen Transzendierung des Selbst und verweist auf unausgeschöpfte und auszuschöpfende Möglichkeiten. Wie und woran ist in diesem Vervollkommnungsprozeß die Liebe erkennbar, die in der Tat alles trägt, alles glaubt, alles hofft, alles duldet (1 Kor 13,7)? Wie anders als durch den Hinweis auf die zuvorkommende Liebe Gottes unterscheidet sich die Kraft dieses Transzendierungsgeschehens von einem bloßen Fortschritts- und Steigerungsoptimismus[82], der vielleicht noch die Kultur unserer Zeit bestimmt, der aber gewiß nicht Zentrum oder Höhepunkt der Rede von der in Christus offenbarten Liebe Gottes sein kann?

Cobbs Näherbestimmung der Selbsttranszendierung der christlichen Existenz, die einerseits dem Gedanken wehrt, es handle sich um ein bloßes Überleben durch Anpassung[83], die andererseits das Geschehen der Selbsttranszendierung von einem bloßen Steigerungs- und Expansionsprozeß unterscheiden soll und die schließlich die zuvorkommende Liebe Gottes *in* diesem Geschehen ausdrücken will, besteht in dem Gedanken der schöpferischen Umwandlung, der »creative transformation«.

80 Vgl. aber die Wendung aus Response to Ogden and Carpenter. ProcSt 6, 1976, 124: ». . . I find it both Christian and Whiteheadian to affirm the more God is active the more space there is for free human action.« S. auch *Cobbs* Bemühen, die Frage der Endlichkeit und das damit verbundene, von Whitehead aufgeworfene Problem der Erfassung relativer Dauer trotz privater Zeitsysteme zu erhellen, im Zusammenhang mit: Freedom in Whitehead's Philosophy: a Response to Edward Pols. Southern Journal of Philosophy 7, 1969, 410ff.

81 Vgl. Teil B dieses Kap., bes. Abschn. 5, aber auch 6. S. zum Problem *E. Jüngel*, Extra Christum nulla salus – als Grundsatz natürlicher Theologie?, ZThK 72, 1975, bes. 351f.

82 Vgl. aber auch *Cobbs* skeptische Erwägungen: »Die Geschichte des Menschen hat natürlich einen Anfang und wird ein Ende haben, aber das Ende wird einfach Auslöschung, Vernichtung sein. Auch wenn der Mensch sich zu etwas weit Höherem entwickeln sollte, so würde auch dieses höhere Wesen zur gegebenen Zeit ausgelöscht«. In: Was ist die Zukunft?, EvTh 32, 1972, 376f., vgl. auch 377f., 383 u. 381.

83 Vgl. die Überlegungen des vorangehenden Abschnitts.

4. Die »schöpferische Umwandlung«: Profanisiertes Christusgeschehen und Stimulans des Wachstums der Kirche. Die zweite Antwort auf das Problem, relative Weltperspektiven und die Bestimmtheit christlichen Lebens zu vermitteln

Den offenen Prozeß der Selbsttranszendierung der christlichen Existenz in einer relativen Welt und in einem pluralistischen Zeitalter und die christologische Bestimmtheit dieses Prozesses erfaßt Cobb zugleich in der Konzeption der »schöpferischen Umwandlung«. Mit Hilfe dieser Konzeption betont er die Unabgeschlossenheit und Steigerungsfähigkeit der Selbsttranszendierung – andererseits aber auch deren Nichtbeliebigkeit, deren christologische Orientiertheit.

Die »schöpferische Umwandlung« ist für ihn erstens der rote Faden einer geradezu weltkulturgeschichtlichen Betrachtung[84], die nicht an ein bestimmtes Glaubenssystem gebunden ist, sondern als Darstellung der Geschichte des menschlichen Selbstverständnisses und der menschlichen Selbstverständigung aufgefaßt werden kann[85]. Auf diese Weise, im Licht dieser Konzeption, werden die universalen Weltperspektiven der Philosophie, der Kunst[86], aber auch der Befreiungsbewegungen[87] einholbar, und zugleich werden schlichte Alltagserfahrungen reformulierbar[88].

Zweitens aber führt diese in Cobbs reifer Christologie vorgetragene Konzeption über die Schwierigkeiten hinaus, die die Rede von der Selbsttranszendierung der christlichen Existenz aufgrund ihrer Ablösbarkeit vom Christusgeschehen bereitete. Anders als jene Selbsttranszendierung kann die schöpferische Umwandlung nicht mehr mit einem ›Überleben durch Anpassung an den Wandel der Welt‹ oder mit einem bloßen Steigerungs- und Expansionsprozeß verwechselt werden. Denn Cobb identifiziert die »schöpferische Umwandlung« mit Christus[89], ja er identifiziert sie als Christus[90].

»Creative transformation« charakterisiert freilich nicht einfach die Geschichte Christi und den Lauf der Welt, sondern dort, wo schöpferische

84 S. den Anschluß an die Arbeiten von *A. Malraux,* bes. im 1. Kapitel von *Cobb,* Christ.

85 Christ, 33 u. 35.

86 Erst im Anschluß an kunst- und kulturgeschichtliche Betrachtungen (Christ, 32ff.) erfolgen die Verbindungen von theologischen und philosophischen Erörterungen.

87 Neben Hinweisen in Christ, 57f. u. ebd., 3. Teil, s. z.B. Einführung Prozess-Theologie, 131ff. (132ff.).

88 Vgl. *H. N. Wieman,* The Source of Human Good, aaO., z. B. 274. *Griffin,* A Process Christology, aaO., bestimmt diese Transformation hauptsächlich als Erlangung einer »newer vision of reality«; *ders.,* God, Power, and Evil. A Process Theodicy, Philadelphia 1976, als Prozeß der »increasing intrinsic goodness«, z.B. 310. Zu untersuchen wäre der Zusammenhang der extremen Vagheit dieser Konzeptionen mit dem Verzicht auf die Orientierung an einer Theologie des *Gekreuzigten* und *Auferstandenen.*

89 Vgl. Christ, 45, 60 u.ö.

90 Einführung Prozess-Theologie, 101 (102); die deutsche Übersetzung formuliert vorsichtiger.

Umwandlung erfolgt, bringt sich in der Geschichte der Menschen die Geschichte Christi[91], ja Christus selbst zur Geltung. Dieses Verständnis von Christus als Prinzip[92] und Prozeß[93] der schöpferischen Umwandlung bringt ein neues Bild[94] und eine neue Sprache[95] mit sich. Es nötigt nicht dazu, eine Differenz von Christus und dem historischen Jesus anzusetzen – was theologisch verhängnisvoll wäre. Auch der historische Jesus öffnete nach Cobbs Darstellung durch sein Wirken und seine Verkündigung die Menschen für die »creative transformation«[96]. Andererseits kann mit Hilfe der Konzeption der schöpferischen Umwandlung eine Universalisierung[97] und Profanisierung[98] des Christusgeschehens gedacht werden: ein alle Prozesse der schöpferischen Umwandlung internalisierendes[99], alle Fixierungen auflösendes und relativierendes[100] Geschehen. Dabei betont Cobb, daß es natürlich nicht um einen Prozeß permanenter Veränderung um der Veränderung willen zu tun sei[101], daß es vielmehr um die Hervorbringung des Neuen[102] und die Transformation der Welt ohne ihre Zerstörung[103] gehe.

Unter Aufnahme eines Gedankens von W. Grundmann[104] stellt Cobb die schöpferische Umwandlung als ein im »Kraftfeld« der Liebe Gottes erfolgendes Geschehen dar, das Christus generiert hat[105]. Und unter Anlehnung wohl an einen Gedanken von J. G. Janzen[106] beschreibt er die Erhaltung,

91 Vgl. Christ, 35, 37ff.

92 Christ, 58 (»principle of liberation«) u. 61 (»the principle of affirmation of the resultant pluralism«).

93 Christ, 15, 17 u.ö.

94 Christ, 21, 25, 63, 65 u.ö.

95 Christ, 26. Zur Vermittlung von Vernunft und Glauben in der »disziplinierten Imagination« s. ebd., 93.

96 Vgl. Christ, 97ff., bes. 107ff., 111ff. Ich sehe hier ab von der Diskussion des Problems einer anderes für ihr eigenes Wirken, für sich selbst öffnenden schöpferischen Umwandlung, das bes. im Blick auf Aussagen wie Joh 12,44f. zu erörtern wäre.

97 Vgl. Christ, 22, 24, 54, 63 u.ö.

98 Vgl. dazu Christ, 49ff., bes. 51 u. 52.

99 Christ, 22.

100 Christ, 54, 58 u.ö.

101 Christ, 59.

102 Ebd. und die präzisierende Einschränkung in Einführung Prozess-Theologie, 100 (101), aber auch ebd., 26f. (27f.).

103 Christ, 59. Die folgenden Kapitel werden diesen Gesichtspunkt wieder aufnehmen.

104 S. ThWNT IX, 544.

105 Vgl. z.B. Christ, 117, 125, 145. S. ferner Einführung Prozess-Theologie, 106 (107). S. auch die als eine ›Mittelstellung‹ zwischen der ›Selbsttranszendierungs-‹ und der ›Transformationskonzeption‹ aufzufassende Rede davon, daß die Christen einen »Ruf« aus der und in die offene Zukunft vernehmen, der sie zur Überschreitung der durch die Vergangenheit gezogenen Grenzen auffordere; Christlicher Glaube nach dem Tode Gottes. Gegenwärtiges Weltverständnis im Licht der Theologie, München 1971, 76, 77, 25f. (Hier nähert sich *Cobb* am stärksten dem Theismus *Ogdens*, vgl. ebd., 73ff.; aber dagegen auch unter dem Eindruck *Bonhoeffers* z.B. 28!)

106 S. *J. G. Janzen*, Modes of Presence and the Communion of Saints. In: Religious Experience, 156f. Ausführlich *Griffin* im zentralen Kapitel seiner Process Christology, aaO., 208ff.

Stärkung, Intensivierung und Ausbreitung des »Kraftfeldes« auch als ein Geschehen am »Leibe Christi«[107].

Daraufhin jedoch muß sich der Leser fragen, warum Cobb christologische und pneumatologische Aussagen so eng zusammengezogen hat, was ihn veranlaßte, die Gefahr ihrer Konfundierung zu riskieren. Indem er den vom Vater des Sohnes ausgehenden, von Vater und Sohn gesandten und zum Sohn führenden Geist nicht klar vom Sohn unterscheidet, sondern in der Rede von »schöpferischer Umwandlung« die Unterscheidungen aufhebt, belastet er die Christologie mit Aussagen über einen Wachstumsprozeß, die allenfalls ihren Ort in einer Lehre vom Heiligen Geist finden könnten: Wiederholt wird das Geschehen der schöpferischen Umwandlung unter Gesichtspunkten des Wachsens und des Wachstums dargestellt[108], ja dieses Geschehen scheint sogar unter dem Gesetz des Wachstums zu stehen. »Schöpferische Transformation ist der Kern des Wachstums, und Wachstum ist der Kern des Lebens.«[109]

Es ist nicht schwer, von Cobbs Entwicklung her die Betonung dieses Wachstums- und Expansionsdenkens zu verstehen. Die sich ausbreitende Gemeinde erfüllt immer vollkommener die umfassenderen Perspektiven auf die Welt, sie erkennt in allem das Kraftfeld, durch das sie selbst generiert ist und das von ihr generiert wird. Jedes Individuum, jede Gruppierung kann über sich selbst hinauswachsen, sich selbst transzendieren, ohne doch in etwas anderes als das sich ausbreitende und allgegenwärtige Kraftfeld einzutreten. Kreative Transformation wäre Wiedererkennen des einen Kraftfeldes in allem und Erhaltenwerden in der Selbsttranszendierung.

Verfolgt man dieses Programm konsequent[110], so ergibt sich eine Zukunftsvision, wie sie uns von den Naturwissenschaftlern, namentlich von den Physikern, in der Tat als Ende dieser kosmischen Epoche für das Universum vorausgesagt wird: eine Situation der absoluten Langweile allerdings, des Gleichmaßes, der Unterschiedslosigkeit, der Reduktion aller Lebendigkeit auf eine monostrukturierte Totalität[111].

Daß Cobb die plötzliche Herbeiführung dieser Situation fürchtet, hat er eindrücklich dargetan:

> »Mein Interesse an einer Art fortschreitender Vollendung, die von der gegenwärtigen physischen Grundlage unabhängig ist, wächst durch meine tiefe Furcht, daß die Zeit des Menschen auf diesem Planeten schon ihrem Ende entgegengeht. Die Prozeßtheologie schenkt mir die Hoffnung, daß der Mensch seinen Weg durch die jetzt drohenden Katastrophen finden *kann*, aber sie gibt mir keine Sicherheit, daß er es tun *wird*. Die Furcht vor einem alles umstürzenden Ende in naher Zukunft verstärkt meine Auffassung, daß verantwortliches Handeln jetzt drin-

107 Die Kirche kann als »engere Umgebung« Christi aufgefaßt werden, so wie der Leib eines Menschen dessen engere natürliche Umgebung ist. S. dazu *E. Käsemann*, Leib und Leib Christi. Eine Untersuchung zur paulinischen Begrifflichkeit, BHTh 9, Tübingen 1933, 183–185.

108 Vgl. auch Spiritual Discernment in a Whiteheadian Perspective, aaO., 356f.

109 Einführung Prozess-Theologie, 99 (100).

110 Vgl. dazu Kap. II, Teil B, Abschn. 6.

111 Ich verdanke diesen Gedanken Diskussionen des Einstein-Symposions, Berlin 1979.

gend geboten ist, aber es verstärkt auch mein Interesse daran, wie man sich eine sich vollendende Zukunft anders als Fortbestehen oder Vollendung unserer irdischen Geschichte vorstellen kann. Mit diesem Interesse komme ich mir ziemlich einsam vor . . .«[112]

Doch was spricht dafür, in der Ausbreitung des *einen* Kraftfeldes nicht die langsame, aber beharrliche Herbeiführung jenes Zustandes zu erblicken: einen Trieb zur Diffusion privater Identität, zur Auflösung der Kontinuität erhaltenden Faktoren im gemeindlichen und regionalen gesellschaftlichen Leben, eine institutionalisierte Scheu vor verweilenden Parteinahmen, eine universale Akkommodations- und Appeasementsstrategie?

Was spricht gegen die Befürchtung, hier sei ein Prozeß der »Veröffentlichung der Welt«[113] ins Auge gefaßt, der – wohl motiviert – der gleichmäßigen Temperierung der Welt und der Ausbreitung universaler Lauheit[114] dient?

Mit Hilfe der Rede von der Liebe und unter Betonung der Bindung des Expansionsprozesses an Jesus Christus hat Cobb die beschriebene Ausbreitung von der tödlichen Ausbreitung einer bloßen universalen Gesinnung, die variabel bestimmbar bliebe, aber in sich Uniformität bewahren müßte, unterschieden:

»Um schöpferische Transformation handelt es sich auch bei jeder Art von menschlicher schöpferischer Liebe. Die schöpferische Liebe Gottes bringt eine schöpferische Transformation in den Geschöpfen hervor. Eine der Hauptlinien dieser Transformation zielt auf eine Erweiterung der Erwartung, die sich auf die vom eigenen Handeln beeinflußte Zukunft richtet. Diese Horizonterweiterung macht nicht das Interesse an meiner eigenen, persönlichen Zukunft oder der Zukunft derer, die mich am unmittelbarsten angehen, zunichte, sondern es stellt diese engeren Interessen in einen weiteren Kontext, in dem sie umgeformt werden. Das Interesse an dem weiteren Ganzen rückt das Interesse an begrenzteren Aspekten der Zukunft in ein neues Licht und teilt ihnen eine neue Rolle zu. Der Mensch, in dem schöpferische Liebe in dieser Weise ihre Wirkung vollzieht, ist schöpferisch umgeformt. Christus gibt also sowohl erwidernde wie auch schöpferische menschliche Liebe.«[115]

Fragt man sich, warum Cobb diese Rückbindung des Expansionsgeschehens an die zuvorkommende Liebe Gottes und an Jesus Christus nicht durch trinitätstheologische Untersuchungen, durch die klarere Unterscheidung von pneumatologischen und christologischen Aussagen grundsätzlicher und unmißverständlicher zum Ausdruck bringe, fragt man sich, warum er die theologische Klarheit immer wieder dadurch gefährdet, daß er die christologischen und pneumatologischen Aussagen in einem universalen Expansionsgeschehen verschwimmen läßt, so stößt man auf Rücksichten, die

112 Was ist die Zukunft?, aaO., 383.

113 S. wiederum Kap. II, Teil B, Abschn. 6.

114 Illustrierend dazu z.B. *C. Williamson*, Whitehead as Counterrevolutionary? Toward Christian-Marxist Dialogue. ProcSt 4, 1974, bes. 183ff., einerseits und die Rede von »aesthetic love« bei *W. D. Dean*, Love before the Fall, Philadelphia 1976, bes. 107ff., andererseits.

115 Einführung Prozess-Theologie, 99–100 (100–101).

seine Theologie sehr belasten: Sie wird belastet von dem Bemühen, nicht nur die Fruchtbarkeit einer theologischen Auseinandersetzung mit Whiteheads Kosmologie *hinsichtlich einer Lehre von der Welt* darzutun – was, wie wir sahen, keine Schwierigkeit darstellt –, sondern auch die Kompatibilität von Whiteheads Gottesgedanken mit der christlichen Gotteslehre aufzuweisen.

Aufgrund dieses seines Bemühens kann Cobb zwar Whiteheads Gottesgedanken in gewisser Hinsicht verbessern, konsistenter machen. Er bringt aber damit so viele Dunkelheiten in die Verbindungen von schöpfungstheologischen, christologischen und pneumatologischen Aussagen, daß im konzipierten und anvisierten Wachstumsprozeß der Gemeinschaft der schöpferisch Umgewandelten das Heil in Christus und der Grund der Hoffnung[116] nicht mehr deutlich erkennbar werden. Dies ist in den folgenden Abschnitten aufzuzeigen und mit einem Alternativvorschlag zu beantworten.

5. *Cobbs Veränderung von Whiteheads Gottesgedanken: Weltlichkeit Gottes in Christus und im Geist*

Cobb hat fundamentale christlich-theologische Orientierungen und Whiteheads Konzeption des die Transformation von Ereignissen darstellenden Prozesses in seinem Denken beharrlich zugleich präsent gehalten. Er hat sich um eine immer stärkere wechselseitige Annäherung beider Orientierungsgrundlagen bemüht. Den bisherigen Höhepunkt dieser Entwicklung stellt die christologische und, wie sich zeigte, auch pneumatologische Identifizierung der »schöpferischen Umwandlung« dar.

Neben den positiven Errungenschaften, die diese Identifizierungen für Cobbs theologisches Programm mit sich bringen und die wir im vorangehenden Abschnitt aufzeigten, waren aber auch Zweideutigkeiten und Dunkelheiten festzustellen, die sich in der Frage zusammenfassen lassen: Sollen wir das Wachsen der sanctorum communio als kontinuierliche Inkarnation des Logos und die beständige Inkarnation als Wachstum der Kirche verstehen – und dieses Geschehen durch Whiteheads Kosmologie dargestellt sehen? Cobbs Christologie legt es nahe, diese Frage mit Ja zu beantworten. In einer Auseinandersetzung mit kritischen Anfragen Wolfhart Pannenbergs[117] hat Cobb erklärt, warum er an diesem problematischen Inkarnationsgedanken (dagegen Joh 1,14!) und an dieser Fusion christologischer, pneumatologischer und kosmologischer Bestimmungen festhalten wolle:

»I . . . think of faithfulness as appropriate participation in the historical movement that owed its decisive impetus to Jesus but lives now in responsiveness to the living Christ within it. This movement is not bound to preserve any specifiable doctrine, even of Jesus, although its

116 Vgl. dazu die bekümmerten Überlegungen in *Cobbs* Antwort auf die Kritik *Pannenbergs*, John Cobb's Theology in Process, aaO., bes. 189.
117 S. ebd., 133ff.

identity is constituted by the primacy of its memory of that history of which Jesus is the center, and its healthy continuance depends on constant re-encounter with Jesus and with the earliest witness to his meaning for the church.«[118]

Unsere Befürchtung lautete, daß Cobb durch dievonihm herbeigeführte Konstellation gerade die von ihm intendierte christologische Bestimmtheit zumindest immer wieder dem Sog einer alle Bestimmtheit auflösenden Wachstumsideologie preisgibt. Gerade wenn man Cobb in seinem grundlegenden theologischen Anliegen zustimmt, gerade wenn man mit ihm beklagt: »The very nature of Christianity as a movement requires images of hope, and the lack of convincing images is its deepest sickness today«[119], sollte man der Versuchung widerstehen, christologischen, pneumatologischen und kosmologischen Aussagen durch ihren Zusammenfluß in einer universalen, beständigen schöpferischen Umwandlung ihre Klarheit zu nehmen bzw. Whiteheads Kosmologie so stark religiös zu prägen, daß sie mutiert und ihre Funktionen verändert.

Nun gibt es gewichtige Gründe, Whiteheads Theorie zu modifizieren und stärker religiös zu prägen, als er es selbst getan hat. Wir hatten gezeigt, daß Whitehead Gott, Himmelreich, Platons Welt der Ideen und den natürlichen Himmel konfundiert. Daraufhin hatten wir, da Whitehead Gott in der Bestimmung eines besonderen, einzigartigen *Geschöpfs* darstellt, vorgeschlagen, Whiteheads Kosmologie dadurch stimmig zu machen, daß seine Rede von Gott als Rede vom Himmel verstanden wird[120]. Dieser Vorschlag, der sich gut in Whiteheads kosmologisches Theorieprogramm einfügt und zur Klärung der Texte beitragen kann, macht Whiteheads Kosmologie für die Theologie attraktiv, weil sie ihr eine theologisch vernachlässigte Konzeption wieder in Erinnerung ruft und diese wieder ernst zu nehmen auffordert. Daß die Wiederaufnahme dieser Konzeption von Welt gerade im Zusammenhang weiterer Einsichten des Prozeßdenkens auch für andere, im engsten Sinne theologische Frage- und Themenstellungen folgenreich ist, werden die nächsten beiden Kapitel dartun.

Nun muß Whiteheads Theorie nicht auf die von uns vorgeschlagene Weise konsistent gemacht werden; man kann auch versuchen, seinen Gottesgedanken zu verbessern, indem man weitere religiöse Aussagen und Bestimmungen in seine Kosmologie einführt. Als ein solches Bemühen kann man Cobbs Vorgehen auffassen. Er verleiht der ersten Natur Gottes (primordial nature of God) neue Züge, indem er sie als ewigen Logos auffaßt, der sich in wirklichen Ereignissen inkarniere, damit aber eine »schöpferische Umwandlung« hervorbringe, die »Christus« genannt zu werden verdiene[121]. Klar formuliert Cobb: »Der inkarnierte Logos ist Christus. In die-

118 Ebd., 187.
119 Ebd., 189.
120 S. Kap. II, Teil C, Abschn. 6.
121 Am deutlichsten Christ, 225; ferner 24, 27, 31, 63, 66, 71, 84ff., 229 u.ö. S. aber auch die sehr vage Zusammenfassung im Blick auf Jesus Christus: Einführung Prozess-Theologie,

sem weitesten Sinne ist Christus in allen Dingen gegenwärtig«[122]. Die zweite Natur Gottes (consequent nature of God) hat Whitehead mit dem Himmelreich identifiziert. Cobb bemerkt dazu: »Whitehead's doctrine of the Kingdom of Heaven is obviously different from that of the New Testament, but it is remarkably homologous»[123].

Auf der Basis dieser Überlegungen erfolgt bei Cobb ein entscheidender Schritt, der die erste und zweite Natur Gottes zusammenschließt und der zumindest einen Ansatz für Whiteheads Bestimmung Gottes als eines besonderen Geschöpfes liefert, ein Schritt, der schließlich die von uns beobachtete Fusionierung christologischer, pneumatologischer und kosmologischer Bestimmungen mit sich bringt: Whiteheads erste Natur Gottes wird als Logos verstanden; seine zweite Natur Gottes als Himmelreich. Die erste Natur werde in wirklichen Ereignissen als ›Christus‹, die zweite als ›Geist‹ präsent. So sind beide Naturen zusammengeschlossen und kommen als ›schöpferische Umwandlung‹ in wirklichen Ereignissen zur Geltung. So wie in der ›schöpferischen Umwandlung‹ der Logos als Christus präsent ist, so ist das Himmelreich als Heiliger Geist (Spirit) präsent. »The Trinity can then be God, his Logos, and his Kingdom. The Logos is present with us as Christ; the Kingdom, as Spirit«[124].

Wir haben diese oder ähnliche Wege vermieden, weil uns die Einführung weiterer religiöser oder gar theologischer Gedanken in Whiteheads Theorie diese nicht klarer, sondern dunkler zu machen schien. In der Tat macht Cobbs Vorschlag nur auf den ersten Blick Whiteheads Gottesgedanken überzeugender, indem er beide Naturen in einen Zusammenhang setzt und eine Perspektive eröffnet, sie in schöpferischer Umwandlung als Geschöpf zu verstehen. Whiteheads Theorie bietet jedoch kein Potential, die trinitätstheologischen Fragen zu beantworten, die mit dieser Konjektur heraufbeschworen werden[125]. Zudem beginnt die so modifizierte Theorie die Funktion zu verlieren, um derentwillen sie gerade von der Theologie aufgenommen werden sollte: einen Anschluß an andere Wissenschaften herzustellen, eine Kontaktsprache bereitzustellen, einen Zugang zu ermöglichen in manche Bereiche der gegenwärtigen Kultur hinein, in denen die Sprache der Theologie fremd anmutet, in denen dagegen die Bereitschaft, die Theoriesprache einer Kosmologie zu lernen, vorausgesetzt werden kann.

Ein religiöser Ausbau oder gar eine versuchte theologische Weiterent-

103 (104), hinsichtlich der »Besonderheiten« von Jesu Christi Reden, diese hätten eine besonders qualifizierte »Lebenserkenntnis« ausgedrückt, und er habe geredet und gehandelt, »als betrachte er sich mit besonderer Autorität ausgestattet«.

122 Einführung Prozess-Theologie, 97 (98).

123 Christ, 227, vgl. 221ff., bes. 226ff. Erstaunlich bleibt, daß *Cobb* nur mit wenig Nachdruck die religiös attraktive Lehre von der »objektiven Unsterblichkeit« rezipiert; s. dazu *R. B. Mellert,* A Pastoral on Death and Immortality. In: Religious Experience, bes. 404ff.

124 Christ, 262, vgl. 261ff.

125 Auf diese – zahlreichen– Fragen und Probleme will ich an dieser Stelle nicht eingehen. S. aber *W. Pannenberg,* A Liberal Logos Christology: The Christology of John Cobb. In: John Cobb's Theology in Process, aaO., bes. 134f., 138ff.

wicklung schien uns aber nicht nur Whiteheads Theorie zu überfordern und ihre wichtige Funktion – auch in theologischer Arbeit – zu gefährden. Ein solches Bemühen schien uns auch der Theologie nicht dienlich zu sein, und selbst Cobbs Überlegungen konnten diesen Anschein nicht verhindern. Obwohl Cobb verständlich macht, warum sich die Theologie mit Whiteheads Kosmologie befassen sollte, obwohl er die gründlichste Rezeption dieser Theorie bietet und die von allen Prozeßtheologen gediegenste, konsequenteste und fruchtbarste Aneignung des Prozeßdenkens darbietet, konnte er nicht verständlich machen, daß die religiöse Aufladung von Whiteheads Kosmologie und die damit verbundene Fusionierung von theologischen und kosmologischen Gedanken theologische Klärungen mit sich gebracht hätte. Cobb hat sein Anliegen mit den Worten vertreten: »Es fällt schwer zu glauben, daß Jesus Christus wirklich die entscheidende Offenbarung Gottes war, wenn wir nicht irgendeine Vorstellung davon haben, wie dies möglich sein kann«[126]. Unsere Bedenken gegen die bisherige Ausgestaltung der Lehre von der »creative transformation« können wir entsprechend so zusammenfassen: Die Theologie stärkt nicht den Glauben daran, daß Jesus Christus die entscheidende Offenbarung Gottes war, wenn sie nur die Vorstellungen weckt, daß sich in ihm eine Transformation ereignete, die so schwer zu spezifizieren ist, daß sie in jedem Ereignis möglich und wirklich zu sein scheint.

Nun könnte man sich einen Begriff von Lebendigkeit denken, der so beschaffen wäre, daß man jedes Ereignis mit ihm verbinden müßte. Whitehead hat sich um einen solchen Begriff von Lebendigkeit bemüht. Cobb aber hat sich für seine Überlegungen auf Joh 1,4 berufen[127]. Dort steht jedoch nicht nur »In ihm war das Leben«, sondern auch »und das Leben war das Licht der Menschen«. Die hier geführte Auseinandersetzung läßt sich in dem Plädoyer zusammenfassen: die Lebendigkeit, die Whiteheads Kosmologie zur Darstellung bringen will, und das Leben, das das Licht der Menschen ist[128], zu unterscheiden. Auch um der Weiterarbeit mit Whiteheads Theorie willen sollte die Fusion seiner kosmologischen Be-

126 Einführung Prozess-Theologie, 105 (106). Vgl. auch Natural Causality and Divine Action, aaO., 218f. *Griffin*, A Process Christology, aaO., setzt hier einen offenbar nach seiner Überzeugung auch unabhängig von Christus wirkenden Heiligen Geist voraus, vgl. bes. 242; und *ders.*, Holy Spirit: Compassion and Reverence for Being. In: Religious Experience, bes. 109f.; vgl. dazu auch *P. N. Hamilton*, Some Proposals for a Modern Christology. In: Christ for Us Today, hg. *N. Pittenger*, London 1968, bes. 162ff. u. 170ff.

127 Christ, 262.

128 Auch *Cobb* muß dies indirekt voraussetzen, um seine Privilegierung der *menschlichen* Geschöpfe plausibel zu machen. Vgl. Einführung Prozess-Theologie, 97 (99); und Der Preis des Fortschritts, aaO., bes. 117ff.; dazu kritisch *Scholder* in seinem Geleitwort, ebd., bes. 9f. u. 12. S. auch die konsequentere Unterstreichung der Eingebundenheit *aller* Kreatur in den kreativen Prozeß bei *L. Ch. Birch*, Creation and the Creator. JR 36, 1957, 92ff., und Participatory Evolution: The Drive of Creation. JAAR 40, 1972, bes. 156ff. *Cobb* müßte angeben, warum dieser Entwurf *nicht* als ein Beispiel einer konsequenten Fortentwicklung seines eigenen Denkens angesehen werden könnte.

stimmungen mit theologischen Aussagen vermieden werden, wie nun zu zeigen ist.

6. *Zur Bestimmung einer begrenzten Funktion der kosmologischen Theorie Whiteheads in theologischer Arbeit*

Die Wichtigkeit und Bedeutsamkeit der Aufnahme von Whiteheads Kosmologie in theologische Arbeit ist keineswegs strittig zwischen der hier vorgetragenen Konzeption und der Cobbs. Die Differenz dagegen läßt sich wohl auf die Frage zurückführen, ob eine theologische Rezeption Whiteheads den religiösen Zug seiner Kosmologie verstärken solle, wie es uns bei Cobb der Fall zu sein scheint. Ohne Zweifel kann die Theologie ihren Kompetenzbereich auf diese Weise erweitern. Sie breitet sich aus, indem sie – zunächst allgemein gesprochen – in außertheologischen Theorien einen religiösen Zug entdeckt, hervorhebt, seiner Stärkung, Klärung und Kultivierung dient. Dieser Dienst kann so intensiviert werden, daß sich die Funktion der Theologie ganz und gar in jener außertheologischen Theorie reformulieren und rekonstruieren läßt. In solchem Fall erfahren beide – die betreffende Theorie und die der Kultivierung ihres religiösen Zuges dienende Theologie – eine »Umwandlung«.

Erfährt die Theologie diese Umwandlung im Rahmen einer universalen kosmologischen Theorie, so mögen sich ihr damit viele neue, ungeahnte Anschlußmöglichkeiten eröffnen – wenn sie denn in diesem Transformationsprozeß ihre Identität zu wahren vermag. Cobb würde wohl an diesem Punkt mit Recht davor warnen, überängstlich eine »Reinheit der Theologie« bewahren zu wollen, und er würde das *schöpferische* Moment dieser Transformation wohl hervorheben[129]. In der Tat vollzieht die Theologie permanent kulturelle und konzeptionelle Anpassungen, und die unreflektierte babylonische Gefangenschaft sollte weit mehr gefürchtet werden als die bewußt betriebene Transformation. Das aber heißt auch, daß sich die Theologie diesem Transformationsgeschehen nicht ohne wirksame Orientierung und nicht ohne effektive Einflußnahme auf seinen Vollzug aussetzen sollte. Ihr Eingehen in eine Kosmologie sollte nicht nur von der vagen Erwartung eines Fortbestehens in anderen komplexen Zusammenhängen und natürlich-historischen Ereignisserien und von der Hoffnung auf eine irgendwie geartete Erhaltung einer ›transhistorischen Identität‹ begleitet sein.

Es ist Hegel gewesen, der uns für solche identitätsgefährdenden oder gar -zerstörenden Transformationsereignisse sensibilisiert hat. Seine Philoso-

129 Vgl. etwa John Cobb's Theology in Process, aaO., 186ff., auch 159f.; ferner aber auch die Frage nach der Bestimmtheit der christlichen Existenz (als Frage nach der »Zielgerichtetheit« ihrer Selbsttranszendierung) bei *T. Koch*, Some Critical Remarks About Cobb's »The Structure of Christian Existence«. In: John Cobb's Theology in Process, aaO., 52. Diese Frage wird durch die Rede von der »creative transformation« verschoben, aber nicht erübrigt.

phie war von dem Gedanken getragen, Theologie und Kirche sollten sich ihre Darstellung in seinem Werk zu eigen machen, sich in dieser Rezeption wandeln, zu einem geistesgeschichtlich geschulten politischen Engagement umgestaltet werden und zugleich der Verbreitung und dem Praktischwerden seines Denkens im Volk dienen. Während jedoch ein religiöser Hegelianismus den Theorieabsichten Hegels entspräche, müßte ein konsequent religiöser Whiteheadianismus die Theorie überfordern und auf die Dauer zerstören. Wenn wir im folgenden dafür votieren, Whiteheads Kosmologie eine *begrenzte Funktion* in theologischer Arbeit einzuräumen, so lassen wir uns dabei nicht einfach von dem Verdacht bestimmen, der prozeßphilosophisch orientierten Theologie drohe ein Identitätsverlust. Nicht die vage Befürchtung ist dabei leitend: die prozeßphilosophisch orientierte Theologie könne selbst in einer Funktion im Prozeß der Popularisierung und Verbreitung einer hochentwickelten kosmologischen Theorie aufgehen.

Vielmehr ist bei unserem Vorschlag die Einsicht leitend, daß Whiteheads Theorie, wenn sie als Verständigungssystem dienen und ihre Spezialsprache weiter bereitstellen soll, in ihrem Bestand von Theorieelementen fixiert, aber keineswegs von außen bereichert werden sollte. Einer Verstärkung des dieser Kosmologie eigenen religiösen Zuges, den Whitehead aber, wie wir sahen[130], *nicht* dominierend werden lassen wollte, möchten wir deshalb nicht dienen. Um Inkonsistenzen in Whiteheads Theorie abzubauen und auch ihre in ihren theologisch unsachgemäßen Aussagen bekundeten Schwächen zu beheben, schlugen wir vor, sie konsequent als eine Theorie der Endlichkeit zu verstehen. Die damit verbundene Gefahr einer Reduktion schien uns erheblich geringer bzw. folgenärmer als eine religiöse Befrachtung dieser Theorie zur Verbesserung ihrer Rede von Gott.

Whiteheads Theorie, konsequent als Kosmologie rezipiert, bietet keine theologisch befriedigende Rede von Gott, wohl aber eine für die Theologie höchst lehrreiche Verwechslung von Gott und Himmel. Ihre den Himmel einschließende Rede von Welt ist sachgemäßer als zahlreiche alternative kosmologische Konstrukte[131], die zur Zeit in der Theologie im Umlauf sind. Die Beschäftigung mit Whiteheads den Himmel einschließender relativistischer Kosmologie könnte der Verkümmerung sachgemäßen kosmologischen Denkens in der Theologie entgegenwirken.

Um dies zu zeigen, ohne in die Verwechslung von Gott und Himmel zurückzufallen, soll nun von einem Ort ausgegangen werden, der die Unterscheidung von Gott und Himmel thematisch macht und ihrer Vermischung entgegentritt: Es handelt sich um die Anrufung des Herrengebetes und um

130 Kap. II, Teil C, Abschn. 5. Zu *Cobbs* sehr offenem, wenn nicht zwiespältig zu nennendem Verhältnis zur Religiosität s. Christlicher Glaube nach dem Tode Gottes, aaO., Kap. V, bes. 100ff. u. 112. Zur erforderlichen theologischen Auseinandersetzung mit der Religiosität s. Kap. IV, Abschn. 5.

131 Vgl. Kap. I dieses Buches. Zur Auffassung Gottes als Geschöpf bei *Whitehead* s. unsere Ausführungen bestätigend: *Ch. Hartshorne*, The Development of Process Philosophy. In: Process Theology, 53.

die Bitte um die Heiligung des Namens Gottes. Unter Konzentration auf Mt 6,9 soll in den folgenden beiden Kapiteln die Bedeutung des relativistischen Prozeßdenkens für die Gewinnung eines neuen, zugleich biblisch-theologisch identifizierbaren und sachgemäßen Verständnisses von Welt dargelegt werden. Ein klareres Verständnis von Welt, das zugleich der Rede von Gott im Himmel wieder Plausibilität verschafft, ist aber folgenreich für die Neuformulierung vieler lange verstellter theologischer Erkenntnisse. Davon sollen in den folgenden Überlegungen wenigstens einige Eindrücke vermittelt werden.

Kapitel IV

Unser Vater im Himmel!

1. *Gottes Präsenz in der Welt. Der Himmel ist Geschöpf und Teil der Welt*

Ganz gewiß ist die Warnung berechtigt und sinnvoll, in der Anrede, der Anrufung Gottes: »Unser Vater im Himmel!« solle die Rede vom Himmel nicht zu sehr hervorgehoben werden. Gott, *dem Vater,* sollen wir uns zuwenden, Gott, *den Vater,* sollen wir anrufen. Die Mt 6,9 ausgesprochenen Ergänzungen, daß es sich um *unseren* Vater sowie um den Vater *im Himmel* bzw. in den Himmeln handelt, sind hier als das Unwesentliche oder zumindest als das Bei- und Nachgeordnete aufzufassen. Diese Auffassung findet überzeugende Bestätigung im Hinweis auf Lk 11,2, wo die Anrede schlicht lautet: Vater![1]

Die Warnung, die Rede vom Himmel nicht zu sehr zu betonen, ist nicht nur leicht exegetisch zu begründen, sondern auch seelsorgerlich gut zu motivieren. Unser Gemüt soll nicht durch Spekulationen über den oder die Himmel verwirrt, unsere Gedanken sollen nicht durch die Ausbildung von Himmelsvorstellungen verdunkelt werden. Sondern wir sollen unser Empfinden und unser Denken ausrichten auf den Vater Jesu Christi, den wir *mit* Jesus Christus als *unseren* Vater anrufen dürfen.

Angesichts der offenkundigen Berechtigung dieser Warnung mag man sich wundern, warum die Christen nicht – spätestens in der Neuzeit – beherzt dazu übergegangen sind, die lukanische Fassung des Herrengebets zu sprechen. Man mag sich fragen, warum eine Fassung dieses Gebets, die ja die Anrede »Unser Vater *im Himmel*!« mit der bei Lukas ebenfalls nicht vorhandenen Bitte gleichsam unterstreicht: »Dein Wille geschehe wie im Himmel so auf Erden!«, mit einer auch für die Christenheit seltenen und erstaunlichen Einmütigkeit lebendig geblieben ist. Man mag sich fragen, warum die ernstgemeinten Kritiken und die törichten Bemerkungen, die, wenn schon nicht gegen die Rede von Gott, dem Schöpfer des Himmels und der Erde, so doch gegen die Rede davon, daß Jesus Christus gen Himmel aufgefahren sei, und gegen die Vorstellung, daß er im Himmel zur Rechten Gottes sitze, vorgebracht worden sind – warum solche Einwände an der Anrede: »Unser Vater im Himmel!« offenbar vorbeigingen.

Man kann dies schwerlich auf ein Verdienst der Theologie zurückfüh-

1 Vgl. *J. Jeremias,* Abba. Studien zur neutestamentlichen Theologie und Zeitgeschichte, Göttingen 1966, 155, 157f.

ren[2], der es gelungen sei, die Rede von Gott *im Himmel* nicht nur vor einer Überbetonung zu bewahren, sondern geradezu mit Schweigen zu übergehen, ja die Rede selbst wie ein mehr oder weniger auffälliges oder unauffälliges Schweigen zu behandeln[3]. Nichts spricht dafür zu schließen: Weil die Theologie es um die Rede vom Himmel weithin still werden ließ, weil Mt 6,9 so aufgefaßt und ausgelegt wurde, als hätten wir nur Lk 11,2 vor Augen – deshalb sei die Unbefangenheit der Anrede: »Unser Vater im Himmel!« erhalten, sei die Anrede in Kraft geblieben.

Sehen wir davon ab, die berechtigte Warnung vor der Überbetonung der Rede vom Himmel in ein möglichst perfektes Ignorieren, in ein Verschweigen und Unterlassen dieser Rede münden zu lassen, so müssen wir nach dem theologischen und sachlichen Grund für diese Rede fragen. Warum rufen wir Gott als »Unseren Vater im Himmel!« und nicht nur als »Vater!« oder »Lieber Vater!« an[4]? Diese Frage gewinnt an Gewicht, wenn, wie es mit Recht geschah, betont wird, daß in der Anrede, »in diesem Anfang bereits das Ganze enthalten« sei[5].

Gerhard Ebeling hat, wenn auch etwas dunkel, in die richtige Richtung gewiesen:

> »Wer so wie Jesus Gott als den nahen Gott verkündet, der macht ein Ende mit der Vorstellung vom Himmel als dem fernen Aufenthaltsort Gottes und kehrt das Verhältnis von Gott und Himmel um: Nicht wo der Himmel ist, ist Gott, sondern wo Gott ist, ist der Himmel. Fasse es, wer es fassen kann! Und man höre lieber auf, vom Himmel zu reden, wenn man dieses Umdenken nicht vollziehen kann. Um einmal so töricht zu reden: Lieber den Himmel verlieren, als die Nähe Gottes verlieren! Denn ›Unser Vater, der du bist in den Himmeln‹ heißt gerade: ›Unser Vater, der du da bist hier auf Erden!‹«[6]

Die gedanklich gewaltsame Schlußfolgerung Ebelings ist nicht vonnöten. Man muß auch nicht Situationen der Grenzen der Fassungskraft und der möglichen Nötigung, die Rede vom Himmel ganz zu unterlassen, imaginieren. Und doch kann – mit Ebeling – auf größere Klarheit und Bestimmtheit gedrungen werden, als sie die traditionelle Auslegung bot.

Die Anrede »Unser Vater im Himmel!« ruft den in der *Welt* präsenten Gott an. Die Anrede »Unser Vater im Himmel!« ruft den nicht nur für uns hier und jetzt, sondern auch und gerade in den räumlich und zeitlich entfernten Bereichen der Welt gegenwärtigen Gott an.

2 Hier ist als Ausnahme vor allem *Karl Barth* zu nennen; s. neuerdings jedoch auch Concilium, Conc(D) 15, 1979, Heft 3, Thema: Der Himmel, auf dessen Beiträge im folgenden Bezug genommen wird.

3 Vgl. nur BSLK, 512, 670.

4 S. dazu *Jeremias*, Abba, aaO., 157.

5 *G. Ebeling*, Vom Gebet. Predigten über das Unser-Vater, Tübingen 1963, 20. Allgemeiner *E. Lohmeyer*, Das Vater-Unser, 5. Aufl., Göttingen 1962, 22; vgl. aber auch *K. Barth*, Das christliche Leben, KD IV,4. Fragmente aus dem Nachlaß. Vorlesungen 1959–1961, hg. *H.-A. Drewes* u. *E. Jüngel*, Zürich 1976, 77.

6 *Ebeling*, Vom Gebet, aaO., 24.

Dabei ist es sicher angemessener, die knappe Bestimmung aufzunehmen, hier seien zugleich *Nähe und Ferne Gottes* ausgesagt[7], als überstürzt zu folgern, mit der Wendung »Unser Vater im Himmel!« sei eigentlich gemeint: »Unser Vater, der du da bist hier auf Erden!« Jedoch ist Ebelings Vorschlag treffender als die ängstliche Warnung, wir sollten »von der Himmlischen Maiestet Gottes nichts jrdisch gedencken«[8]. Die abstrakte und wechselseitige Entgegensetzung von Himmel und Erde übersah und übersieht nämlich, daß der *Himmel*, wie die Erde, *Geschöpf* Gottes ist[9] und daß die Anrufung Gottes als »Unser Vater im Himmel!« Gott *nicht als fern*, sondern seinen Geschöpfen nah, Gott als seiner Schöpfung einwohnend anspricht; daß er eben als der *in der* (aus Himmel und Erde bestehenden) *Welt gegenwärtige Gott* angerufen wird. Das heißt nicht, daß Gott als überall, in allem und jedem und nach Belieben gegenwärtig angerufen wird. Deshalb ist die vorgeschlagene Anrede: »Unser Vater, der du da bist hier auf Erden!« mißverständlich und irreführend. Unser Vater wird als präsent gerade im für uns entfernten, unbestimmten, unzugänglichen, unverfügbaren, unmanipulierbaren Bereich der Welt angerufen. Der Himmel ist Geschöpf und Teil der Welt. Das heißt nicht, der Himmel sei die Erde. Die Tendenz, den Himmel in der Erde aufgehen zu lassen, den Himmel als bloßen Einzugsbereich der Erde zu verstehen, hat vielmehr zu einer Konfusion von Erde und Welt (die Himmel und Erde ist) geführt. Diese Konfusion, die wir noch aufklären werden, und die damit verbundene Verdrängung der Rede vom Himmel hat unter anderem die Illusion der beliebigen Verfügbarkeit und unbegrenzten Durchsichtigkeit, der unbedingten Gegenwärtigkeit aller Schöpfung erzeugt.

Die Anrede »Unser Vater im Himmel!« unterstützt diese Konfusion nicht. Sie drückt aber aus, daß der auch und gerade im für uns entfernten und entferntesten Bereich der Schöpfung präsente Gott unser Vater ist; daß *unser Vater*, auch wenn *wir* auf die Heiligung seines Namens, auf das Kommen seines Reiches und das Geschehen seines Willens bittend warten, doch von seiner Schöpfung nicht entfernt und getrennt werden kann. Auch in dem und für den uns entferntesten Bereich der Schöpfung – mag er nun

7 S. dazu *Lohmeyer*, Das Vater-Unser, aaO., 20; *Barth*, Das christliche Leben, KD IV,4, 88; und wiederum *Lohmeyer*, 39f.; ferner *Jeremias*, Abba, aaO., 171.

8 BSKORK, 179, Antwort auf die 121. Frage: »Warumb wird hinzu gethan / Der du bist in Himmeln?« Der erste Teil der Antwort ist auch exegetisch wenig überzeugend begründet, vgl. den Hinweis auf Apg 17,27; s. aber auch den zweiten Teil der Antwort.

9 Vgl. *O. H. Steck*, Der Schöpfungsbericht der Priesterschrift. Studien zur literarkritischen und überlieferungsgeschichtlichen Problematik von Genesis 1,1–2,4a, FRLANT 115, Göttingen 1975, bes. 240! u. 242, sodann 79ff.; *C. Westermann*, Genesis, BK.AT I/1, 2. Aufl., Neukirchen 1976, 140f. u. 164–166; für eine Relativierung der elementaren Bedeutung der Unterscheidung von Himmel und Erde sprechen die Ausführungen *W. H. Schmidts*, Die Schöpfungsgeschichte der Priesterschrift. Zur Überlieferungsgeschichte von Genesis 1,1–2,4a und 2,4b–3,24; 3. Aufl., Neukirchen 1973, 101 u. 39ff.; s. ferner *G. v. Rad*, Theologie des Alten Testaments, Bd. I, München 1957, 165f.; und *Th. C. Vriezen*, Theologie des Alten Testaments in Grundzügen, Neukirchen 1956, 295–297.

räumlich oder zeitlich gedacht werden – ist Gott präsent. Und der so in der Welt gegenwärtige Gott ist »unser Vater«. Die Unfaßbarkeit dieser mächtigen Präsenz Gottes in der Welt einerseits und unsere in der Regel sehr schwach ausgebildeten Vorstellungen von Welt andererseits haben offenbar die Befürchtungen zugelassen, wir könnten Gott und die Welt verwechseln. Auf diese Befürchtungen ist einzugehen, ehe wir uns der weiteren Erschließung der Rede vom Himmel zuwenden können.

2. *Gott ist nicht der Himmel. Wir können nicht der Verwechslung von Gott und Welt durch die Verwechslung von Gott und einem Teil der Welt wehren*

Fassen wir die Welt als »Himmel und Erde« auf[10], so wird das Ungenügen des Versuchs offenbar, einer befürchteten Verwechslung von Gott und Welt durch die Verwechslung von Gott und Himmel zuvorzukommen[11]. Es wird deutlich, daß es eine Illusion war zu meinen, man könne und müsse einer Konfusion von Schöpfer und Geschöpf, Schöpfer und Schöpfung durch den Versuch der Identifikation von Schöpfer und dem besonderen Geschöpf »Himmel«, von Schöpfer und einem Teil der Schöpfung wehren[12].

Die bei diesen Bemühungen leitenden Vorstellungen, die sich durch theologische Aufklärung erübrigen lassen, gleichgültig, ob sie bei Religionskritikern oder Religionsanhängern auftreten, sind leicht durchsichtig zu machen und hier nur zu skizzieren. Der unermeßlich weite, von Menschen nicht zu beeinflussende, seinerseits aber z.B. durch die Vermittlung von Wärme, Licht und Wasser über Wohl und Wehe der Menschen entscheidende Bereich der Schöpfung konnte einerseits als relativ unerfaßbar und unausschöpfbar, andererseits als Garant von Ordnungszuständen, als Träger der reinen Exekution der Gesetze erscheinen. Warum sollte es nicht

10 S. dazu *Barth*, KD III/3, 268!, 491ff., dem ich hier entscheidende Impulse verdanke; s. auch KD III/1, 109ff.; allerdings bemühe ich mich darum, unter Aufnahme von Einsichten des Prozeßdenkens diese und andere Perspektiven auf die Welt (vgl. mit obigen Belegen z.B. KD III/4, 574ff.) enger zu verbinden.

11 Es erübrigen sich ferner die unfruchtbaren und unnötigen Versuche, eine abstrakte und absolute Außerweltlichkeit Gottes zu denken. Grundfragen wie die *K. Rahners*, »wie das menschliche Erkennen Geist in Welt sein könne« (Geist in Welt. Zur Metaphysik der endlichen Erkenntnis bei Thomas von Aquin, Innsbruck und Leipzig 1939, XIV), werden damit nicht überflüssig, erhalten aber eine andere Gewichtung. Eine theologisch tragfähige Darstellung des Himmel und Erde mit seiner Macht und Gegenwart erfüllenden Gottes (z.B. *Augustin*, De civ. VII, 30) kann nicht ›andererseits‹ einen nicht die Welt mit seiner Gegenwart erfüllenden, einen außerhalb des Himmels ›jenseitigen‹ Gott denken. Doch dies bedarf ausführlicherer Erläuterung und Begründung, die in Kap. V zu geben ist.

12 Entscheidend wird freilich sein, konsequent alle (raumzeitlichen) sinnvollen Bestimmungen des Himmels als Aspekte dieses *Geschöpfs* zu erfassen und nicht z.B. der Verwechslung mit einem räumlich bestimmten Himmel zu wehren, um die Verwechslung mit einem zeitlich bestimmten zu betreiben und diese Bestimmung womöglich noch zu unterstreichen.

angezeigt sein, ihn als eine allumfassende, allmächtige, allerhaltende, zugleich verborgene, unzugängliche, unverfügbare Gottheit anzusehen[13]?

Die mit einer solchen Verwechslung und Vermischung von Gott und Himmel verbundenen religiösen Aussichten waren offenbar so attraktiv, daß selbst dort, wo die unleugbare »Erdverbundenheit« des *coelum naturae* empfunden wurde, der Ausdruck »Himmel« wenigstens unter *anderen* Näherbestimmungen für Gott in Verwendung blieb[14]. Dieser bzw. diese mit Gott konfundierten »Himmel« wurden als außernatürlicher, außergeschöpflicher Bereich angesehen und als »der Welt« entgegengesetzt und gegenüberstehend vorgestellt.

Dabei war offenbar die irrige Meinung leitend, das Geschöpf könne über die Welt, über Himmel und Erde hinaus Vorstellungen ausbilden oder wenigstens Gedanken entwickeln. Diese wohl auch heute noch verbreitete Ansicht ist verbunden mit einer starken Überschätzung der Operationen der *Negation*, der *Abstraktion*, der *Steigerung*: Man war und ist offenbar auch gegenwärtig noch vielfach der Meinung, das Geschöpf könne durch Negationen, Abstraktionen und Steigerungen die Welt, d.h. Himmel und Erde, überschreiten, ein »ganz Anderes« wenn schon nicht erfassen, so doch in Annäherungen zu erfahren anstreben usf. Das bei solchen Operationen Erreichte war aber im besten Fall nur eine Erfassung eines Geschöpfs oder sogar nur die Konzeption eines Gebildes, sicherlich nicht selten eines Hirngespinsts. Im günstigsten Falle wurde in diesen Transzendierungen und Entgegensetzungen, auf deren religiös und kulturell ausgeprägtere Formen noch einzugehen ist, ein mehr oder weniger komplexer, konsistenter und fruchtbarer Gedanke von »Himmel« ausgebildet[15]. Die Ausbildung von Gedanken des Jenseits, des »ganz Anderen«, des alle Erfahrungen Übersteigenden, des Transzendenten war bestenfalls als Versuch aufzufassen, den Himmel auf einen von den Vorstellungen des Firmaments, der Atmosphäre, der Planetenbewegungen etc. relativ unabhängigen, zudem nicht so bestimmend an räumliche Vorstellungen gebundenen Begriff zu bringen. Der Verwechslung von Gott und Himmel wurde damit nicht nur nicht gewehrt; sie wurde vielmehr – wenn auch oft wenig offensichtlich – verstärkt bzw. überhaupt erst richtig entwickelt und kultiviert. Die Unruhe und Angst, das Suchen, Streben und Fragen der Welt nach Gott wurden gesteigert durch die Suggestion, die Welt, Himmel und Erde, könne vom Geschöpf durch gedankliche oder andere Anstrengungen transzendiert werden, und durch die immer erneute ernüchternde Feststellung, daß das bloße Überschreiten, wenn es überhaupt gelang, nur *Bereiche* der Welt, aber nicht die Welt selbst

13 Vgl. neuerlich *J. Nelis*, Gott und der Himmel im Alten Testament. Conc(D) 15, 1979, 150, 150ff.

14 Vgl. noch einmal *Stock*, Annihilatio mundi, aaO., 113f.; aber auch die kritische Würdigung des Versuchs, der Verwechslung von Gott und Himmel zu wehren, bes. 177ff.

15 So war *Whiteheads* Gedanke der ›consequent nature‹, nachdem wir ihn von der Vermischung mit einem Gottesgedanken befreit hatten, eine wertvolle Grundlage für die Entwicklung eines raumzeitlich und relativistisch verwendbaren Himmelsbegriffs.

verließ, daß das Erreichte nicht Gott, sondern bestenfalls ein geschöpfliches Jenseits war.

In seinen nachdenklichsten Ausprägungen hat dieses Streben immerhin erkannt, daß die Negation, die Abstraktion und das Transzendieren nicht loskommen vom Negierten, von der Ausgangsbasis der Abstraktion und vom transzendierten Bereich. Daraufhin sind die Gedanken der *selbstbezüglichen* Negation bzw. der *absoluten* Abstraktion entwickelt worden. Man hat diese Figuren oder Operationen »Gott« (Meister Eckhart) oder »Gott« und »absoluten Begriff« (Hegel) genannt. Ferner ist, wie wir bei Whitehead sahen, das seine eigene Kapazität ausgeschöpft habende und *sich* transzendierende Ereignis als eingehend in die »objektive Unsterblichkeit« dargestellt worden. Diese hochentwickelten Versuche haben, im Gegensatz zu den simpel zu nennenden Transzendenzvorstellungen, bislang wenig direkte Nachfolger gefunden, die sie nicht wieder vereinfacht hätten. Dennoch sollte man davon ausgehen, daß die Grundfiguren jenes entwickelten Denkens kulturell bereits sehr wirksam geworden sind. Auf jeden Fall stellen nur sie noch echte Herausforderungen an die Theologie dar, während die simplen und die offensichtlichen Verwechslungen Gottes mit einem Geschöpf oder einem Gebilde – sei es nun augenfällig wahrnehmbar oder nur gedacht und nur sprachlich mitteilbar – im Bereich der Theologie (nicht der Religion und der Religionskritik) so leer und langweilig geworden sind, daß ihre heillose Torheit kaum noch ansteckend zu wirken vermag.

Die ausdrückliche oder unausdrückliche Ansicht, der Himmel sei kein Geschöpf und nicht ein Teil der Welt, und die Meinung, die Geschöpfe könnten in Vorstellungen und Gedanken »die Welt« transzendieren, sind eng miteinander verbunden. Wird der Himmel zum außerweltlichen Bereich erklärt, scheint in der Tat die Möglichkeit zu bestehen, die verbleibende Welt in Gedanken, Vorstellungen usf. zu transzendieren. Wird der Himmel als ein »außerweltlicher« Teil der Schöpfung aufgefaßt, werden *Welt* und *Erde* identifiziert, so erscheinen tatsächlich die dargestellten Gedanken eines Übergangs des Geschöpfs in einen außerweltlichen Bereich als in sich stimmig. Sie bewegen sich dann allerdings in einem Orientierungsrahmen, den die Theologie nicht teilt und den sie nicht nur als theologisch unhaltbar, sondern auch als *unrealistisch* ansehen muß.

Ich werde dies in den folgenden Abschnitten unter Aufnahme von Einsichten des Prozeßdenkens begründen und erläutern.

3. *Die Raumzeitlichkeit des Himmels. Heute heißt der Himmel vornehmlich: »die Zukunft«. Aufnahme einer Einsicht des Prozeßdenkens*

Der Himmel ist Geschöpf und Teil der Welt. Wenn wir Gott als »Unseren Vater im Himmel« anrufen, so rufen wir den in der Welt präsenten Gott an. Das heißt aber nicht, daß wir den Himmel als Teil der Erde und das Konstrukt der den Himmel dann einschließenden Erde als Welt verstehen oder gar noch Gott als Teil dieses Gebildes auffassen. Diese versuchte Absorbierung der ganzen Schöpfung und des Schöpfers durch die Erde ist vielmehr theologisch als eine Illusion und als eine nur verwirrende Konzeption zu durchschauen.

Nun hatten wir behauptet, die versuchte Absorption der Schöpfung durch die Erde, die Vereinnahmung des Himmels durch die Erde und die Erklärung der Erde zur Welt sei *unrealistisch.* Wir hatten damit behauptet, ein nicht differenziert von Himmel und Erde sprechendes Verständnis der Welt sei theologisch unhaltbar und die Theologie könne dartun, daß es unsachgemäß konzipiert sei. Diese Behauptung bringt uns unter einen Beweisdruck, der, irre ich nicht, für die Systematische Theologie nicht mehr geläufig ist. Es ist dies der Beweisdruck zu zeigen, daß theologische Rede und theologische Ausdrücke eine vom gesunden Menschenverstand oder von Sprachen anderer Wissenschaften nicht eingeholte oder gar überholte Präzision und einen sonst von anderen gedanklichen Bemühungen nur unterbotenen Realitätsbezug haben. An dem Tatbestand, daß die Theologie einen präziseren und sensibleren Realitätsbezug habe als andere – mehr oder weniger disziplinierte und institutionalisierte – gedankliche Vollzugsformen, wird heute sehr gezweifelt, und das ist nicht zu unterschätzen. Der grundsätzliche Zweifel gerade an diesem Sachverhalt veranlaßte immerhin die amerikanischen Prozeßtheologen zu dem Bemühen, eine Dependenz von der Philosophie oder zumindest ein Interdependenzverhältnis von Theologie und Philosophie zu dogmatisieren. In unserem Falle müssen wir nachweisen, daß die Rede von der Welt nicht umhin gekommen ist, die Differenzierung von Himmel und Erde faktisch weiterhin zu vollziehen, auch wenn sie den Ausdruck »Himmel« nicht mehr oder nur noch entstellt verwendet hat.

Dies läßt sich dartun, wenn wir der Empfehlung und dem Vorbild des Prozeßdenkens folgen, so bewußt und konsequent wie möglich *raumzeitlich* zu denken. Wir werden dann den Himmel nicht nur als *räumlich,* als ein »*Oben*« auffassen, wie es, soweit ich sehe, selbst der sonst gedanklich so sensible Karl Barth in der Regel vorgeschlagen hat[16], sondern auch das *zeit-*

16 Am differenziertesten noch KD III/3, 490ff., wo der Himmel als »Oben, Vorher, Mehr« beschrieben wird, wobei aber die räumlichen Bestimmungen dominieren. Zu dieser Vorstellung s. *J. Kerkhofs,* »Du lieber Himmel«. Conc(D) 15, 1979, 142f., der der »Krise der himmlischen Vorstellungswelt« allerdings mit einer Verwechslung von Gott und Himmel zu begegnen sucht; ähnlich *P. Stockmeier,* »Modelle« des Himmels im christlichen Glaubensbewußtsein. Ebd., 163 u. 166.
Entscheidend ist die Lösung des Problems, räumliche und zeitliche Vorstellungen unter sie verbindende gedankliche Kontrolle zu bringen (gesehen hat dies *St. Happel,* Die Strukturen unseres utopischen Mitseins. Conc(D) 15, 1979, bes. 194) und nicht faktisch einem räumlichen Himmel einen zeitlichen gegenüberzustellen (*C. Duquoc,* Ein Himmel auf Erden?, Conc(D) 15, 1979, 186ff.; *J. R. de la Pena,* Das Element der Projektion und der Glaube an den Himmel. Conc(D) 15, 1979, 183) oder gar den »zeitlichen Himmel« mit der Zukunft und diese mit dem Himmelreich gleichzusetzen. Vgl. aus der prozeßtheologischen Literatur: *L. S. Ford,* The Power of God and the Christ. In: Religious Experience, 88f.; vorsichtiger *D. D. Williams,* Time,

lich für uns unerreicht (»oben«) Liegende als Himmel identifizieren. Wird der räumlich *und* zeitlich entfernte, von uns aus gesehen relativ unbestimmte, nicht manipulierbare Bereich der Schöpfung als Himmel aufgefaßt – und nicht nur eine den Himmel als Ort des Heils auffassende Frömmigkeit, sondern auch die Bibel stützt durchaus eine Temporalisierung des Himmels –, so wird unabweisbar, daß das Verständnis von Welt, welches den Himmel zu verschweigen suchte, auf den Himmel geradezu fixiert geblieben ist.

»*Die Zukunft*«, bedrohlich und verheißungsvoll, gefürchtet und herbeigesehnt, berechnet und undurchschaut, voller Kontinuität und doch überraschend, übernahm in einem die Differenzierung von Himmel und Erde verdrängenden Weltverständnis den Platz und die Funktionen des faktisch nicht verdrängbaren Himmels. Jürgen Moltmann hat dies erkannt und von der »Zukunft als neuem Paradigma der Transzendenz« gesprochen[17]. Zugleich hat er – in der hier gewählten Terminologie ausgedrückt – davor gewarnt, die Zukunft nicht nur mit dem *Himmel,* sondern auch noch mit dem *Himmelreich* zu verwechseln[18]. Er hat eine »Scheintranszendenz« und eine »echte Transzendenz« unterschieden, das endlose Transzendieren in die geschichtliche Zukunft hinein von der echten, bekannte Weltzusammenhänge auflösenden Transzendenzerfahrung getrennt[19]. Wir werden eine ähnliche Differenzierung mit der Unterscheidung von »Himmel« und »Himmelreich« vornehmen. Auf diese Weise werden wir einerseits die in veränderlicher Bestimmtheit relativ *ruhige Ordnung der Welt,* die grundlegend (und nicht einseitig verzeitlichend und auch dabei nur auf die Zukunft fixiert) in der Unterscheidung von Himmel und Erde ausgedrückt wird, darstellen und andererseits von der *Bewegung der Welt durch Gott* sprechen, die theologisch als Vergehen von Himmel und Erde und ihre Neuschöpfung zu verstehen ist.

Ehe dies geschehen kann, müssen wir jedoch erklären, warum es sinnvoll erscheinen konnte, die Unterscheidung von Himmel und Erde in der Rede von »der Welt« zu verdunkeln und dann einen »außerweltlichen Bereich« zu konstruieren. Wir stehen damit vor der zwar reizvollen, aber nicht ganz einfachen Aufgabe, die heutige Konfusion von Erde und Welt, die Absorption des Himmels durch die Erde zu erklären. Diese Konfusion stellt ein zentrales Problem dar. Sie erzeugt den Anschein, es gäbe einen außergeschöpflichen, einen außerweltlichen Bereich, eben den durch Abstraktion vom

Progress, and the Kingdom of God (Kap. 5 aus: God's Grace and Man's Hope). In: Process Philosophy, 441–463.

17 *Moltmann,* Zukunft der Schöpfung, aaO., 9ff., bes. 17f. u. 21–23. S. auch *J. H. Cone,* Der »Himmel« in den Negro Spirituals. Conc(D) 15, 1979, 174–177.

18 Vgl. dazu Kap. V; und *P. Althaus,* Die letzten Dinge. Lehrbuch der Eschatologie, 7. Aufl., Gütersloh 1957, bes. 360f. Aber vgl. auch *A. Cody,* »Himmel» im Neuen Testament. Conc(D) 15, 1979, 156ff., der das Himmelreich offenbar als »sublimierten Himmelsbegriff« (158) aufgefaßt wissen will.

19 Vgl. *Moltmann,* Zukunft der Schöpfung, aaO., 21f.

Himmel entleerten Bereich. Nachdem auf die präzise und sachgemäße Bestimmung dieses Bereichs als Himmel, als Geschöpf verzichtet worden ist, wird dieser Bereich entweder zu einem leeren, gleichgültigen Horizont erklärt oder zu einem Faszinosum gemacht.

Ehe wir uns einigen der Folgeprobleme dieses Vorgehens und ihrer theologischen Lösung zuwenden, stehen wir, wie gesagt, vor der Aufgabe, begreiflich zu machen, warum es überhaupt möglich ist, Himmel und Erde in einer unklaren Vorstellung von Welt zu konfundieren. Die Antwort auf dieses Problem ist aufgrund der Erkenntnis der *Relativität* von Himmel und Erde zu finden. Auch bei diesen Überlegungen werden wir auf Einsichten des Prozeßdenkens zurückgreifen. Mit Hilfe des Prozeßdenkens können wir also auf starre Vorstellungen eines kopräsenten »Oben« und »Unten« verzichten. Wir können diese Bereiche vielmehr als in Beziehung auf bestimmte Ereignisse im Übergang und Wandel begriffen auffassen, ohne daß mit der Veränderung die Unterschiedenheit preiszugeben wäre. Die ereignis- und perspektivenrelative Bestimmung von Himmel und Erde bewährt sich aber nicht nur in der Interpretation räumlicher *und* zeitlicher Bestimmungen, sondern auch bei raumzeitlichen Bereichsvariationen, die Quantitätsverschiebungen und Qualitätsveränderungen ausdrücken oder suggerieren. Dies ist nun in eingängiger Sprache darzutun.

4. *Die Relativität von Himmel und Erde. Aufnahme weiterer Einsichten des Prozeßdenkens*

Der entscheidende Beitrag des Prozeßdenkens besteht in dem Bemühen, die nachneuzeitliche Einsicht in die Relativität der Welt zu verarbeiten, sie konsequent zu vollziehen und sie dabei unter methodisch geleitete gedankliche Kontrolle zu bringen. Die Rede von »Welt« ist vergleichbar den Ausdrücken »gestern« und »heute«, genauer noch: »hier« und »jetzt«. Wir sagen »hier und jetzt« und können meinen: diese einen Abschnitt meines Lebens charakterisierende Sekunde; wir können aber auch meinen: die in diesem »Jammertal« sich abspielende Menschheitsgeschichte. Die Rede von Welt ist, wie wir in Kapitel I bereits sahen, vor allem hinsichtlich ihres raumzeitlichen Bereichs relativierbar. Selbst wenn wir von »der ganzen Welt« sprechen, bleibt doch unklar, ob wir die in dieser Sekunde lebende Menschheit oder die heute oder in dieser – vielleicht ab heute zählenden – Dekade lebenden, ob wir auch alle je auf dieser Erde gelebt habenden und je leben werdenden Menschen meinen, ob wir die von uns imaginierbaren Bereiche dieser Erde, alle je von irgendwelchen Beobachtern beobachtbaren, die erschlossenen und je erschließbaren Bereiche des Kosmos mit erfaßt wissen wollen usf. Dies alles und vieles andere bleibt vage, bleibt offen. *Der Ausdruck Welt ist* auf eine folgenreiche Weise, um es sinnfällig auszudrücken, *extrem dehnbar und extrem kontraktionsfähig.* Daraus aber ergibt sich eine unkontrollierbare Mischung von Bestimmtheit und Unbestimmtheit bei der

Rede von Welt, die von dem Schein begleitet werden kann, die Welt sei durchgängig verfügbar und verfüge nicht über uns; die ebenso von dem Schein begleitet werden kann, sie sei durchgängig unverfügbar und verfüge völlig über uns. Das Auftreten des ersteren Scheins kann als *Hochmut der Welt gegenüber*, das Auftreten des letzteren als *Angst in der Welt* aufgefaßt werden.

Die theologische Auffassung der Welt als »Himmel und Erde« läßt diese unkontrollierte, ja *fahrlässige* Rede von Welt durchschauen. Diese Rede kann einerseits so tun, als gäbe es keinen für uns unbestimmteren, unbestimmbaren, unverfügbaren Bereich der Welt, und sie kann, wie es heute gang und gäbe ist, Bereiche der *Erde und Welt identifizieren.* Weiterhin kann diese Haltung von »der Welt« sprechen, dabei aber nur die Menschheit, die gegenwärtig lebende Menschheit, die in ihrer privaten Umgebung lebende Menschheit meinen, sich schließlich auch auf engere, nicht mehr vermittelte und sogar unvermittelbare Perspektiven auf die Welt zurückziehen. Die Welt reduziert sich dann auf die »Weltsicht«, die »eigene Welt«, und in ihrem Kern auf die »Wirklichkeit« des Selbstbewußtseins, des »Innersten« und des »Seelenfünkleins«. Die Verwechslung der Welt mit Bereichen der Erde und dem der Erde Verhafteten einerseits und die Verwechslung der Welt mit dem jeweilig mehr oder minder eng- oder weitsichtigen »Ich« andererseits stellen grob bezeichnete Extremwerte der unkontrollierten Rede von Welt dar.

Es ist das Verdienst des Prozeßdenkens, das Problem der Relativität aller Perspektiven auf die Welt auch auf heute geisteswissenschaftlich nachvollziehbare Weise artikuliert[20] und ferner die beiden Extremwerte unkontrollierter Rede von Welt in einen prozessual konzipierten Zusammenhang gebracht zu haben[21]. Mit dem Ausdruck »wirkliche Welt« hat es die Relativität und Perspektivität der jeweiligen Welt bezeichnet, eine Leistung, die der Ausdruck »Erde« zur Zeit nicht erbringen könnte und – sollte die Temporalisierung der Welt fortschreiten – vielleicht auch nicht mehr erbringen wird. Schließlich hat das Prozeßdenken, wie wir zeigen konnten, auch noch mit der Rede von »objektiver Unsterblichkeit« und »zweiter Natur Gottes« einen *Gedanken* des *Himmels* konzipiert, des Bereichs der Welt, der dem »subjektiven Ereignis« zwar offensteht (nach Whitehead erst nach seinem Vergehen), aber von ihm nicht objektiviert, nicht umarrangiert, nicht integriert werden kann[22]. Belassen wir es an dieser Stelle bei diesen Befunden und sehen wir von Whiteheads Verwechslung von Himmel, Himmelreich und Gott ab, so bleibt eine Theoriekonzeption bestehen, die Himmel und Erde als in vielfacher Hinsicht relativierbare und relativ gegeneinander bestimmbare Bereiche der Welt aufzufassen erlaubt und vor allem die Rück-

20 S. Kap. II, Teil A.
21 S. Kap. II, Teil B.
22 S. Kap. II, Teil C.

übersetzung dieser Auffassungen in mannigfache Vorstellungsbereiche ermöglicht.

Wir könnten nun Ordnung bringen in die verwirrende Vielfalt von Himmelsgedanken und Himmelsvorstellungen – etwa vom einfachen leeren, nicht weiter bestimmten Gedanken einer ›Transzendenz‹ bis hin zur Verallgemeinerung plastischer Vorstellungen des Firmaments. Vor allem aber könnten wir zeigen, daß mit diesen Vorstellungen die Vorstellungen von ›Erde‹ sich verändern, und könnten erfassen, wie die Verdrängung der Rede vom Himmel und die damit verbundene »Expansion« der Erde »zur Welt« systematisch erfolgte bzw. auch heute noch vonstatten geht. Wir könnten schließlich Diagnosen und Prognosen von Ausprägungen von Religiosität in Ansatz bringen, z.B. daß ein Denken, welches sich der Illusion der völligen oder hochgradigen Verfügbarkeit der Erde hingibt, dazu neigen wird, die »Erde« mit »der Welt« zu identifizieren, daß es unkritisch von »der Welt« reden und den Himmel entweder als natürlichen Einzugs- sowie Explorationsbereich der Erde oder als letzten schimmernden Horizont von Vagheit auffassen oder beide Vorstellungen – mehr oder minder konsistent – kombinieren wird.

Für dieses wohl recht verbreitete Denken ist die Verwechslung von Gott und Himmel eine Bestärkung in der Überzeugung von der Arrangierbarkeit des Verhältnisses zu Gott einerseits und der, wir sollten sagen, hochgradigen »Unwahrscheinlichkeit« Gottes andererseits. So könnten wir verfahren nach der Regel: Erkennen wir, wie der jeweilige (vielleicht verdrängte) Himmel aussieht, so können wir auch sagen, wie die jeweiligen Gottesvorstellungen und Gottesverhältnisse beschaffen sind. In Gesellschaften mit ausgeprägter Religiosität und relativ schwach entwickeltem christlichem Glauben dürften auf diese Weise viele dunkle Formen des Aberglaubens aufgeklärt werden können.

Wenn auch die Theologie solche allgemein »religionstheoretisch« zu nennenden Diagnosen nicht nur schmähen sollte, so bleiben sie doch im Irrtum der Vermischung von Himmel und Erde befangen und beruhen geradezu auf den Problemen, mit dieser Vermischung fertig zu werden, und auf der Neigung, die durch Abstraktion vom Himmel erzielte Leerstelle mit einem Götzen zu besetzen[23].

Nicht die *Relativität* von Himmel und Erde, nicht die Relativität des als Himmel und als Erde erfaßten Bereichs, nicht die Relativität der vornehmlich räumlichen oder vornehmlich zeitlichen Bestimmung dieses Bereichs, nicht die Relativität vor allem aller räumlichen und zeitlichen Ausdehnung

23 Es kann nicht Aufgabe der Theologie sein, in dieser Situation zu versuchen, eine Bewußtseins- und Wahrnehmungsstellung des »gesunden Menschenverstandes« zu normieren, die Stabilität in die Expansion und Kontraktion des Bereichs der Welt bringen soll: etwa unter Fixierung dominierender Himmelsvorstellungen einer von z.B. bestimmten Niederschlagsmengen in bestimmten Jahreszeiten abhängigen Landbevölkerung oder unter Orientierung an den vagen Zukunftsvorstellungen einer wachstums- und expansionsorientierten Händlerkultur. Vgl. *Nelis*, Gott und der Himmel im Alten Testament, aaO., 154.

der beiden Bereiche ist das Problem der Theologie, sondern die Versuche, diese Relativität durch die Leugnung eines der beiden Bereiche, durch Leugnung der Geschöpflichkeit beider Bereiche, durch Leugnung der Unterschiedenheit beider Bereiche und durch Leugnung der Präsenz Gottes in diesen beiden Bereichen in Frage zu stellen, in eine unlebendige, nur regional und mehr oder weniger kurzfristig praktizierbare Ordnung oder in ein scheinbares Chaos zu verwandeln.

Die eine Schöpfung ist vom Geschöpf nicht überschreitbar. Auch der Himmel, der für uns relativ unzugängliche und relativ unbestimmte Bereich der raumzeitlich zu verstehenden Welt ist Geschöpf. Allerdings hat Gott, den wir als »Unseren Vater im Himmel« anrufen, eine Bewegung in die Welt gebracht, eine Bewegung von Himmel und Erde, die ihr Vergehen und ihr Neuwerden bedeutet. Diese Bewegung versteht der christliche Glaube als Kommen Gottes auch in *diese* (dem Vergehen und Neuwerden überantwortete) Welt. Und er bittet um die Erneuerung, Bestätigung, Fortsetzung und Aktualisierung dieser Bewegung, dieses Kommens Gottes, indem er um die Heiligung des Namens, das Kommen des Reichs, das Geschehen des Willens Gottes, um die Gabe des täglichen Brotes, um die Vergebung der Schuld und die Erlösung von dem Bösen bittet. Er bittet um diese Bewegung der Welt, um dieses Kommen Gottes in diese Welt, um eine Bewegung aus dem ihm unverfügbaren Bereich der Schöpfung heraus[24], schon indem er Gott als »Unseren Vater im Himmel« anruft. Dabei mag dieser Bereich als »oben«, als »vorn«, als Zukunft aufgefaßt werden; es erreichen diese Auffassungen die Fülle, die Prägnanz und den unverkürzten Realitätsbezug der Rede vom Himmel nicht.

Theologisch folgenreich, aber nicht zentral sind die wechselnden Neigungen, den Himmel entweder in Raum oder Zeit – und bei einer Fortentwicklung unseres Denkens vielleicht noch anders – zu lokalisieren. Theologisch entscheidend jedoch ist, daß der Himmel nicht mit dem Himmelreich, mit *jener* Welt, mit dem *neuen* Himmel und der *neuen* Erde und schon gar nicht mit Gott selbst verwechselt wird.

Vom Himmel ist ausdrücklich oder verbrämt, verschleiert durch Abstraktionen, nicht zu hoch zu denken. Diesem Problem wenden wir uns im folgenden Abschnitt zu. Im letzten Abschnitt dieses Kapitels werden wir auf den Grund der entgegengesetzten Neigung eingehen, den Himmel, der ein geschöpflicher Ort der Präsenz Gottes in der Welt ist, zu gering zu achten.

24 Offen bleibt gedanklich das Problem eines Reichs von ›Mitte‹ zwischen Himmel und Erde. Dazu die weise Äußerung des *Basilius,* Die neun Homilien über das Hexameron, BKV, 2. Aufl., 18.

5. Das Faszinosum der Unverfügbarkeit und Unermeßlichkeit des Himmels und die Aufgabe christlicher Religionskritik. Probleme des Prozeßdenkens

Wenn es richtig ist, daß die höher entwickelte Religiosität sich dem Numinosen, dem Jenseitigen, dem Transzendenten, dem schlechthin Abgesonderten und ganz Anderen zuwendet, so scheint es naheliegend zu sein, Religiosität als »Himmelsgläubigkeit« zu bestimmen. Die Vagheit der Religiosität, die sie so anpassungs- und integrationsfähig erscheinen läßt, ließe sich im Blick auf den Himmel – als den für uns unbestimmteren Teil der Schöpfung – erklärbar und verständlich machen. So wie nach der Lehre von der Relativität von Himmel und Erde ein vormals unbestimmter Bereich der Schöpfung zur Erde werden kann, in dieser Situation aber aufhört, als »Himmel« auffaßbar zu sein (z.B. die vergegenwärtigte Vergangenheit, die eingetroffene Antizipation, eine erfüllte Sehnsucht oder nur ganz trivial ein mit dem Flugzeug in Augenschein genommener Bereich oberhalb der Wolken), ohne daß »dem Himmel« dadurch Abbruch getan würde, so verhält es sich auch mit dem jenseitigen »Gegenüber« der Religiosität.

Bei der Versicherung, man bemühe sich um eine Begriffs- und Wesensbestimmung der Religion, man suche das Geheimnis des ganz Anderen etc. zu erschließen, wird naiv oder bewußt verschleiert, daß die klare und bestimmte Definition von Religion und die Erschließung der Geheimnisse der Religiosität nie gelingen wird, weil die aller Religiosität gemeinsame Verfassung einen Grundzug der *Negation von Bestimmtheit* aufweist. Das Numinose ist gerade nicht das klar vor Augen zu Bringende; was klar vor Augen gebracht werden kann, erweist sich gerade als das Nicht-Numinose. Überstiege das Transzendente nicht mehr alle Erfahrung, würde es dargestellt, so wäre das Dargestellte nicht mehr das Transzendente. Ebenso verhält es sich mit dem Jenseitigen, schlechthin Abgesonderten, dem ganz Anderen und allen anderen Dauernegationen des Vorfindlichen: Könnten wir von ihnen wirklich reden, könnten wir sie in unsere Erfahrung integrieren, so wäre das, worauf wir uns bezögen, nicht das, womit wir es zu tun haben sollten oder wollten[25].

Man kann nun, und die Religionskritik hat es immer wieder getan, auf die Zerrissenheit des religiösen Menschen oder zumindest die Widersprüchlichkeit seines Denkens und Empfindens hinweisen: *Einerseits* behauptet er, das von ihm festgehaltene Transzendente, Numinose, schlechthin Verborgene sei unaussprechlich; *andererseits* verwahrt er sich gegen die Folgerung: daß man das, worüber man nur schweigen könne, ignorieren und

25 Diese gedankliche Konsequenz hat vor allem *Hegels* Dialektik eingeklagt. Die amerikanische Philosophie hat dies rezipiert, aber auch das konsequente Verbleiben in einem Bezugssystem der *Vorstellung* gefordert. S. z.B. *W. James*, The Will to Believe and Other Essays, New York 1956, 263ff., bes. 293f. Zur Charakterisierung des negierenden und entleerenden Transzendierens s. auch *H. Bergson*, Denken und schöpferisches Werden. Aufsätze und Vorträge, Meisenheim a.G. 1948, bes. 117–119.

vergessen solle, indem er dann *doch* manches vom zuvor angeblich Unaussprechlichen zu sagen weiß.

Der christliche Glaube, der selbst allen Anlaß hat, seine Neigung zu diesem – wie wir bereits feststellten, simplen – Spiel der Phantasie zu kontrollieren, muß nicht in die verbissene Religionskritik verfallen, die vor allem das 19. Jahrhundert entwickelte und die, wie öfter gezeigt worden ist, selbst religiöse Züge angenommen hat. Der christliche Glaube sollte vielmehr die Religiosität als eine Außenperspektive auf sich bzw. als ein Sich-selbst-äußerlich-Werden verstehen lernen. Doch dabei sollte er jedem Versuch entgegentreten, das Faszinosum der Unverfügbarkeit und Unausschöpflichkeit des geschaffenen oder gedanklich fingierten Himmels durch die Entheiligung des Namens Gottes zu steigern, zu steigern nämlich dadurch, daß dieser Himmel als Gott ausgegeben wird. Gott ist der Schöpfer und Herr auch des Himmels, und die gedanklichen Gebilde werden, wenn sie mit dem Namen Gottes in Verbindung gebracht werden, zu nichts anderem als zu »bösen Geistern«, vergleichbar »goldenen, silbernen, ehernen, steinernen und hölzernen Götzen, welche weder sehen noch hören noch wandeln können« (Offb 9,20), über und gegen die bereits die Propheten des Alten Testaments das Erforderliche zu sagen begonnen haben.

Der christliche Glaube muß dem Mißbrauch entgegentreten, der darin besteht, daß der Name Gottes zur Unterstreichung der Wichtigkeit oder gar nur zur Dekoration philosophischer Prinzipien verwendet wird. Der Dienst an »schwachen und dürftigen Satzungen« (Gal 4,9; vgl. 4,8ff.) sollte nicht den Schein des Gottesdienstes erhalten. Das Prozeßdenken Whiteheads gab an diesem Punkt durchaus Anlaß zur Kritik. Whitehead gebrauchte zwar weder den Namen des Vaters noch den des Sohnes noch den des Heiligen Geistes. Zweideutigkeiten traten aber durch seine Darstellung der Rede vom Himmelreich auf, die für den christlichen Glauben elementar mit dem Handeln des dreieinigen Gottes verbunden ist. Dieses Problem konnte jedoch beseitigt werden, da Whiteheads Theorie sich an diesem Punkt selbst in Widerspruch und Inkonsistenz verlor. Wendet man sich gegen den Widerspruch der Theoriegrundlagen[26], so bleibt auch kein ›numinoser‹ Ort[27], und die Theologie kann mit dieser Theorie der Endlichkeit gelassen und in begrenztem Bereich – arbeiten[28]. Allerdings war nun noch erforderlich, daß sie den *Himmel erneut als Geschöpf zur Geltung brachte*, ihn nicht ihrerseits mit dem Himmelreich konfundierte. Gegen Ogden und mit Loomer war daran festzuhalten, daß die Welt, nämlich Himmel und Erde, in der Tat nicht über sich hinausweist; es sei denn, es werde darunter die Bewegung verstanden, in die Gott die Welt in Jesus Christus, durch sein Kommen in diese Welt gebracht hat, die Bewegung, in der die Welt über sich hinausgewiesen wird[29]. An diesem Punkt mündeten dann Loomers Gedanken in ein

26 Vgl. Kap. II, Teil C, Abschn. 6.
27 Vgl. Kap. III, Teil C, Abschn. 5.
28 Vgl. Kap. III, Teil C, Abschn. 6.
29 Ich verdanke diese Wendung *Michael Trowitzsch.*

offenes theologisches Problem, das im nächsten Kapitel wiederaufzunehmen ist.

6. *Die Universalität des treuen Gottes*

Der Himmel ist Geschöpf und Teil der Welt. Dieser für uns relativ unbestimmte, unmanipulierbare Teil der Schöpfung kann räumlich und zeitlich bestimmt verstanden werden. Er ist nicht hinsichtlich seiner Ferne und Unverfügbarkeit überhaupt, wohl aber hinsichtlich der räumlichen und zeitlichen Bestimmungen, ihrer Extension und der damit verbundenen Vorstellungen und Vorstellungswelten relativierbar.

So mag »die Zukunft«, der die nun lebenden Generationen entgegenstreben oder vor der sie Angst haben, von den nachfolgenden Generationen vielleicht als desaströse, vielleicht nur als langweilige Weltzustände, als eine mehr oder weniger vorbildliche und instruktive oder als eine unfruchtbare und konfuse Vergangenheit angesehen werden. Vielleicht wird aber auch der Bereich der Welt, den wir »unsere Zukunft« nennen, für die nachfolgenden Generationen gar kein Thema mehr sein: Vielleicht werden sie diesen Bereich verdrängen, vergessen oder nur einfach übernehmen, »was die Welt eben so zu bieten hat«.

Und diese so relativierbare Zukunft, um nur die heute gängigste (wenn auch verkürzte) Himmelsvorstellung aufzunehmen, soll Gott zum Ort seiner Präsenz in der Welt gewählt, zum Bereich seiner Anwesenheit gemacht haben? Dazu ist zu sagen: natürlich nicht nur diese eben vage beschriebene mögliche Zukunft dieser Generationen, von denen wir gern als »unserer Zeit«, als »Gegenwart« oder »*der* Welt« sprechen. Ganz arme und ganz verheißungsvolle, ganz zwiespältige und ganz harmonische, ganz zerrüttete und ganz stetige »Zukünfte« dieser und anderer Generationen wird der Gott, den wir als »Unseren Vater im Himmel« anrufen, zum Ort seiner Präsenz in der Welt gewählt haben.

Angesichts dieses Sachverhalts erhebt sich in der Tat die Frage, die die Prozeßtheologen so sehr bedrückt und die sie durch den Gedanken einer Erhaltung dieser Welt in dem Bereich eines alles erinnernd festhaltenden Gottes (Ogden)[30], durch die Beschreibung einer permanenten Übergangserfahrung der zerrissenen Existenz (Loomer)[31] und durch die Konzeption eines beständigen Wachstums-, Expansions- und Steigerungsprozesses (Cobb)[32] nur verlagerten, die sie aber vergeblich zu beantworten suchten: die Frage, ob Gott gegenüber der Welt nicht *gleichgültig* ist.

Es ist dies die Frage, ob der Gott im Himmel und in den Himmeln, ob der in »der Zukunft« und in den unterschiedlichsten »Zukünften« der Welt prä-

30 *Ogden,* s. Kap. III, Teil A, bes. Abschn. 4.
31 *Loomer,* s. Kap. III, Teil B, bes. Abschn. 4.
32 *Cobb,* s. Kap. III, Teil C, bes. Abschn. 4.

sente Gott mit dem Namen des *Vaters* anzurufen ist. Die Antwort der christlichen Theologie lautet: daß ohne Jesus Christus, den Gekreuzigten und Auferstandenen, der Gott im Himmel *nicht* als Vater angerufen werden könnte; daß ohne Jesus Christus die Frage, ob Gott der Welt gegenüber letztlich gleichgültig sei, *keine* klare Antwort fände. Ohne Jesus Christus wäre der Gott im Himmel jedenfalls von einer gleichgültigen Zukunft, einem gleichgültigen »Oben«, einer gleichgültigen Nähe und einer gleichgültigen Ferne nicht zu unterscheiden, er wäre ein Indifferentes, das dann auch Jenseits, ganz Anderes, Transzendentes usw. genannt werden könnte.

Die Offenbarung Gottes in Jesus Christus, das Kommen zum Vater durch Jesus Christus aber läßt in dem, was ohne den Sohn als universale Gleichgültigkeit gegenüber der Welt aufgefaßt werden könnte, die universale *Treue* Gottes erkennen. Ehe wir die konkrete Gestalt und die die Welt in barmherziger Weise verwandelnde Kraft dieser Treue Gottes im nächsten Kapitel ausführlicher zur Sprache bringen, bedarf es folgender Klarstellung:

Die Anrufung des treuen Gottes richtet sich nicht an einen in unaufhörlicher, unabsehbarer, unbestimmbarer Weise wachsenden, sich entwickelnden, sich vielleicht umorientierenden, vielleicht seine Bindungen an die Welt lockernden, vernachlässigenden oder umarrangierenden Gott.

In Jesus Christus betätigt und offenbart Gott seine Treue[33]: »›Treue‹ ist«, so hat Barth im Blick auf Gott und die Menschen formuliert, »ständiges, dauerndes, in Gedanken, Worten, Verhaltensweisen und Taten sich fort und fort erneuerndes Durchhalten, Aushalten, Verharren in einer . . . gütlich und gerade so streng auferlegten Bindung, Hingabe und Verpflichtung.«[34]

Die Beständigkeit und Beharrlichkeit der Treue Gottes bedeutet aber nicht dessen wenn auch nicht gleichgültige, so doch gleichmütige Betrachtung und Begleitung auch der zerrissenen und subjektiv wiederholt oder beständig an der Ferne Gottes leidenden Existenz. Die Anrufung »Unser Vater im Himmel« richtet sich nicht an eine passiv wohlwollende, gleichmütig gegenwärtige »himmlische Kraft« – die der Sonne vergleichbar wäre, die über Böse und Gute scheint, oder dem Regen, der über Gerechte und Ungerechte niedergeht. Sie gilt nicht einem beständigen Prinzip des Himmels, sie gilt nicht dem verläßlichen relativen Himmel eines jeglichen Ereignisses und nicht dem Ordnungsfaktor Himmel mit seiner Demonstration der beharrlichen Exekution der Naturgesetze (1Kor 1,9; 10,13; Röm 3,3f.; 2Thess 3,3; 2Tim 2,13).

Der Anrufung des Vaters, die von der Gewißheit seiner Präsenz in aller nahen und fernen, vergangenen, gegenwärtigen, zukünftigen Welt und seiner treuen Nähe und unerschütterlichen Verbundenheit auch mit *unse-*

33 Vgl. *Barth*, Das christliche Leben, KD IV,4, aaO., 61. Vgl. auch *ders.*, Die Lehre von Gott, KD II/1, 450f.
34 *Barth*, Das christliche Leben, KD IV,4, 61.

rer – relativen, vorübergehenden, begrenzten – Welt begleitet ist, folgt die Bitte um die aktualisierte, auffällige, unabweisbare Präsenz in der Welt. Es folgt die Bitte um die Bestätigung und Betätigung der Treue Gottes. Es folgt die Bitte um die Aufhebung der Relativität von Himmel und Erde, der Relativität der wirklichen Welt, der Relativität und Unterschiedlichkeit der »Zukünfte«. Es folgt die Bitte um die Beendigung der bleibenden Unsicherheit und Ungewißheit, die Gottes Präsenz *nur* im Himmel bedeuten würde. Auch auf Erden soll sein Wille geschehen und seine Treue in unwiderstehlicher Weise erkennbar, wirksam und in jeder Hinsicht offensichtlich werden.

Kapitel V

Dein Name werde geheiligt!

1. *Die Bitte um Gottes auffällige und unabweisbare Präsenz in der Welt*

Nach Gottes Handeln, nach seinem Eingreifen in diese Welt ruft, wie alle anderen, so auch diese Bitte. Es ist richtig betont worden, daß es nicht um eine indirekte Selbstaufforderung des Bittenden geht[1]. Gott selbst wird um die Heiligung seines Namens gebeten[2]. Gott möge seinen Namen bekanntmachen: »Lösch du auf der ganzen Linie . . . aus die Finsternis deines Unbekanntseins! Laß du ganz und gar, eindeutig und ausschließlich leuchten das Licht deines Angesichts und also deines Bekanntseins! Das meint die erste Bitte des Unser Vaters.«[3]

Doch die Rede von Bekanntmachung und Bekanntschaft[4] ist noch zu schwach, um auszudrücken, worum es in der Bitte geht: »Dein Name werde geheiligt!« Es muß schon betont hinzugefügt werden, daß es sich, weil es um *Gottes* Bekanntmachung und *Gottes* Bekanntsein geht, nicht um eine – vielleicht gleichgültige – Zur-Kenntnisnahme (die ja die Rede von Bekanntsein nicht ausschließt), sondern um ein Sich-Bekennen handle (was diese Rede jedenfalls nicht klar ausdrückt).

Um welches nicht ambivalente[5], nicht zweideutige, nicht relativierbare Bekanntsein Gottes aber bittet die erste Bitte des Gebets? Sollten wir unterstreichen, daß sie auf ein *auffälliges, unabweisbares* und damit eben nicht gleichgültig hinzunehmendes, sondern höchst eindrucksvolles und entsprechend folgenreiches Bekanntsein Gottes in dieser Welt ausgerichtet ist? Es kann gar keinen Zweifel geben, daß es genau darum ginge, wenn wir bei diesem Gebet, beim Aussprechen dieser Bitte, unsere Gedanken von den Kriterien des *Erfolges* und der *Effektivität* prägen und leiten ließen. Heilige, sondere aus, hebe hervor, laß glänzen und leuchten deinen Namen – so würden wir bitten –, so daß er nicht nur spektakulären, sondern auch anhaltenden, nicht abklingenden Erfolg habe, daß er eine noch nie dagewesene Wirkung ausübe!

1 *Lohmeyer*, Das Vater-Unser, aaO., 43; *Schweizer*, Das Evangelium nach Matthäus, aaO., 94.

2 Vgl. *Barth*, Das christliche Leben, KD IV,4, aaO., 183, 260f., 263, 279, dem ich auch hier wichtige Anstöße verdanke. S. auch *P. Stuhlmacher*, Gerechtigkeit Gottes bei Paulus, 2. Aufl., Göttingen 1966, 252f.

3 *Barth*, Das christliche Leben, KD IV,4, aaO., 255.

4 Vgl. *Barth*, Das christliche Leben, KD IV,4, aaO., 258f.

5 Vgl. *Barth*, ebd., 193, 208, 243, 273.

Es ist leicht gesagt, daß es *darum* natürlich nicht gehe, daß der *treue* Gott nicht spektakulär wirke, daß der im Himmel, der in der Welt präsente Gott den Erfolg nicht brauche, weil er ihn nach seinem Genügen haben könne und schon immer habe. Aber es ist schwierig, sich redlich von der Orientierung an Erfolg und Effektivität zu lösen. Es ist schwer, es unmißverständlich und gehaltvoll auszusprechen, daß Gott nicht im *Erfolg* nur, sondern in der *Wahrheit* seinen Namen bekanntmache, daß er in der *Wahrheit* auffällig und unabweisbar dieser Welt gegenwärtig sei. Es ist deshalb gegenwärtig besonders schwierig, dies unmißverständlich auszusprechen, weil in unserem Jahrhundert zahllose – jeweils wohlmotivierte – geistige Anstrengungen darauf abzielen, die Rede von Wahrheit in der Rede von Erfolg ›aufzuheben‹[6]. Es ist schwierig, dies deutlich zu machen, weil die Wahrheit zwar keineswegs den Erfolg notwendig ausschließt, weil sie aber doch nicht notwendig mit dem Erfolg verbunden ist, nicht einmal mit einem ›dauerhaften‹ und erfreulichen Erfolg[7].

Die Bitte um die Heiligung des Namens Gottes bittet nicht einfach um die spektakuläre und effiziente – etwa Kettenreaktionen von Aufmerksamkeit auslösende – Hervorhebung des Namens und eine so erfolgende universale Bekanntmachung in dieser Welt. Sie bittet vielmehr den Vater im Himmel, er möge seinen Namen ins Klare, Reine, Unzweideutige, ins Wahrhaftige und Unvergängliche bringen: er möge seinen Namen *verherrlichen*![8]

Doch damit ist die Bitte noch nicht erschöpft. Denn wir müssen jetzt fragen: Wo soll denn Gott seinen Namen heiligen, wenn es dabei tatsächlich darum geht, ihn auch für uns ins Klare, Reine, Unzweideutige, ins Unvergängliche zu bringen, seine Wahrheit, seine Herrlichkeit zu erweisen? Wo in dieser Welt, in dieser Schöpfung, im Himmel und auf Erden, wäre ein Ort, an dem die Heiligung des Namens erfolgen könnte?

Schlösse diese Bitte nicht die andere um die Verwandlung der Welt ein, antizipierte sie nicht die Bitte um das Kommen des Reiches Gottes, so wäre sie tatsächlich unerklärlich und unverständlich.

So aber bittet sie den Vater im Himmel, er möge diese uns als eine Mischung von relativer Klarheit und relativer Dunkelheit begegnende Wirklichkeit verändern und darin seinen Namen ins Reine, Unzweideutige und Wahrhaftige bringen. Das heißt aber nicht weniger, als Gott zu bitten, er möge *hervortreten* aus dem für uns relativ unbestimmten Teil, dem unver-

6 So die Mehrzahl der Beiträge in *G. Skirbekk* (Hg.), Wahrheitstheorien. Eine Auswahl aus den Diskussionen über Wahrheit im 20. Jahrhundert, Frankfurt 1977.

7 Man kann einwenden, das sei nur eine Sprachregelung – es wäre dies aber eine Sprachregelung, die unser Weltverständnis *elementar* ändert. S. auch den Versuch, die Wahrheit mit Hilfe der »alt-neu«-Distinktion unter Erfolgsdruck zu bringen, bei *H. Schelsky*, Ist die Dauerreflektion [sic!] institutionalisierbar? Zum Thema einer modernen Religionssoziologie. ZEE 1, 1957, bes. die Bemerkung, »daß heute mit dem Christentum keine neue Wahrheit in eine alte Welt kommt, sondern sich eine alte Wahrheit gegenüber einer neuen Welt behaupten muß«, 154.

8 Vgl. *Barth*, Das christliche Leben, KD IV,4, aaO., 257f.

fügbaren Bereich der Welt, z.B. aus der, wie wir heute gern sagen, dunklen Zukunft, in einer ihm, seinem Namen gemäßen, seinen Namen verherrlichenden neuen Schöpfung.

2. *Die Heiligung und das Himmelreich als Verwandlung der Welt. Die barmherzige Verwandlung der Welt in Jesus Christus*

Mit dem Aussprechen der Bitte: »Dein Name werde geheiligt!«, die die Bitte um die Verwandlung der Welt antizipiert und einschließt, folgen wir der Aufforderung Jesu Christi. Ohne diese Aufforderung wäre es für die meisten Menschen ein unverständlicher Leichtsinn, diese Bitte auszusprechen. Die Verwandlung der Welt überhaupt, vorgestellt als Begegnung von Himmel und Erde, Vergehen von Himmel und Erde und Neuschöpfung von Himmel und Erde, wäre für die meisten Menschen zunächst doch nichts anderes als eine todbringende, verderbenbringende Katastrophe. Wer könnte sagen, er lebe bereits in der Klarheit, Unzweideutigkeit und Wahrhaftigkeit, in dem Bereich, der der Heiligung von Gottes Namen angemessen und würdig wäre, im Bereich der Demut, der Gerechtigkeit, der Barmherzigkeit, des reinen Herzens und des Friedens? Wer könnte die Verwandlung der Welt aus freien Stücken erbitten wollen, außer vielleicht diejenigen Menschen, die an marternder Krankheit ohne Aussicht auf Genesung, an notvoller Armut, an unerträglicher Erniedrigung und unvergeßlicher Schuld beständig leiden?

Wer könnte um die Verwandlung der Welt bitten, außer vielleicht der einfältige Mensch, der sich selbst nicht zu »dieser Welt« zählt, der in der Überzeugung lebt, er selbst könne von diesem in Vergehen und Neuschöpfung von Himmel und Erde erfolgenden Geschehen ausgenommen sein und es würde – wenn auch nicht »dieses sein Selbst« – so doch sonst irgend etwas oder irgendwer ihm in aller Verwandlung treu und gegenwärtig bleiben.

Es ist hier nicht noch einmal ausführlich auf die Meinungen einzugehen, die Verwandlung der Welt sei ein bloßer Integrationsprozeß in eine gleichmäßige und unterschiedslose Erinnerung Gottes; sie könne uns als eine Grundverfassung unserer Erfahrung, unseres Lebens beharrlich vor Augen stehen und sei von uns beständig zu ertragen und zu durchleben; sie sei in einem beständigen Wachstums-, Expansions- und Steigerungsprozeß entweder zu vollziehen oder doch zu verhindern[9]. Es soll auch nicht versucht werden, sie in abstrakter Weise zu beschreiben, zumal die schwierige und uneinheitliche Terminologie der Schrift an diesem Punkt einer *allgemeinen* Beschreibung wenn schon nicht widerspricht, so doch nicht entgegenkommt. Ebenfalls nicht einzugehen ist an dieser Stelle auf die mit der Rede von der Verwandlung der Welt verbundenen pauschalen zeitgeschichtlichen und »universalgeschichtlichen« Wunsch- und Schreckensbilder[10].

9 Vgl. die in Kap. III geführten Auseinandersetzungen.
10 S. die Darstellung bei *Moltmann*, Kirche in der Kraft des Geistes, aaO., 53–64.

Festhalten wollen wir hier aber zunächst, daß es ohne die Aufforderung Jesu Christi für die meisten Menschen ein unverständlicher Leichtsinn wäre, um die Heiligung von Gottes Namen und die davon unabtrennbare Verwandlung der Welt zu bitten, weil dies uns nötigt, unseren Tod ins Auge zu fassen.

Wird erkannt, daß es bei der Bitte: »Geheiligt werde dein Name!« nicht um einen missionarischen oder sonstigen Erfolg für die Kirche, auch nicht um einen bloßen Zusatz und Nachtrag zu Gottes Darstellung in der Welt geht, sondern um die Verherrlichung des Namens Gottes in der neuen Schöpfung, und wird ferner erkannt, daß diese neue Schöpfung gar nicht selbstverständlich die uns vertraute und geläufige, in ihrem von uns begrüßten, beklagten und dabei durchweg geduldeten Trott verlaufende »Welt« ist, so erscheint die Aufforderung, diese Bitte auszusprechen, als bedrückende Zumutung.

Die Aufforderung, wir sollen Gott um die Heiligung seines Namens und die damit verbundene auffällige und unabweisbare Präsenz in der Welt bitten, wäre in der Tat eine für die meisten Menschen unerträgliche Zumutung, wenn nicht die Verwandlung der Welt *in barmherziger Weise* in Kraft gesetzt wäre (vgl. 2 Kor 1,3).

In Jesus Christus geschieht diese Verwandlung der Welt. In ihm heiligt Gott seinen Namen. In ihm tritt der treue Gott hervor aus dem unbestimmteren, unverfügbaren Bereich der Welt in die Reinheit, Klarheit und Unzweideutigkeit. In ihm verherrlicht er im Himmel *und* auf Erden seinen Namen (Joh 1,14; 12,28; 17,1.4f.)[11].

Spätestens hier bringt sich die allgemeine Macht der *Zeit* zur Geltung mit dem Einwand, daß dies ein *vergangenes* Geschehen sei; wohingegen es in der Bitte um eine *zukünftige* Heiligung des Namens gehe, die aber doch auch irgendwie relevant für die *gegenwärtige* Welt werden sollte. Hier bringt sich ferner die allgemeine Macht des *Raumes* zur Geltung in dem Einwand, daß dieses Geschehen vielleicht ›hinten‹, fern in einem anderen Land, in einer fremden Kultur, oder ›vorn‹, weit fern in ungewissen Regionen uneinholbarer Imaginationen, vielleicht auch ›oben‹ im Himmel, aber doch nicht hier in unserem Lebensbereich und hier ›unten‹ auf dem ›Boden der Tatsachen‹ erfolge und daß es deshalb nicht als ›überall‹, als in der *Welt*, als Geschehen an der Welt verstanden werden könne[12].

11 S. *Moltmann*, ebd., 74ff. Daß das Osterereignis die totale, universale und endgültige Offenbarung der Herrlichkeit Gottes und die definitive Bestimmung der Welt ist, hebt ausdrücklich *K. Barth*, Die Lehre von der Versöhnung, KD IV,3, 347ff., hervor. S. dazu aber auch Abschn. 6 dieses Kap.

12 Zu diesem Problem s. *D. Bonhoeffer*, Gesammelte Schriften, Bd. 1, hg. *E. Bethge*, 3. Aufl., München 1978, bes. prägnant 145; aber auch die Darstellung von *J. Moltmann*, Die Wirklichkeit der Welt und Gottes konkretes Gebot nach Dietrich Bonhoeffer. In: Die mündige Welt, III, München 1960, 49: »Jedes Denken in Bereichen und Räumen muß an dieser christologischen Schau der Versöhnung von Gott und Welt letztlich zerbrechen, sagt Bonhoeffer, muß – vorsichtiger ausgedrückt – unter der eschatologischen Erwartung des einen Reiches auf seine Vorläufigkeit reduziert werden.« – Zur Brechung der Macht der Zeit und ihrer Relativie-

Wir werden auf diese Fragestellung eingehen, indem wir zunächst die die raumzeitlichen Ordnungsvorstellungen dieser Welt durchbrechende Verherrlichung des Namens Gottes behandeln, die unser Denken und Vorstellen, ja unsere ganze Existenz in einen neuen Erfahrungsbereich, in einen veränderten Gesamtzusammenhang oder, abstrakter ausgedrückt, in ein anderes Bezugssystem versetzt[13]. Sodann werden wir auf die konkrete und unabweisbare Wirksamkeit der barmherzigen Verwandlung der Welt in den Bereichen eingehen, die man wohl heute private, öffentliche und universale Zukunft und Welt bzw., allgemeiner und direkter, relativ nahe, relativ unbestimmte und relativ ferne Zukunft nennen sollte.

3. *Christus im Himmel: Der Vermittler zwischen Gott und Welt*

Die Warnung, wir sollten die Rede, daß Gott *im Himmel* sei, nicht überbetonen (vgl. bes. Kapitel IV, Abschnitt 1), da Mißverständnisse und Dunkelheiten Folgen solcher Überbetonung seien – diese Warnung gilt natürlich auch und uneingeschränkt im Blick auf Jesus Christus. Die Gottheit Christi kann nicht durch die bloße Betonung seines Seins im (wie wir sahen: geschöpflichen) Himmel ausgesagt werden. Die Feststellung, daß mit der Himmelfahrt »der Erhöhte unserem Zugriff *entzogen* ist«[14], ist eine wichtige, aber zugleich viel zu arme und, isoliert gesehen, sogar irreführende Bestimmung. Sie könnte nämlich, für sich genommen, zur Erklärung einer theistischen Abstraktion vom Christusgeschehen verwendet werden.

Den Versuchen, die Gottheit Christi an sein Sein im Himmel zu binden und im Blick auf dieses Sein auszusagen, steht das Neue Testament entgegen, indem es sagt, Christus habe den Himmel bzw. die Himmel überstiegen, durchschritten, sei höher geworden als sie (Eph 4,10; Hebr 4,14; 7,26). Die Gottheit Christi auszusagen gelingt aber auch nicht mit Hilfe des Versuchs, eine Überbietung und Steigerung des Himmels zu denken oder sich vorzustellen. Kein anderer als der auf dieser Erde sichtbare, wiedererkannte und wiedererkennbare auferstandene Gekreuzigte ist der Christus im Himmel. »Weil für ihn selbst die Himmelfahrt keine Veränderung der Seinsweise bedeutet, darum kann die Schrift oft die Auferstehung Jesu als die entscheidende Heilstat nennen ohne die Himmelfahrt zu erwähnen (Röm 1,3ff; Apg 10,41; 13,31 u.ä., dagegen Apg 2,33; 3,21 u.ä.).«[15] Mit

rung durch Christi Herrschaft über den Tod s. ferner *J. Moltmann*, Perspektiven der Theologie. Gesammelte Aufsätze, München u. Mainz 1968, z.B. 248f.

13 Zu dieser »Relativierung der Welt« s. neben *Whiteheads* Theorie neuerdings das gute Buch von *N. Goodman*, Ways of Worldmaking, Hassocks 1978, bes. die Kapitel I u. VII.

14 *O. Weber*, Grundlagen der Dogmatik, Bd. II, Neukirchen 1962, 707, stellt diesen Gedanken als reformierte Position dar.

15 *D. Bonhoeffer*, Gesammelte Schriften, Bd. 3, hg. *E. Bethge*, 2. Aufl., München 1966, 411. Vgl. *Bonhoeffer*, Gesammelte Schriften, Bd. 5, 1. Erg.bd., hg. *E. Bethge*, München 1972, 246.

Recht hat Dietrich Bonhoeffer festgehalten: »Bei Matth fehlt ein Himmelfahrtsbericht. An seine Stelle treten die letzten Worte Jesu in Mt 28,18. ›Mir ist gegeben alle Gewalt im Himmel und auf Erden . . . Siehe, ich bin bei euch alle Tage bis an der Welt Ende‹; das ist die Himmelfahrtsbotschaft selbst.«[16]

Es wäre also durchaus möglich und sinnvoll, Christi Himmelfahrt als sein Eingehen in »die Zukunft« der Welt, sein Sein im Himmel als sein Präsentsein in der nahen und fernen, deutlicheren und dunkleren Zukunft der Welt zu bestimmen – wenn wir nicht das fatale und anscheinend unüberwindliche Verlangen hätten, »die Zukunft« ausschließlich als *unsere* Zukunft, als *meine* Zukunft, als von uns und mir gewünschte und gefürchtete Zukunft aufzufassen bzw. nur eine *solche* Zukunft als Zukunft zu verstehen und anzuerkennen. Würden wir aber dieses Bedürfnis erfassen und ändern, würden wir klar aussagen, daß Christus nicht nur in meiner und unserer, sondern in *aller* Zukunft und in allen relativen Zukünften gegenwärtig ist, so würden wir der Macht der Zeit spotten, die das Christusgeschehen bald als sich näherndes, bald als sich entfernendes erscheinen läßt. Wir müßten dann hinzufügen, daß die Rede vom Sein Jesu Christi in der Zukunft nur *ein* Versuch ist, sein Sein in aller Zeit für uns auszusagen. Und wir würden überlegen müssen, ob nicht angesichts der Relativierung der Zeitvorstellungen und angesichts der Neigung, die Zukunft als unsere Zukunft besetzen, limitieren und kontingentieren zu wollen, die Rede von Christus *im Himmel* vielleicht die nicht nur theologisch bewährtere, sondern auch die sachgemäßere sein könnte.

Dieser Aspekt der (inhaltlichen!) theologischen Sprachregelung ist zwar wesentlich wichtiger und folgenreicher, als er erscheinen mag, wenn man die Präzision und den Realitätsbezug theologischer Rede überhaupt geringschätzt; er ist aber nicht der entscheidende Aspekt in der Rede von »Christus im Himmel«. Solange wir nur das Problem vor Augen haben, das wir das der Artikulation der *Universalität* Jesu Christi nennen können, ohne klarzustellen, *daß* hier etwas *geschieht*, ohne klarzustellen, *was* hier geschieht, vermitteln wir nur *einen* – und zudem einen vieldeutigen, schwachen und trüben Eindruck von der Herrlichkeit Gottes[17]. Dennoch sollten wir diesen vieldeutigen Eindruck nicht geringschätzen. Denn Gottes unauffällige, aber beharrliche, unsichtbare, aber treue Präsenz im unverfügbaren Bereich der Welt versteht sich keineswegs von selbst. Daß Gott sich nicht von seiner Schöpfung entfernt, daß er der *Vater im Himmel* sein will und daß wir seine *Kinder auf Erden* sein sollen, daß sich diese Beziehung nicht nur in einer vielleicht flüchtigen, vielleicht mit furchtbaren Folgen verbundenen Begegnung von Himmel und Erde äußert, sondern daß eine feste, verläßliche und

16 *Bonhoeffer*, Gesammelte Schriften, Bd. 3, aaO., 413. S. auch *ders.*, Gesammelte Schriften, Bd. 4, hg. *E. Bethge*, 3. Aufl., München 1975, 119ff.

17 Vgl. Kap. I, Abschn. 1.

– wie bei Familienbindungen – unkündbare Verbindung hergestellt ist, das verbürgt das Sein Jesu Christi im Himmel.

Jesus Christus im Himmel – das heißt: der, der auf dieser Erde in dieser Welt gesehen, wiedererkannt, berührt wurde, ist im für uns unbestimmteren Teil der Schöpfung gegenwärtig. Jesus Christus im Himmel – das heißt: es ist dafür Sorge getragen, daß Gott sich nicht von der Welt, vielleicht unbemerkt oder sogar unmerklich, zurückzieht; es ist dafür Sorge getragen, daß wir nicht vergebens, ohne gehört zu werden, unseren Vater im Himmel anrufen.

Wenn wir überhaupt die – wie wir in Kapitel I, 6 zeigten: mißverständliche – Rede vom Menschen »zwischen« Gott und Welt verwenden wollen, so müssen wir mindestens präzisieren, daß Jesus Christus dieser Mensch ist. In und durch ihn bleibt Gott im Himmel und auf Erden der Welt nahe, bleibt er in der Welt präsent.

Spätestens hier wird die Frage gestellt werden, die hinter der Berufung auf die trennende Macht der Zeit und die distanzierende Macht des Raumes steht, nämlich: Was bedeutet das alles für mich, für uns, jetzt, sofort, jedenfalls zu meinen Lebzeiten und spätestens bei und nach meinem Tod? Wie, wann und wo äußert sich diese nicht gewalttätige, nicht spektakuläre, nicht Himmel und Erde vernichtende Vermittlung zwischen Gott und Welt?

Vor allem: Was ist da geschehen, was geschieht da, wo im für uns relativ unsichtbaren, relativ unbestimmten Bereich der Schöpfung auf eine diese Welt verwandelnde Weise eine neue Ordnung in Kraft gesetzt wird; *was geschieht da, wo Barmherzigkeit uns gegenüber mit folgenlosem, ineffizientem Handeln, wo Treue mit Gleichgültigkeit uns tatsächlich verwechselbar erscheinen?*

Die theologische Antwort auf diese Frage ist klar und bestimmt: Hier ereignet sich Gerechtigkeit, Recht schaffendes Handeln, hier ereignet sich Heilung und Friedensstiftung – durch *Sündenvergebung.*

Das Gerechtigkeit durch Sündenvergebung und nicht durch Sündenbestrafung schaffende Handeln, die Friedensstiftung ohne Krieg, Rache und Reparation, die Heilung ohne Verlust und Schmerz – für uns –, das ist in der Tat ein unauffälliges, im für uns relativ Unsichtbaren, relativ Unbestimmten vonstatten gehendes Geschehen, ein Geschehen, in welchem Barmherzigkeit mit Untätigkeit und Treue mit Gleichgültigkeit verwechselt werden können. Gerechtigkeit durch Sündenvergebung – das ist ein prägnanter Ausdruck für das Ereignis des Himmelreichs, die Begegnung von Himmel und Erde, die Verwandlung der Welt, die in Jesus Christus geschehen ist und geschieht, auf dem die Strafe und der Schmerz liegen (Jes 53, bes. 3–6).

4. *Christus auf Erden: Die Befreiung von der Angst der Welt*

Schaffung von Gerechtigkeit durch Sündenvergebung – so wird die Präsenz Gottes in der Welt unabweisbar. Schaffung von Gerechtigkeit, Heil und

Frieden durch Sündenvergebung – so bewegt Gott die Welt, so geschieht sein Wille im Himmel und auf Erden. In diesem durchaus noch näher zu charakterisierenden Geschehen heiligt Gott seinen Namen, kommt sein Reich. Hier durchbricht Gott die Ferne, das Sich-Entfernen der Menschen von ihm, ihre Versuche, sich von ihm entfernt zu halten; hier durchbricht Gott die Versuche, ihn zu ersetzen und sich so völlig von ihm zu entfernen – nichts anderes ist ja die Sünde. Hier beendet er die Versuche, die Welt abzuschließen, zu verengen, gegen die Begegnung und das Vergehen von Himmel und Erde gleichsam abzuschirmen. Das heißt zuerst: Gott durchbricht die Angst, die beklemmende Enge der Welt[18]. Doch wie zeigt sich dieses Geschehen außer in den Rufen des Evangeliums: Friede ist mit euch! Fürchtet euch nicht! Steht auf! Macht euch auf! Wie können uns diese Rufe anrühren?

Das sei leicht so allgemein gesagt, lautet der allgemeine Einwand, angesichts der Sachzwänge und tödlichen Kettenreaktionen, der begrenzten Möglichkeiten und der beklemmenden Zukunft, der Krankheit und der Gefangenschaft durch äußere Maßnahmen oder innere Rücksichten.

Dieser Einstellung gegenüber gewinnen die weltfeindlich oder weltverachtend klingenden Aussagen der Schrift ihren Sinn. Sie sind Aufforderungen, die Grenzen der Welt, das Sich-Abgrenzen gegen Gott nicht zu sehr auf sich zukommen zu lassen. Hier wird ferner das auf beständige Ausweitung der Erinnerung Gottes (Ogden) und das auf die kontinuierliche Expansion, auf Wachstum und Ausbreitung des Leibes Christi (Cobb) dringende Denken in seinen Intentionen verständlich. Doch die bloße Erweiterung und die bloße Entschränkung der Welt nimmt nicht die Angst, wenn sie nicht die Entfernung, die Auslöschung des Ängstigenden mit sich bringt. Diese Auslöschung des Ängstigenden und der Angst erfolgt nicht durch ein Eliminieren, Verschwindenlassen von irgend etwas, nicht durch Schaffung eines leeren Freiraums. Diese Auslöschung der Angst der Welt ereignet sich allein in der Nähe Gottes selbst. Nicht die Ausweitung der Welt, nicht die Erweiterung und Steigerung der Possibilitäten, nicht die scheinbare Überwindung der Welt durch negierende Haltungen, sondern das Tragen und Überwinden der Gottverlassenheit durch *Jesus Christus* ist die Befreiung von der Angst der Welt (Joh 16,33). Durch diese Befreiung wird die Welt in »allen ihren Tagen« und »bis an ihr Ende« für Gottes Gegenwart und für unser Sein in dieser Gegenwart geöffnet.

Die Folgen dieses Geschehens werden deutlich, wenn wir uns um ein differenzierteres Verstehen jener Angst bemühen. Wir müssen zu diesem Zweck nicht nur von »der Zukunft«, sondern von der relativen oder jeweils relevanten Zukunft sprechen. Es zeigt sich dann, daß diese Zukunft überhaupt nicht pauschal *dunkel* genannt werden kann. Die *relativ nahe Zukunft*, d.h. die nächsten Sekunden, Minuten . . ., eben der Bereich der un-

18 Ich gehe an dieser Stelle nicht auf die komplementäre Erscheinung ein, die ich oben »Hochmut der Welt« genannt habe.

auffälligen Antizipationskapazität des Bewußtseins, der auch der Bereich konkreten, definitiven Handelns und Entscheidens ist, ist nicht dunkel – außer eben in Angstsituationen. Ebenso ist die *relativ ferne* individuelle *Zukunft* nicht dunkel, wenn nicht, wie Karl Barth eindrücklich gezeigt hat[19], die Angst vor der Begegnung mit Gott diese Zukunft, nämlich den unabwendbaren Tod, verdunkelt. Dunkel kann nur die (über die relativ nahe Zukunft hinaus) mir verbleibende Zukunft, die ich mit anderen Menschen gemeinsam habe, genannt werden[20]. Diese Zukunft in der mir möglichen, notwendigen und zuträglichen Weise zu erhellen, aufzuklären, zu erschließen ist mir jetzt Zeit, Raum und Gelegenheit gegeben – bzw. die Gelegenheit wäre beständig gegeben, wenn nicht die relativ nahe Zukunft, in der ich mich dieser Aufgabe zuwenden könnte, *verdunkelt* wäre von der *Angst* der Welt.

Die Angst der Welt, diese uns bedrückende, dunkle Vermischung von Leiden *und* Sünde klärt allein die Nähe Gottes; die Nähe Gottes durchbricht die für uns unauflösliche Kette von Leid *und* Schuld. Nur Sündenvergebung, nicht Sündenfixierung und Sündenbespiegelung kann hier von Leiden und Sünde, von Leid und Schuld befreien. Nur weil uns Gott eine Chance gibt, nur weil er uns auch die Chance gibt, unsererseits der Welt eine Chance zu geben (wobei zu beachten ist, daß wir Teil der Welt der anderen Menschen sind), nur weil sich Gott der Welt erbarmt, kann die Erstarrung der Welt, kann ihre Lähmung durch die Angst gerade in konkreten, begrenzten Ereignissen überwunden werden; es kann immer erneut und überall Frieden bestätigt und gestiftet werden; Furchtlosigkeit kann in jeder Begegnung ausgebreitet und Furcht kann vertrieben werden; jede Situation kann dem Erweis der Lebendigkeit und Unbeugsamkeit dienen; jederzeit und immer erneut kann der Aufbruch aus Leid-Schuld-Wechselzusammenhängen versucht, vollzogen werden und gelingen[21].

Doch: Wird hier nicht eine zu begrenzte private Zukunft, wird hier nicht nur der »Himmel des Herzens« ins Auge gefaßt, das allzu Konkrete, allzu Gegenwärtige, das doch von der relativ unbestimmteren Zukunft der öffentlichen Welt nicht einfach ablösbar ist? So oder ähnlich lauten die Fragen derer, die mit Recht auf die aktive, historisch wirksame, effiziente Befreiung, Schaffung von Gerechtigkeit dringen, die darauf Wert legen, daß wir, nachdem unsere Angst durch Christus überwunden ist, unsererseits, wie der Heidelberger Katechismus vortrefflich sagt, »mit vnserm Gottseligen wandel/vnsere nechsten auch Christo gewinnen«[22].

19 *Barth*, KD III/2, aaO., § 47, bes. aber 739ff.

20 S. auch die ebenfalls von *Whiteheads* Theorie geprägte Abstufung der Zukunft bei *Cobb*, Was ist die Zukunft?, aaO., 372ff. Grundsätzlich schon in der Unterscheidung von ›Gegenwart‹, ›Zukunft‹ und ›dazwischen liegender Geschichte‹ sind diese drei Bereiche der Zukunft häufiger gedacht worden, z.B. *H.-D. Wendland*, Geschichtsanschauung und Geschichtsbewußtsein im Neuen Testament, Göttingen 1938, 79f.

21 Vgl. *Moltmann*, Gotteserfahrungen, aaO., 41ff.

22 BSKORK, 170, Antwort auf die 86. Frage.

5. *Die Erwartung des Himmelreichs in der Befreiung von Krankheit und Schuld, Armut und Reichtum. Impulse des Prozeßdenkens*

Die Relativität der Welt – die sich eben auch darin zeigt, daß sie uns bald als zu eng, beklemmend, schon die nächsten Schritte lähmend, dann wieder als zu weit, unüberschaubar, voller unausschöpfbarer Möglichkeiten steckend erscheint – überwindet der treue Gott, indem er sich den Menschen nähert, und das heißt: die Angst und die vielen Befürchtungen der Welt überwindet. Das heißt unmittelbar: indem er die Menschen selbst überwindet, sie aus ihrer Angst herausruft und herausreißt[23].

Dieses Herausrufen, Herausreißen aus dem Leid-Schuld-Wechselzusammenhang geschieht in der Sündenvergebung, ja, ist die Sündenvergebung. Dieses Ereignis der Befreiung, dieses einzig und allein die Bezeichnung *Befreiung* wirklich verdienende Ereignis[24] verwandelt die Welt, ohne sie zu vernichten, es erneuert die Welt.

Die von der Angst der Welt befreiten Menschen leben im Geschehen der Erneuerung der Welt. Sie sehen dabei aber nicht nur die Welt mit »neuen Augen«, sondern erfahren und verbreiten die gute und frohe Botschaft, daß Gott seinen Namen auch hier auf Erden heiligt, daß er hervorgetreten ist aus dem relativ unbestimmten und unverfügbaren Teil der Schöpfung, daß er in Jesus Christus das von uns aus nicht zu überwindende, von uns nicht einmal zu mindernde Fernsein aufgegeben hat. Die durch die Nachricht von der Nähe Gottes in Jesus Christus befreiten und andere befreienden Menschen werfen das unglückliche, trostlose Streben und Sehnen der Himmelsgläubigkeit[25] ab. Sie haben den Anbruch einer diese Welt nicht verachtenden, vernichtenden oder – vergeblich – sie zu fliehen oder zu übersteigen suchenden Verwandlung erfahren: es ist dies die Erfahrung des Himmelreichs, des Reichs der Vergebung der Sünden, des Herausreißens aus dem Leid-Schuld-Wechselzusammenhang. Diese hilfreiche Erfahrung äußert sich in froher, mitteilungsfreudiger *Erwartung des kommenden Reiches.* Diese Erwartung aber äußert sich ihrerseits in ansteckendem Befreitsein, das sich zuerst der Erübrigung der Angst der Nächsten und des Aberglaubens zuwendet[26].

Die ansteckende Befreiung in der Bitte um das Kommen des Reiches und in der Erwartung des kommenden Reiches kann aber *nicht fixierendes* und – um frei zu sein – *vernichtendes,* sondern nur *Fixierungen lösendes* und *hei-*

23 *Moltmann*, Gotteserfahrungen, 37ff.; s. auch *R. Bultmann*, Theologie des Neuen Testaments, 5. Aufl., Tübingen 1965, 320f. u. 243.

24 Im Gegensatz zu den Versuchen, in Kausalreihen ein Schuld-Leid-Verhältnis festzustellen, zu bestrafen und zu bemitleiden bzw. ein Leid-Schuld-Verhältnis festzustellen, zu entschuldigen und zu moralisieren.

25 Vgl. Kap. IV, Abschn. 5.

26 Zur Genese des Aberglaubens im Zusammenhang der natürlichen Theologie s. *E. Jüngel*, Das Dilemma der natürlichen Theologie und die Wahrheit ihres Problems. In: Denken im Schatten des Nihilismus. FS Wilhelm Weischedel zum 70. Geburtstag, hg. *A. Schwan*, Darmstadt 1975, 425.

lendes Reden und Handeln nach sich ziehen. Hier haben sich Theologie und Kirche in den letzten Jahren zu sehr von politischen Polarisations- und Negationsmechanismen sowie von allzu vereinfachenden Bildern eines monadischen Individuums, das einer Gesellschaft »gegenüberstehe«, auf diese zu »beziehen« sei, leiten lassen. Vor allem haben sie Verneinungsstrategien mit Abschaffung des Verneinten verwechselt und die Folgeprobleme von wirklich gelingenden Beseitigungen eines Übels zu wenig reflektiert. In allen diesen Punkten können das Prozeßdenken, aber auch die Kapitel III, in den Teilen B und C vorgestellten Beiträge der Prozeßtheologie wertvolle Anstöße für eine neue Prägung vor allem des sozialen und moralischen Denkens im Raum von Theologie und Kirche geben, was in diesem Kontext wenigstens angedeutet werden kann.

Vor allem wird das Prozeßdenken vertieftes Verstehen wecken können für die Kopräsenz von Fixierungs- und Dissoziationserfahrungen, von Gelähmtsein und Unruhig- bzw. Mißtrauischsein bei Krankheits- und Schuldsituationen. Dies aber ist wichtig für die unerläßliche Erneuerung des Verständnisses für die *befreiende Kraft des anredenden Wortes:* die behutsame Auflösung von Fehlorientierungen und die dabei zugleich (aber nicht *durch* die bloße Auflösung, die bloße »Negation des Negativen«) gegebene Neukonzentration. Aber nicht nur die – angesichts der viele Menschen zerrüttenden geistlosen und zerstreuenden Anredestrategien durch viele Medien besonders dringliche – Besinnung auf befreiendes und heilendes Sprechen, das der Erfahrung des kommenden Reiches Ausdruck geben könnte, ließe sich durch das Prozeßdenken fruchtbar gestalten.

Es ließe sich auch ein neues, die personalistische Herr-Knecht-Ideologie auflösendes Verstehen der mit Armut und Reichtum verbundenen Perspektiven auf die Welt erschließen. Wir könnten nicht nur den satten Menschen eindringlicher die Beraubung an Zukunft und Freiheit, die enge und angstvolle ›Welt‹ der von Armut (auch von ›relativer Armut‹ in einer relativ reichen Umgebung) und von Hunger gequälten Menschen vermitteln, ihr Ausgestoßensein aus der vollen Gemeinschaft auch durch die Begrenzung ihrer Lebenssphäre begreiflich machen, sondern auch die Leid-Schuld-Wechselzusammenhänge, die auch diese Welten *in sich* stabilisieren, entdecken. Und andererseits ließen sich die Steigerungsideologien entlarven, z.B. ein angesichts der natürlich begrenzten Lebenssphäre sinnloser Reichtum, die damit verbundene Vorverlagerung der Angstschwellen, die gesteigerte Irritabilität einer nicht nur das tägliche Brot erbittenden, sondern für Dekaden ›Vorsorge‹ treffen wollenden Existenz. In der Lehre von der Überprüfung, Lockerung und Lösung der ›Sicherungen‹ einer Welt, die Freiheit, Freude und Frieden nur behindern, könnten nicht-moralistische, nicht von Neid und segmentierendem, abstraktem Gleichheitsdenken geprägte Befreiungsstrategien konzipiert bzw. fortentwickelt werden[27]. Wer

27 Am diagnostisch kompetentesten die systemtheoretisch denkenden Beiträge, z.B. *H. Zwiefelhofer,* Zum Begriff der Dependenz. In: Befreiende Theologie. Der Beitrag Lateiname-

Whiteheads reife Theorie und zumindest Loomers Ausführungen zur Neubestimmung des Verhältnisses von Individuum und Gemeinschaft kennt, der weiß, daß wir weit davon entfernt sind, mit der gebotenen und möglichen Effizienz der Erstarrung und der Zerrüttung und Zerstreuung unserer Welt beharrlich, gelassen und heilsam entgegenzuwirken.

Aber auch wenn wir am Vorurteil festhalten und das Vorurteil pflegen, daß sich eine immer mildere, gleichsam immer liebevollere Gesetzlichkeit entwickeln lasse, daß wir mit dem befreienden Handeln in der Welt die frohe Erwartung des Reiches steigern, daß wir tatsächlich »mit vnserm Gottseligen wandel vnsere nechsten auch Christo gewinnen« können, so bleibt doch die letzte und entscheidende Frage offen. Sie bleibt offen, auch wenn wir mit der theologischen Tradition betonen, es komme *alles* darauf an, daß Christus *selbst* die Mitmenschen und uns ergreife, daß er selbst die Befreiung von Angst, Krankheit, Schuld, Armut und Reichtum übernehme, daß er selbst zwischen Gott und Welt vermittle, daß er selbst für die Heiligung des Namens Gottes Sorge trage. Die offene, immer wieder auftretende Frage ist die Frage nach der *unbedingten* und *uneingeschränkten Treue Gottes.* Wenn Gott auch die barmherzige Verwandlung der Welt in Jesus Christus in Kraft gesetzt und vollzogen hat – zeigt nicht doch der *Prozeß* dieser Verwandlung, daß es eine *Relativität* auch der Nähe und Ferne Gottes, eine Relativität der Befreiung, eine Relativität der Präsenz Gottes in der Welt, eine Relativität der Heiligung und Verherrlichung seines Namens gibt?

6. *Das Himmelreich und das von Christus getragene Leiden der Welt an der Ferne Gottes*

Wir haben von der Universalität des treuen Gottes gesprochen[28] und von dem Erweis dieser Treue in Jesus Christus. Doch je differenzierter und konkreter wir den Erweis dieser Treue auch hier und jetzt, in dieser Welt, in der relativ naheliegenden und der sie umgebenden, relativ unbestimmten Zukunft, im unmittelbar persönlichen und im öffentlichen Lebensbereich darstellten, um so dringlicher wurde die Frage nach der Unbedingtheit und Uneingeschränktheit der Treue Gottes. Wenn Gott in dieser Welt seinen Namen heiligt, was geschieht dann noch in jener Welt? Was geschieht, wenn dann das Reich nicht mehr kommend, sondern *da* sein wird, wenn der Name Gottes in voller Klarheit, Reinheit und Unzweideutigkeit verherrlicht wird? Was geschieht dann – so werden die Fragen in der Regel zugespitzt – mit denen, die selten oder nie um diese Heiligung gebeten haben, die nicht oder kaum der Freude am kommenden Reich teilhaftig geworden sind? Was ge-

rikas zur Theologie der Gegenwart, hg. *K. Rahner* u.a., Stuttgart, Berlin, Köln u. Mainz 1977, bes. 36ff.

28 Kap. IV, Abschn. 6 und durchgängig in diesem Kapitel, indem wir die Universalität Gottes in Jesus Christus auszusagen suchten. Vgl. *Jüngel*, Gottes Sein ist im Werden, aaO., 132f.

schieht mit denen, die Gottes Gegenwart zu verdrängen und das Kommen des Reiches zu ignorieren suchten? Was geschieht gar mit denen, die das in ihrer Kraft Stehende dafür taten, die Nähe Gottes übersehen und das Kommen des Reiches vergessen zu lassen? So oder ähnlich wird gefragt, ob auch tatsächlich die »Letzten« im Himmelreich von dem gütigen Gott den gleichen Lohn empfangen wie die »Ersten« (vgl. Mt 20,1–16), ob denn tatsächlich Jesus Christus der Herr über Lebende *und* Tote (Röm 14,9) und ob er, der barmherzige Gott, Richter über Lebende und Tote sein wird (Apg 10,42)[29].

Hier tritt die Zukunft ins Blickfeld, die wir die individuell *relativ ferne* bzw. die universale genannt haben, die Zukunft, in der die Angst der Welt uns nicht mehr von Gott trennen kann, wo uns die Sorge um die Steigerung der Erwartung des Reiches, um die Vermehrung oder Verminderung der Anzeichen seines Kommens nicht mehr besetzen kann.

Werden dann die Leid-Schuld-Wechselzusammenhänge dieser Welt gleichsam eingefroren, verfestigt und verewigt werden? Wird alles – jedem das Seine – erinnert und so erhalten bleiben? Wird Gott den einen nah, den anderen näher, wieder anderen fern und vielleicht unendlich fern sein und bleiben? Werden auch dort *Grade* von Freiheit und Unfreiheit, von Freude und Schmerz, Erlöstheit und Unerlöstheit sein? Oder wird Gott seiner Treue gedenken und alles, das ganze Reich, nach neuen Regeln verwandeln? Aber wären diese Regeln, wenn sie als neue Regeln in Kraft gesetzt würden, nicht gerade die endgültige, definitive Widerlegung der Treue Gottes? Unabweisbar sind diese Fragen für eine *prozessual* vorgestellte und gedachte Welt, wenn ihr *Ende*, ihre Erfüllung ins Auge gefaßt wird.

Nach der Erkenntnis des christlichen Glaubens ist das Ende der Welt wohl als zukünftiges Geschehen vorstellbar – dennoch aber bereits in der barmherzigen Verwandlung der Welt im Christusgeschehen vollzogen und klar ausgedrückt. Auch die bedrängende Frage nach der Festigkeit und Stetigkeit der Treue Gottes – gerade angesichts der Verwandlung der Welt in jener relativ fern erscheinenden universalen Zukunft – hat bereits ihre deutliche Antwort gefunden.

Die mächtige, schöpferische Treue Gottes überwindet die sich in Leid und Schuld von Gott fernhaltende Welt. Gerade in dieser Überwindung betätigt Gott seine starke Treue. Er schenkt denen sein Erbarmen, die ihm fernstehen. Dies ist für die, die die Verheißung seiner Nähe empfangen haben, die sich ihm nahe halten wollen, und für die, die sich in seiner Nähe wähnen, ein unbegreifliches Geschehen. Sie fürchten einen Bruch der Treue Gottes und haben Angst angesichts der drohenden Diskontinuität der Welt. In dieser Furcht und Angst halten nun sie sich von Gott entfernt, so daß jetzt sie, die einst Nahen, des Erbarmens Gottes bedürfen. Auf diese Weise hat Gott aller Welt ihren Zweifel an der Beständigkeit seiner Treue nicht zerstreut,

29 S. dazu *Barth*, Das christliche Leben, KD IV,4, aaO., 23f.; und *K. Stock*, Gott der Richter. Der Gerichtsgedanke als Horizont der Rechtfertigungslehre. EvTh 40, 1980, 240ff., bes. 254ff.

damit sein Erbarmen an der Welt wirksam und offenbar werde (s. Röm 11, 25–32, bes. 30–32).

Es ist also bereits verfügt, was dann sein wird, wenn – wie nicht nur die Prozeß-Philosophie mit ihrer Lehre von der *objektiven Unsterblichkeit* zu sagen nahelegt – »der ganze Mensch . . . mit seinem ganzen Leben, mit seiner persönlichen Welt und mit der ganzen unverwechselbaren Geschichte seines Lebens vor Gott« tritt und mit ihm die untrennbar verbundene »übrige Welt und die gesamte Geschichte«[30]. Wir brauchen nicht ängstlich über natürliche Weisen der Kontinuität dieser unserer Welt mit jener Welt zu grübeln; wir müssen uns nicht auf den Gedanken zurückziehen, daß sich der Prozeß fortsetze oder wiederhole, weil die Kraft der Naturgesetze nicht zur Ruhe zu bringen ist; und wir müssen uns auch nicht, wie Whitehead es tat, in die Vermutung verlieren, es würden einst universale Harmoniezustände herrschen, in denen das Beste dieser Welt zur Fortsetzung und zu ewigem Bestand gelange.

Für den christlichen Glauben ist die Gestaltung des eschatologisch zu nennenden Seins der Welt nach dem »Ende der Leidensgeschichte und (der) Vollendung der Befreiungsgeschichte«[31] keine offene Frage und keine Angelegenheit vager Vermutungen. Nicht das Naturgesetz, auch keine gesetzmäßige kulturelle Errungenschaft und auch keine Kontinuitätsgaranten irgendwelcher höherer Ordnungen können die Uneingeschränktheit und Unbedingtheit der Treue Gottes verbürgen oder auch nur zur Imagination gelangen lassen.

Allein Jesus Christus bürgt für die Uneingeschränktheit und Unbedingtheit der Treue Gottes, und er wird dafür bürgen, wie hier, so auch dort und dann. Der Gekreuzigte hat nicht nur damals, nicht nur jetzt die Sünde der Welt auf sich genommen, sondern er wird auch dann die Sünde der Welt ein für allemal getragen haben. Er wird die Ferne der Welt von Gott, die Leid-Schuld-Wechselzusammenhänge auf sich genommen haben. Er wird die Regel der *treuen* Verwandlung der Welt in Kraft halten. Er allein wird würdig sein, die *Gottverlassenheit* zu tragen. Er allein war, ist und wird sein das Lamm, das der Welt Sünde und Unfreiheit, der Welt Leiden an der Ferne Gottes trägt. Mit der Rede von Harmoniezuständen des Himmelreichs ist dieses Geschehen wohl nicht zu erfassen. Daß in ihm die eschatologische Herrlichkeit Gottes offenbar wurde und offenbar sein wird, das ist gewißlich wahr.

30 *G. Lohfink,* Was kommt nach dem Tod? In: *G. Greshake* u. *G. Lohfink,* Naherwartung – Auferstehung – Unsterblichkeit. Untersuchungen zur christlichen Eschatologie, QD 71, 3. Aufl., Freiburg, Basel u. Wien 1978, 195 u. 196.
31 *Moltmann,* Kirche in der Kraft des Geistes, aaO., 152.

Abkürzungen

Neben den in der Theologischen Realenzyklopädie, hg. G. Krause u. G. Müller, Bd.: Abkürzungsverzeichnis, zusammengestellt von S. Schwertner, (de Gruyter) Berlin u. New York 1976, aufgeführten Sigeln werden die folgenden Abkürzungen verwendet:

a. Werke A. N. Whiteheads

Nach dem Titel wird jeweils das Jahr der Erstveröffentlichung in Klammern angegeben. Ein einer Sigel nachgestelltes d verweist auf die deutsche Übersetzung.

AE	The Aims of Education and Other Essays (1929), (Free Press) New York u. London 1967.
AI	Adventures of Ideas (1933), (Free Press) New York u. London 1967.
AId	Abenteuer der Ideen. Übers. E. Bubser, (Suhrkamp) Frankfurt 1971.
CN	The Concept of Nature (1920), (Cambridge University Press) Cambridge 1971.
ESP	Essays in Science and Philosophy (1947), (Greenwood Press) New York 1968.
ESPd	Philosophie und Mathematik. Vorträge und Essays. In Auswahl übers. F. Ortner, (Humboldt) Wien 1949.
FR	The Function of Reason (1929), (Princeton University Press) Princeton 1929.
FRd	Die Funktion der Vernunft. Übers. E. Bubser, (Reclam) Stuttgart 1974.
IM	An Introduction to Mathematics (1911), (Oxford University Press) Oxford, London u. New York 1969.
IMd	Eine Einführung in die Mathematik. Übers. B. Schenker, 2. Aufl. (Lehnen) München 1958.
MC	On Mathematical Concepts of the Material World. Philosophical Transactions, Royal Society of London. Reihe A, Bd. 205, 1906, 465–525.
MT	Modes of Thought (1938), (Free Press) New York 1968.
OT	The Organisation of Thought, Educational and Scientific (1917), (Greenwood Press) Westport 1975.
PM	Principia Mathematica (mit B. Russell), Bd. 1 (1910), (Cambridge University Press) Cambridge 1925.
PNK	An Enquiry Concerning the Principles of Natural Knowledge (1919), (Cambridge University Press) Cambridge 1955.
PR	Process and Reality. An Essay in Cosmology. Gifford Lectures Delivered in the University of Edinburgh During the Session 1927–28 (1929), (Macmillan Co.) New York 1967.
PRc	Process and Reality. An Essay in Cosmology . . . Corrected Edition, hg. D. R. Griffin u. D. W. Sherburne, (Free Press) New York 1978.
PRd	Prozeß und Realität. Entwurf einer Kosmologie. Übers. H.-G. Holl, (Suhrkamp) Frankfurt 1979.
R	The Principle of Relativity, with Applications to Physical Science (1922), (Cambridge University Press) Cambridge 1922.
RM	Religion in the Making (1926), (New American Library) New York 1960.

S	Symbolism, Its Meaning and Effect (1927), (Putnam) New York 1959.
SMW	Science and the Modern World (1925), (Collins) Glasgow 1975.
SMWd	Wissenschaft und moderne Welt. Übers. G. Tschiedel u. F. Bondy, (Morgarten) Zürich 1949.
UA	A Treatise on Universal Algebra, with Applications (1898), (Cambridge University Press) Cambridge 1898.

b. Sammelbände mit Aufsätzen über Whitehead

Hartshorne	Whitehead's Philosophy. Selected Essays, 1935–1970, (University of Nebraska Press) Lincoln 1972.
Kline	Alfred North Whitehead. Essays on His Philosophy. Hg. G. L. Kline, (Prentice-Hall) Englewood Cliffs 1963.
Leclerc	The Relevance of Whitehead. Philosophical Essays in Commemoration of the Centenary of the Birth of Alfred North Whitehead. Hg. I. Leclerc, (George Allen) London 1961.
Schilpp	The Philosophy of Alfred North Whitehead. The Library of Living Philosophers, Bd. III. Hg. P. A. Schilpp, (Open Court) La Salle 1971.

c. Sammelbände mit Aufsätzen über Prozeßdenken und Prozeßtheologie

Process and Divinity. FS Hartshorne	Process and Divinity. Philosophical Essays Presented to Charles Hartshorne. Hg. W. L. Reese u. E. Freeman, (Open Court) La Salle 1964.
Process Philosophy	Process Philosophy and Christian Thought. Hg. D. Brown, R. E. James u. G. Reeves, (Bobbs-Merrill Co.) Indianapolis u. New York 1971.
Process Theology	Process Theology. Basic Writings. Hg. E. H. Cousins, (Newman Press) New York, Paramus u. Toronto 1971.
Religious Experience	Religious Experience and Process Theology. The Pastoral Implications of a Major Modern Movement. Hg. H. J. Cargas u. B. Lee, (Paulist Press) New York u. Paramus 1976.

Literatur

Es werden hier nur die in Text und Anmerkungen aufgeführten und zitierten Titel angegeben. Artikel aus den Nachschlagewerken HWP, RE, RGG, THAT und ThWNT, auf die in der Arbeit Bezug genommen wird, sind in der Literaturliste nicht enthalten.

Weitere Literatur zu Whiteheads Philosophie und zur Prozeßtheologie nennen die Bibliographien:

Bibliography of Writings By and About Alfred North Whitehead in Languages Other Than English. In: Process and Divinity. FS Hartshorne, 593–609.

Enjuto-Bernal, J., Bibliografia Selecta. In: La filosofia de Alfred North Whitehead, (Editorial Tecnos) Madrid 1967, 314–332.

Griffin, D. R., u. *Reeves, G.*, Bibliography of Secondary Literature on Alfred North Whitehead, ProcSt 1, 1971, 2–83.

Parmentier, A., Bibliographie. In: La philosophie de Whitehead et le problème de Dieu, (Beauchesne) Paris 1968, 587–635.

Pinottini, M., Bibliographia Whiteheadiana. In: Filosofia 20, 1969, 614–624.

Wolf-Gazo, E., Whitehead-Bibliographie. In: Whitehead. Einführung in seine Kosmologie, (Alber) Freiburg u. München 1980, 137–153.

Woodbridge, B. A. (Hg.), Alfred North Whitehead: A Primary-Secondary Bibliography, (Philosophy Documentation Center) Bowling Green/Ohio 1977.

Actis, P. L., Cosmologia e assiologia in Whitehead. Studi e Ricerche di Storia della Filosofia 12. Turin 1954.

Aichelin, H., u. *Liedke, G.* (Hg.), Naturwissenschaft und Theologie. Texte und Kommentare. 3. Aufl. (Neukirchener Verlag) Neukirchen 1975.

Alexander, S., Some Explanations. Mind 30, 1921, 409–428.

– Theism and Pantheism. HibJ 25, 1926–27, 251–264.

– Space, Time, and Deity. The Gifford Lectures at Glasgow 1916–1918. 2 Bde., (Macmillan Co.) London 1920.

Allan, G., The Aims of Societies and the Aims of God. JAAR 35, 1967, 149–158. (Auch in: Process Philosophy, 464–474.)

Allchin, A. M., Trinity and Incarnation in Anglican Tradition, (SLG Press) Oxford 1977.

Alston, W. P., Whitehead's Denial of Simple Location. JPh 48, 1951, 713–721.

– Internal Relatedness and Pluralism in Whitehead. RMet 5, 1952, 535–558.

– Simple Location. RMet 8, 1954–1955, 334–341.

Althaus, P., Die letzten Dinge. Lehrbuch der Eschatologie. 7. Aufl. (Bertelsmann) Gütersloh 1957.

Altizer, T. J. J., Method in Dipolar Theology and the Dipolar Meaning of God. In: Philosophy of Religion and Theology Section Papers of The American Academy of Religion, 1972, 14–21.

– Spiritual Existence as God-Transcending Existence. In: John Cobb's Theology in Process. Hg. D. R. Griffin u. T. J. J. Altizer, (Westminster Press) Philadelphia 1977, 54–66.

Anselm v. Canterbury, Proslogion. Hg. F. S. Schmitt, (Frommann-Holzboog) Stuttgart 1962.

Aristoteles, Metaphysica. Hg. W. D. Ross, (Oxford University Press) Oxford 1959.

Assunto, R., La forma e l'arte. RF(R) 4, 1955, 107–130, 233–244; 5, 1956, 41–55, 252–265, 319–337; 6, 1957, 42–67.

Augustin, Der Gottesstaat. Bd. 1. Übers. C. J. Perl, (Otto Müller) Salzburg 1951.

Axelos, Ch., Die ontologischen Grundlagen der Freiheitstheorie von Leibniz, (de Gruyter) Berlin u. New York 1973.

Axtelle, G. E., Alfred North Whitehead and the Problem of Unity. Educational Theory 19, 1969, 129–153.

Azar, L., ›Esse‹ in the Philosophy of Whitehead. NSchol 37, 1963, 462–471.

Bakan, M. B., On the Subject-Object Relationship. JPh 55, 1958, 89–101.

Ballard, E. G., Kant and Whitehead, and the Philosophy of Mathematics. Tulane Studies in Philosophy 10, 1961, 3–29.

Balz, A. G. A., Whitehead, Descartes, and the Bifurcation of Nature. JPh 31, 1934, 281–297.

Band, W., Dr. A. N. Whitehead's Theory of Absolute Acceleration. Philosophical Magazine 7, 1929, 434–440.

Barbour, I. G., Issues in Science and Religion, (SMC Press) London 1966.

– Teilhard's Process Metaphysics. JR 49, 1969, 136–159. (Auch in: Process Theology, 323–350.)

Barnhart, J. E., Bradley's Monism and Whitehead's Neo-Pluralism. Southern Journal of Philosophy 7, 1969, 395–400.

Barth, K., Fides quaerens intellectum. Anselms Beweis der Existenz Gottes im Zusammenhang seines theologischen Programms. 3. Aufl. (Evangelischer Verlag) Zürich 1966.

– Die Lehre von Gott. KD II/1, 4. Aufl. (Evangelischer Verlag) Zürich 1958.

– Die Lehre von der Schöpfung. KD III/1–4, (Evangelischer Verlag) Zürich 1959ff.

– Die Lehre von der Versöhnung. KD IV/3, (Evangelischer Verlag) Zürich 1959.

– Das christliche Leben. KD IV,4. Fragmente aus dem Nachlaß. Vorlesungen 1959–1961. Hg. H.-A. Drewes u. E. Jüngel, (Theologischer Verlag) Zürich 1976.

Basilius, Die neun Homilien über das Hexameron, (BKV), 2. Aufl. 1. Reihe (Kösel) München 1925.

Baur, J., Wie nimmt der Glaube die Welt wahr? Einsichten und Folgen des christlichen Weltverständnisses. EvTh 30, 1970, 582–593.

Bayer, O., Descartes und die Freiheit. ZThK 75, 1978, 56–81.

Beardslee, W. A., Hope in Biblical Eschatology and in Process Theology. JAAR 38, 1970, 227–239.

Bekenntnisschriften, Die Bekenntnisschriften der evangelisch-lutherischen Kirche. 6. Aufl. (Vandenhoeck) Göttingen 1967.

– Bekenntnisschriften und Kirchenordnungen der nach Gottes Wort reformierten Kirche. Hg. W. Niesel, (Kaiser) München 1938.

Bendall, R. D., ›On Mathematical Concepts of the Material World‹ and the Development of Whitehead's Philosophy of Organism, (Masch.) Graduate Theological Union, Berkeley 1973.

– The Naturalization of Whitehead's God, (Diss.) Graduate Theological Union, Berkeley 1977.

Bense, M., Bertrand Russell und Alfred North Whitehead. In: Die Philosophie, (Suhrkamp) Frankfurt 1951, 86–104.

Benz, E., Kosmische Bruderschaft. Die Pluralität der Welten. Zur Ideengeschichte des Ufo-Glaubens, (Aurum) Freiburg 1978.

Bergmann, H., Der Physiker Whitehead. Kreatur 2, 1928, 356–363.

Bergson, H., Denken und schöpferisches Werden. Aufsätze und Vorträge, (Westkulturverlag/Hain) Meisenheim a.G. 1948.

Bidney, D., The Problem of Substance in Spinoza and Whitehead. PhRev 45, 1936, 574–592.

Bieri, P., Zeit und Zeiterfahrung. Exposition eines Problembereichs, (Suhrkamp) Frankfurt 1972.

Birch, L. Ch., Creation and the Creator. JR 36, 1957, 85–98.

– Purpose in the Universe: A Search for Wholeness. Zygon 6, 1971, 4–27.

– Participatory Evolution: The Drive of Creation. JAAR 40, 1972, 147–163.

– What Does God Do in the World? USQR 30, 1975, 75–83.

Blackwell, R. J., Whitehead and the Problem of Simultaneity. MSM 41, 1963, 62–72.

Blaikie, R. J., Being, Process, and Action in Modern Philosophy and Theology. SJTh 25, 1972, 129–154.

Bloch, E., Experimentum Mundi, (Suhrkamp) Frankfurt 1975.

Blumenberg, H., Kosmos und System. Aus der Genesis der kopernikanischen Welt. StGen 10, 1957, 61–80.
– Paradigmen zu einer Metaphorologie. ABG 6, 1960, 7–142.
– Die Legitimität der Neuzeit, (Suhrkamp) Frankfurt 1966.
Blyth, J. W., On Mr. Hartshorne's Understanding of Whitehead's Philosophy. PhRev 46, 1937, 523–528.
– Whitehead's Theory of Knowledge, (Kraus Reprint Corp.) New York 1967.
Bochenski, I. M., Europäische Philosophie der Gegenwart. 2. Aufl. (Francke) Bern 1951.
Böhme, G., Whiteheads Abkehr von der Substanzmetaphysik. Substanz und Relation. ZPhF 24, 1970, 548–553.
Bonhoeffer, D., Sanctorum Communio. Eine dogmatische Untersuchung zur Soziologie der Kirche, (ThB 3), 4. Aufl. (Kaiser) München 1969.
– Akt und Sein. Transzendentalphilosophie und Ontologie in der systematischen Theologie, (ThB 5), 3. Aufl. (Kaiser) München 1964.
– Gesammelte Schriften. Hg. E. Bethge, (Kaiser) München: – Bd. 1. Ökumene. Briefe, Aufsätze, Dokumente, 1928–1942. 3. Aufl. 1978.
– Bd. 3. Theologie – Gemeinde. Vorlesungen, Briefe, Gespräche, 1927–1944. 2. Aufl. 1966.
– Bd. 4. Auslegungen – Predigten. Berlin, London, Finkenwalde, 1931–1944. 3. Aufl. 1975.
– Bd. 5. Seminare, Vorlesungen, Predigten, 1924–1941. 1. Erg.bd. 1972.
Braham, E. G., The Place of God in A. N. Whitehead's Philosophy. LQHR 164, 1939, 63–69.
Broad, C. D., The External World. Mind 30, 1921, 385–408.
Brown, D., God's Reality and Life's Meaning: A Critique of Schubert Ogden. Encounter 28, 1967, 256–262.
Brown, D., James, R. E., u. *Reeves, G.* (Hg.), Process Philosophy and Christian Thought, (Bobbs-Merrill Co.) Indianapolis 1971.
Brown, D., u. *Reeves, G.* The Development of Process Theology. In: Process Philosophy, 21–64.
Brown, D., What Is a Christian Theology? In: Religious Experience, 41–52.
Brunner, E., Der Mensch im Widerspruch. Die christliche Lehre vom wahren und vom wirklichen Menschen. 3. Aufl. (Zwingli) Zürich 1941.
Bubner, R., Theorie und Praxis – eine nachhegelsche Abstraktion, (Klostermann) Frankfurt 1971.
Bubser, E., Die spekulative Philosophie Alfred North Whiteheads, (Diss.) Göttingen 1958.
– Sprache und Metaphysik in Whiteheads Philosophie. APh 10, 1960, 79–106.
– A. N. Whitehead. Organismus-Philosophie und Spekulation. In: Grundprobleme der großen Philosophen. Philosophie der Gegenwart. Bd. I, (Vandenhoeck) Göttingen 1972, 264–299.
Buehrer, E. T., Mysticism and A. N. Whitehead. In: Mysticism and the Modern Mind. Hg. A. P. Stiernotte, (Liberal Arts Press) New York 1959, 60–70.
Bultmann, R., Glauben und Verstehen. Gesammelte Aufsätze. Bd. I, 6. Aufl. (Mohr) Tübingen 1966.
– Theologie des Neuen Testaments. 5. Aufl. (Mohr) Tübingen 1965.
Burch, G. B., u. *Stewart, D. C.*, Whitehead's Harvard Lectures, 1926–1927. ProcSt 4, 1974, 199–206.
Burgers, J. M., Experience and Conceptual Activity. A Philosophical Essay Based Upon the Writings of A. N. Whitehead, (M.I.T. Press) Cambridge 1965.
Buri, F., Existential-Ontologie und neue Metaphysik als christliche natürliche Theologie. In: Gott in Amerika. Amerikanische Theologie seit 1960, (Paul Haupt) Bern 1970, 95–135.
Burke, T. E., Whitehead's Conception of Reality. Her. 93, 1959, 3–15.
Capek, M., Note about Whitehead's Definitions of Co-Presence. Philosophy of Science 24, 1957, 79–86.
– Bergson and Modern Physics. A Reinterpretation and Re-evaluation, (D. Reidel) Dordrecht 1971.
Capps, W. H., ›Being and Becoming‹ and ›God and the World‹. An Analysis of Whitehead's Account of their Early Association. RPL 63, 1965, 572–590.

Cargas, H. J., u. *Lee, B.* (Hg.), Religious Experience and Process Theology. The Pastoral Implications of a Major Modern Movement, (Paulist Press) New York u. Toronto 1976.
Carnap, R., Der logische Aufbau der Welt. Nachdruck der 4. Aufl. (Ullstein) Frankfurt, Berlin u. Wien 1979.
Cassirer, E., Substanzbegriff und Funktionsbegriff. Untersuchungen über die Grundfragen der Erkenntniskritik. 4. Aufl. (Wissenschaftliche Buchgesellschaft) Darmstadt 1976.
– Das Erkenntnisproblem in der Philosophie und Wissenschaft der neueren Zeit. Bd. IV, (Wissenschaftliche Buchgesellschaft) Darmstadt 1973.
– Philosophie der symbolischen Formen. Teil III, 5. Aufl. (Wissenschaftliche Buchgesellschaft) Darmstadt 1972.
Centore, F. F., Whitehead's Conception of God. Philosophical Studies (Ireland) 19, 1970, 148–171.
Cesselin, F., La philosophie organique de Whitehead, (Presses Universitaires de France) Paris 1950.
– La bifurcation de la nature. RMM 55, 1950, 30–49.
Christian, W. A., God and the World. JR 28, 1948, 255–262.
– An Interpretation of Whitehead's Metaphysics, (Yale University Press) New Haven 1959.
– Some Uses of Reason. In: Leclerc, 47–89.
– Truth-claims in Religion. JR 42, 1962, 52–62.
– The Concept of God as a Derivative Notion. In: Process and Divinity. FS Hartshorne, 181–203.
Cobb, J. B., A Christian Natural Theology. Based on the Thought of Alfred North Whitehead, (Westminster Press) Philadelphia 1965.
– Natürliche Theologie und christliche Existenz. In: Theologie im Umbruch. Der Beitrag Amerikas zur gegenwärtigen Theologie. Hg. D. Peerman, (Kaiser) München 1968, 42–48. Amerikanisch: Christian Natural Theology and Christian Existence. CCen 82, 1965, 265–267.
– Die christliche Existenz. Eine vergleichende Studie der Existenzstrukturen in verschiedenen Religionen. Übers. H. Weißgerber, (Claudius) München 1970. Amerikanisch: The Structure of Christian Existence, (Westminster Press) Philadelphia 1967.
– The Possibility of Theism Today. In: The Idea of God. Philosophical Perspectives. Hg. E. Madden, R. Handy u. M. Farber, (Charles C. Thomas) Springfield 1968, 98–123.
– Christlicher Glaube nach dem Tode Gottes. Gegenwärtiges Weltverständnis im Licht der Theologie. Übers. H. Weißgerber, (Claudius) München 1971. Amerikanisch: God and the World, (Westminster Press) Philadelphia 1969.
– Freedom in Whitehead's Philosophy: a Response to Edward Pols. Southern Journal of Philosophy 7, 1969, 409–413.
– A Whiteheadian Christology. In: Process Philosophy, 382–398.
– Der Preis des Fortschritts. Umweltschutz als Problem der Sozialethik. Übers. Ch. G. Schnabel, (Claudius) München 1972. Amerikanisch: Is It Too Late? A Theology of Ecology, (Bruce) Beverly Hills 1971.
– Was ist die Zukunft? EvTh 32, 1972, 372–388. Amerikanisch: What is the Future? In: Hope and the Future of Man. Hg. E. H. Cousins, (Fortress Press) Philadelphia 1972.
– Regional Inclusion and the Extensive Continuum. ProcSt 2, 1972, 277–282, 288–294.
– A New Christian Existence. In: Neues Testament und christliche Existenz. Hg. H. D. Betz u. L. Schottroff, (Mohr) Tübingen 1973, 79–94.
– Liberal Christianity at the Crossroads, (Westminster Press) Philadelphia 1973.
– Natural Causality and Divine Action. IdS 3, 1973, 207–222.
– Christ in a Pluralistic Age, (Westminster Press) Philadelphia 1975.
– Spiritual Discernment in a Whiteheadian Perspective. In: Religious Experience, 349–367.
– Response to Ogden and Carpenter. ProcSt 6, 1976, 123–129.
– Buddhist Emptiness and the Christian God. JAAR 45, 1977, 11–25.
– Responses to Critiques. In: John Cobb's Theology in Process. Hg. D. R. Griffin u. T. J. J. Altizer, (Westminster Press) Philadelphia 1977, 150–192.
Cobb, J. B., u. *Griffin, D. R.*, Prozess-Theologie. Eine einführende Darstellung. Übers. M.

Mühlenberg, (Vandenhoeck) Göttingen 1979. Amerikanisch: Process Theology. An Introductory Exposition, (Westminster Press) Philadelphia 1976.
Cody, A., ›Himmel‹ im Neuen Testament. Conc(D) 15, 1979, 156–161.
Collingwood, R. G., The Idea of Nature, (Oxford University Press) New York 1970.
Cone, J. H., Der ›Himmel‹ in den Negro Spirituals. Conc(D) 15, 1979, 171–178.
Cousins, E. H. (Hg.), Process Theology. Basic Writings, (Newman Press) New York, Paramus u. Toronto 1971.
– Introduction: Process Models in Culture, Philosophy, and Theology. In: Process Theology, 3–20.
Crownfield, F. R., Whitehead's References to the Bible. ProcSt 6, 1976, 270–278.
Cusanus, N., Philosophisch-Theologische Schriften. Bd. II, hg. L. Gabriel, (Herder) Wien 1966.
– De docta ignorantia. Die belehrte Unwissenheit. Buch II, hg. P. Wilpert (PhB 264b), (Meiner) Hamburg 1967.
Daecke, S. M., Der Mensch im Kosmos. Die Perspektive Teilhards de Chardin als Beitrag zu einer ökologischen Theologie. Anstösse 26, 1979, 58–68.
Dean, W. D., Love before the Fall, (Westminster Press) Philadelphia 1976.
Dempf, A., Christliche Philosophie. Der Mensch zwischen Gott und der Welt, (Verlag der Buchgemeinde) Bonn 1938.
Descartes, R., Meditationen über die Grundlagen der Philosophie mit sämtlichen Einwänden und Erwiderungen, (PhB 27), (Meiner) Hamburg 1965.
Deuel, L., Alfred North Whitehead. Einleitung zu SMWd, V-XXXII.
Devaux, P., Le bergsonisme de Whitehead. RIPh 15, 1961, 217–236.
Dewey, J., The Objectivism-Subjectivism of Modern Philosophy. JPh 38, 1941, 533–542.
Duquoc, C., Ein Himmel auf Erden? Conc(D) 15, 1979, 184–190.
Ebeling, G., Wort und Glaube. 3. Aufl. (Mohr) Tübingen 1967.
– Vom Gebet. Predigten über das Unser-Vater, (Mohr) Tübingen 1963.
– Dogmatik des christlichen Glaubens. Bd. II. 2. Teil: Der Glaube an Gott, den Versöhner der Welt, (Mohr) Tübingen 1979.
Edwards, R. B., The Human Self: An Actual Entity or a Society? ProcSt 5, 1975, 195–203.
Einstein, A., Über die spezielle und die allgemeine Relativitätstheorie. 21. Aufl. (Vieweg) Braunschweig o.J.
Elias, N., Über den Prozeß der Zivilisation. Soziogenetische und psychogenetische Untersuchungen. Bd. 1: Wandlungen des Verhaltens in den weltlichen Oberschichten des Abendlandes. 6. Aufl. (Suhrkamp) Frankfurt 1978.
Ely, St. L., The Religious Availability of Whitehead's God. A Critical Analysis, (University of Wisconsin Press) Madison 1942.
Emmet, D., A. N. Whitehead: The Last Phase. Mind 57, 1948, 265–274.
Enjuto-Bernal, J., La filosofia de Alfred North Whitehead, (Editorial Tecnos) Madrid 1967.
Eslick, L. J., God in the Metaphysics of Whitehead. In: New Themes in Christian Philosophy. Hg. R. M. McInerny, (Notre Dame University Press) Notre Dame 1968, 64–81.
Fararo, T. J., On the Foundations of the Theory of Action in Whitehead and Parsons. In: Essays in General Theory. In Honor of Talcott Parsons. Hg. J. Loubser u.a., (Free Press) New York 1974, 90–122.
Farley, W. E., The Transcendence of God, (Westminster Press) Philadelphia 1960.
Felt, J. W., The Temporality of Divine Freedom. ProcSt 4, 1974, 252–262.
Feuerbach, L., Das Wesen des Christentums. Gesammelte Werke, Bd. 5. Hg. W. Schuffenhauer, (Akademie-Verlag) Berlin 1973.
Fleming, D. A., God's Gift and Man's Response: Toward a Whiteheadian Perspective. In: Religious Experience, 215–228.
Foley, L. A., Cosmos and Ethos. NSchol 41, 1967, 141–158.
Ford, L. S., Is Process Theism Compatible with Relativity Theory? JR 48, 1968, 124–135.
– On Some Difficulties with Whitehead's Definition of Abstractive Hierarchies. PPR 30, 1970, 453–454.
– The Viability of Whitehead's God for Christian Theology. PACPA 44, 1970, 141–151.

– Process Philosophy and Our Knowledge of God. In: Traces of God in a Secular Culture. Hg. G. F. McLean, (Alba House) Staten Island 1973, 85–115.
– The Duration of the Present. PPR 35, 1974, 100–106.
– Process Trinitarianism. JAAR 43, 1975, 199–213.
– The Power of God and the Christ. In: Religious Experience, 79–92.
– Some Proposals Concerning The Composition of ›Process and Reality‹. ProcSt 8, 1978, 145–156.
Ford, L. S., u. *Suchocki, M.*, A Whiteheadian Reflection on Subjective Immortality. ProcSt 7, 1977, 1–13.
Forsyth, T. M., The New Cosmology in its Historical Aspect: Plato, Newton, Whitehead. Philosophy 7, 1932, 54–61.
Frey, G., Die Mathematisierung unserer Welt, (Kohlhammer) Stuttgart, Berlin, Köln u. Mainz 1967.
Fries, H. S., The Functions of Whitehead's God. Monist 46, 1936, 25–58.
Gadamer, H.-G., Wahrheit und Methode. 2. Aufl. (Mohr) Tübingen 1965.
Gale, R. M., Has the Present any Duration? Noûs 5, 1971, 39–47.
Garland, W. J., The Ultimacy of Creativity. Southern Journal of Philosophy 7, 1969, 361–376.
Gennep, A. v., Les rites de passage, (Johnson Reprint Corp.) New York; (S.R. Publishers) Wakefield 1969.
Gentry, G., The Subject in Whitehead's Philosophy. Philosophy of Science 11, 1944, 222–226.
– Eternal Objects and the Philosophy of Organism. Philosophy of Science 13, 1946, 252–260.
Geoghegan, W. D., Platonism in Recent Religious Thought, (Columbia University Press) New York 1958.
Gese, H., Zur biblischen Theologie. Alttestamentliche Vorträge, (BEvTh 78), (Kaiser) München 1977.
Geyer, H.-G., Welt und Mensch. Zur Frage des Aristotelismus bei Melanchthon, (Diss.) Bonn 1959.
– Anfänge zum Begriff der Versöhnung. EvTh 38, 1978, 235–251.
Gilkey, L., Der Himmel und Erde gemacht hat. Die christliche Lehre von der Schöpfung und das Denken unserer Zeit. Übers. E. Zahn, (Claudius) München 1971.
– Process Theology. VoxTh 43, 1973, 5–29.
– Reaping the Whirlwind. A Christian Interpretation of History, (Seabury Press) New York 1976.
Gloege, G., Schöpfungsglaube und Weltbild. In: Vom Herrengeheimnis der Wahrheit. FS Heinrich Vogel. Hg. K. Scharf, (Lettner) Berlin u. Stuttgart 1962, 158–178.
Goethe, J. W. v., zitiert nach Johann Wolfgang Goethe, Gedenkausgabe der Werke, Briefe und Gespräche. Hg. E. Beutler, (Artemis Verlag) Zürich u. Stuttgart:
– Faust. Der Tragödie zweiter Teil. Bd. 5, 2. Aufl. 1962.
– Goethes Gespräche. 2. Teil. Bd. 23, 2. Aufl. 1966.
– Tagebücher. 2. Erg.bd. 1964.
Gogarten, F., Die Verkündigung Jesu Christi. 2. Aufl. (Mohr) Tübingen 1965.
– Der Mensch zwischen Gott und Welt. 4. Aufl. (Vorwerk) Stuttgart 1967.
– Die Wirklichkeit des Glaubens. Zum Problem des Subjektivismus in der Theologie, (Vorwerk) Stuttgart 1957.
Goodman, N., Ways of Worldmaking, (Harvester Press) Hassocks 1978.
Gragg, A., Charles Hartshorne, (Word Books) Waco/Texas 1973.
Grassmann, H., Die Ausdehnungslehre von 1844 oder Die lineare Ausdehnungslehre, ein neuer Zweig der Mathematik. 2. Aufl. (Wigand) Leipzig 1878.
Greenman, M. A., A Whiteheadian Analysis of Propositions and Facts. PPR 13, 1952–1953, 477–486.
Griffin, D. R., Schubert Ogden's Christology and the Possibilities of Process Philosophy. Christian Scholar 50, 1967, 290–303. (Auch in: Process Philosophy, 347–361.)
– Hartshorne's Differences from Whitehead. In: Two Process Philosophers. Hg. L. S. Ford,

(University of Montana) Missoula 1973, 35–57.
– A Process Christology, (Westminster Press) Philadelphia 1973.
– A Process Theology of Creation. Mid-Stream 8, 1973–1974, 48–70.
– Holy Spirit: Compassion and Reverence for Being. In: Religious Experience, 107–120.
– God, Power, and Evil. A Process Theodicy, (Westminster Press) Philadelphia 1976.
– Post-Modern Theology For a New Christian Existence. In: John Cobb's Theology in Process. Hg. D. R. Griffin u. T. J. J. Altizer, (Westminster Press) Philadelphia 1977, 5–24.
Grünbaum, A., Relativity and the Atomicity of Becoming. RMet 4, 1950, 143–186.
– Some Highlights of Modern Cosmology and Cosmogony. RMet 5, 1952, 481–498.
– Whitehead's Method of Extensive Abstraction. British Journal for the Philosophy of Science 4, 1953, 215–226.
Gunton, C. E., Becoming and Being. The Doctrine of God in Charles Hartshorne and Karl Barth, (Oxford University Press) Oxford 1978.
Hall, D. L., The Autonomy of Religion in Whitehead's Philosophy. Philosophy Today 13, 1969, 271–283.
– The Civilization of Experience. A Whiteheadian Theory of Culture, (Fordham University Press) New York 1973.
Hallman, J. M., Toward a Process Theology of the Church. In: Religious Experience, 137–145.
Hamilton, P. N., The Living God and the Modern World: A Christian Theology Based on the Thought of A. N. Whitehead, (United Church Press) Boston 1967.
– Some Proposals for a Modern Christology. In: Christ for Us Today. Hg. N. Pittenger, (SCM Press) London 1968, 154–175.
Hammerschmidt, W. W., Whitehead's Philosophy of Time, (Russell and Russell) New York 1975.
Hanson, P., Dynamic Transcendence. The Correlation of Confessional Heritage and Contemporary Experience in a Biblical Model of Divine Activity, (Fortress Press) Philadelphia 1978.
Happel, St., Die Strukturen unseres utopischen Mitseins. Conc(D) 15, 1979, 190–196.
Hartshorne, Ch., Whitehead's Philosophy. Selected Essays, 1935–1970, (University of Nebraska Press) Lincoln 1972.
– Whitehead's Idea of God. In: Schilpp, 513–559.
– Man's Vision of God and the Logic of Theism, (Willett, Clark and Co.) Chicago u. New York 1941.
– Organic and Inorganic Wholes. PPR 3, 1942, 127–136.
– The Divine Relativity. A Social Conception of God, (Yale University Press) New Haven 1948, 1974.
– Das metaphysische System Whiteheads. ZPhF 3, 1948–1949, 566–575.
– Whitehead's Metaphysics. In: Whitehead and the Modern World. Science, Metaphysics, and Civilization. Three Essays on the Thought of Alfred North Whitehead, by V. Lowe, Ch. Hartshorne, and A. H. Johnson, (Beacon Press) Boston 1950, 25–41. (Auch in: Hartshorne, 9–19.)
– The Divine Relativity and Absoluteness: A Reply. RMet 4, 1950, 31–60.
– Reality as Social Process. Studies in Metaphysics and Religion, (Hafner) New York 1971.
– The Immortality of the Past: Critique of a Prevalent Misinterpretation. RMet 7, 1953, 98–112.
– Whitehead on Process: A Reply to Professor Eslick. PPR 18, 1958, 514–520.
– The Logical Structure of Givenness. PhQ 8, 1958, 307–316.
– The Buddhist-Whiteheadian View of the Self and the Religious Traditions. Proceedings of the Ninth International Congress for the History of Religions, (Maruzen) Tokio 1960, 298–302.
– Whitehead's Conception of God. Actas Segundo Congreso Extraordinario Interamericano de Filosofia. San José: Costa Rica, July 1961, 163–165.
– A Natural Theology for Our Time, (Open Court) La Salle 1973.
– The Dipolar Conception of Deity. RMet 21, 1967, 273–289.
– Process Philosophy as a Resource for Christian Thought. In: Philosophical Resources for

Christian Thought. Hg. P. LeFevre, (Abingdon Press) Nashville 1968, 44–66.
– Whitehead and Ordinary Language. Southern Journal of Philosophy 7, 1969, 437–445.
– Creative Synthesis and Philosophic Method, (Open Court) La Salle 1970; (SCM) London 1970.
– The Development of Process Philosophy. In: Process Theology, 47–61.
– The Logic of Perfection, (Open Court) La Salle 1973.
– Whitehead's Generalizing Power. In: Hartshorne, 129–139.
– Process and the Nature of God. In: Traces of God in a Secular Culture. Hg. G. F. McLean, (Alba House) Staten Island 1973, 117–141.
– Creativity and the Deductive Logic of Causality. RMet 27, 1973, 62–74.
– Mysticism and Rationalistic Metaphysics. Monist 59, 1976, 463–469.
Hartshorne, Ch., u. *Reese, W. L.*, Philosophers Speak of God, (University of Chicago Press) Chicago 1953.
Hegel, G. W. F., Glauben und Wissen oder die Reflexionsphilosophie der Subjectivität, in der Vollständigkeit ihrer Formen, als Kantische, Jacobische, und Fichtesche Philosophie. Gesammelte Werke, Bd. IV. (Meiner) Hamburg 1968, 315–414.
– Phänomenologie des Geistes, (PhB 114), 6. Aufl. (Meiner) Hamburg 1952.
– Vorlesungen über die Geschichte der Philosophie. Bd. 2. Sämtliche Werke, Bd. 18. Hg. H. Glockner, (Frommann) Stuttgart 1928.
– Grundlinien der Philosophie des Rechts, 1821, (PhB 124a), 4. Aufl. (Meiner) Hamburg 1955.
– Vorlesungen über die Philosophie der Religion. Bd. II, 2. Halbbd. (PhB 63), (Meiner) Hamburg 1966.
– Ästhetik. Bd. I. Hg. F. Bassenge, 2. Aufl. (Europäische Verlagsanstalt) Frankfurt o.J.
Heidegger, M., Holzwege. 5. Aufl. (Klostermann) Frankfurt 1972.
Heim, K., Der evangelische Glaube und das Denken der Gegenwart. Grundzüge einer christlichen Lebensanschauung. Bd. I, II, IV–VI. Hg. H. M. Niedermeier, (Aussaat) Wuppertal:
– I: Glaube und Denken. Philosophische Grundlegung einer christlichen Lebensanschauung. 6. Aufl. 1975.
– II: Jesus der Herr. Die Herrschervollmacht Jesu und die Gottesoffenbarung in Christus. 5. Aufl. 1977.
– IV: Der christliche Gottesglaube und die Naturwissenschaft. Grundlegung des Gesprächs zwischen Christentum und Naturwissenschaft. 3. Aufl. 1976.
– V: Die Wandlung im naturwissenschaftlichen Weltbild. Die moderne Naturwissenschaft vor der Gottesfrage. 5. Aufl. 1978.
– VI: Weltschöpfung und Weltende. Das Ende des jetzigen Weltzeitalters und die Weltzukunft im Lichte des biblischen Osterglaubens. 4. Aufl. 1976.
Heipcke, K., Die Philosophie des Ereignisses bei Alfred North Whitehead, (Diss.) Würzburg 1964.
Hélal, G., La cosmologie: un nouvel examen de sa nature et de sa raison d'être. Dialogue 8, 1969, 215–227.
Held, H. J., Matthäus als Interpret der Wundergeschichten. In: G. Bornkamm, G. Barth u. H. J. Held, Überlieferung und Auslegung im Matthäusevangelium, (WMANT 1), 7. Aufl. (Neukirchener Verlag) Neukirchen 1975, 155–287.
Henderson, T. G., Whitehead: Philosophy as Approximation. In: Philosophy in the Mid-Century. Hg. R. Klibansky, (La Nuova Italia) Florenz, 4, 1959, 205–209.
– For a Biographer of Whitehead. RIPh 21, 1967, 358–371.
Hengel, M., Judentum und Hellenismus. Studien zu ihrer Begegnung unter besonderer Berücksichtigung Palästinas bis zur Mitte des 2. Jh.s v. Chr., (WUNT 10), 2. Aufl. (Mohr) Tübingen 1973.
– ›Was ist der Mensch?‹ Erwägungen zur biblischen Anthropologie heute. In: Probleme biblischer Theologie. Gerhard von Rad zum 70. Geburtstag. Hg. H. W. Wolff, (Kaiser) München 1971, 116–135.
– Der Sohn Gottes. Die Entstehung der Christologie und die jüdisch-hellenistische Religionsgeschichte. 2. Aufl. (Mohr) Tübingen 1977.

Henrich, D., Fichtes ursprüngliche Einsicht, (WuG 34), (Klostermann) Frankfurt 1967.
– Selbstbewußtsein. Kritische Einleitung in eine Theorie. In: Hermeneutik und Dialektik, I. FS H.-G. Gadamer. Hg. R. Bubner, K. Cramer u. R. Wiehl, (Mohr) Tübingen 1970, 257–284.
– Die Grundstruktur der modernen Philosophie. In: Subjektivität und Selbsterhaltung. Beiträge zur Diagnose der Moderne. Hg. H. Ebeling, (Suhrkamp) Frankfurt 1976, 97–143.
Henry, G. C., Mathematics and Theology. Bucknell Review 20, 1972, 113–126.
Herdt, L., Immanenz und Geschichte. Zum Begriff der Kreativität in der Metaphysik A. N. Whiteheads, (Diss.) Frankfurt 1975.
Herrmann, S., Zeit und Geschichte, (Kohlhammer) Stuttgart 1977.
Herzog, F., Understanding God. The Key Issue in Present-Day Protestant Thought, (Charles Scribner's Sons) New York 1966.
Hill, T. E., Contemporary Theories of Knowledge, (Ronald Press) New York 1961.
Hill, W. J., Does the World Make a Difference to God? Thom. 38, 1974, 146–164.
Hintz, H. W., A. N. Whitehead and the Philosophical Synthesis. JPh 52, 1955, 225–243.
Hocking, W. E., Whitehead As I Knew Him. JPh 58, 1961, 505–516. (Auch in: Kline, 7–17.)
Hoffmeister, J. (Hg.), Dokumente zu Hegels Entwicklung. 2. Aufl. (Frommann-Holzboog) Stuttgart 1974.
Hogan, D. J., Whitehead's God. The Analogy of Actual Entity. NSchol 46, 1972, 411–426.
Holl, H.-G., Subjekt und Rationalität. Eine Studie zu A. N. Whitehead und Th. W. Adorno, (Diss.) Frankfurt 1975.
– Nachwort des Übersetzers zu PRd, 642–665.
Holmes, H. W., Whitehead's Views on Education. In: Schilpp, 619–640.
Hooper, S. E., Whitehead's Philosophy: Eternal Objects and God. Philosophy 17, 1942, 47–68.
– Whitehead's Philosophy: Theory of Perception. Philosophy 19, 1944, 136–158.
– Whitehead's Philosophy: Propositions and Consciousness. Philosophy 20, 1945, 59–75.
– Whitehead's Philosophy: The Higher Phases of Experience. Philosophy 21, 1946, 57–78.
– Whitehead's Philosophy: The World as ›Process‹. Philosophy 23, 1948, 140–160.
Hoßfeld, P., Das Christentum in der Religionsphilosophie von A. N. Whitehead. ThGl 59, 1969, 464–472.
– Atom und Molekül innerhalb der Seinslehren von N. Hartmann und A. N. Whitehead. PhN 12, 1970, 345–356.
Hughes, P., Is Whitehead's Psychology Adequate? In: Schilpp, 273–299.
Husserl, E., Die Krisis der europäischen Wissenschaften und die transzendentale Phänomenologie. Eine Einleitung in die phänomenologische Philosophie. Hg. W. Biemel, 2. Aufl. (Martinus Nijhoff) Den Haag 1962.
Ichii, S., Whitehead's Theory of Significance and his ›Justification of Induction‹. Science of Thought 2, 1956, 50–68.
James, W., The Will to Believe and Other Essays, (Dover Publications) New York 1956.
Janzen, J. G., Modes of Presence and the Communion of Saints. In: Religious Experience, 147–172.
– The Old Testament in ›Process‹ Perspective: Proposal for a Way Forward in Biblical Theology. In: Magnalia Dei: The Mighty Acts of God. Essays on the Bible and Archaeology in Memory of G. E. Wright. Hg. F. M. Cross u.a., (Doubleday) New York 1976, 480–509.
Jeremias, J., Abba. Studien zur neutestamentlichen Theologie und Zeitgeschichte, (Vandenhoeck) Göttingen 1966.
Johnson, A. H., The Social Philosophy of Alfred North Whitehead. JPh 40, 1943, 261–271.
– Recent Discussions of Alfred North Whitehead. RMet, 5, 1951–1952, 293–308.
– Leibniz and Whitehead. PPR 19, 1959, 285–305.
– Whitehead's Philosophy of Civilization, (Dover Publications) New York 1962.
– Whitehead on the Uses of Language. In: Leclerc, 125–141.
– Whitehead's Theory of Reality, (Dover Publications) New York 1962.
– Whitehead as Teacher and Philosopher. PPR 29, 1969, 351–376.
Jonas, H., Organismus und Freiheit. Ansätze zu einer philosophischen Biologie, (Vanden-

hoeck) Göttingen 1973.
Jordan, M., New Shapes of Reality. Aspects of A. N. Whitehead's Philosophy, (George Allen) London 1968.
Jordan, P., Der Naturwissenschaftler vor der religiösen Frage. Abbruch einer Mauer. 6. Aufl. (Stalling) Oldenburg u. Hamburg 1972.
– Schöpfung und Geheimnis, (Stalling) Oldenburg u. Hamburg 1970.
Jüngel, E., Gottes Sein ist im Werden. 3. Aufl. (Mohr) Tübingen 1976.
– Unterwegs zur Sache. Theologische Bemerkungen, (BEvTh 61), (Kaiser) München 1972.
– Metaphorische Wahrheit. Erwägungen zur theologischen Relevanz der Metapher als Beitrag zur Hermeneutik einer narrativen Theologie. EvTh Sonderheft: P. Ricoeur u. E. Jüngel, Metapher. Zur Hermeneutik religiöser Sprache, 1974, 71–122.
– Extra Christum nulla salus – als Grundsatz natürlicher Theologie? ZThK 72, 1975, 337–352.
– Das Dilemma der natürlichen Theologie und die Wahrheit ihres Problems. In: Denken im Schatten des Nihilismus. FS Wilhelm Weischedel zum 70. Geburtstag. Hg. A. Schwan, (Wissenschaftliche Buchgesellschaft) Darmstadt 1975, 419–440.
– Gott als Geheimnis der Welt. Zur Begründung der Theologie des Gekreuzigten im Streit zwischen Theismus und Atheismus, (Mohr) Tübingen 1977.
– Wertlose Wahrheit. Christliche Wahrheitserfahrung im Streit gegen die ›Tyrannei der Werte‹. In: Die Tyrannei der Werte. Hg. S. Schelz, (Lutherisches Verlagshaus) Hamburg 1979, 45–75.
Jung, W., Über Whiteheads Atomistik der Ereignisse. PhN 7, 1961–1962, 406–441.
– Zur Entwicklung von Whiteheads Gottesbegriff. ZPhF 19, 1965, 601–636.
Käsemann, E., Leib und Leib Christi. Eine Untersuchung zur paulinischen Begrifflichkeit, (BHTh 9), (Mohr) Tübingen 1933.
– Jesu letzter Wille nach Johannes 17. 3. Aufl. (Mohr) Tübingen 1971.
– An die Römer, (HNT 8a), (Mohr) Tübingen 1973.
Kambartel, F., ›The Universe is More Various, More Hegelian‹. Zum Weltverständnis bei Hegel und Whitehead. In: Collegium Philosophicum, Studien Joachim Ritter zum 60. Geburtstag, (Schwabe) Basel u. Stuttgart 1965, 72–98.
Kant, I., zitiert nach der Ausgabe der Preußischen Akademie der Wissenschaften, Berlin 1910ff. (Ak.):
– Allgemeine Naturgeschichte und Theorie des Himmels. Ak. I.
– Grundlegung zur Metaphysik der Sitten. Ak. IV.
Kasprzik, W., Die Bestimmtheit der Kategorie der Wechselwirkung in Kants Kategorientafel, Mag. Arbeit (Masch.), Tübingen 1976.
Kaufman, G. D., God the Problem. 2. Aufl. (Harvard Press) Cambridge 1973.
– An Essay on Theological Method, (AARSR 11), (Scholars Press) Missoula 1975.
Kerby-Miller, S., Causality. In: Philosophical Essays for Alfred North Whitehead. Hg. F. S. C. Northrop u.a., (Russell and Russell) New York 1967, 174–192.
Kerkhofs, J., ›Du lieber Himmel‹. Conc(D) 15, 1979, 139–144.
Kerlin, M. J., ›Where God Comes In‹ for Alfred North Whitehead. Thom. 36, 1972, 98–116.
King, H. R., A. N. Whitehead and the Concept of Metaphysics. Philosophy of Science 14, 1947, 132–151.
Klein, G., Theologie des Wortes Gottes und die Hypothese der Universalgeschichte. Zur Auseinandersetzung mit Wolfhart Pannenberg, (BEvTh 37), (Kaiser) München 1964.
Klempt, A., Die Säkularisierung der universalhistorischen Auffassung. Zum Wandel des Geschichtsdenkens im 16. und 17. Jahrhundert. Göttinger Bausteine zur Geschichtswissenschaft, Bd. 31, (Musterschmidt) Göttingen, Berlin u. Frankfurt 1960.
Kline, G. L. (Hg.), Alfred North Whitehead. Essays on His Philosophy, (Prentice-Hall) Englewood Cliffs 1963.
– Whitehead in the Non-English-Speaking World. In: Process and Divinity. FS Hartshorne, 235–268.
– Form, Concrescence, and Concretum. A Neo-Whiteheadian Analysis. Southern Journal of Philosophy 7, 1969, 351–360.

Koch, T., Some Critical Remarks About Cobb's ›The Structure of Christian Existence‹. In: John Cobb's Theology in Process. Hg. D. R. Griffin u. T. J. J. Altizer, (Westminster Press) Philadelphia 1977, 39–53.
– Der Leib und die Natur. Zum christlichen Naturverständnis. NZSTh 20, 1978, 294–316.
Köhler, O., Was ist ›Welt‹ in der Geschichte? Saec. 6, 1955, 1–9.
– Versuch, Kategorien der Weltgeschichte zu bestimmen. Saec. 9, 1958, 446–457.
Koselleck, R., Vergangene Zukunft der frühen Neuzeit. In: Epirrhosis, Festgabe für Carl Schmitt. Hg. H. Barion u. E.-W. Böckenförde, (Duncker u. Humblot) Berlin 1968, 549–566.
– Geschichte, Geschichten und formale Zeitstrukturen. In: Geschichte – Ereignis und Erzählung. Poetik und Hermeneutik V. Hg. R. Koselleck u. W.-D. Stempel, (Fink) München 1973, 211–222.
Koyré, A., From the Closed World to the Infinite Universe. 4. Aufl. (Johns Hopkins University Press) Baltimore u. London 1976.
Kraus, E. M., Individual and Society: A Whiteheadian Critique of B. F. Skinner. In: Person and Community. Hg. R. J. Roth, (Fordham University Press) New York 1975, 103–132.
Kraus, H.-J., Psalmen, (BK.AT XV/2), 5. Aufl. (Neukirchener Verlag) Neukirchen 1978.
Kultgen, J. H., Whitehead's Epistemology 1915–1917. JHP 4, 1966, 43–61.
– Intentionality and the Publicity of the Perceptual World. PPR 23, 1973, 503–513.
Kuntz, P. G., God and the World Order: The Present Situation. Philosophy Forum 8, 1970, 33–57.
Kuspit, D. B., Whitehead on Divinity. APh 11, 1961, 64–171.
– Whitehead's God and Metaphysics. In: Essays in Philosophy, (Pennsylvania State University Press) University Park 1962, 183–219.
– Whitehead's Cosmology. APh 12, 1963/64, 110–122.
Lackey, D. P., The Whitehead Correspondence. Journal of the Bertrand Russell Archives 5, 1972, 14–16.
Laguna, G. A. de, Existence and Potentiality. PhRev 60, 1961, 155–176.
– On Existence and the Human World, (Yale University Press) New Haven 1966.
Laguna, T. de, Review (über PNK). PhRev 29, 1920, 269–275.
– Extensive Abstraction. A Suggestion. PhRev 30, 1921, 216–218.
Lango, J. W., Towards Clarifying Whitehead's Theory of Concrescence. Transactions of the Charles Peirce Society 7, 1971, 150–167.
– Whitehead's Ontology, (State University of New York Press) Albany 1972.
Laszlo, E., Beyond Scepticism and Realism. A Constructive Exploration of Husserlian and Whiteheadian Methods of Inquiry, (Martinus Nijhoff) Den Haag 1966.
– La métaphysique de Whitehead: recherche sur les prolongements anthropologiques, (Martinus Nijhoff) Den Haag 1970.
– Introduction to Systems Philosophy. Toward a New Paradigm of Contemporary Thought, (Gordon and Breach) New York 1972.
Lawrence, N., Whitehead's Method of Extensive Abstraction. Philosophy of Science 17, 1950, 142–163.
– Locke and Whitehead on Individual Entities. RMet 4, 1950, 215–238.
– Single Location, Simple Location, and Misplaced Concreteness. RMet 7, 1953, 225–247.
– Whitehead's Philosophical Development. A Critical History of the Background of ›Process and Reality‹, (Greenwood Press) New York 1968.
– Alfred North Whitehead: A Primer of his Philosophy, (Twayne Publishers) New York 1974.
Leclerc, I., Whitehead's Transformation of the Concept of Substance. PhQ 3, 1953, 225–243.
– Whitehead's Metaphysics. An Introductory Exposition, (George Allen) London 1958, 1965.
– Being and Becoming in Whitehead's Philosophy. KantSt 51, 1959–1960, 427–437.
– Hg., The Relevance of Whitehead. Philosophical Essays in Commemoration of the Centenary of the Birth of Alfred North Whitehead, (George Allen) London 1961.
– Form and Actuality. In: Leclerc, 169–189.
– Kant's Second Antinomy, Leibniz, and Whitehead. RMet 20, 1966, 25–41.
– Whitehead and the Problem of God. Southern Journal of Philosophy 7, 1969, 447–455.

– The Necessity Today of the Philosophy of Nature. ProcSt 3, 1973, 158–168.
Lee, B., Towards a Process Theology of the Eucharist. Worship 48, 1974, 194–205.
– The Lord's Supper. In: Religious Experience, 283–297.
Leibniz, G. W., Hauptschriften zur Grundlegung der Philosophie. Bd. II. Hg. E. Cassirer, (PhB 108), 3. Aufl. (Meiner) Hamburg 1966.
Leonard, H. S., Logical Positivism and Speculative Philosophy. In: Philosophical Essays for Alfred North Whitehead. Hg. F. S. C. Northrop u.a., (Russell and Russell) New York 1967, 125–152.
Lichtigfeld, A., Jaspers und Whitehead: Eine vergleichende Untersuchung ihrer philosophischen Grundbegriffe. PhN 8, 1964, 301–306.
– Leibniz und Whitehead: Eine vergleichende Untersuchung ihrer metaphysischen Grundbegriffe und deren Weiterentwicklung durch Jaspers. In: Akten des Internationalen Leibniz Kongresses, Hannover, 14.–19. November 1966. Band V: Geschichte der Philosophie (Studia Leibnitiana), (F. Steiner) Wiesbaden 1971, 169–220.
Lidgett, J. S., Contrasted Cosmologies. Centennial Review 144, 1933, 550–558.
Lietzmann, H., An die Korinther I/II, (HNT 9), 4. Aufl. (Mohr) Tübingen 1949.
Link, Ch., Die Welt als Gleichnis. Studien zum Problem der natürlichen Theologie, (BEvTh 73), (Kaiser) München 1976.
Lintz, E. J., The Unity in the Universe, According to Alfred N. Whitehead. Thom. 6, 1943, 135–179, 318–366.
Löwith, K., Gesammelte Abhandlungen. Zur Kritik der geschichtlichen Existenz, (Kohlhammer) Stuttgart 1960.
– Der Weltbegriff der neuzeitlichen Philosophie, (SHAW.PH), 2. Aufl. 1968.
Lohfink, G., Was kommt nach dem Tod? In: G. Greshake u. G. Lohfink, Naherwartung – Auferstehung – Unsterblichkeit. Untersuchungen zur christlichen Eschatologie, (QD 71), 3. Aufl. (Herder) Freiburg, Basel u. Wien 1978, 185–200.
Lohmeyer, E., Das Vater-Unser. 5. Aufl. (Vandenhoeck) Göttingen 1962.
Lonergan, B. J. F., Philosophy of God, and Theology, (Westminster Press) Philadelphia 1973.
Loomer, B. M., Whitehead's Method of Empirical Analysis. In: Process Theology, 67–82.
– Ely on Whitehead's God. JR 24, 1944, 162–179. (Auch in: Process Philosophy, 264–286.)
– Neo-Naturalism and Neo-Orthodoxy. JR 28, 1948, 79–91.
– Christian Faith and Process Philosophy. JR 29, 1949, 181–203. (Auch in: Process Philosophy, 70–98.)
– Empirical Theology Within Process Thought. In: The Future of Empirical Theology. Hg. B. E. Meland, (University of Chicago Press) Chicago 1969, 149–173.
– Dimensions of Freedom. In: Religious Experience, 323–339.
– S-I-Z-E Is the Measure. In: Religious Experience, 69–76.
– Theology in the American grain. The Unitarian Universalist Christian 30, 1975–1976, 23–34.
– Two Conceptions of Power. ProcSt 6, 1976, 5–32.
Lowe, V., The Development of Whitehead's Philosophy. In: Schilpp, 15–124.
– The Influence of Bergson, James and Alexander on Whitehead. JHI 10, 1949, 267–296.
– Whitehead's Philosophy of Science. In: Whitehead and the Modern World: Science, Metaphysics, and Civilization. Three Essays on the Thought of Alfred North Whitehead, by V. Lowe, Ch. Hartshorne and A. H. Johnson, (Beacon Press) Boston 1950, 3–24.
– Understanding Whitehead, (Johns Hopkins University Press) Baltimore 1968.
– Whitehead's Gifford Lectures. Southern Journal of Philosophy 7, 1969, 329–338.
Luhmann, N., Soziologische Aufklärung. Bd. I, 4. Aufl., u. Bd. II, 1. Aufl. (Westdeutscher Verlag) Opladen 1974 u. 1975.
– Macht, (Enke) Stuttgart 1975.
– Funktion der Religion, (Suhrkamp) Frankfurt 1977.
Luhmann, N., u. *Pannenberg, W.*, Die Allgemeingültigkeit der Religion. Diskussion über Luhmanns Religionssoziologie. EK 11, 1978, 350–357.
Luther, M., Luthers Werke werden nach der Kritischen Gesamtausgabe (»Weimarer Ausgabe«), 1883ff., zitiert:

– Auf das überchristlich, übergeistlich und überkünstlich Buch Bocks Emsers zu Leipzig Antwort . . ., 1521. WA 7.
– Kirchenpostille 1522. WA 10,I,1.
– Predigten über Johannes 16. WA 46.
– Auslegung des ersten und zweiten Kapitels Johannis in Predigten 1537 und 1538. WA 46.
– Predigt über Johannes 1,1 am Tage der Geburt Christi 1541. WA 49.
MacKenzie, W. L., What Does Dr. Whitehead Mean by ›Event‹? PAS 23, 1923, 229–244.
Macpherson, C. B., Die politische Theorie des Besitzindividualismus. Von Hobbes bis Locke, (Suhrkamp) Frankfurt 1973.
Manchester, P. P., Time in Whitehead and Heidegger. A Response. ProcSt 5, 1975, 106–113.
Martin, G., Neuzeit und Gegenwart in der Entwicklung des mathematischen Denkens. KantSt 45, 1953–1954, 155–165. (Auch in: Gesammelte Abhandlungen, Bd. 1, KantSt.E 81, 1961, 138–150.)
– Metaphysics as ›Scientia Universalis‹ and as ›Ontologia Generalis‹. In: Leclerc, 219–231. (Übers.: Metaphysik als Scientia Universalis und als Ontologia Generalis. In: Gesammelte Abhandlungen, Bd. 1, KantSt.E 81, 1961, 212–232.)
Martin, G. M., Fest und Alltag. Bausteine zu einer Theorie des Festes, (Kohlhammer) Stuttgart, Berlin, Köln u. Mainz 1973.
– Biblische Texte im Kontext des Lebens. Nachwort zur deutschen Ausgabe von W. Winks Buch: Bibelauslegung als Interaktion. Über die Grenzen historisch-kritischer Methode, (Kohlhammer) Stuttgart, Berlin, Köln u. Mainz 1976, 62–75.
Martin, R. M., On Whitehead's Concept of Abstractive Hierarchies. PPR 20, 1960, 374–382.
Mason, D. R., Time in Whitehead and Heidegger: Some Comparisons. ProcSt 5, 1975, 83–105.
Mays, W., Whitehead's Account of ›Speculative Philosophy‹ in Process and Reality. PAS 46, 1945, 17–46.
– Whitehead's Theory of Abstraction. PAS 52, 1951, 95–118.
– Rezension (über Wells, Process and Unreality). Mind 61, 1952, 429–432.
– The Philosophy of Whitehead, (Macmillan Co.) New York 1959.
– Whitehead and the Idea of Equivalence. RIPh 15, 1961, 167–184.
– The Relevance of ›On Mathematical Concepts of the Material World‹ to Whitehead's Philosophy. In: Leclerc, 235–260.
– Whitehead and the Philosophy of Time. StGen 23, 1970, 509–524.
McGilvary, E. B., Space-Time, Simple Location, and Prehension. In: Schilpp, 209–239.
McTaggart, J. E., Studies in Hegelian Cosmology, (Cambridge University Press) Cambridge 1901.
Meeks, M. D., Gott und die Ökonomie des Heiligen Geistes. EvTh 40, 1980, 40–58.
Melanchthon, Ph., Werke in Auswahl. Bd. II,1. Hg. R. Stupperich, (Bertelsmann) Gütersloh 1952.
Meland, B. E., Faith and Culture, (Southern Illinois University Press) Carbondale 1972.
– Interpreting the Christian Faith Within a Philosophical Framework. JR 33, 1953, 87–102.
– From Darwin to Whitehead. A Study in the Shift in Ethos and Perspective Underlying Religious Thought. JR 40, 1960, 229–245.
– The Realities of Faith. The Revolution in Cultural Forms, (Oxford University Press) New York 1962.
– Can Empirical Theology Learn Something From Phenomenology? In: The Future of Empirical Theology. Hg. B. E. Meland, (University of Chicago Press) Chicago 1969, 283–305.
Mellert, R. B., A Pastoral on Death and Immortality. In: Religious Experience, 399–408.
Metz, R., Die philosophischen Strömungen der Gegenwart in Großbritannien, Bd. 2, (Meiner) Leipzig 1935.
Miller, D. L., Whitehead's Extensive Continuum. Philosophy of Science 13, 1946, 144–149.
Miller, R. C., The American Spirit in Theology, (United Church Press) Philadelphia 1974.
Minkowski, H., Raum und Zeit. In: Verhandlungen der Gesellschaft Deutscher Naturforscher und Ärzte. 80. Versammlung zu Cöln. 20.–26. September 1908. 2. Teil, 1. Hälfte, (Verlag von F. C. W. Vogel) Leipzig 1909, 4–9.

Moltmann, J., Die Wirklichkeit der Welt und Gottes konkretes Gebot nach Dietrich Bonhoeffer. In: Die mündige Welt, III. (Kaiser) München 1960, 42–67.
– (Hg.), Anfänge der dialektischen Theologie. Teil II, (ThB 17), 2. Aufl. (Kaiser) München 1967.
– Theologie der Hoffnung. Untersuchungen zur Begründung und zu den Konsequenzen einer christlichen Eschatologie, (BEvTh 38), (Kaiser) München 1968.
– Perspektiven der Theologie. Gesammelte Aufsätze, (Kaiser) München und Mainz 1968.
– Wer ist »der Mensch«? (Benziger) Einsiedeln, Zürich u. Köln 1975.
– Theologische Erklärung zu den Menschenrechten. In: Gottes Recht und Menschenrechte. Studien und Empfehlungen des Reformierten Weltbundes. Hg. J. M. Lochman u. J. Moltmann, (Neukirchener Verlag) Neukirchen 1976, 44–60.
– Zukunft der Schöpfung. Gesammelte Aufsätze, (Kaiser) München 1977.
– Kirche in der Kraft des Geistes. Ein Beitrag zur messianischen Ekklesiologie, (Kaiser) München 1978.
– Antwort auf die Kritik an ›Der gekreuzigte Gott‹. In: Diskussion über J. Moltmanns Buch »Der gekreuzigte Gott«. Hg. M. Welker, (Kaiser) München 1979, 165–190.
– Gotteserfahrungen: Hoffnung, Angst, Mystik, (Kaiser) München 1979.
Moore, R. L., Process Philosophy and General Systems Theory. A Review Article. ProcSt 4, 1974, 291–299.
Morgan, C. L., The Bifurcation of Nature. Monist 40, 1930, 161–181.
– ›Subjective Aim‹ in Professor Whitehead's Philosophy. Philosophy 6, 1931, 281–294.
Morgan, G., Whitehead's Theory of Value. International Journal of Ethics 47, 1936/37, 309–316.
Morgan, W., The Organization of a Story and a Tale. JAF 58, 1945, 169–194.
Moser, L., Die Dimension des Dynamischen im Seinsbegriff. Versuch, das whiteheadsche Wirklichkeitsverständnis für einen dynamisch bestimmten Seinsbegriff auszuwerten, (Diss.) Freiburg/Schweiz 1975.
Moxley, D. J., The Conception of God in the Philosophy of Whitehead. PAS 34, 1933–1934, 157–186.
Müller, G. E., Amerikanische Philosophie, (Frommanns Klassiker der Philosophie, Bd. 31), 2. Aufl. (Frommann) Stuttgart 1950.
Murphy, A. E., The Anti-Copernican Revolution. JPh 26, 1929, 281–299.
– Whitehead's Objective Immortality. In: Reason and the Common Good. Selected Essays of Arthur E. Murphy. Hg. W. H. Hay, M. G. Singer u. A. E. Murphy, (Prentice-Hall) Englewood Cliffs 1963, 163–172.
Nelis, J., Gott und der Himmel im Alten Testament. Conc(D) 15, 1979, 150–156.
Neville, R. C., Neoclassical Metaphysics and Christianity: A Critical Study of Ogden's ›Reality of God‹. IPQ 9, 1969, 605–624.
– Whitehead on the One and the Many. Southern Journal of Philosophy 7, 1969, 387–393.
– The Impossibility of Whitehead's God in Christian Theology. PACPA 44, 1970, 130–140.
– The Cosmology of Freedom, (Yale University Press) New Haven 1974.
– Pluralism and Finality in Structures of Existence. In: John Cobb's Theology in Process. Hg. D. R. Griffin u. T. J. J. Altizer, (Westminster Press) Philadelphia 1977, 67–83.
Niebuhr, H. R., Radikaler Monotheismus, (Gütersloher Verlagshaus) Gütersloh 1965.
– The Responsible Self. An Essay in Christian Moral Philosophy, (Harper and Row) New York 1963.
Nobo, J. L., Whitehead's Principle of Process. ProcSt 4, 1974, 275–284.
Norman, R., Whitehead and ›Mathematicism‹. In: Kline, 33–40.
Northrop, F. S. C., Whitehead's Philosophy of Science. In: Schilpp, 165–207.
Novak, P., Studien zur Kohärenz des Whitehead'schen Denkens, (Diss.) Heidelberg 1968.
Ogden, Sch. M., Christ Without Myth, (Harper and Row) New York 1961.
– Die Realität Gottes. Übers. K. Gregor Smith, (Zwingli) Zürich 1970. Amerikanisch: The Reality of God and Other Essays, (Harper and Row) New York 1977.
– Beyond Supernaturalism. RelLife 33, 1963, 7–18.
– Zur Frage der ›richtigen‹ Philosophie. ZThK 61, 1964, 103–124.

– Theology and Philosophy: A New Phase of the Discussion. JR 44, 1964, 1–16.
– Der Begriff der Theologie bei Ott und Bultmann. In: Der spätere Heidegger und die Theologie. Hg. J. M. Robinson u. J. B. Cobb, (NLT 1), (Zwingli) Zürich u. Stuttgart 1964, 187–205.
– Glaube und Wahrheit. In: Theologie im Umbruch. Der Beitrag Amerikas zur gegenwärtigen Theologie. Hg. D. Peerman, (Kaiser) München 1968, 130–137. Amerikanisch: Faith and Truth. CCen, 1965, 1057–1060.
– A ›Christian‹ Natural Theology? CAd 9, 1965, 11–12. (Auch in: Process Philosophy, 111–115.)
– How Does God Function in Human Life? CaC 27, 1967, 105–108.
– Present Prospects for Empirical Theology. In: The Future of Empirical Theology. Hg. B. E. Meland, (University of Chicago Press) Chicago 1969, 65–88.
– Toward a New Theism. In: Process Philosophy, 173–187.
– What is Theology? JR 52, 1972, 22–40.
– Falsification and Belief. RelSt 10, 1974, 21–43.
– The Point of Christology. JR 55, 1975, 375–395.
– On Revelation. In: Our Common History as Christians. Essays in Honor of A. C. Outler. Hg. J. Deschner u.a., (Oxford University Press) New York 1975, 261–292.
– Christliche Theologie und die neue Religiosität. In: Chancen der Religion. Hg. R. Volp, (Gütersloher Verlagshaus) Gütersloh 1975, 157–174.
– The Authority of Scripture for Theology. Interp. 30, 1976, 242–261.
– Sources of Religious Authority in Liberal Protestantism. JAAR 44, 1976, 403–416.
– Christology Reconsidered: John Cobb's ›Christ in a Pluralistic Age‹. ProcSt 6, 1976, 116–122.
– The Meaning of Christian Hope. In: Religious Experience, 195–212.
– On the Trinity. For W. Pauck on His 70th Birthday, (Masch.).
– Rezension über: Antony Flew, The Presumption of Atheism and Other Philosophical Essays on God, Freedom and Immortality. Religious Studies Review 3, 1977, 142–144.
Orsi, C., La filosofia dell' organismo di A. N. Whitehead, (Libreria Scientifica) Neapel 1956.
Overmann, R. A., Hat die Theologie die Natur vergessen? Radius 3, 1973, 45–48.
Paci, E., Über einige Verwandtschaften zwischen der Philosophie Whiteheads und der Phänomenologie Husserls. RIPh 15, 1961, 237–250.
Palter, R. M., Science and Its History in the Philosophy of Whitehead. In: Process and Divinity. FS Hartshorne, 51–78.
Pannenberg, W., Grundfragen systematischer Theologie. Gesammelte Aufsätze. 2. Aufl. (Vandenhoeck) Göttingen 1971.
– Wissenschaftstheorie und Theologie, (Suhrkamp) Frankfurt 1973.
– Erfordert die Einheit der Geschichte ein Subjekt? In: Geschichte – Ereignis und Erzählung. Poetik und Hermeneutik V. Hg. R. Koselleck u. W.-D. Stempel, (Fink) München 1973, 478–490.
– Weltgeschichte und Heilsgeschichte. In: Geschichte – Ereignis und Erzählung. Poetik und Hermeneutik V. Hg. R. Koselleck u. W.-D. Stempel, (Fink) München 1973, 307–323.
– A Liberal Logos Christology: The Christology of John Cobb. In: John Cobb's Theology in Process. Hg. D. R. Griffin u. T. J. J. Altizer, (Westminster Press) Philadelphia 1977, 133–149.
– Religion in der säkularen Gesellschaft. Niklas Luhmanns Religionssoziologie. EK 11, 1978, 99–103.
Pannenberg, W., u. *Luhmann, N.*, Die Allgemeingültigkeit der Religion. Diskussion über Luhmanns Religionssoziologie. EK 11, 1978, 350–357.
Parmentier, A., La philosophie de Whitehead et le problème de Dieu, (Beauchesne) Paris 1968.
– Whitehead et la découverte de l'existence de Dieu. RThPh 5, 1969, 307–317.
Parsons, T., The Social System, (Free Press) New York 1964.
Peacocke, A. R., Creation and the World of Science, (Clarendon Press) Oxford 1979.
Peden, W. C., The Structure of Whitehead's Method of Philosophy. Radford Review 21, 1967, 169–184.

– Wieman's Non-Theistic Process-God. JRT 27, 1970, 29–36.
Pena, J. R. de la, Das Element der Projektion und der Glaube an den Himmel. Conc(D) 15, 1979, 178–184.
Pepper, St. C., A Proposal for a World Hypothesis. Monist 47, 1963, 267–286.
Pichl, K., Überwindung des Geschichtspositivismus. Der englische Beitrag: Whitehead, Russell und Toynbee. WuW 4, 1949, 748–763.
Pittenger, W. N., Alfred North Whitehead, (John Knox Press) Richmond 1969.
– The Doctrine of Christ in a Process Theology. ET 82, 1970, 7–10.
– Trinity and Process: Some Comments in Reply. TS 32, 1971, 290–296.
– Process Theology: A Whiteheadian Version. In: Religious Experience, 3–21.
Platon, Opera. Bd. II. Hg. J. Burnet, (Oxford University Press) Oxford 1967.
Platt, D., Transcendence of Subjectivity in Peirce and Whitehead. Pers. 49, 1968, 238–255.
Pols, E., Whitehead's Metaphysics. A Critical Examination of Process and Reality, (Southern Illinois University Press) Carbondale 1967.
Price, L., Dialogues of Alfred North Whitehead, (Greenwood Press) Westport 1977.
Quine, W. V., Whitehead and the Rise of Modern Logic. In: Schilpp, 125–163.
Rad, G. v., Theologie des Alten Testaments. Bd. I, (Kaiser) München 1957.
Rahner, H., Das Meer der Welt. ZKTh 66, 1942, 89–118.
Rahner, K., Geist in Welt. Zur Metaphysik der endlichen Erkenntnis bei Thomas von Aquin, (Felizian Rauch) Innsbruck u. Leipzig 1939.
Reese, W. L., u. *Freeman, E.* (Hg.), Process and Divinity. Philosophical Essays Presented to Charles Hartshorne, (Open Court) La Salle 1964.
Reitz, H., Was ist Prozeßtheologie? KuD 16, 1970, 78–104.
– Wirklichkeit ist ein Prozeß. Neue Impulse einer amerikanischen Theologie. EK 7, 1974, 741–743.
Rendtorff, T., Theorie des Christentums. Historisch-theologische Studien zu seiner neuzeitlichen Verfassung, (Gütersloher Verlagshaus) Gütersloh 1972.
Ritschl, D., Die Wissenschaftsproblematik in der amerikanischen Diskussion – ein Überblick. In: Theologie als Wissenschaft. Hg. G. Sauter, (ThB 43), (Kaiser) München 1971, 294–324.
Root, V. M., Eternal Objects, Attributes, and Relations in Whitehead's Philosophy. PPR 14, 1954, 196–204.
Rorty, R. M., The Subjectivist Principle and the Linguistic Turn. In: Kline, 134–157.
Rotenstreich, N., On Whitehead's Theory of Propositions. RMet 5, 1952, 389–404.
Rovatti, P. A., Whitehead e Husserl: una relazione. Man and World 1, 1968, 587–603.
Russell, B., Autobiographie I, 1872–1914. Übers. H. Kahn, 2. Aufl. (Suhrkamp) Frankfurt 1977.
Sauter, G., Erwartung und Erfahrung. Predigten, Vorträge und Aufsätze, (ThB 47), (Kaiser) München 1972.
– Wissenschaftstheoretische Kritik der Theologie. Die Theologie und die neuere wissenschaftstheoretische Diskussion, (Kaiser) München 1973.
Scheler, M., Die Stellung des Menschen im Kosmos. 8. Aufl. (Francke) Bern 1975.
Schelsky, H., Ist die Dauerreflektion [sic!] institutionalisierbar? Zum Thema einer modernen Religionssoziologie. ZEE 1, 1957, 153–174.
Schiller, F., Sämtliche Gedichte. Zweiter Teil. Dtv-Gesamtausgabe, Bd. 2. Hg. H. G. Göpfert, (dtv) München 1965.
Schilpp, P. A. (Hg.), The Philosophy of Alfred North Whitehead. The Library of Living Philosophers, Bd. III, (Open Court) La Salle 1971 (1. Aufl. 1941).
Schleiermacher, F., Dialektik. Hg. R. Odebrecht, (Wissenschaftliche Buchgesellschaft) Darmstadt 1976.
– Der christliche Glaube nach den Grundsätzen der evangelischen Kirche im Zusammenhange dargestellt. Bd. I. Hg. M. Redeker, 7. Aufl. (de Gruyter) Berlin 1960.
Schlier, H., Doxa bei Paulus als heilsgeschichtlicher Begriff. In: Besinnung auf das Neue Testament. Exegetische Vorträge und Aufsätze. 2. Aufl. (Herder) Freiburg, Basel u. Wien 1967, 307–318.

Schmidt, P. F., Perception and Cosmology in Whitehead's Philosophy, (Rutgers University Press) New Brunswick 1967.
Schmidt, W. H., Die Schöpfungsgeschichte der Priesterschrift. Zur Überlieferungsgeschichte von Genesis 1,1–2,4a und 2,4b–3,24. 3. Aufl. (Neukirchener Verlag) Neukirchen 1973.
Schmitz, H., System der Philosophie. Bd. III: Der Raum. Teil IV: Das Göttliche und der Raum, (Bouvier) Bonn 1977.
Schopenhauer, A., Preisschrift über die Grundlage der Moral. In: Kleinere Schriften. Sämtliche Werke, Bd. III. Hg. W. v. Löhneysen, (Wissenschaftliche Buchgesellschaft) Darmstadt 1968.
Schrag, C. O., Struktur der Erfahrung in der Philosophie von James und Whitehead. ZPhF 23, 1969, 479–494.
Schweizer, E., Das Evangelium nach Matthäus, (NTD 2), (Vandenhoeck) Göttingen 1976.
Seeberg, R., Lehrbuch der Dogmengeschichte. Bd. IV, 1, (Wissenschaftliche Buchgesellschaft) Darmstadt 1974.
Sherburne, D. W., A Whiteheadian Aesthetic. Some Implications of Whitehead's Metaphysical Speculation, (Yale University Press) New Haven 1961.
– A Key to Whitehead's »Process and Reality«, (Indiana University Press) Bloomington 1971.
– Whitehead Without God. Christian Schoolman 50, 1967, 251–272. (Auch in: Process Philosophy, 305–328.)
Sherburne, D. W., u. *Cobb, J. B.*, Regional Inclusion and the Extensive Continuum. ProcSt 2, 1972, 277–295.
Shimony, A., Quantum Physics and the Philosophy of Whitehead. In: Philosophy in America. Hg. M. Black, 2. Aufl. (Cornell University Press) Ithaca 1967, 240–261.
Siegwalt, G., Les fondements du monde contemporain, un défi pour les sciences et la théologie. RHPhR 59, 1979, 19–35.
Simmons, J. R., An Antinomy of Perishing in Whitehead. Pers. 50, 1969, 559–566.
Skirbekk, G. (Hg.), Wahrheitstheorien. Eine Auswahl aus den Diskussionen über Wahrheit im 20. Jahrhundert, (Suhrkamp) Frankfurt 1977.
Sölle, D., Gott und das Leiden. In: Diskussion über Jürgen Moltmanns Buch »Der gekreuzigte Gott«. Hg. M. Welker, (Kaiser) München 1979, 111–117.
Soffer, R. N., The Revolution in English Social Thought. AHR 75, 1970, 1938–1964.
Stearns, I., Time and the Timeless. RMet 4, 1950, 187–200.
Stebbing, L. S., Universals and Professor Whitehead's Theory of Objects. PAS 25, 1924–1925, 305–330.
Steck, O. H., Der Schöpfungsbericht der Priesterschrift. Studien zur literarkritischen und überlieferungsgeschichtlichen Problematik von Genesis 1,1–2,4a, (FRLANT 115), (Vandenhoeck) Göttingen 1975.
– Welt und Umwelt, (Kohlhammer) Stuttgart, Berlin, Köln u. Mainz 1978.
Stegmüller, W., Aufsätze zur Wissenschaftstheorie, (Wissenschaftliche Buchgesellschaft) Darmstadt 1974.
Stock, K., Annihilatio mundi. Johann Gerhards Eschatologie der Welt, (FGLP 10, 42), (Kaiser) München 1971.
– Gott der Richter. Der Gerichtsgedanke als Horizont der Rechtfertigungslehre. EvTh 40, 1980, 240–256.
Stockmeier, P., ›Modelle‹ des Himmels im christlichen Glaubensbewußtsein. Conc(D) 15, 1979, 162–167.
Stokes, W. E., Recent Interpretations of Whitehead's Creativity. MSM 39, 1962, 309–333.
– A Whiteheadean Approach To The Problem of God. In: Traces of God in a Secular Culture. Hg. G. F. McLean, (Alba House) Staten Island 1973, 61–84.
Stuhlmacher, P., Gerechtigkeit Gottes bei Paulus. 2. Aufl. (Vandenhoeck) Göttingen 1966.
Suchocki, M., The Metaphysical Ground of the Whiteheadian God. ProcSt 5, 1975, 237–246.
Taylor, A. E., Dr. Whitehead's Philosophy of Religion. DublR 181, 1927, 17–41.
– Some Thoughts on Process and Reality. Theol. 21, 1930, 66–79.
Teilhard de Chardin, P., Der Mensch im Kosmos, (Beck) München 1959.
Thompson, K. F., Whitehead's Philosophy of Religion, (Mouton) Den Haag u. Paris 1971.

Tiebout, H. M., Appearance and Causality in Whitehead's Early Writings. PPR 19, 1959, 43–52.
Tillich, P., Systematische Theologie. Bd. I, (Evangelisches Verlagswerk) Stuttgart 1956.
Topel, H., Whiteheads Analyse des »Wirklichen Falles«, (Diss.) Bonn 1951.
Torrance, T. F., Theological Science, (Oxford University Press) Oxford, London u. New York 1978.
Torretti, R., Die Frage nach der Einheit der Welt bei Kant. KantSt 62, 1971, 77–97.
Towne, E. A., Henry Nelson Wieman: Theologian of Hope. IliffRev 27, 1970, 13–24.
Tracy, D., John Cobb's Theological Method: Interpretation and Reflections. In: John Cobb's Theology in Process. Hg. D. R. Griffin u. T. J. J. Altizer, (Westminster Press) Philadelphia 1977, 25–38.
Tugendhat, E., Selbstbewußtsein und Selbstbestimmung. Sprachanalytische Interpretationen, (Suhrkamp) Frankfurt 1979.
Udert, L., Zum Begriff der Zeit in der Philosophie Alfred North Whiteheads. ZPhF 21, 1967, 409–430.
Urban, W. M., Whitehead's Philosophy of Language and its Relation to his Metaphysics. In: Schilpp, 301–327.
Ushenko, A. P., Negative Prehension. JPh 34, 1937, 263–267.
Veken, J. van der, Toward a Dipolar View on the Whole of Reality. LouvSt 7, 1978, 102–114.
Vlastos, G., Whitehead, Critic of Abstractions (Being the Story of a Philosopher Who Started with Science and Ended with Metaphysics). Monist 39, 1929, 170–203.
– Organic Categories in Whitehead. JPh 34, 1937, 253–262. (Auch in: Kline, 158–167.)
Vriezen, Th. C., Theologie des Alten Testaments in Grundzügen, (Neukirchener Verlag) Neukirchen 1956.
Wahl, J., La philosophie spéculative de Whitehead. RPFE 111, 1931, 341–378; 112, 1931, 108–143.
Weber, O., Grundlagen der Dogmatik. Bd. II, (Neukirchener Verlag) Neukirchen 1962.
Weinrich, H. (Hg.), Positionen der Negativität, (Fink) München 1975.
Weiss, P., Philosophy in Process. Bd. III: March-November, 1964, (Southern Illinois University Press) Carbondale 1968.
Weizsäcker, C. F. v., Zum Weltbild der Physik. 3. Aufl. (Hirzel) Leipzig 1945.
– Die Geschichte der Natur. Zwölf Vorlesungen, (Hirzel) Stuttgart 1948.
– Gottesfrage und Naturwissenschaften. In: Heute von Gott reden. Hg. M. Hengel u. R. Reinhardt, (Kaiser/Grünewald) München 1977, 162–180.
Welker, M., Der Vorgang Autonomie. Philosophische Beiträge zur Einsicht in theologischer Rezeption und Kritik, (Neukirchener Verlag) Neukirchen 1975.
– Das theologische Prinzip des Verhaltens zu Zeiterscheinungen. Erörterung eines Problems im Blick auf die theologische Hegelrezeption und Gen. 3,22a. EvTh 36, 1976, 225–253.
– (Hg.), Diskussion über Jürgen Moltmanns Buch »Der gekreuzigte Gott«, (Kaiser) München 1979.
Wells, H. K., Process and Unreality. A Criticism of Method in Whitehead's Philosophy, (King's Crown Press) London 1950.
Wendland, H.-D., Geschichtsanschauung und Geschichtsbewußtsein im Neuen Testament, (Vandenhoeck) Göttingen 1938.
Westermann, C., Genesis, (BK.AT I/1), 2. Aufl. (Neukirchener Verlag) Neukirchen 1976.
Weth, R., Gott in Jesus. Der Ansatz der Christologie Friedrich Gogartens, (FGLP 10, 36), (Kaiser) München 1968.
Whitehead, A. N. (Die meisten der Werke Whiteheads sind in unterschiedlichen Ausgaben und verschiedenen Zusammenstellungen veröffentlicht worden. Deshalb werden entweder Erstveröffentlichungen verwendet oder Hinweise auf die Erstveröffentlichung den verwendeten Textausgaben [in Klammern] vorangestellt.)
– A Treatise on Universal Algebra. Bd. I, (Cambridge University Press) Cambridge 1898.
– Liberty and the Enfranchisement of Women (Cambridge Women's Suffrage Association, Cambridge 1906). ProcSt 7, 1977, 37–39.
– On Mathematical Concepts of the Material World. Philosophical Transactions of the Royal

Society of London, Series A, 205, 1906, 465–525.
- Axioms of Geometry (In Abschnitt VII des Artikels: Geometry. EBrit 11, 1910, 730–736). ESP, 243–268; ESPd, 151–183.
- Non-Euclidean Geometry (Zusammen mit B. Russell in Abschnitt VI des Artikels Geometry. EBrit 11, 1910, 724–730). ESP, 289–312; ESPd, 184–214.
- Principia Mathematica. Bd. 1. Zusammen mit B. Russell ([Cambridge University Press] Cambridge 1910). (Cambridge University Press) Cambridge 1925.
- An Introduction to Mathematics ([Williams and Norgate] London 1911). (Oxford University Press) London 1969.
- Eine Einführung in die Mathematik. Übers. B. Schenker, 2. Aufl. (Lehnen) München 1958.
- Mathematics (EBrit 11, 1911, 878–883). ESP, 269–288; ESPd, 125–150.
- The Mathematical Curriculum (Presidential Address to the London Branch of the Mathematical Association, 1912). OT, 69–91.
- The Place of Mathematics in a Liberal Education (Journal of the Association of Teachers of Mathematics for the Southeastern part of England, 1, 1912). Unter dem Titel: Mathematics and Liberal Education, in: ESP, 175–188.
- The Principles of Mathematics in Relation to Elementary Teaching (Proceedings of the Fifth International Congress of Mathematicians. Cambridge, August 22–28, 1912, 2, [Cambridge University Press] Cambridge 1913, 449–454). OT, 92–104.
- Space, Time, and Relativity (PAS 16, 1915–1916, 104–129). OT, 191–228.
- The Aims of Education – A Plea for Reform (Mathematical Gazette 8, January 1916, 191–203). OT, 1–28.
- The Organisation of Thought (Report of the 86th Meeting of the British Association for the Advancement of Science, 1916, 355–365). OT, 105–133.
- The Anatomy of Some Scientific Ideas. OT, 134–190.
- The Organisation of Thought, Educational and Scientific ([Williams and Norgate] London 1917). (Greenwood Press) Westport 1975.
- Technical Education and Its Relation to Science and Literature (Technical Journal 10, January 1917, 59–74). OT, 29–57.
- Education and Self-Education (Stanley Technical School & Coventry & Son, 1919). ESP, 166–174.
- An Enquiry Concerning the Principles of Natural Knowledge ([Cambridge University Press] Cambridge 1919). (Cambridge University Press) Cambridge 1955.
- The Concept of Nature ([Cambridge University Press] Cambridge 1920). (Cambridge University Press) Cambridge 1971.
- Science in General Education (Proceedings of the Second Congress of Universities of the Empire. [Bell] London 1921, 31–39). ESP, 189–199.
- The Philosophical Aspects of the Principle of Relativity. PAS 22, 1921–1922, 215–223.
- The Principle of Relativity, with Applications to Physical Science, (Cambridge University Press) Cambridge 1922.
- The Rhythm of Education ([Christophers] London 1922). AE, 15–28.
- Uniformity and Contingency (PAS 23, 1922–1923, 1–18). ESP, 132–148; ESPd, 47–68.
- The First Physical Synthesis (Science and Civilization. Hg. F. S. Marvin, ([Oxford University Press] London 1923, 161–178). ESP, 227–242; ESPd, 91–110.
- The Place of Classics in Education (HibJ 21, 1923, 248–261). AE, 61–75.
- Symposium – The Problem of Simultaneity: Is There a Paradox in the Principle of Relativity in Regard to the Relation of Time Measured and Time Lived? Zusammen mit H. Wildon Carr u. R. A. Sampson. PAS.S 3. Relativity, Logic, and Mysticism, 1923, 15–41.
- Science and the Modern World. Lowell Institute Lectures, 1925 ([Macmillan Co.] New York 1925). (Collins) Glasgow 1975.
- Wissenschaft und moderne Welt. Übers. G. Tschiedel u. F. Bondy, (Morgarten, Conzett u. Huber) Zürich 1949.
- The Education of an Englishman (Atlantic Monthly 138, 1926, 192–198). ESP, 29–39.
- Religion in the Making. Lowell Institute Lectures, 1926 ([Macmillan Co.] New York 1926). (New American Library) New York 1960.

– England and the Narrow Seas (Atlantic Monthly 139, 1927, 791–798). ESP, 40–52.
– Symbolism, Its Meaning and Effect. Barbour-Page Lectures: University of Virginia, 1927 ([Macmillan Co.] New York 1927). (Putnam) New York 1959.
– The Aims of Education and Other Essays ([Macmillan Co.] New York 1929). (Free Press) New York 1967.
– The Function of Reason. Louis Clark Vanuxem Foundation Lectures, Princeton University, March 1929 (Princeton University Press) Princeton 1929.
– Die Funktion der Vernunft. Übers. E. Bubser, (Reclam) Stuttgart 1974.
– Process and Reality. An Essay in Cosmology. Gifford Lectures Delivered in the University of Edinburgh During the Session 1927–1928 ([Macmillan Co.] New York 1929). (Macmillan Co.) New York 1967 (= PR). Corrected Edition, hg. D. R. Griffin u. D. W. Sherburne, (Free Press) New York 1978 (= PRc).
– Prozeß und Realität. Entwurf einer Kosmologie. Übers. H.-G. Holl, (Suhrkamp) Frankfurt 1979.
– Process and Reality. (Symposium in Honor of the Seventieth Birthday of Alfred North Whitehead ([Harvard University Press] Cambridge1932). ESP, 114–119.
– Adventures of Ideas ([Macmillan Co.] New York 1933). (Free Press) New York 1967.
– Abenteuer der Ideen. Übers. E. Bubser, (Suhrkamp) Frankfurt 1971.
– The Study of the Past – Its Uses and Its Dangers (Harvard Business Review 11, 1933, 436–444). ESP, 151–165.
– Indication, Classes, Numbers, Validation (Mind 43, 1934, 281–297). ESP, 313–331.
– Harvard: The Future (Atlantic Monthly 158, 1936, 260–270). ESP, 207–224.
– Remarks (PhRev 46, 1937, 178–186). Als: Analysis of Meaning, in: ESP, 122–131; ESPd, 34–46.
– Modes of Thought. Six lectures delivered at Wellesley College, 1937–1938, and two lectures at the University of Chicago, 1933 ([Macmillan Co.] New York 1938). (Free Press) New York 1968.
– An Appeal to Sanity (Atlantic Monthly 163, 1939, 309–320). ESP, 53–74.
– Autobiographical Notes. In: Schilpp, 1–14.
– Immortality. The Ingersoll Lecture for 1941 (In: Schilpp, 682–700). ESP, 77–96; ESPd, 8–33.
– Mathematics and the Good (In: Schilpp, 666–681). ESP, 97–113; ESPd, 69–90.
– Essays in Science and Philosophy ([Philosophical Library] New York 1947). (Greenwood Press) New York 1968.
– Philosophie und Mathematik. Vorträge und Essays. In Auswahl übers. F. Ortner, (Humboldt) Wien 1949.
– Unpublished Letter from Whitehead to Kemp Smith. Southern Journal of Philosophy 7, 1969, 339–340.
Whittemore, R. C., Hegel's ›Science‹ and Whitehead's ›Modern World‹. Phil. 31, 1956, 36–54.
– Philosophy as Comparative Cosmology. Tulane Studies in Philosophy 7, 1958, 135–146.
Wiehl, R., Der Begriff in den Anschauungsformen der Mittelbarkeit und Unmittelbarkeit, nebst einem Anhang über die Kategorien in Whiteheads »Process and Reality«, (Diss.) Frankfurt 1959.
– Zeit und Zeitlosigkeit in der Philosophie A. N. Whiteheads. In: Natur und Geschichte. Karl Löwith zum 70. Geburtstag. Hg. M. Riedel, (Kohlhammer) Stuttgart 1967, 373–405.
– Einleitung in die Philosophie A. N. Whiteheads. In: AId, 7–71.
Wieman, H. N., Religious Experience and Scientific Method, (Greenwood Press) Westport 1970.
– The Wrestle of Religion with Truth, (Macmillan Co.) New York 1928.
– The Source of Human Good, (Southern Illinois University Press) Carbondale 1967.
– Intellectual Foundation of Faith, (Vision Press) London 1961.
– The Structure of the Divine Creativity: An Exchange of Views, II. IliffRev 19, 1962, 37–42.
– Intellectual Autobiography of Henry Nelson Wieman. In: The Empirical Theology of Henry Nelson Wieman. Hg. R. W. Bretall, (Macmillan Co.) New York 1963; (Southern Illinois

University Press) Carbondale 1969, 1–18.
Wiesner, W., Die Welt im Verständnis des christlichen Glaubens, (Quelle u. Meyer) Heidelberg 1964.
Wilckens, U., Der Brief an die Römer (Röm 1–5), (EKK VI/1), (Neukirchener Verlag) Neukirchen 1978.
Wildberger, H., Jesajas Verständnis der Geschichte. VT.S 9, 1963, 83–117.
Williams, D. D., God's Grace and Man's Hope, (Harper and Row) New York 1965 (Kap. 5 in: Process Philosophy, 441–463).
– God and Time. SEAJT 2, 1961, 7–19.
– Deity, Monarchy, and Metaphysics: Whitehead's Critique of the Theological Tradition. In: Leclerc, 353–372.
– How Does God Act? An Essay in Whitehead's Metaphysics. In: Process and Divinity. FS Hartshorne, 161–180.
– The New Theological Situation. ThTo 24, 1968, 444–463.
– The Spirit and the Forms of Love, (James Nisbet) Digswell Place 1968.
– Prozeß-Theologie: Eine neue Möglichkeit für die Kirche. EvTh 30, 1970, 571–582.
– Philosophy and Faith: A Study in Hegel and Whitehead. In: Our Common History as Christians. Essays in Honor of A. C. Outler. Hg. J. Deschner u.a., (Oxford University Press) New York 1975, 157–175.
Williamson, C., Whitehead as Counterrevolutionary? Toward Christian-Marxist Dialogue. ProcSt 4, 1974, 176–186.
Wind, E., Mathematik und Sinnesempfindung: Materialien zu einer Whitehead-Kritik. Logos 21, 1932, 239–280.
Wink, W., Bibelauslegung als Interaktion. Über die Grenzen historisch-kritischer Methode, (Kohlhammer) Stuttgart, Berlin, Köln u. Mainz 1976.
Winn, R. B., Whitehead's Concept of Process: A Few Critical Remarks. JPh 30, 1933, 710–714.
Wittgenstein, L., Tractatus logico-philosophicus. Logisch-philosophische Abhandlung. 5. Aufl. (Suhrkamp) Frankfurt 1968.
Wolf-Gazo, E. (Hg.), Whitehead. Einführung in seine Kosmologie, (Alber) Freiburg u. München 1980.
Wood, F., A Whiteheadian Concept of the Self. Southwestern Journal of Philosophy 4, 1973, 57–65.
Woodhouse, H. F., Pneumatology and Process Theology. SJTh 25, 1972, 383–391.
Yorck v. Wartenburg, P., Bewußtseinsstellung und Geschichte. Ein Fragment aus dem philosophischen Nachlaß. Hg. I. Fetscher, (Niemeyer) Tübingen 1956.
Zwiefelhofer, H., Zum Begriff der Dependenz. In: Befreiende Theologie. Der Beitrag Lateinamerikas zur Theologie der Gegenwart. Hg. K. Rahner u.a., (Kohlhammer) Stuttgart, Berlin, Köln u. Mainz 1977, 34–45.

Neukirchener Beiträge zur Systematischen Theologie

Band 2

Hans-Joachim Kraus

Theologische Religionskritik

ca. 288 Seiten, Paperback ca. 35,– DM

Das Buch wurde verfaßt mit dem Ziel, in möglichst umfassender Weise in die theologische Religionskritik einzuführen und die Bedeutung dieses revolutionären Vorstoßes angesichts der herabwürdigenden und oft recht unqualifizierten Angriffe von seiten der Verfechter und Liebhaber von »Religion« klar und scharf herauszustellen. Am Anfang stehen Referat, Analyse und Interpretation der theologischen Religionskritik bei *Karl Barth* und *Dietrich Bonhoeffer*, auch die Auseinandersetzung mit den dieser Religionskritik abweisend begegnenden Stellungnahmen. Eingefaßt in geistesgeschichtliche Orientierungsskizzen folgt ein die Theologie *Martin Luthers* und *Johannes Calvins* betreffendes Kapitel unter dem Thema »Die Reformatoren als Wegbereiter neuzeitlicher Religionskritik«. Als unerläßlich erweist sich schließlich die Befassung mit der anthropologisch und ökonomisch fundierten Religionskritik, also mit *Ludwig Feuerbach* und *Karl Marx*. Aufs neue wird gefragt, was christliche Theologie in der Begegnung mit Feuerbach und Marx zu lernen und zu erklären hat.
Aus der gesamten Darstellung ergeben sich *neue Perspektiven*, die biblisch-theologisch und systematisch aufzureißen sind. Dabei kann sich der Verfasser gelegentlich auf die Konzeption seines Buches »Reich Gottes: Reich der Freiheit. Grundriß Systematischer Theologie« (1975) beziehen. Doch stehen im Fluchtpunkt der »neuen Perspektiven« Überlegungen zum Dialog mit den Religionen.

Neukirchener Verlag · 4133 Neukirchen-Vluyn 2